著 ZCT 策劃

會計・生管・財務的
辦公室EXCEL
省時高手必備50招 Office 365

暢銷回饋版

博碩文化

本書如有破損或裝訂錯誤，請寄回本公司更換

作　　者：張雯燕 著、ZCT 策劃
編　　輯：Cathy、魏聲圩

董 事 長：陳來勝
總 編 輯：陳錦輝

出　　版：博碩文化股份有限公司
地　　址：221 新北市汐止區新台五路一段 112 號 10 樓 A 棟
　　　　　電話 (02) 2696-2869　傳真 (02) 2696-2867

發　　行：博碩文化股份有限公司
郵撥帳號：17484299　戶名：博碩文化股份有限公司
博碩網站：http://www.drmaster.com.tw
讀者服務信箱：dr26962869@gmail.com
訂購服務專線：(02) 2696-2869 分機 238、519
（週一至週五 09:30 ～ 12:00；13:30 ～ 17:00）

版　　次：2023 年 7 月二版一刷

建議零售價：新台幣 500 元
I S B N：978-626-333-545-5
律師顧問：鳴權法律事務所 陳曉鳴

國家圖書館出版品預行編目資料

超實用！會計 . 生管 . 財務的辦公室 EXCEL 省時高手必備 50 招 (Office 365 版)/ 張雯燕著 . -- 二版 . -- 新北市 : 博碩文化股份有限公司 , 2023.07
面；　公分

ISBN 978-626-333-545-5(平裝)

1.CST: EXCEL(電腦程式)

312.49E9　　112011082

Printed in Taiwan

博碩粉絲團　歡迎團體訂購，另有優惠，請洽服務專線 (02) 2696-2869 分機 238、519

序

Excel 真的是生活和工作上的好幫手，近期筆者十分熱衷社區的公眾事務，以往舉凡社區關懷據點的老人的出席和血壓紀錄、守望相助巡守隊誤餐費的計算、社區旅遊保險名冊管理⋯等，都用最原始的方法記錄著。自從熱心參與其中後，陸續將這些資料使用 Excel 管理，剛開始的確是要花更多的時間重新整理，但資料檔建立完成後，省時有效率就是最大的好處，可以花更多的時間設計新的活動內容，增進社區居民的情感。

社區之中也不乏有行政工作出身的志工，也都接觸使用過 Excel 這套軟體，但是卻沒有想過可以將它應用在社區行政工作上，無非是想像力不夠。基礎的操作大家都會使用，只是要將多項基礎操作結合起來，整合成功能較強大的檔案內容，剛開始都會覺得沒有必要，一旦資料檔建立完成，功能整合完成，才又覺得原來可以這麼簡單，只要多花一點時間和耐心，就可以節省更多的時間，行政工作也不再繁雜而毫無效率。

但是這讓我想起曾經短暫任職過的一位公司老闆，他本身就是 Excel 高手，交付給我的財務檔案也是他精心設計過的，內容讓我十分佩服，但是當我要把手邊行政工作的檔案整合起來的時候，他卻叫我不要花那些時間，理由是要找到會使用的人不多，還是用最簡單、原始的方式，以後比較好交接。

這個論點不是我第一次遇到，曾經有一個同辦公室的學妹這樣告訴我，學姊經手的檔案沒幾個人會使用，以後你會很難離職，交接期間一定會嚇跑新人。但是會計行政工作的職務本來就是很容易被取代，嚇跑幾個新人或許也可以自我安慰一番。

所以還是要鼓勵想要或已經購買這本書的讀者，Excel 真的不難，難的是發揮想像力和創造力，在職場中看到高手前輩的檔案，千萬要見獵心喜，趕快複製下來，仔細研究其中的奧妙，然後再想想自己經手的工作，可否拿來運用或改進，如此才能讓自己的功力快速提升。希望大家學業和事業，都能（試試）順心！

張雯燕

目錄

1 總管事務常用表格

2 進銷存管理系統

3 會計帳務系統

4 薪資計算管理

5 固定資產管理

6 股務管理系統

7 商品行銷分析

8 商品行銷分析

9 投資方案評估

CHAPTER

1 總管事務常用表格

Excel

單元 01

範例光碟：CHAPTER 01\01財產保管卡

財產保管卡

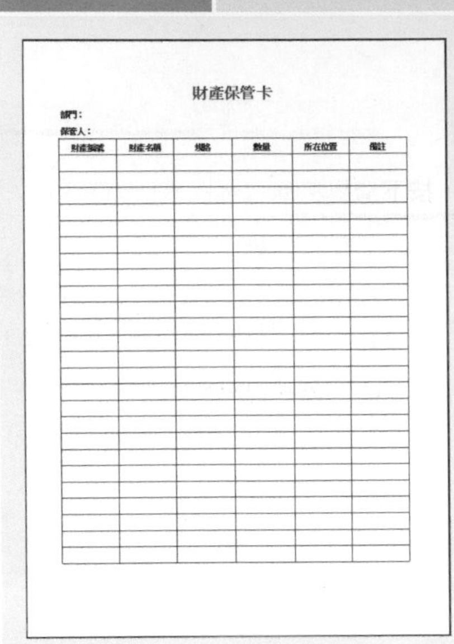

財產保管卡

部門：

保管人：

財產編號	財產名稱	規格	數量	所在位置	備註

公司內部不論是大型的機械設備、小型的電腦設備或分機電話都是屬於公司的財產，都要列表管理，逐年提列折舊費用。每項財產都應該有專屬財產編號，並指定保管人善盡保管的責任，相關財產到了使用年限，不管要報廢或延長使用年限，都要有符合表列規格的物品以供查證。

範例步驟

① 啟動 Excel 365 會出現「檔案」功能視窗，這個功能視窗提供開新檔案、開啟舊檔、使用範本檔以及雲端檔案服務。接著趕快執行「空白活頁簿」指令，開始建立新的 Excel 活頁簿檔案。

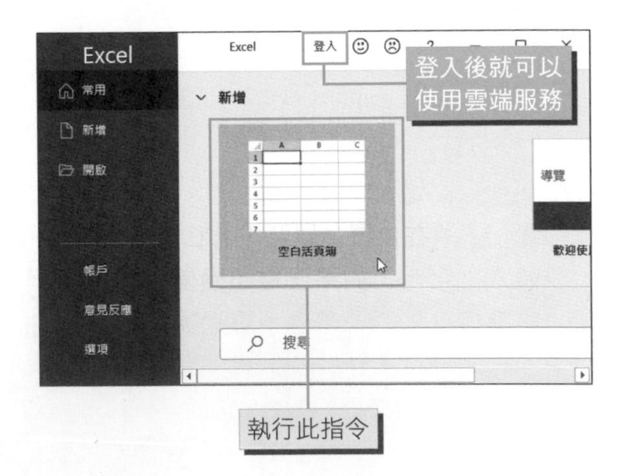

② 開啟的 Excel 視窗就是一個活頁簿檔案，但是同一個活頁簿檔案中，可以包含許多工作表，全都會顯示在工作表標籤列中。接著將滑鼠游標移到 A1 儲存格位置，按一下滑鼠左鍵，選取 A1 儲存格。

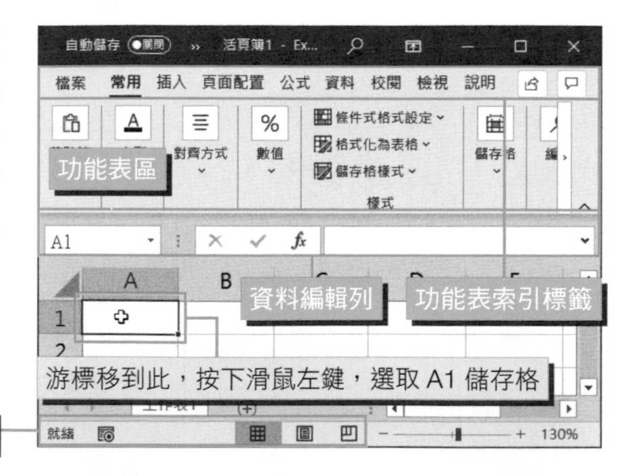

③ 在已選取的 A1 儲存格輸入表頭名稱「財產保管卡」，輸入完成後，按下資料編輯列上的 ✔「輸入」鈕。（按鍵盤【Enter】鍵或是選取其他儲存格都可以完成輸入內容）

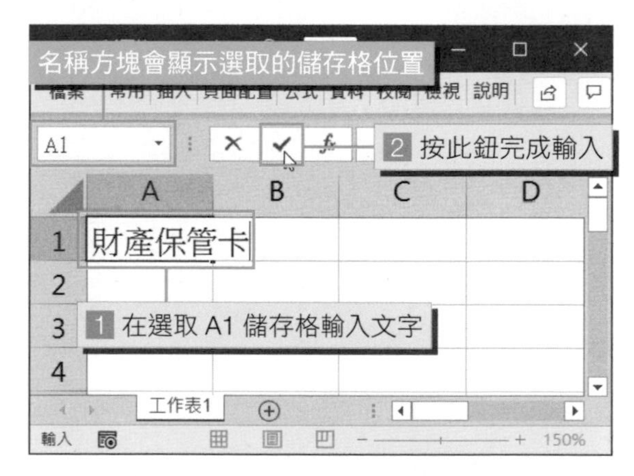

④ 接著分別在 A2 和 A3 儲存格輸入文字「部門」和「保管人」，並於 A4:F4 儲存格輸入文字「財產編號」、「財產名稱」、「規格」、「數量」、「所在位置」以及「備註」。輸入文字時，如果已經超過儲存格寬度，先不要著急！透過調整儲存格寬度或合併儲存格…等步驟，就能輕鬆解決這個問題。

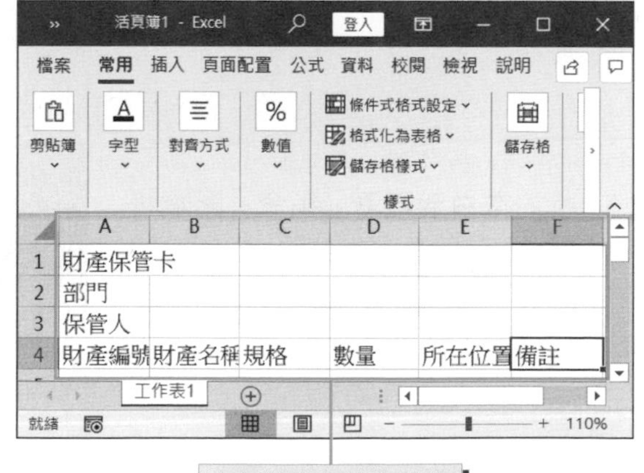

⑤ 先選取 A1 儲存格，按住滑鼠左鍵，向右拖曳滑鼠直到 F1 儲存格，放開滑鼠左鍵，即完成選取 A1:F1 相連的儲存格。切換到「常用」功能索引標籤，在「對齊方式」功能區中，執行「跨欄置中」指令，此指令會使 A1:F1 變成單一儲存格，並自動將文字水平置中對齊。

⑥ 繼續在「常用」功能索引標籤，在「字型」功能區中，按下「字型大小」清單鈕，選擇字型大小為「22」。當選擇字型大小時，儲存格內的文字大小能即時預覽，方便使用者確認。

⑦ 繼續在「字型」功能區中，按下字型 **B**「粗體」鈕，將表頭文字變成粗體。將游標移到工作表左上方「列」和「欄」的交叉處，當滑鼠指標變成 ✚ 十字符號時，按下滑鼠左鍵選取整張工作表。

❽ 將游標移到任兩欄的連接處，當游標符號變成 ✛，按住滑鼠左鍵，向右拖曳調整儲存格到「寬度 :13.67」(130 像素)，放開滑鼠則完成調整欄寬。

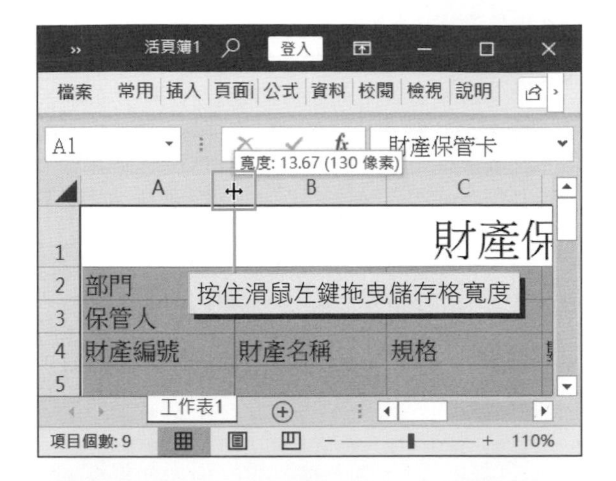

❾ 依相同方法將游標移到任兩列的連接處，當游標符號變成 ✛，按住滑鼠左鍵，向下拖曳調整儲存格到「高度 :24.00」(40 像素)，放開滑鼠則完成調整列高。

游標移到此，拖曳滑鼠調整列高

❿ 任選一個儲存格即可取消選取整張工作表。選取 A1 儲存格，在「儲存格」功能區中，按下「格式」清單鈕，執行「列高」指令，藉以調整表頭名稱高度，讓名稱更為明顯。

⑪ 開啟「設定列高」對話方塊，輸入高度「40」後，按「確定」鈕。(列高 40 與 40 像素不一樣高喔！)

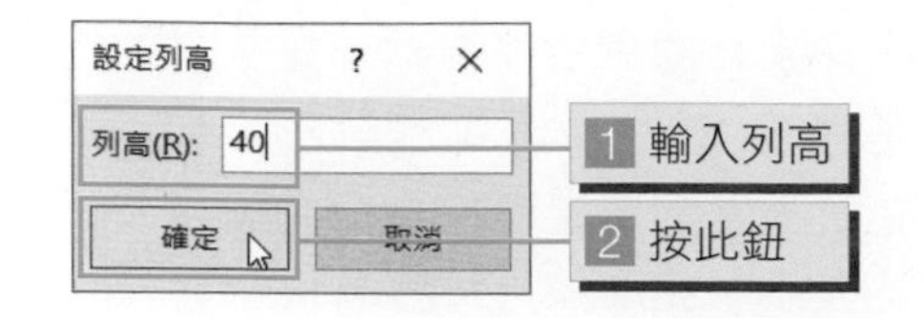

⑫ 選取 A4:F4 儲存格，在「對齊方式」功能區中，執行「置中」指令，將標題文字水平置中。

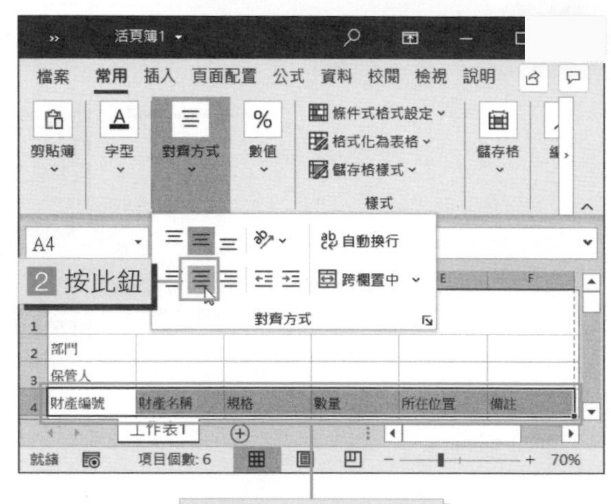

⑬ 最後選取 A4:F29 儲存格範圍，在「字型」功能區中，按下「框線」清單鈕，選擇「所有框線」樣式。

⑭ 財產保管卡終於製作完成，接著只要將檔案儲存起來，這樣就不用一直重複製作表格。在「快速存取工具列」上，按下「儲存檔案」鈕。

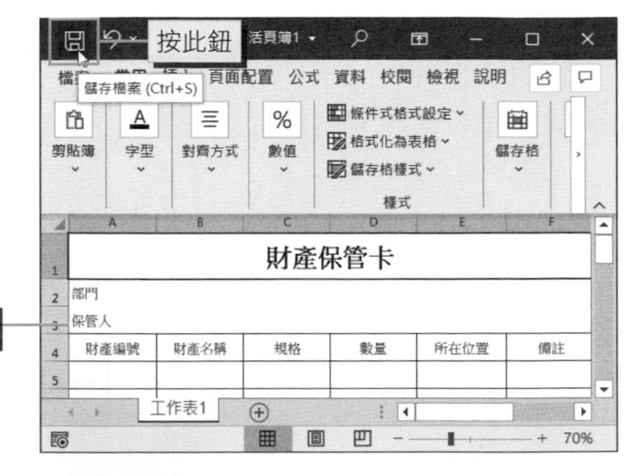

⑮ 出現「檔案」功能視窗，Excel 會自動執行「另存新檔」的指令，將游標移到「這台電腦」，快按滑鼠左鍵 2 下，選擇儲存於本機電腦中。

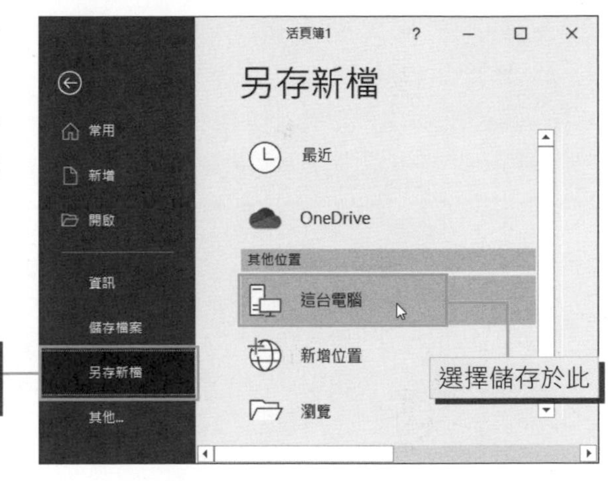

⑯ 然後選擇要儲存的資料夾路徑，輸入檔案名稱「財產保管卡」，按下「確定」鈕就完成儲存工作。

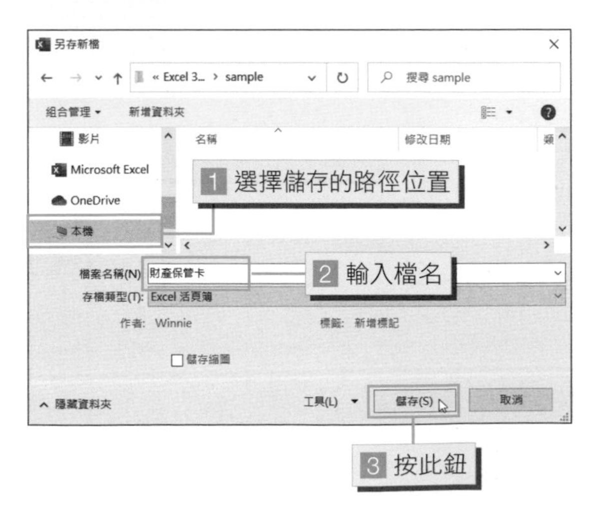

⑰ 儲存完成的活頁簿檔案名稱，會從「活頁簿 1」變成指定的「財產保管卡」。按下「檔案」功能表標籤。

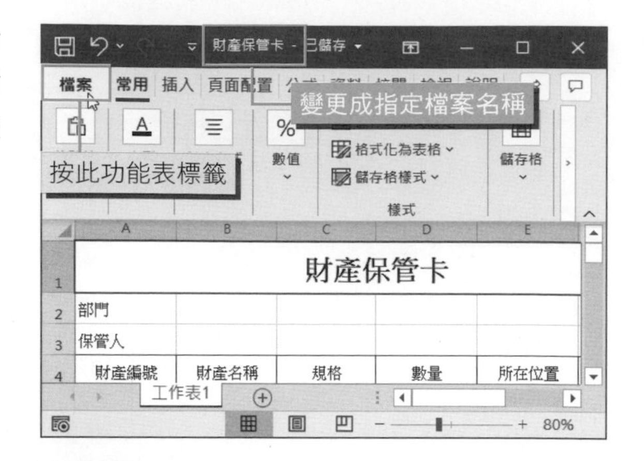

⑱ 在檔案功能表視窗中，切換到「列印」功能索引標籤，按下「列印」鈕即可列印工作表。

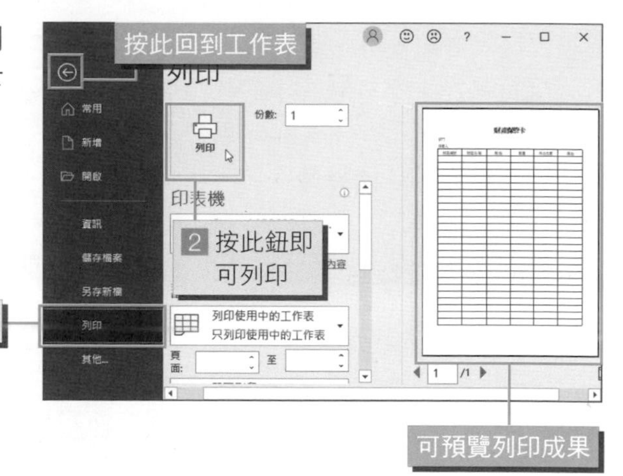

單元 02

範例光碟：CHAPTER 01\02費用預支單

費用預支單

費用預支單

姓名		部門		申請日期	
申請金額	元		預計銷帳日期		
申請事由					

領款簽收：

公司總務部門通常都會準備一些消耗性的辦公用品，但如果臨時需要使用的不常使用的物品，如祭祀用品或是製作宣傳道具的少量材料，可以不透過採購流程緊急購買。這類物品通常多半是請購人先去採買，再憑購買單據申請零用金；但是也可以填寫費用預支單，先申請一筆金額出去購買，再憑購買發票核銷。

範例步驟

1. 首先啟動 Excel 365 程式，開啟「檔案」功能視窗，執行「開啟」指令。

2. 切換到「開啟」功能視窗，將游標移到「這台電腦」處，快按滑鼠左鍵兩下。

③ 開啟「開啟舊檔」對話方塊，請選擇範例檔「02 費用預支單 (1).xlsx」後，按「開啟」鈕。

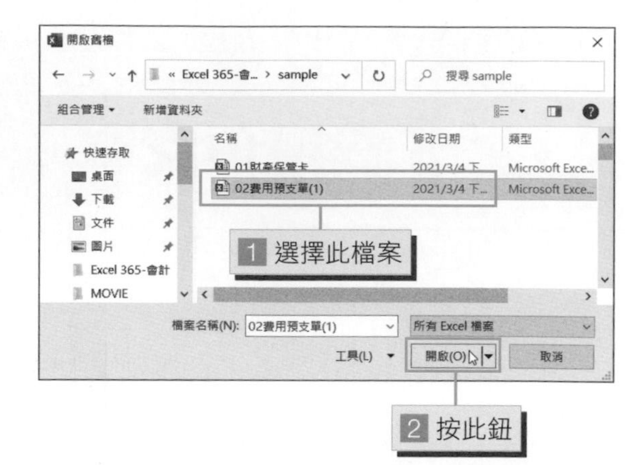

④ 開啟舊有工作表檔案，本範例檔已將部分文字格式和欄位寬度設定完成。使用拖曳的方式，先選取 E3:F3 這兩個連續儲存格，按住鍵盤【Ctrl】鍵，再選取 B4:F4 儲存格範圍。放開鍵盤【Ctrl】鍵，則完成不連續儲存格範圍的選取。

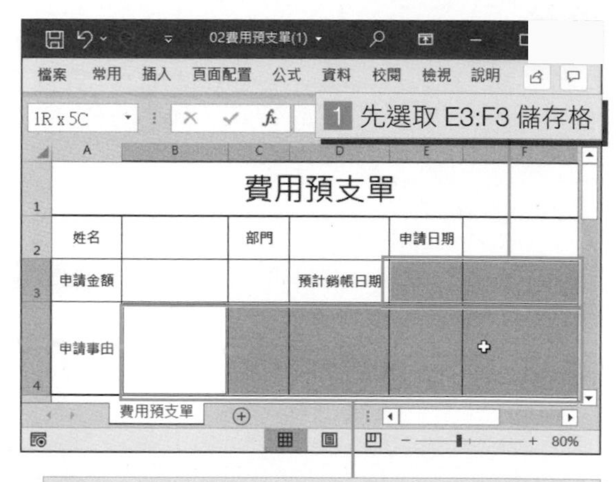

⑤ 切換到「常用」功能索引標籤，在「對齊方式」功能區中，按下「跨欄置中」清單鈕，執行「合併儲存格」指令。儲存格依照選取的範圍大小，各自合併成單一儲存格。

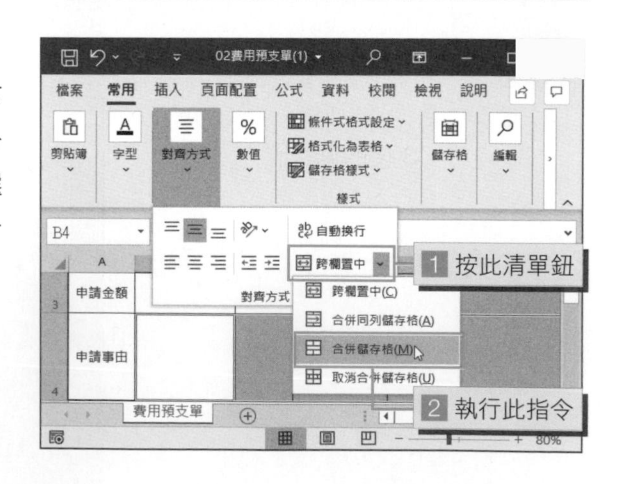

6. 接下來利用框線的變化，製造合併儲存格的假象。選取 B3:C3 儲存格，在「字型」功能區中，按下 ⊞ ˅「框線」清單鈕，選擇「無框線」樣式。

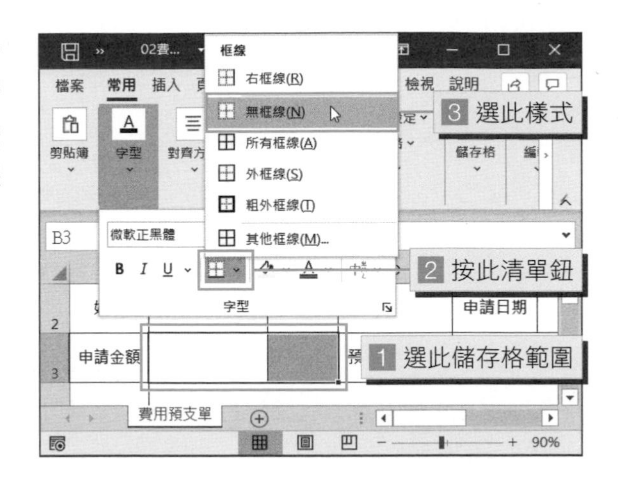

7. 繼續以 B3:C3 儲存格範圍為作用儲存格，再次按下「框線」清單鈕，選擇「外框線」樣式。

8. 在 C3 儲存格輸入內容文字「元」，B3 和 C3 是分開的兩個儲存格，因為少了中間的框線，看起來像 B3 合併 C3 後的儲存格。

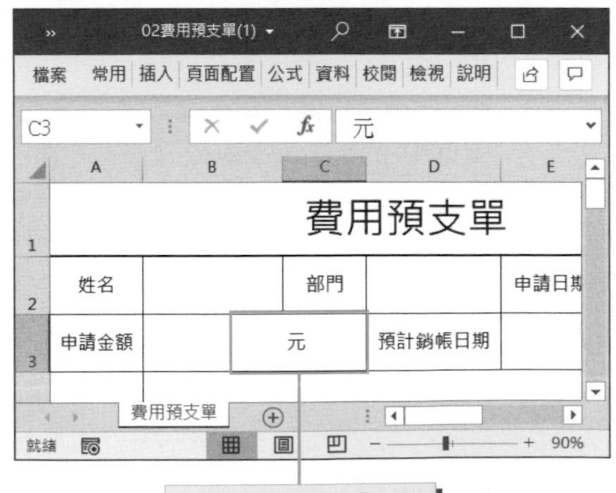

9 選取 B3 儲存格，切換到「常用」功能索引標籤，在「數值」功能區中，按下 $ ⌄「會計數值格式」清單鈕，選擇「$ 中文(台灣)」樣式。

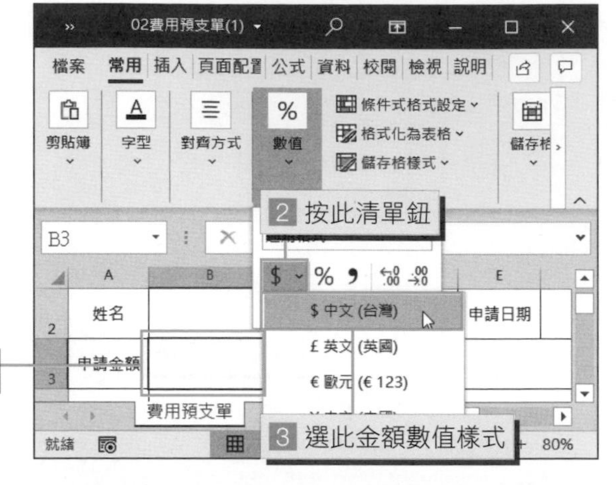

10 當任意輸入數值時，B3 儲存格則會套用設定的會計樣式，但此樣式包含了小數點 2 位數，若想取消小數點位數，在「數值」功能區中，按下 .00→.0「減少小數位數」鈕，每按一次就取消一位小數位數。

11 按住鍵盤【Ctrl】鍵，選擇 F2 和 E3 儲存格，按下「數值格式」清單鈕，選擇「詳細日期」格式。

⑫ 選取 A1 儲存格，在「對齊方式」功能區中，執行 ≡「靠上對齊」指令，使文字垂直向上對齊。

⑬ 最後在「字型」功能區中，按下 U ⌄「底線」清單鈕，選擇「雙底線」樣式，即完成費用預支單。

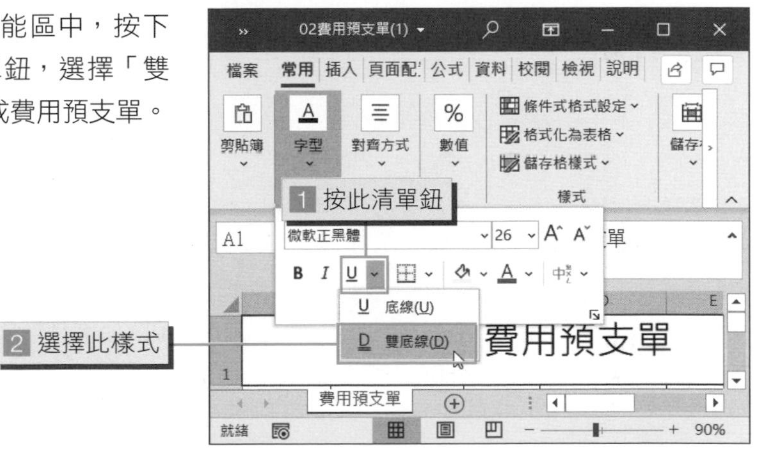

單元 03

範例光碟：CHAPTER 01\03出差旅費報告單

出差旅費報告單

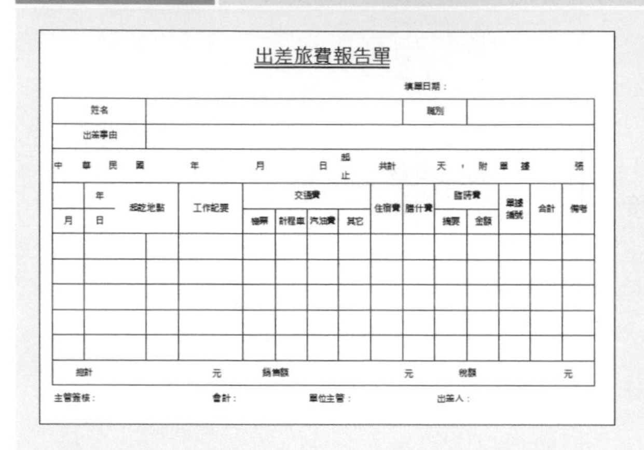

出差旅費報告單

填單日期：

姓名		職別	
出差事由			

中華民國　年　月　日　起／止　共計　天，附單據　張

年 月	日	起訖地點	工作記要	交通費				住宿費	膳什費	臨時費		單據號碼	合計	備考
				機票	計程車	汽油費	其它			摘要	金額			

總計　元　銷售額　元　稅額　元

主管簽核：　會計：　單位主管：　出差人：

公司外派出差時，除了收集好搭乘交通工具及住宿的收據外，餐食雜支費都可以依據「中央政府各機關派赴國外各地區出差人員生活費日支數額表」規定報帳核銷。收集好相關單據後，必須詳細填寫出差旅費報告單，逐日記錄前往地點、訪洽對象及內容等，足以證明與營業相關者，方可認定差旅費。

範例步驟

1. 請開啟範例檔「03 出差旅費報告單 (1).xlsx」，選取 A1 儲存格，切換「常用」功能索引標籤，在「字型」功能區中，將字型大小改成「22」，並加入「雙底線」。

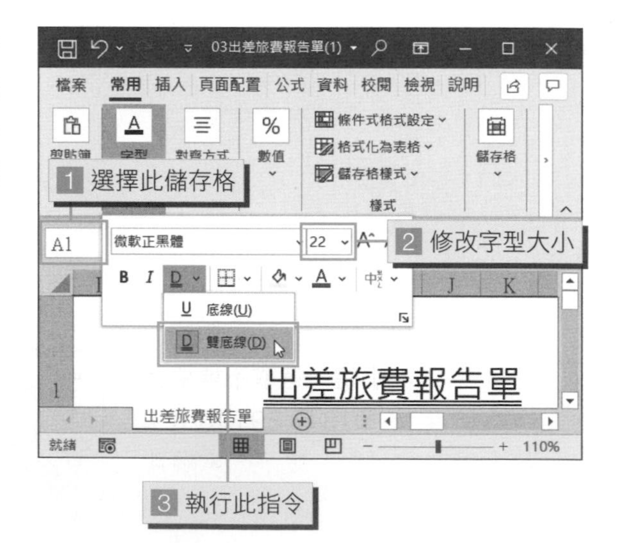

② 按住鍵盤【Ctrl】鍵，選取不連續儲存格範圍 A3:C3、L3:M3、A4:C4、A5:C6、E5:E6、G5:G6、I5:I6、K5:K6、M5:O6、Q5:Q6、C7:D8、E7:F8、G7:J7、K7:K8、L7:L8、M7:N7、O7:O8、P7:P8、Q7:Q8、A14:B14、G14:H14 和 M14:N14 共 22 個。選取完畢後，在「對齊方式」功能區中，直接執行「跨欄置中」指令。（若擔心一次選取太多容易發生錯誤，可先選取幾個不連續儲存格，並執行跨欄置中指令，再分段完成。）

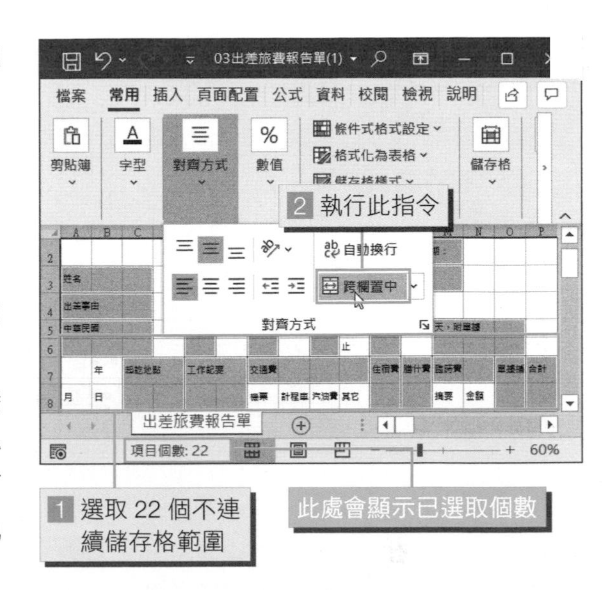

③ 表格標題的儲存格合併後，接著就是內容欄位的儲存格。按住鍵盤【Ctrl】鍵，選取不連續儲存格範圍 D3:K3、N3:Q3、D4:Q4、L5:L6、P5:P6、C14:E14、I14:K14 和 O14:P14 共 8 個。選取完畢後，按下「跨欄置中」清單鈕，選擇執行「合併儲存格」指令。

④ 繼續合併內容欄位的儲存格。按住鍵盤【Ctrl】鍵，選取不連續儲存格範圍 C9:D13 和 E9:F13 共 2 個。選取完成後，按下「跨欄置中」清單鈕，選擇執行「合併同列儲存格」指令。

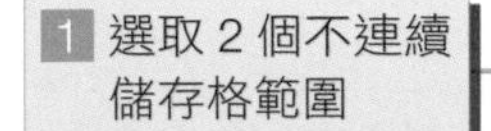

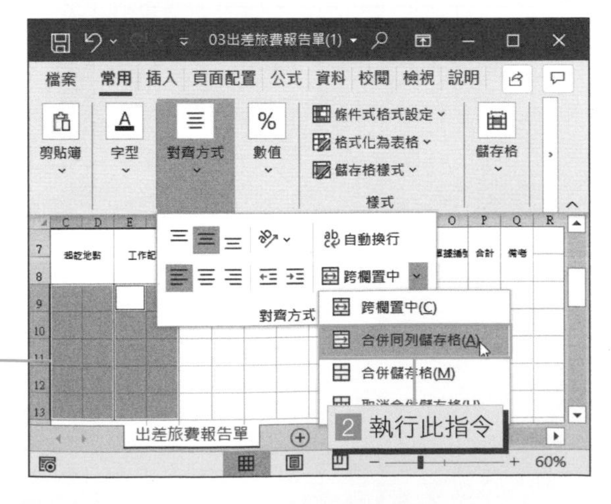

5 表格欄位合併的工作初步完成，接著針對細部做一些微調，如 O7 儲存格的文字，超過儲存格寬度，不妨讓文字換列顯示。選取 O7 儲存格，在「對齊方式」功能區中，執行「自動換列」指令。

6 文字雖然自動換列了，但效果差強人意。可將游標插入點移到「單據」和「編號」中間，按一下鍵盤空白鍵，增加文字的距離。

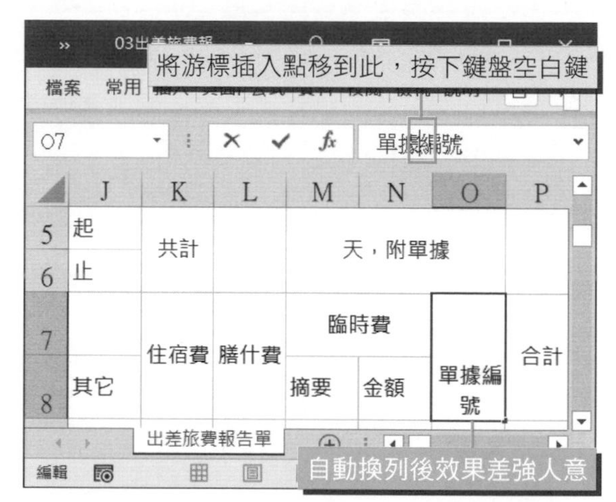

7 按住鍵盤【Ctrl】鍵，選取 A5 及 M5 儲存格，按「對齊方式」功能區右下方的「展開」鈕，可以開啟「設定儲存格格式」對話方塊。

⑧ 開啟「設定儲存格格式」對話方塊，在「對齊方式」索引標籤中，按下「置中對齊」旁的清單鈕，選擇「分散對齊（縮排）」的水平對齊方式，按下「確定」鈕。

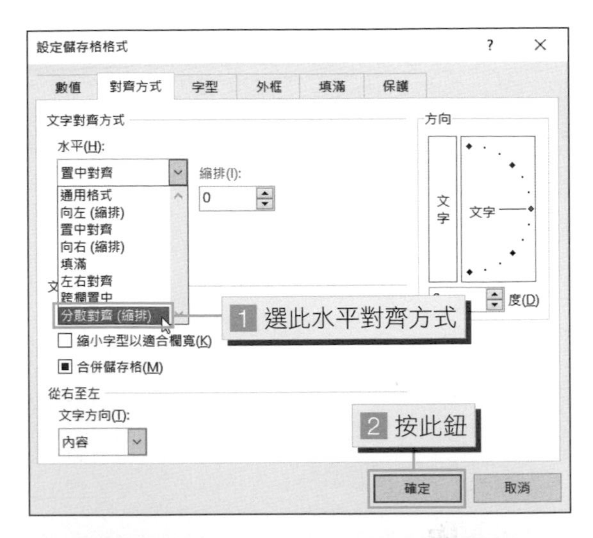

⑨ 接著準備繪製表格的框線。按住鍵盤【Ctrl】鍵，選取 A3:Q4 和 A7:Q13 儲存格範圍，在「字型」功能區中，按下「框線」清單鈕，選擇「所有框線」樣式。

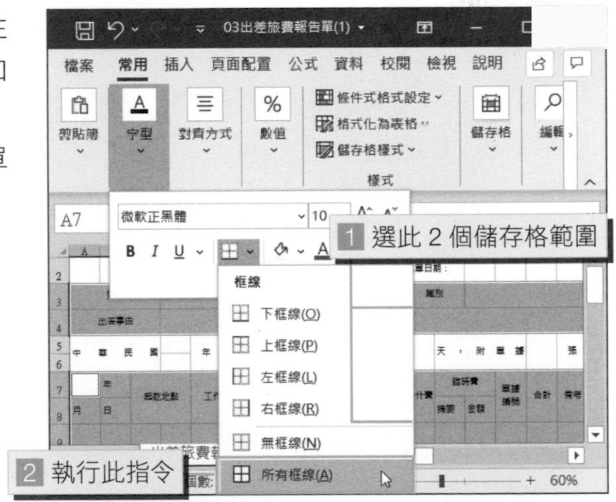

⑩ 按住鍵盤【Ctrl】鍵，選取不連續儲存格 A5:Q6、A14、C14:F14、G14、I14:L14、M14 和 O14:Q14 共 7 個，按下「框線」清單鈕，選擇「外框線」樣式。

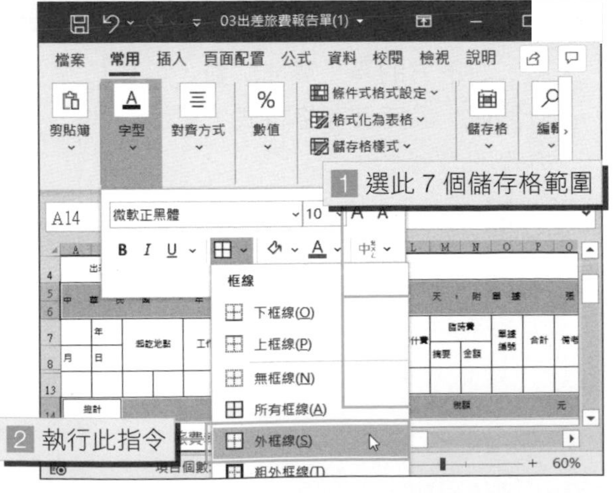

⑪ 因為工作表中有格線，框線繪製完成後，效果是否如預期，很難一眼就看出。切換到「檢視」功能索引標籤，在「顯示」功能區中，取消勾選「格線」選項。

⑫ 再調整部分標題欄位文字對齊方式。選取 A7、A8:B8、G8:J8 和 M8:N8 儲存格，切換到「常用」功能索引標籤，在「對齊方式」功能區中，執行 ≡「置中」指令，將文字水平置中對齊。

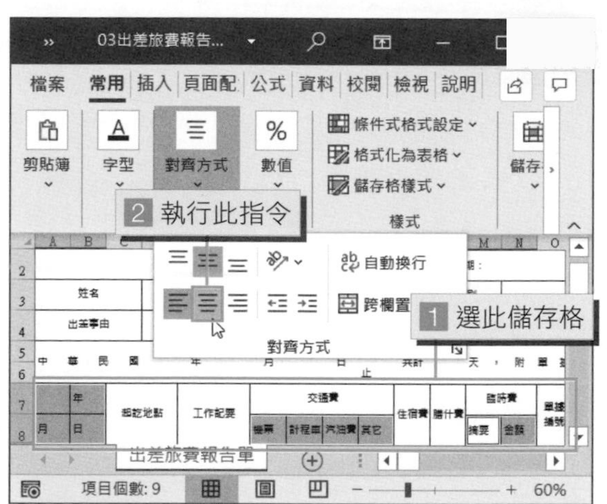

⑬ 選取 A1 儲存格，按下滑鼠右鍵，開啟快顯功能表，修改字型大小為「18」。最後再按下「檔案」功能標籤，準備開始列印準備工作囉！

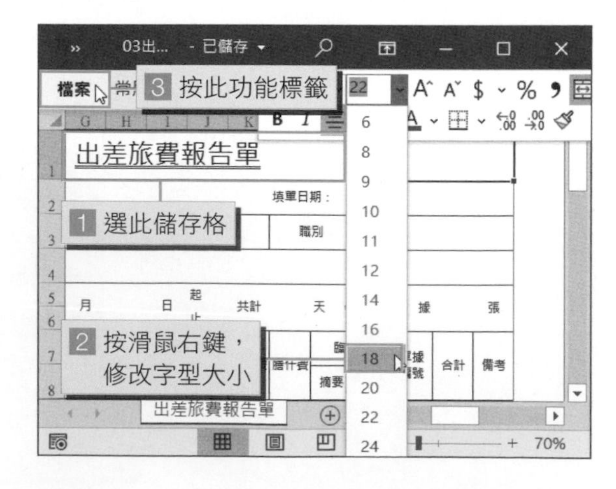

⑭ 切換到「列印」功能索引標籤，預覽窗格中顯示頁數為「1/2」頁，表示表格超過頁面範圍。在「自訂縮放比例選項」中按下選項清單鈕，選擇「將所有欄放入單一頁面」，表格就會自動縮小到適合頁面大小的比例。

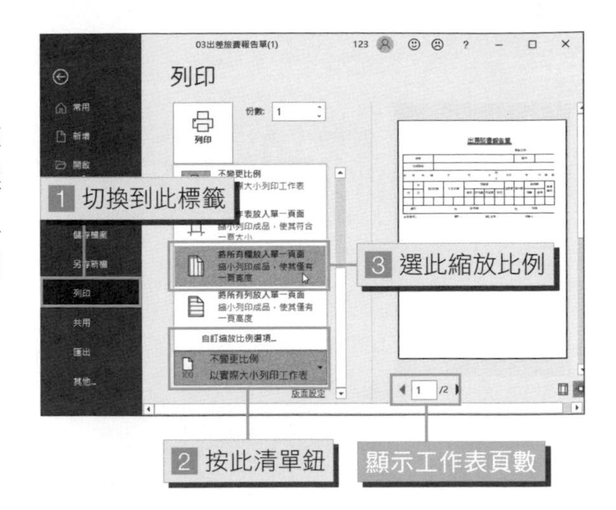

單元 04

範例光碟：CHAPTER 01\04物品請購單

物品請購單

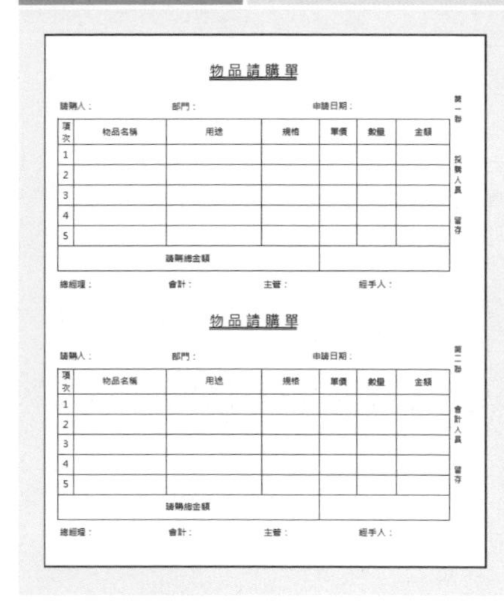

物品請購單

請購人： 部門： 申請日期： 第一聯

項次	物品名稱	用途	規格	單價	數量	金額
1						
2						
3						
4						
5						
請購總金額						

採購人員 留存

總經理： 會計： 主管： 經手人：

物品請購單

請購人： 部門： 申請日期： 第二聯

項次	物品名稱	用途	規格	單價	數量	金額
1						
2						
3						
4						
5						
請購總金額						

會計人員 留存

總經理： 會計： 主管： 經手人：

公司內部購買物品都會有相關的請購流程，申請人必須先填寫物品請購單，註明請購物品的名稱、規格、參考單價及數量，並填寫該物品的用途，經由相關主管簽核後，才可以進入採購流程。

範例步驟

1. 請開啟範例檔「04 物品請購單(1).xlsx」，選取 A4 儲存格，先輸入數值「1」，將游標移到 A1 儲存格右下角的 ◘ 填滿控點，當游標符號變成 ＋ 十字符號，按住滑鼠左鍵，向下拖曳到 A8 儲存格，放開滑鼠左鍵。

按住填滿控點向下方拖曳

② 此時儲存格會自動以複製的方式填滿。按下 A8 儲存格旁的「自動填滿選項」清單圖示鈕，開啟清單選項，選擇「以數列填滿」選項。

③ 選取 E2 儲存格，切換到「資料」功能索引標籤，在「資料工具」區塊中，按下「資料驗證」清單鈕，執行「資料驗證」指令。

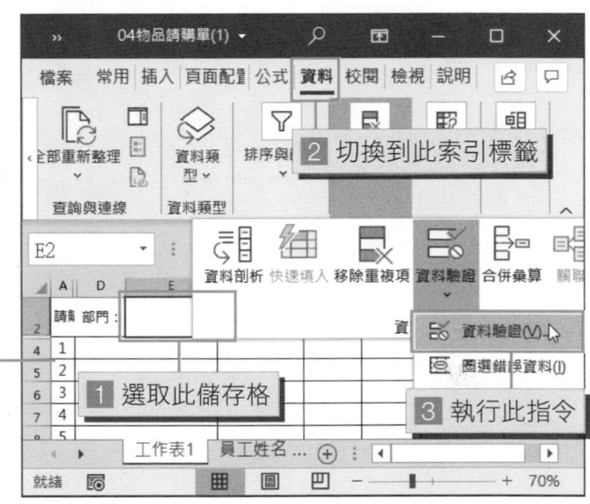

④ 開啟「資料驗證」對話方塊，在「設定」索引標籤中，按下「儲存格內允許」下的清單選項鈕，選擇「清單」項目。

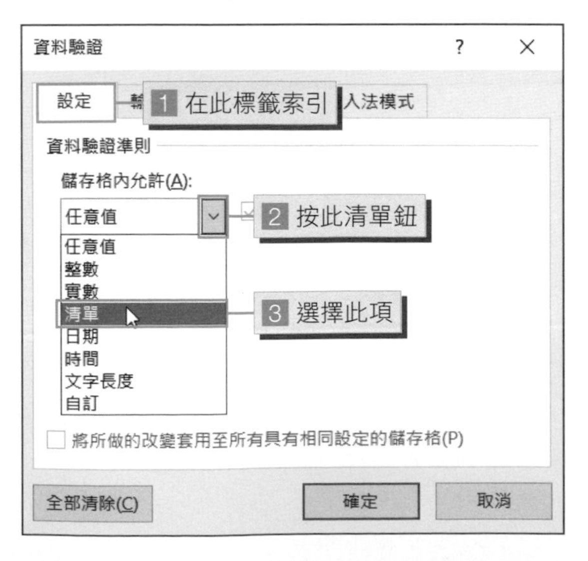

5 將游標插入點移到「來源」空白處，輸入部門別「行政部,財務部,研發部,業務部,資訊部,產品部」各部門間以「,」相隔，輸入完請按下「確定」鈕。(注意逗號「,」需以英文模式輸入)

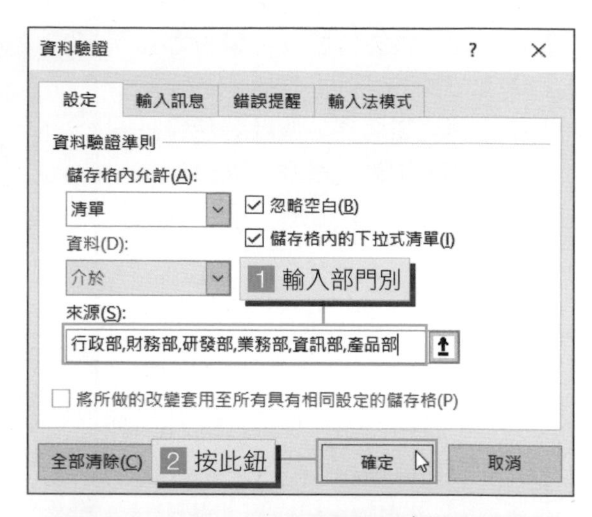

6 E2 儲存格出現部門別的清單選項鈕。選取 C2 儲存格，再次在「資料工具」區塊中，執行「資料驗證」指令。

7 再次開啟「資料驗證」對話方塊，在「設定」索引標籤中，「儲存格內允許」處選擇「清單」項目，按下「來源」空白處旁的 [↥]「摺疊」鈕。

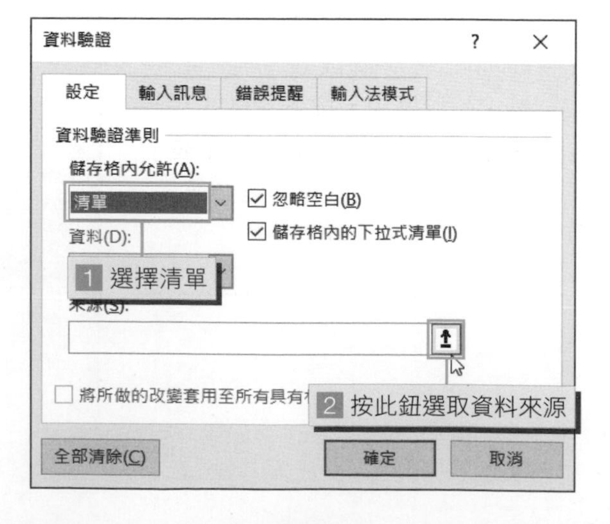

8. 切換到「員工姓名」工作表，選取 A2:A15 儲存格為資料範圍，按下「展開」鈕回到「資料驗證」對話方塊。

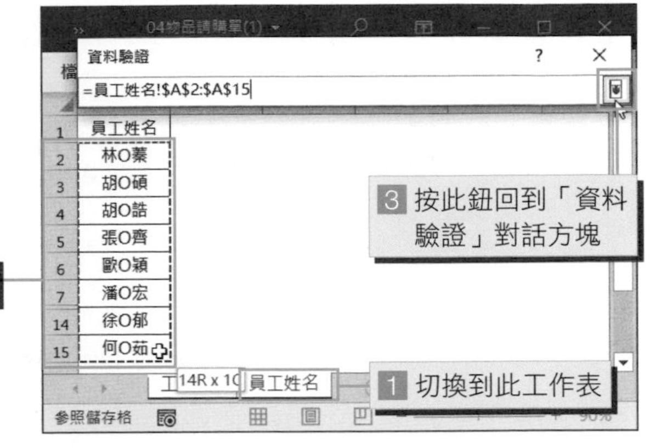

9. 確認來源範圍後，按下「確定」鈕即可。

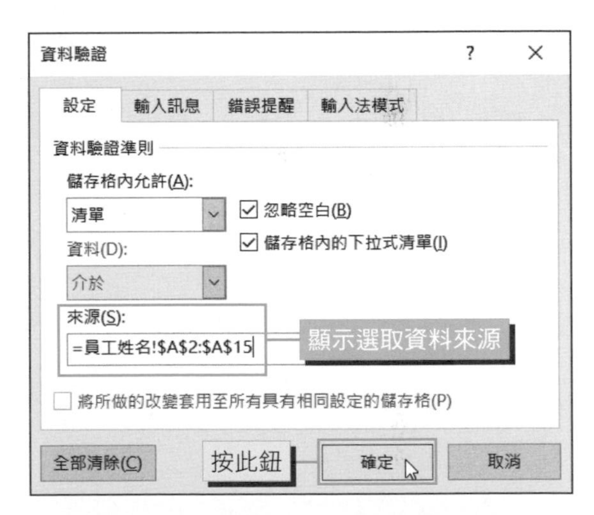

10. 請購人對應的儲存格也出現員工姓名的清單選項。請切換到「常用」功能索引標籤，在「儲存格」功能區中，按下「格式」清單鈕，執行「重新命名工作表」指令，變更預設工作表的名稱。

⑪ 輸入新工作表名稱「物品請購單」，輸入完按鍵盤【Enter】鍵即可。選取 J4 儲存格，先輸入「=」，Excel 若要在儲存格輸入計算式或公式，都要以「=」開頭，再選取 H4 儲存格。

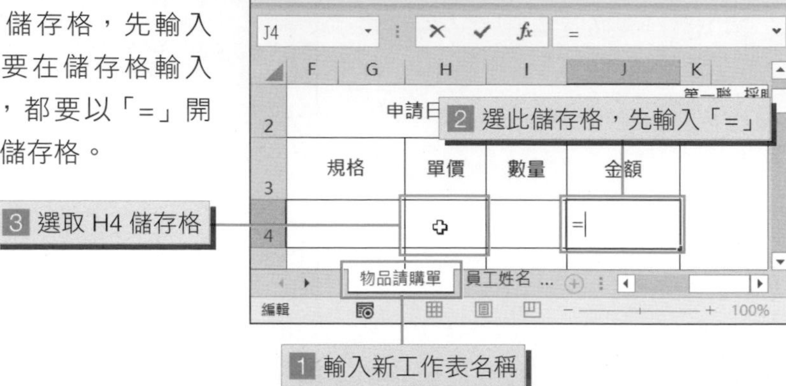

⑫ 再輸入「*」乘號，接著選取 I4 儲存格，使計算式為「=H4*I4」，按下資料編輯列上的「輸入」鈕完成輸入計算式(或直接按下鍵盤上的【Enter】鍵亦可)。

⑬ 按住滑鼠左鍵，使用拖曳填滿的方式，將 J4 儲存格公式複製到下方 J5:J8 儲存格範圍。

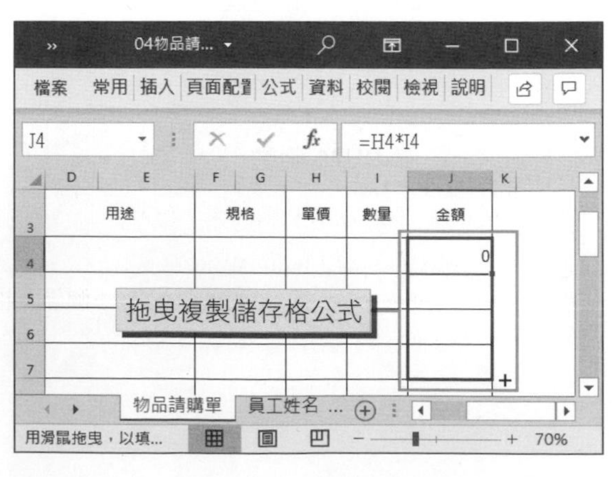

⑭ 接著選取 H9 儲存格，切換到「常用」功能索引標籤，在「編輯」功能區中，按下「自動加總」清單鈕，執行「加總」指令。

⑮ 在加總 SUM 函數括號中，選取 J4:J8 儲存格作為函數引數，此時公式會變成「=SUM(J4:J8)」，按下鍵盤【Enter】鍵完成輸入公式。

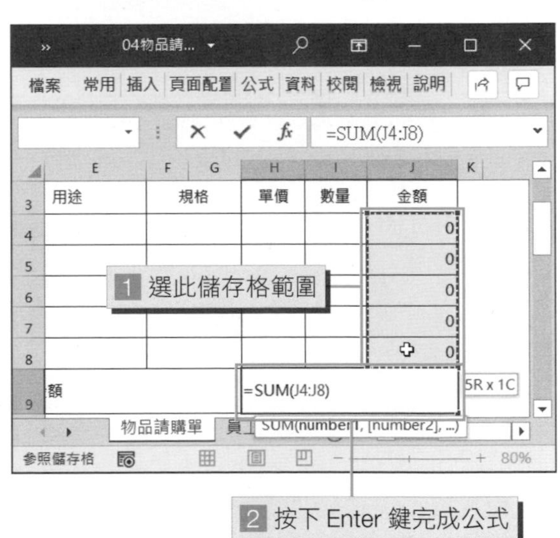

操作 MEMO SUM 函數

說明： 加總指定儲存格範圍的所有數值。

語法： SUM(number1,[number2],...)

引數：
- number1（必要）。要加總的第一個儲存格範圍。
- number2（選用）。要加總的第 2 個到第 255 個數值範圍。

⑯ 選取 K2:K9 儲存格範圍，在「對齊方式」功能區中，按下「跨欄置中」清單鈕，執行「合併儲存格」指令，先合併儲存格為橫向文字變成直向文字做準備。

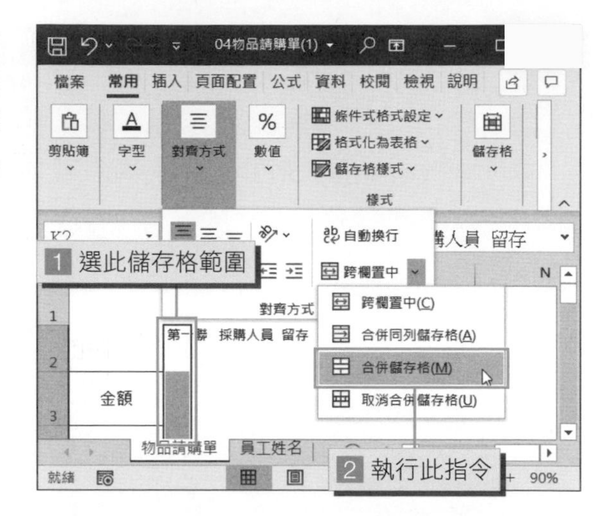

⑰ 繼續在「對齊方式」功能區中按下 ab↗ˇ「方向」清單鈕，選擇執行「垂直文字」指令。

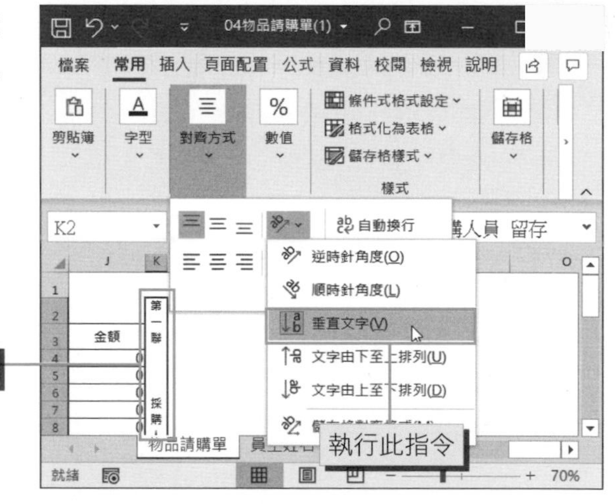

⑱ 選取 A1:K10 儲存格範圍，在「剪貼簿」功能區中，執行「複製」指令。

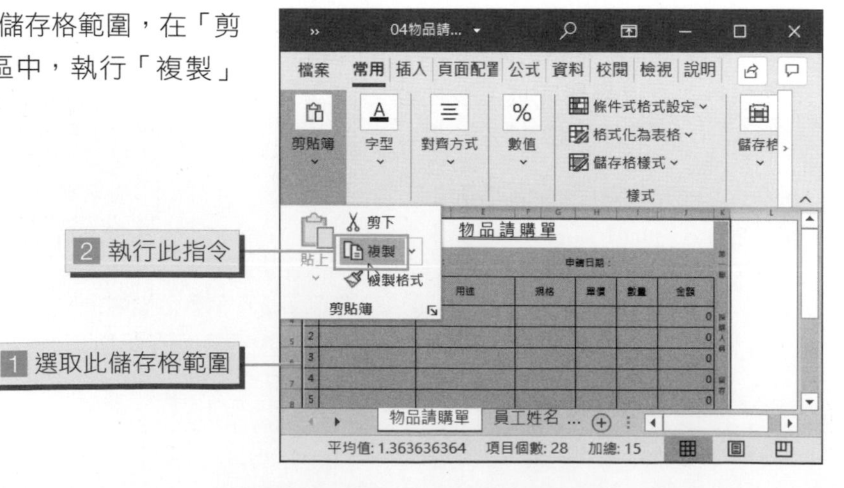

⑲ 選取 A15 儲存格，依然在「剪貼簿」功能區中，執行「貼上」指令，將已經完成的物品請購單複製到 A15 儲存格。

⑳ 物品請購單複製到此。選取 K16 儲存格，修改儲存格文字為「第二聯 會計人員 留存」。

表格被複製到此

㉑ 二聯式的表單需要重覆填寫 2 次實在太麻煩了，其實需利用「=」等號，就可以輕鬆完成。按住鍵盤【Ctrl】，選取 C16 和 E16 儲存格，切換到「資料」功能索引標籤，在「資料工具」功能區中，執行「資料驗證」指令，先移除第二聯的清單功能。

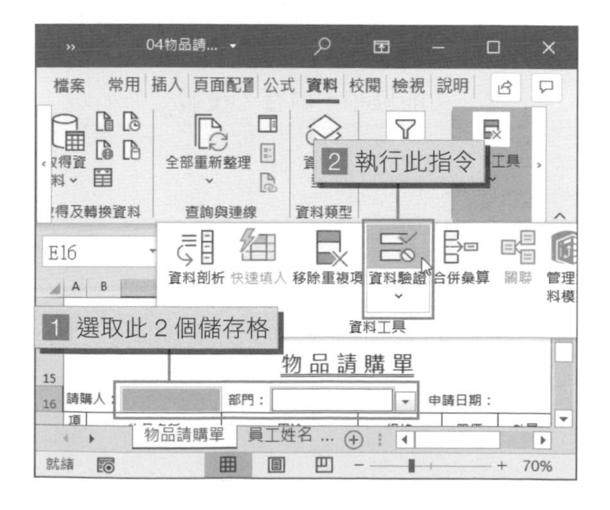

㉒ 出現警告訊息，按「確定」鈕即可繼續。

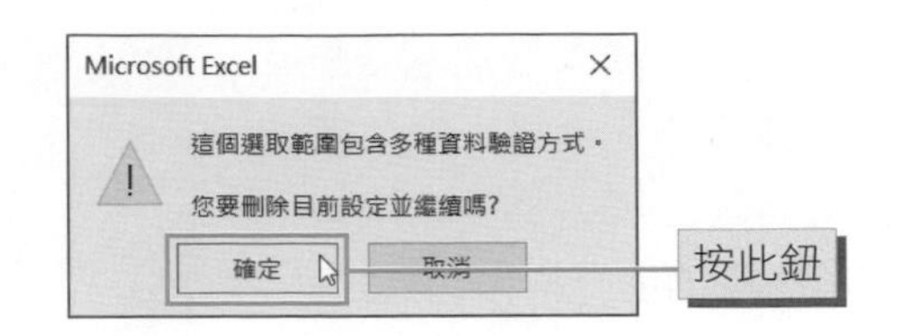

㉓ 開啟「資料驗證」對話方塊，按下「全部清除」鈕後，再按「確定」鈕。

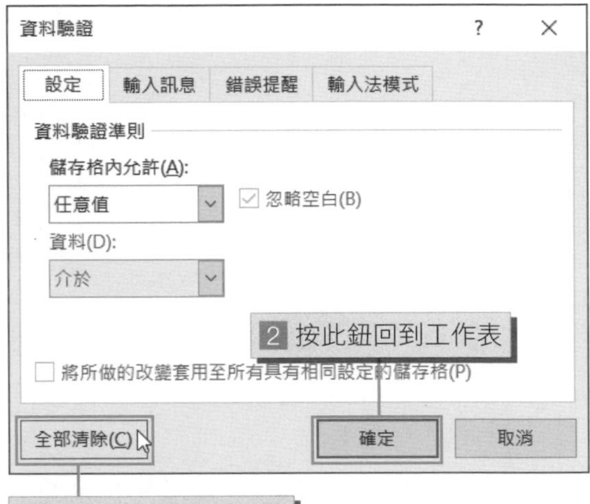

㉔ 改選取 C16 儲存格，先輸入「=」等號，再選取 C2 儲存格，使 C16 儲存格公式為「=C2」。

㉕ 當 C2 儲存格輸入資料後，C16 儲存格會顯示相同內容。依照相同方法將第二聯的儲存格，輸入等於相對應的儲存格作為公式。

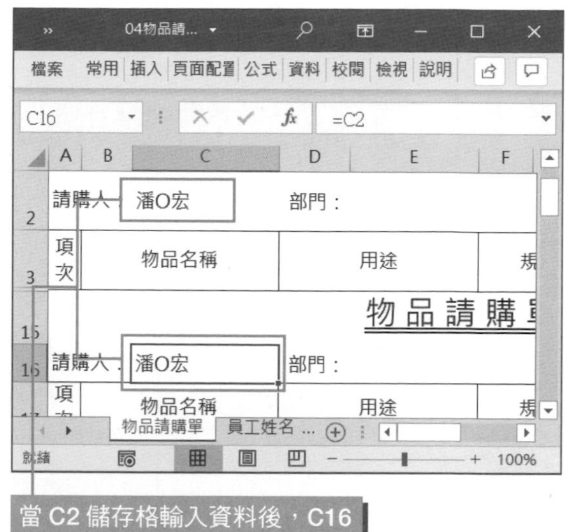

單元 05

範例光碟：CHAPTER 01\05付款簽收單

付款簽收單

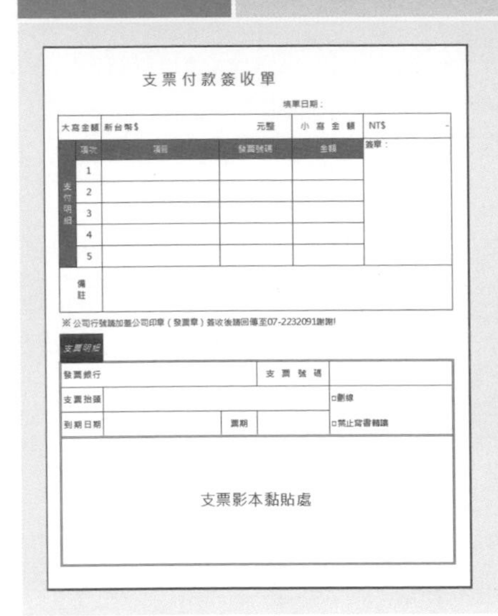

支票付款簽收單

填單日期：

大寫金額	新台幣$　　　元整		小寫金額	NT$　-
項次	項目	發票號碼	金額	簽章：
1				
2				
3				
4				
5				
備註				

支付明細

※ 公司行號請加蓋公司印章（發票章）簽收後請回傳至07-2232091謝謝!

支票明細

發票銀行			支票號碼	
支票抬頭				□劃線
到期日期		票期		□禁止背書轉讓

支票影本黏貼處

若用公司名義採購常態性物品多半會使用月結請款制，廠商將貨品先提供給公司使用，每個月再整理出貨單，統計出總金額後，開立統一發票向公司請款。公司會計將這些請款單整理完後，透過請款程序開立支票或現金支付相關款項。不論用哪一種方式支付，都要留下付款的憑證。

範例步驟

① 透過設定不同的數值格式，讓簡單的數字展現不同的風貌。請開啟範例檔「05 付款簽收單 (1).xlsx」，選取 I2 儲存格，先輸入數值「5/20」，儲存格會自動顯示「5 月 20 日」，此時切換到「常用」功能索引標籤，按下「數值」功能區右下角的展開鈕，開啟「設定儲存格格式」對話方塊，則可進行更多的數值格式設定。

② 開啟「設定儲存格格式」對話方塊，並自動切換到「數值」索引標籤。選擇「日期」類別，按下「西曆」旁的清單鈕，重新選擇「中華民國曆」行事曆類型。

③ 在眾多日期類型中，選擇「101年3月4日」類型，按下「確定」鈕。

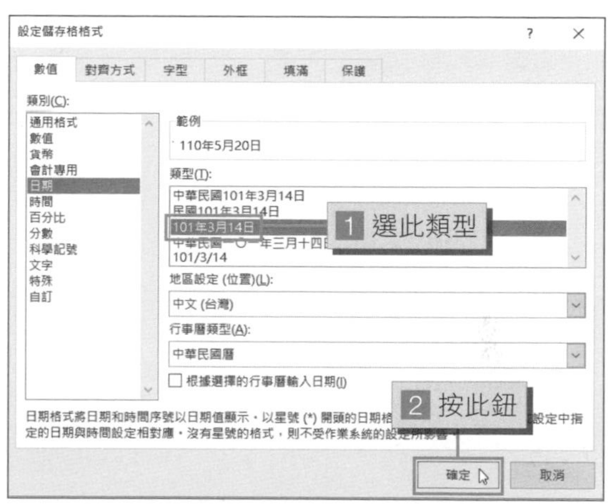

④ I2 儲存格按照指令的日期類型顯示。選取 J5 儲存格，切換到「公式」功能索引標籤，在「函數庫」功能區中，按下「自動加總」清單鈕，選擇執行「加總」(SUM) 函數。

2 切換到此索引標籤
顯示指定日期類型
3 執行此函數
1 選此儲存格

⑤ 選擇要加總的儲存格範圍 H7:I11，選取完按下「輸入」鈕（或按鍵盤【Enter】鍵），使 J5 儲存格完整公式為「=SUM(H7:I11)」。

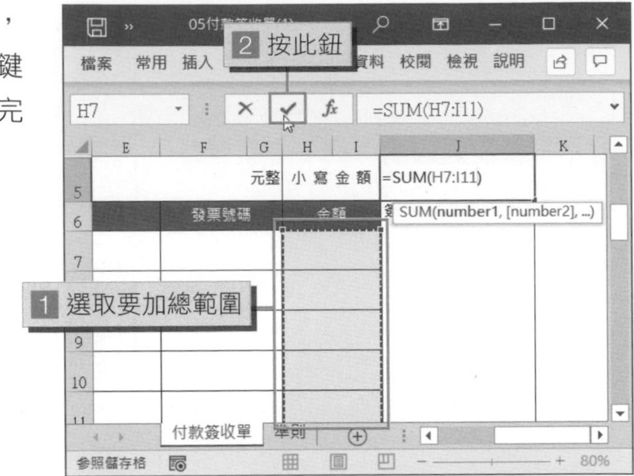

⑥ 繼續選取 J5 儲存格，切換到「常用」功能索引標籤，在「儲存格」功能區中，按下「格式」清單鈕，執行「儲存格格式」指令，亦可開啟「設定儲存格格式」對話方塊。

⑦ 再次開啟「設定儲存格格式」對話方塊，切換到「數值」索引標籤，選擇「會計專用」類別，符號選擇「NT$」台幣符號，小數位數選擇「0」，按「確定」鈕完成設定。

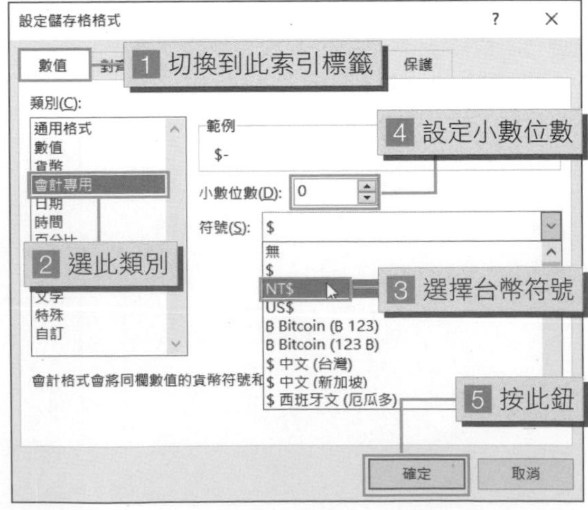

⑧ 接著將介紹第三種開啟「設定儲存格格式」對話方塊的方法，也是最簡易的一種。選取 D5 儲存格，先輸入公式「=J5」，也就是等於小寫的加總金額，然後按滑鼠右鍵，開啟快顯功能表，執行「儲存格格式」指令。

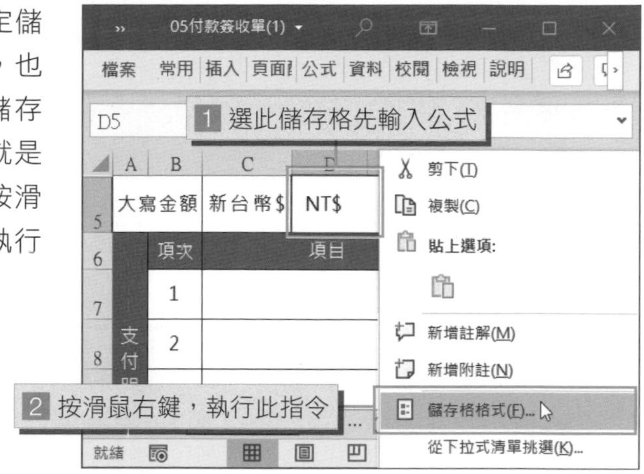

⑨ 開啟「設定儲存格格式」對話方塊，切換到「數值」索引標籤，先選擇「特殊」類別，再選擇「壹萬貳仟參佰肆拾伍」類型。

⑩ 切換到「對齊方式」索引標籤，選擇水平對齊方式為「分散對齊(縮排)」，縮排「1」寬度，按下「確定」鈕。

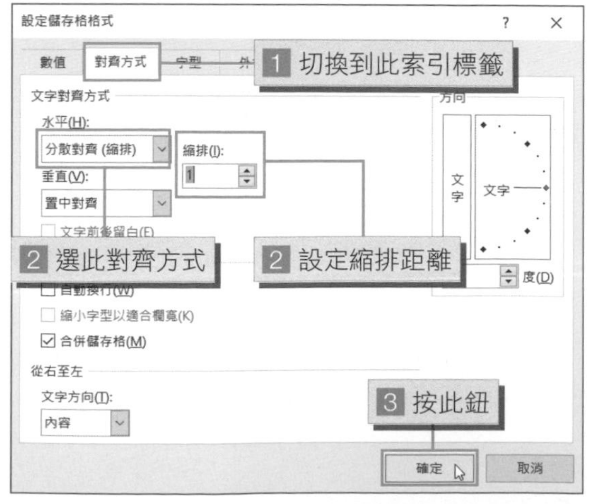

⑪ 大寫金額在沒有項目值的狀況下，會顯示「零」值，不妨使用 IF 函數，當項目金額沒有輸入時，就以空白值顯示，若有輸入時，則顯示加總值。選取 D5 儲存格，先按下鍵盤【Delete】鍵，將原本公式「=J5」刪除，接著切換到「公式」功能索引標籤，在「函數庫」功能區中，按下「邏輯」函數清單鈕，選擇執行「IF」函數。

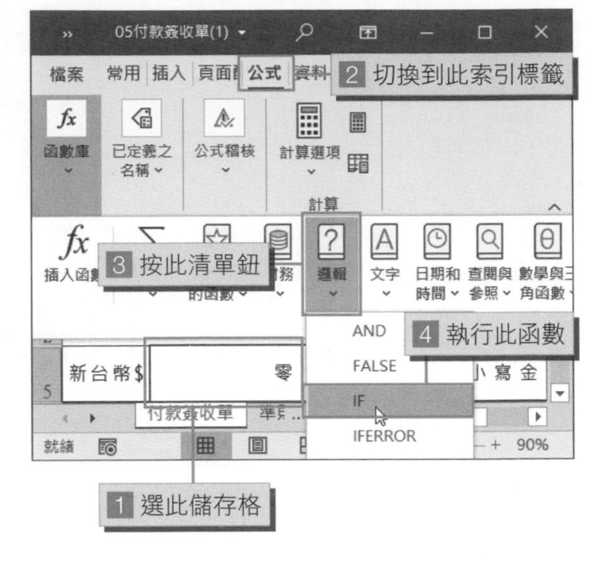

⑫ 開啟 IF「函數引數」對話方塊，先在第一個引數中選取 H7 儲存格，再輸入「=""」，使第一個引數為「H7=""」；接著第二個引數輸入「""」；最後在第三個引數中選取 J5 儲存格，按下「確定」鈕。完整公式為「=IF(H7="","",J5)」，也就是當 H7 儲存格為空格時，D5 儲存格就顯示空白；如果 H7 儲存格不是空格時，就顯示 J5 儲存格的數值。

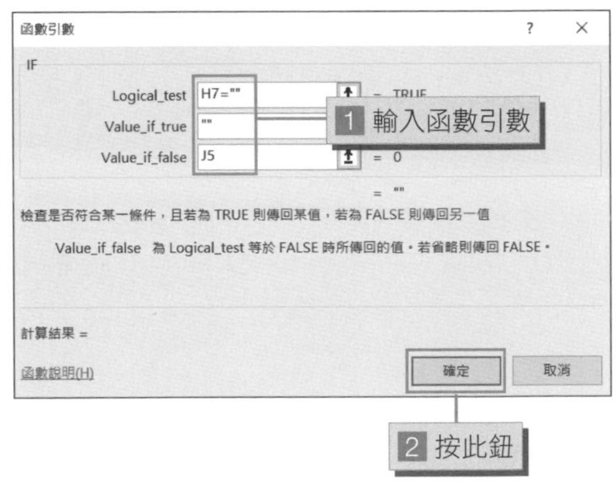

操作 MEMO IF 函數

說明： IF 函數在指定的條件結果為真（TRUE）時，會傳回一個值；如果結果為假（FALSE）時，則傳回另一個值。最多可使用 64 層 IF 函數。

語法： IF(logical_test, [value_if_true], [value_if_false])

引數：
- Logical_test（必要）。指定的條件，可為 TRUE 或 FALSE 的任何值或運算式。
- Value_if_true（選用）。TRUE 時要傳回的值。
- Value_if_false（選用）。FALSE 時要傳回的值。

⑬ 當填入支付明細項目金額後，大小寫金額欄位會自動計算，並顯示加總後的金額。選取 I16 儲存格，將游標插入點移到文字「劃線」前方，切換到「插入」功能索引標籤，在「符號」功能區中，執行「符號」指令。

⑭ 開啟「符號」對話方塊，按下「子集合」的清單鈕，選擇「幾何圖案」子集合。

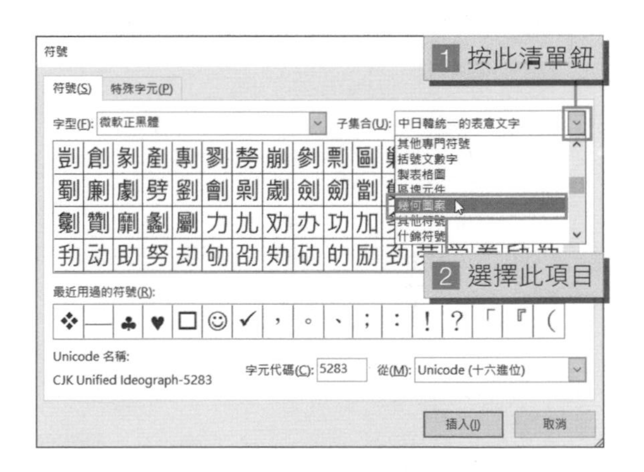

⑮ 選擇「核取方塊」符號，按下「插入」鈕。此時「符號」對話方塊不會自動關閉，使用者必須按下「關閉」鈕（原本是「取消」鈕），才能回到工作表。

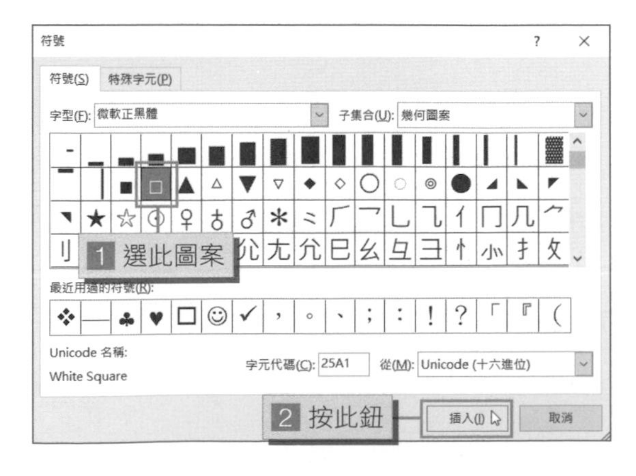

⑯「劃線」文字前方出現核取方塊。選取 I17 儲存格，將游標插入點移到文字「禁止背書轉讓」前方，再次執行「符號」指令。

⑰ 同樣開啟「符號」對話方塊，但是剛使用過的符號，會出現在「最近使用過的符號」區域中，選擇「核取方塊」後，按下「插入」鈕，再按「關閉」鈕結束插入符號。

1 選擇此符號

2 先按 插入 鈕後，按此鈕

⑱ 緊接著是本章的重頭戲，選取 A14:J18 儲存格範圍，切換到「常用」功能索引標籤，在「樣式」功能區中，按下「設定格式化條件」清單鈕，執行「新增規則」指令。

⑲ 開啟「新增格式化規則」對話方塊，在「選取規則類型」處，改選擇「使用公式來決定要格式化哪些儲存格」類型。

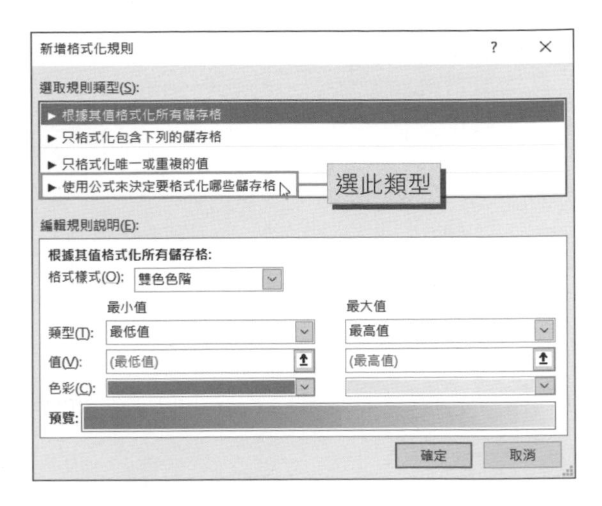

⑳ 將游標插入點移到「編輯規則說明」空白處，直接輸入公式「=IF ($A$1=" 現 金 ",TRUE, FALSE)」，輸入完成後按「格式」鈕。公式主要是判斷 A1 儲存格中的文字，若為 " 現 金 "，則傳回 TRUE 值，此時格式化規則就成立，A14:J18 儲存格範圍就會顯示設定的格式；若為 " 支票 "，則傳回 FALSE 值，儲存格範圍則維持原有的格式。

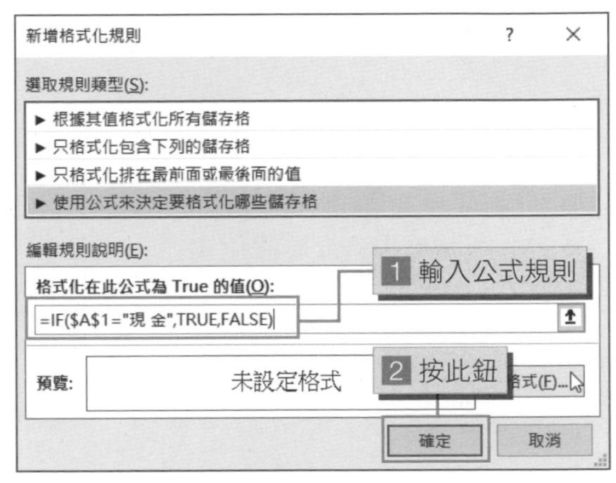

㉑ 開啟「設定儲存格格式」對話方塊，先切換到「字型」索引標籤，將文字色彩改成「白色」。

㉒ 切換到「外框」索引標籤，按下「無」框線圖示鈕，將選取範圍的框線取消。

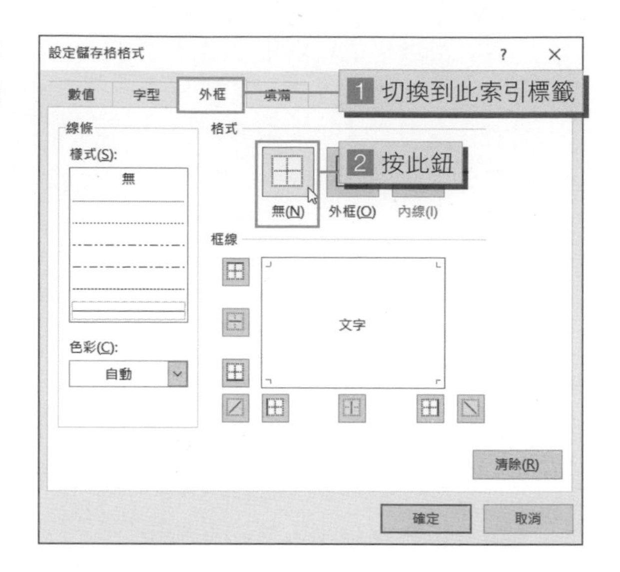

㉓ 最後切換到「填滿」索引標籤，按下「無色彩」鈕，取消選取儲存格內的填滿色彩，按下「確定」鈕回到「新增格式化規則」對話方塊。

㉔ 這個規則主要是將表格分成「現金」和「支票」簽收單兩種樣式，當表格標題（A1 儲存格）選擇為現金簽收單時，下方支票明細欄位（A14:J18 儲存格）則變成空白。若是選擇支票簽收單時，則顯示支票明細欄位。按下「確定」鈕回到工作表。

㉕ 按下 A1 儲存格的驗證清單選項鈕，當選擇「現金」時，A14:J18 儲存格則依照格式化規則變成空白。

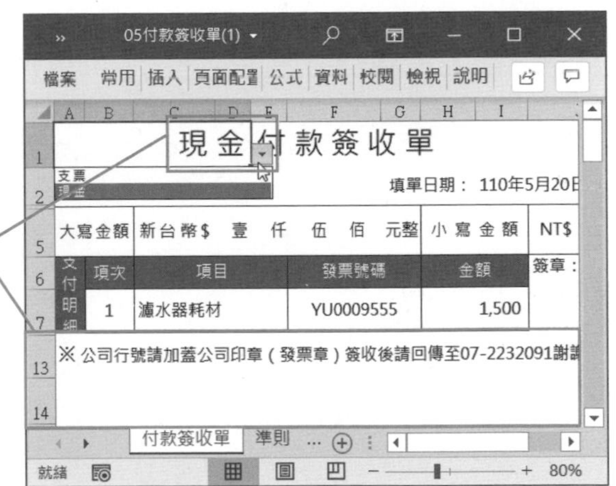

單元 06

範例光碟：CHAPTER 01\06廠商客戶資料表

廠商客戶資料表

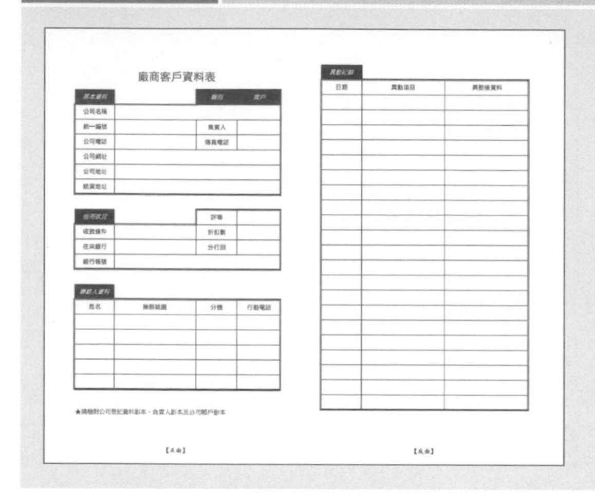

廠商和客戶的資料管理，基本上和員工資料的管理有相同之處，不論是新進或是異動，都要詳細的記錄下來，方便日後查閱。雖說廠商及客戶資料表內容大同小異，但最好能做明顯的區隔，讓查閱者一眼就能明白。

範例步驟

① 請開啟範例檔「06 廠商客戶資料表 (1).xlsx」，先切換到「準則」工作表，先行準備表格所需定義的範圍準則。選取 D2:D5 儲存格，切換到「常用」功能索引標籤，在「數值」功能區中，按下 % 「百分比」圖示鈕。

2. 先在 D2 儲存格輸入「5」，使用滑鼠右鍵按住填滿控點，向下拖曳到 D5 儲存格，放開滑鼠右鍵，開啟快顯功能表，執行「數列」指令。

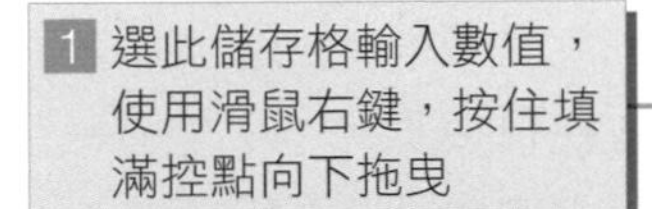

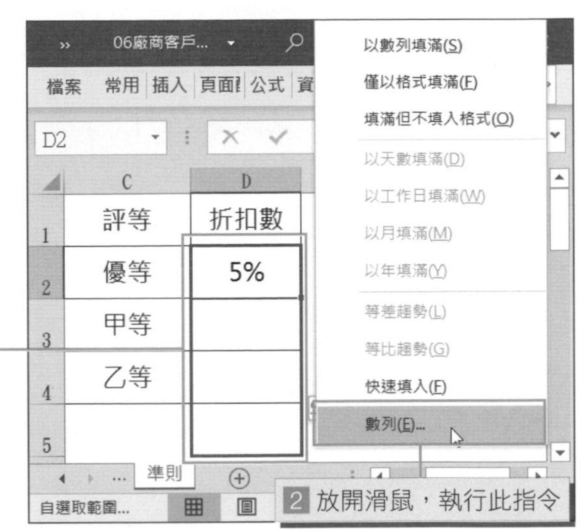

3. 開啟「數列」對話方塊，在「間距值」空白處輸入數值「0.05」，按下「確定」鈕。

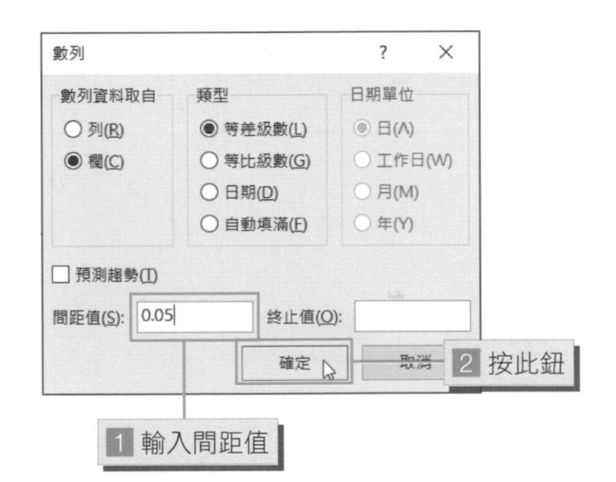

4. D2:D5 儲存格會自動以加「5%」的方式填滿儲存格。先選取 A1:A3 儲存格，再按住鍵盤【Ctrl】鍵，繼續選取 B1:B3、C1:C4 和 D1:D5 等不連續儲存格範圍，切換到「公式」功能索引標籤，在「已定義之名稱」功能區中，執行「從選取範圍建立」指令。

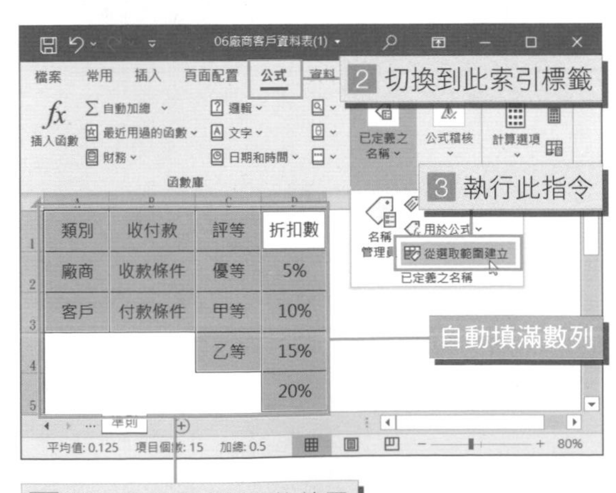

5 開啟「以選取範圍建立名稱」對話方塊，勾選「頂端列」，按下「確定」鈕。

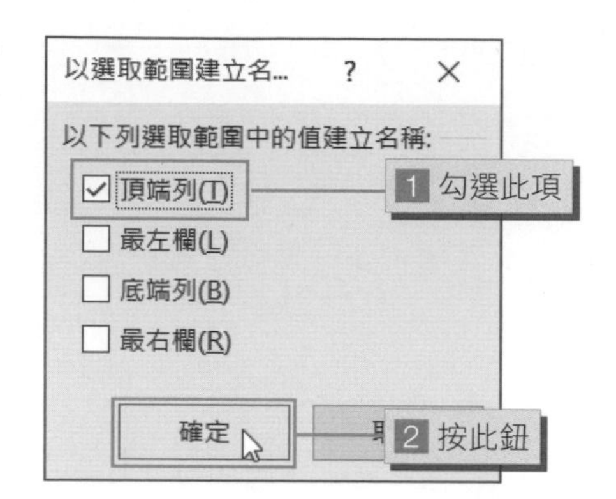

6 建立完範圍名稱後，請切換到「廠商客戶資料表」工作表，選取 D2 儲存格，切換到「資料」功能索引標籤，在「資料工具」功能區中，執行「資料驗證」指令。

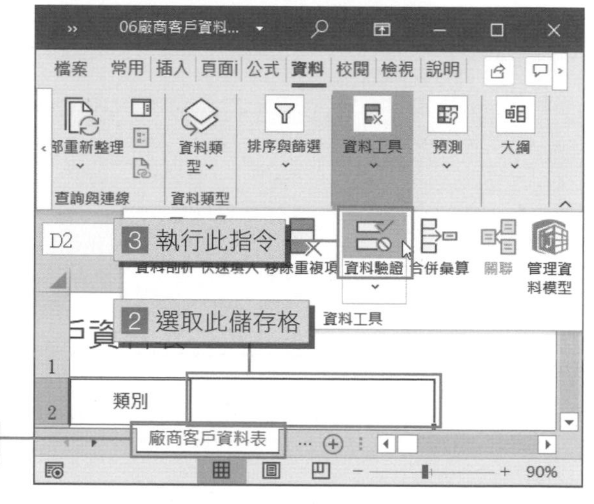

7 開啟「資料驗證」對話方塊，在儲存格內允許處，選擇「清單」項目，並將游標插入點移到「來源」空白處，切換到「公式」功能索引標籤，在「已定義之範圍名稱」功能區中，按下「用於公式」清單鈕，插入「類別」名稱。

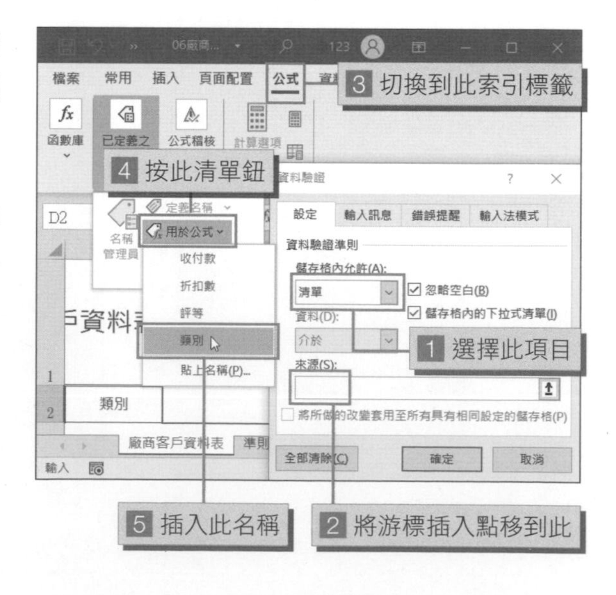

8 確認資料驗證清單設定無誤後，按下「確定」鈕回到工作表。

9 選取 A11 儲存格，先輸入「=」號，按下資料編輯列上最近使用過的「函數」清單鈕，選擇「IF」函數。

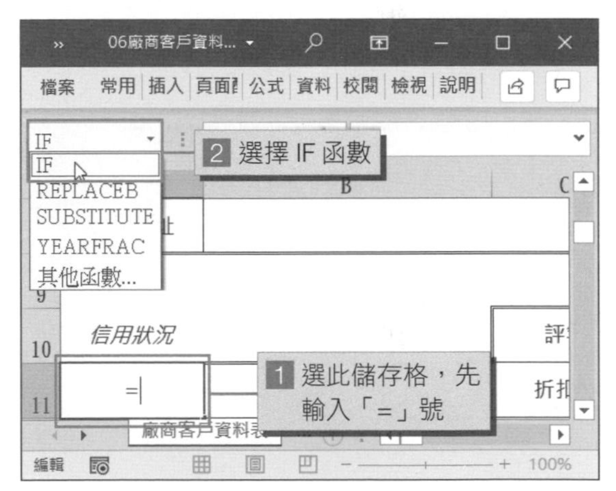

10 開啟 IF「函數引數」對話方塊，在第一個引數中輸入「D2="廠商"」，第二個引數輸入「"付款條件"」，第三個引數輸入「"收款條件"」，輸入完成後，按下「確定」鈕。完整公式為「=IF(D2="廠商","付款條件","收款條件")」。

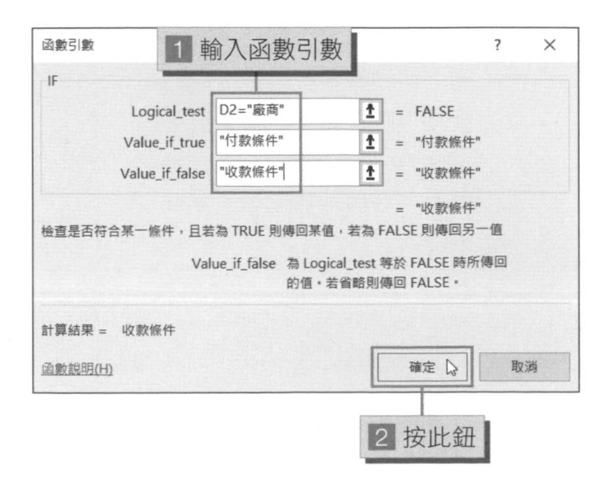

⑪ 接著按住鍵盤【Ctrl】鍵，分別選取 A2、A10、A15 和 A25 儲存格等不連續儲存格。切換到「常用」功能索引標籤，在「樣式」功能區中，按下「條件式格式設定」清單鈕，執行「新增規則」指令。

⑫ 開啟「新增格式化規則」對話方塊，選擇「使用公式來決定要格式化哪些儲存格」類型，在公式空白處輸入規則公式「=IF($D$2="客戶",TRUE,FALSE)」，按下「格式」鈕來設定剛選取儲存格所要的格式。

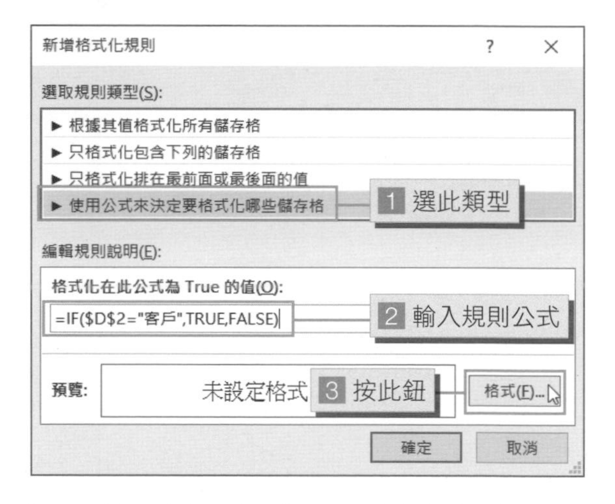

⑬ 開啟「設定儲存格格式」對話方塊，先切換到「字型」索引標籤，先變更字型樣式為「斜體」，選選擇文字色彩為「白色」。

⑭ 接著切換到「填滿」索引標籤，填滿色彩選擇「黑色」，使得符合條件的儲存格格式為「黑底白字」，格式設定完成後按下「確定」鈕。

⑮ 確定規則及格式後，按下「確定」鈕回到工作表。

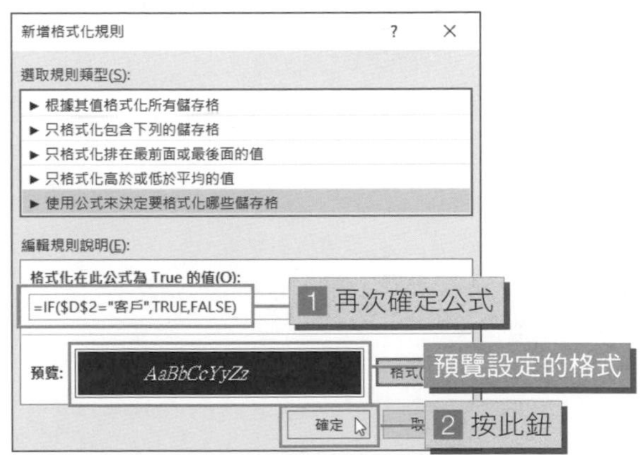

⑯ 如果要在已經設定好的規則中修改或新增格式化的儲存格，在「樣式」功能區中，按下「條件式格式設定」清單鈕，執行「管理規則」指令。

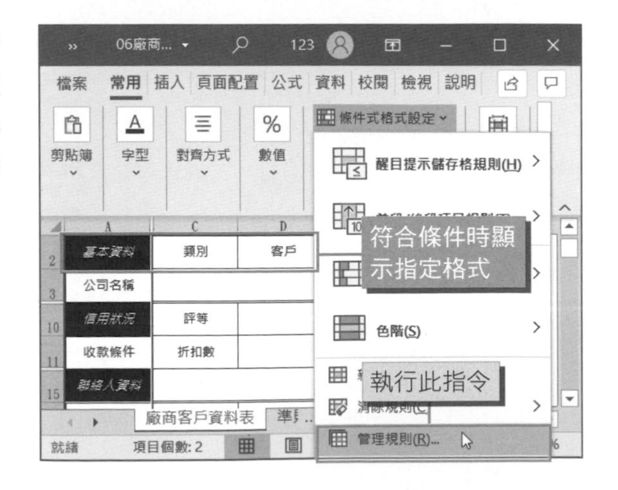

⑰ 開啟「設定格式化的條件規則管理員」對話方塊，按下顯示格式化規則「目前的選取」旁的下拉式清單鈕，選擇「這個工作表」選項。

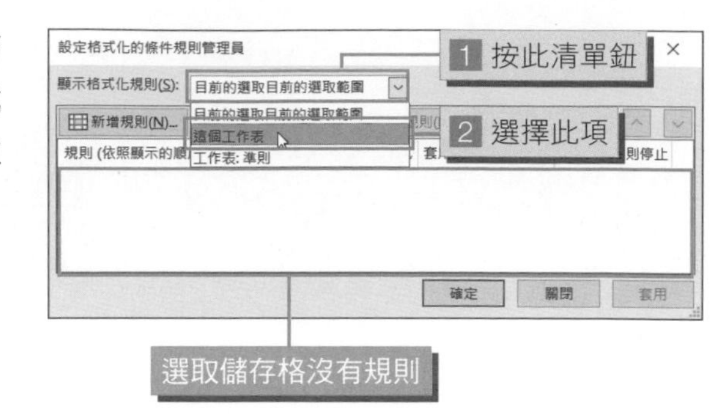

⑱ 出現一個格式化規則，直接按下「套用到」儲存格的「摺疊」鈕。

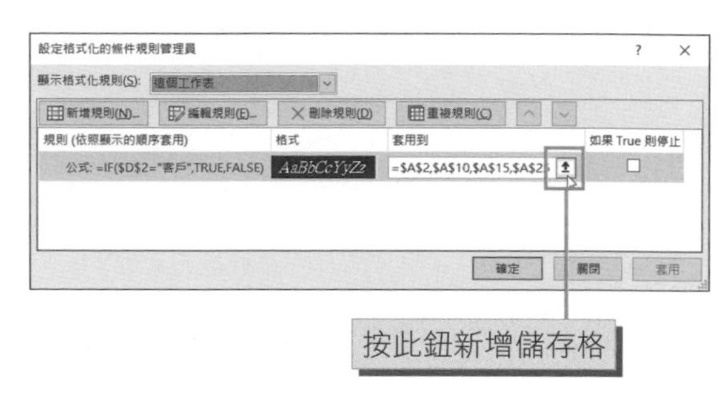

⑲ 先將游標插入點移到「$A$25」後方，並輸入「,」逗號。

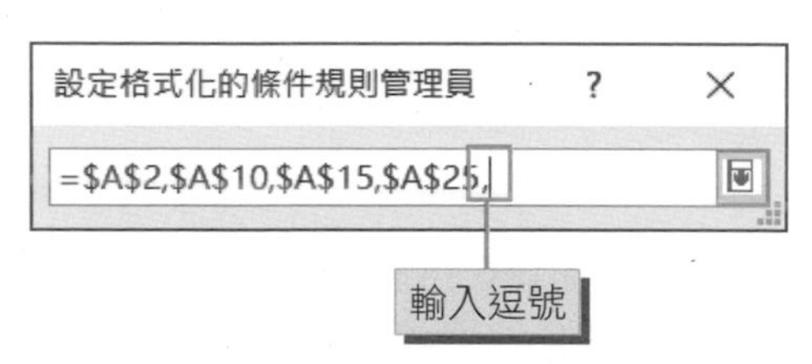

⑳ 再選取工作表中的 C2:D2 儲存格範圍，按下「展開」鈕回到規則管理員對話方塊。

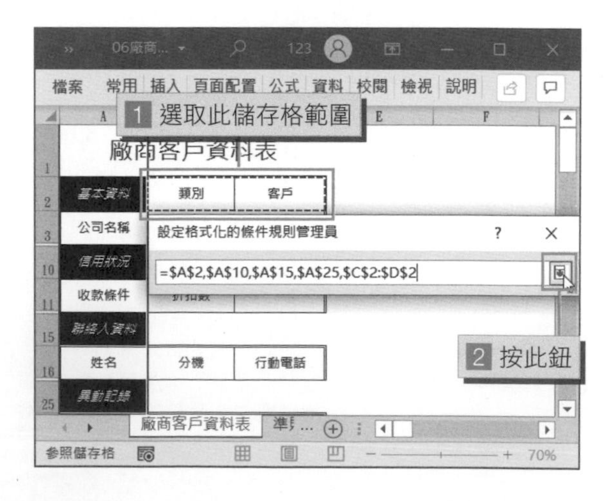

㉑ 先按下「套用」鈕，再按「確定」鈕完成新增套用儲存格範圍。

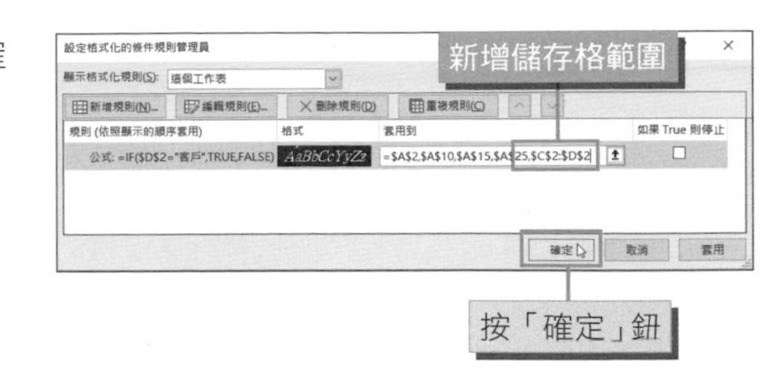

㉒ 最後在頁尾加上正反面的字樣，切換到「插入」功能索引標籤，按下「文字」功能區清單鈕，執行「頁首及頁尾」指令。

㉓ 工作表檢視模式自動切換到「整頁模式」，並出現「頁首及頁尾」功能表索引標籤。在「頁首及頁尾工具」功能索引標籤的「導覽」功能區中，執行「移至頁尾」指令。

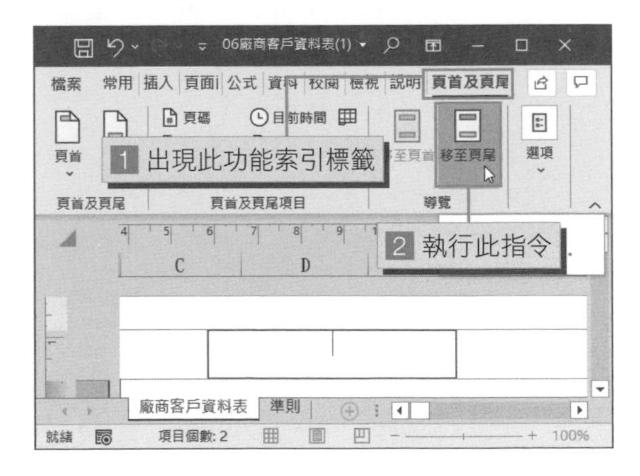

㉔ 將游標插入點移到頁尾的中間區域，輸入文字「【正面】」，輸入完成後，在「選項」功能區中，勾選「奇偶頁不同」選項。

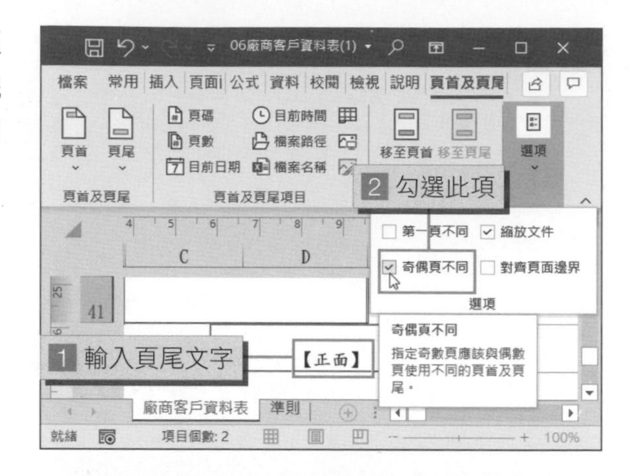

㉕ 將游標插入點移到第二頁的頁尾中間區域，輸入文字「【反面】」，輸入完成後，任選一個儲存格結束「頁首及頁尾」編輯工作。若要回到原本的檢視模式，只需切換到「檢視」功能索引標籤，在「活頁簿檢視」功能區中，執行「標準模式」指令即可。

CHAPTER

2 進銷存管理系統

Excel

單元 07

範例光碟：CHAPTER 02\07進銷存資料庫

進銷存資料庫

產品最新存量表

書號	書名	色彩	單價	進貨數量	銷貨數量	存貨數量
F9801001	Flash隨手書	彩色	$ 199	1,400	1,400	✖ -
F9801002	PhotoImpact隨手書	彩色	$ 199	1,200	900	! 300
F9801003	Dreamweaver隨手書	彩色	$ 199	1,200	900	! 300
F9801004	美工圖庫大全	彩色	$ 199	1,200	600	✔ 600
F9801005	Word隨手書	彩色	$ 199	1,200	600	✔ 600
F9801006	Excel隨手書	彩色	$ 199	1,200	600	✔ 600
F9801007	PowerPoint隨手書	彩色	$ 199	1,200	600	✔ 600
F9801008	Photoshop隨手書	彩色	$ 199	1,200	600	✔ 600
H9902021	Office導引圖鑑	黑白	$ 499	900	800	✖ 100
H9902022	PhotoShop 導引圖鑑	黑白	$ 499	1,200	1,150	✖ 50
H9902023	Word導引圖鑑	彩色	$ 499	1,100	1,050	✖ 50
H9902024	EXCEL導引圖鑑	彩色	$ 499	1,200	850	! 350
H9902025	PowerPoint導引圖鑑	彩色	$ 499	600	550	✖ 50
H9902026	Access導引圖鑑	彩色	$ 499	1,200	900	! 300
F9801009	Word商業文書寶箱	黑白	$ 599	1,000	600	! 400
F9801010	EXCEL財務系統範例書	黑白	$ 599	600	300	! 300
V9803006	計算機概論	彩色	$ 599	400	360	✖ 40
V9803007	資料結構	黑白	$ 599	400	360	✖ 40
V9803008	VC++程式設計	黑白	$ 599	400	360	✖ 40
V9803009	VB程式設計	黑白	$ 599	900	860	✖ 40
V9803010	C語言	黑白	$ 599	400	360	✖ 40
V9803011	PHP & My SQL	黑白	$ 599	400	300	✖ 100
V9803012	程式設計概論	黑白	$ 599	900	800	✖ 100

存貨管理近年來成為買賣業、製造業及流通業的大熱門，各企業針對內部的作業流程，紛紛減少庫存量，以即時的流通系統降低因庫存而產生的各種成本，如倉儲租金、倉儲管理費、滯銷的報廢成本…等。在整體經濟環境不佳的情況下，控制存貨便是控制成本的良方，因為有效的成本控管而使企業具有更強的市場競爭性。

範例步驟

❶ 首先要定義「產品資料庫」的範圍名稱，請開啟範例檔「07 進銷存資料庫 (1).xlsx」，切換到「產品資料庫」工作表。請切換到「公式」功能索引標籤，在「已定義之名稱」功能區中，執行「名稱管理員」指令。

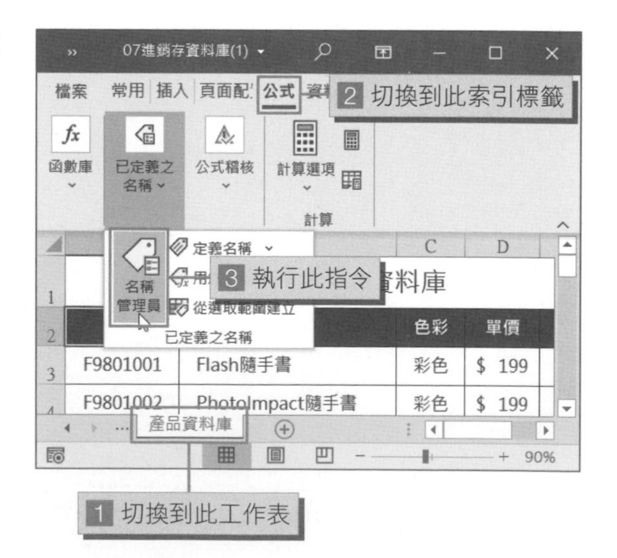

② 開啟「名稱管理員」對話方塊，其中顯示本範例事先已定義的範圍名稱。按下「新增」鈕，新增「產品資料庫」的範圍名稱。

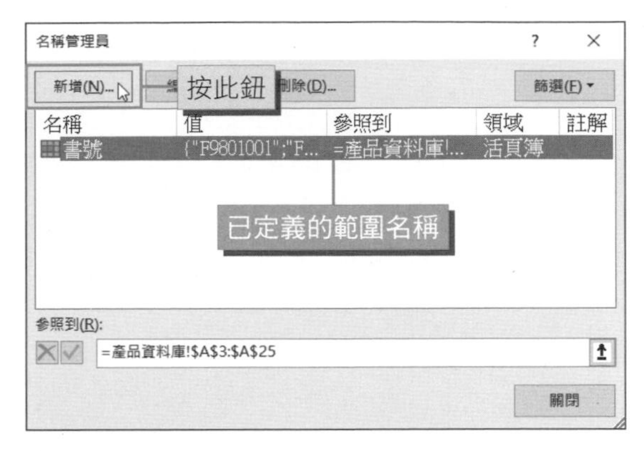

③ 另外開啟「新名稱」對話方塊，輸入名稱「產品資料庫」，按下參照到的「摺疊」鈕選擇參照範圍。

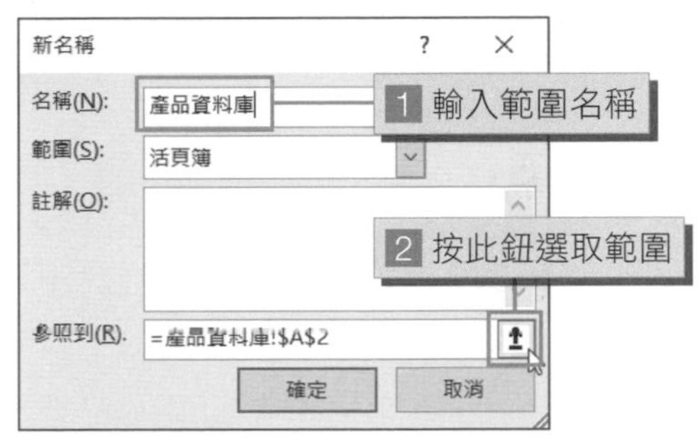

④ 選取 A3:D25 儲存格範圍後，按下「展開」鈕回到「新名稱」對話方塊。

⑤ 再次確認參照範圍後，按下「確定」鈕回到「名稱管理員」對話方塊。

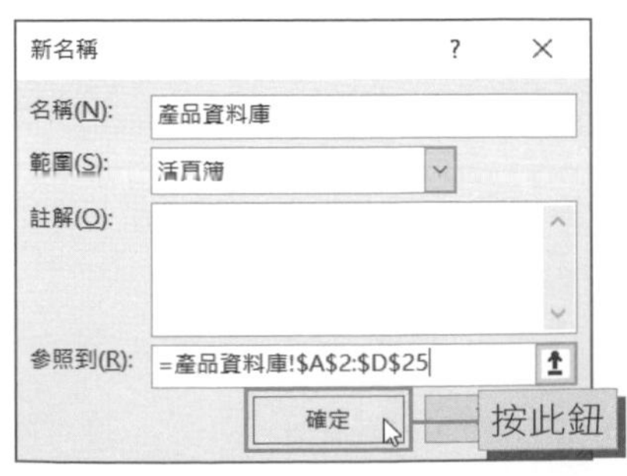

6「名稱管理員」對話方塊中，新增一筆範圍名稱，按下「關閉」鈕回到工作表。

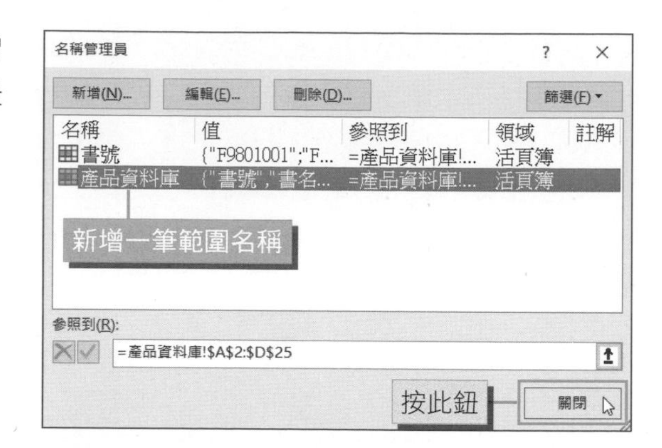

7 定義完範圍名稱後，切換到「銷貨異動資料庫」工作表，選擇 C2 儲存格，切換到「公式」功能索引標籤，在「函數庫」功能區中，按下「查閱與參照」清單鈕，執行插入「VLOOKUP」函數。

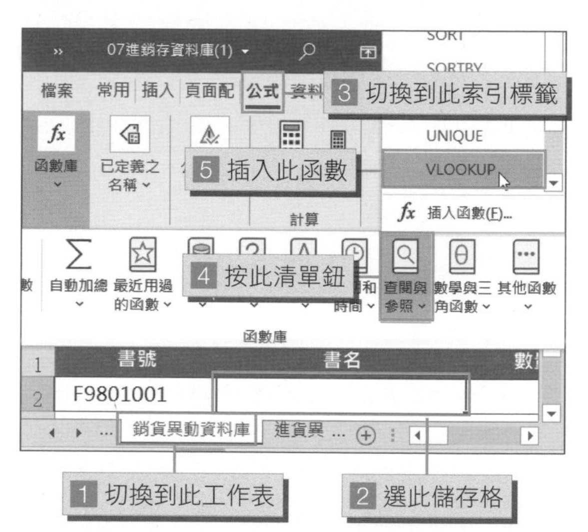

8 開啟 VLOOKUP「函數引數」對話方塊，在 Lookup_value 引數中選取 B2 儲存格；將游標插入點移到 Table_array 引數中，在「已定義之名稱」功能區中，按下「用於公式」清單鈕，選擇行插入「產品資料庫」範圍名稱。

⑨ 繼續在 Col_index_num 引數中輸入「2」；在 Range_lookup 引數數中輸入「0」，輸入完成按下「確定」鈕。完整公式為「=VLOOKUP(B2, 產品資料庫 ,2,0)」。

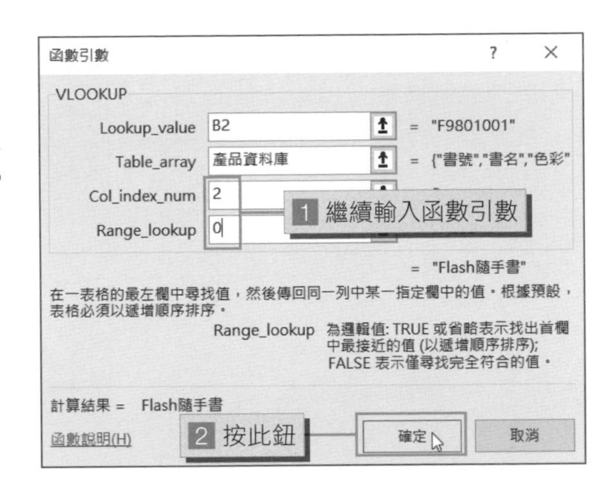

操作 MEMO VLOOKUP 函數

說明： 搜尋儲存格範圍（範圍：工作表上的兩個或多個儲存格。範圍中的儲存格可以相鄰或不相鄰。）的第一欄，從相同範圍同一列的任何儲存格傳回一個符合條件的值。VLOOKUP 中的 V 代表「垂直」。

語法： VLOOKUP(lookup_value, table_array, col_index_num, [range_lookup])

引數： 將資訊提供給動作、事件、方法、屬性、函數或程序的值。

- Lookup_value（必要）。第一欄中所要搜尋的值。
- Table_array（必要）。這是包含資料的儲存格範圍，但是 lookup_value 所搜尋的值必須在 table_array 的第一欄。這些值可以是文字、數字或邏輯值，文字不區分大小寫。
- Col_index_num（必要）。在 table_array 中傳回相對應值的欄號。
- Range_lookup（選用）。這是用以指定要 VLOOKUP 要尋找完全符合或大約符合值的邏輯值。

⑩ 書名欄位出現對應的書名。將 C2 儲存格公式到下方儲存格。

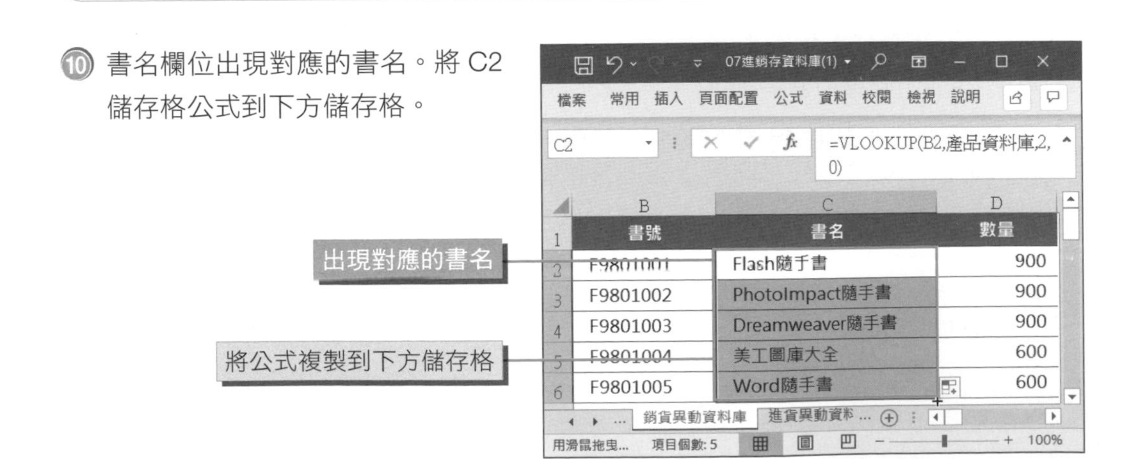

⑪ 接著來計算銷貨和進貨的數量，加加減減後就可得知最新的庫存量。請切換到「最新存量表」工作表，選取 E3 儲存格，在「函數庫」功能區中，按下「數學與三角函數」清單鈕，執行插入「SUMIF」函數。

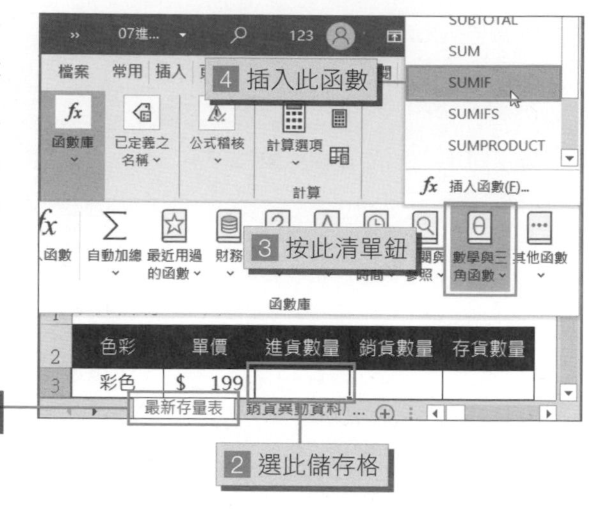

⑫ 開啟 SUMIF「函數引數」對話方塊，在 Range 引數中選取「進貨異動資料庫 !B:D」範圍；Criteria 引數中輸入「A3」儲存格；Sum_range 引數中選取「進貨異動資料庫 !D:D」範圍，輸入完成按下「確定」鈕。完整公式為「=SUMIF(進貨異動資料庫 !B:D,A3, 進貨異動資料庫 !D:D)」。

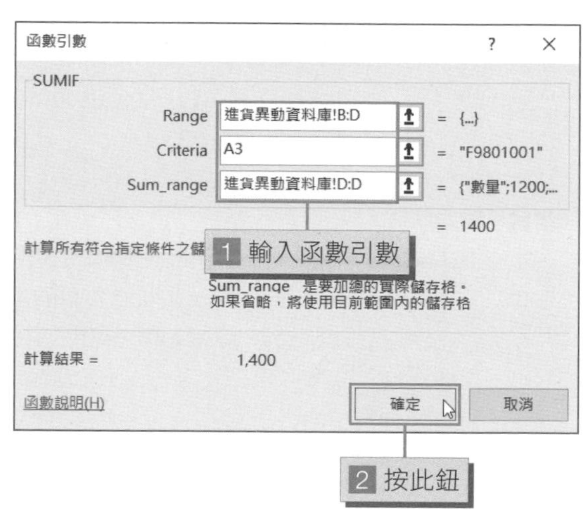

操作 MEMO SUMIF 函數

說明： 計算所有符合條件的儲存格總和。

語法： SUMIF(range, criteria, [sum_range])

引數：

- Range（必要）。就是要進行條件篩選的儲存格範圍。範圍中的儲存格都必須是數字，或包含數字的名稱、陣列或參照位置。
- Criteria（必要）。符合要加總儲存格的條件。可能是數字、運算式或文字的形式。
- Sum_range(可省略)。要加總的儲存格範圍。如果省略此引數，Excel 會加總與套用準則相同的儲存格。

⑬ 計算完進貨數量後，選取 F3 儲存格，輸入公式「=SUMIF(銷貨異動資料庫!B:D,A3,銷貨異動資料庫!D:D)」計算銷貨數量。

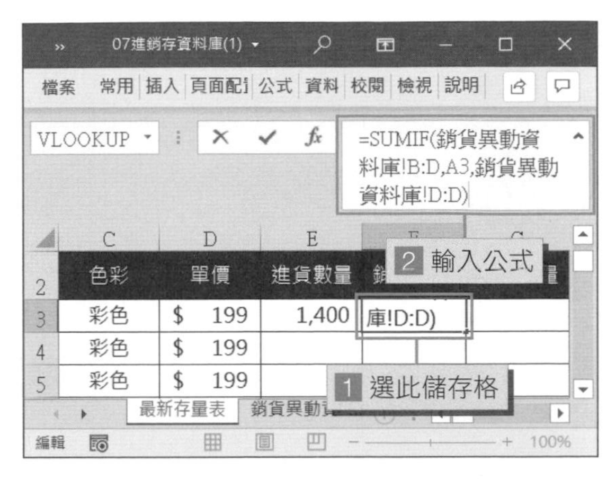

⑭ 接著選取 G3 儲存格，輸入公式「=E3-F3」，計算存貨數量。最後選取 E3:G3 儲存格，將公式複製到下方儲存格。

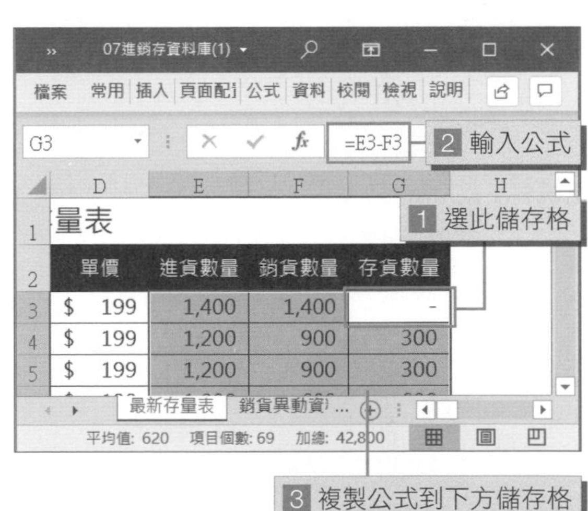

⑮ 最新存量表已經完成，如果再加上提醒庫存量的圖示就更棒。選取整欄 G，切換到「常用」功能索引標籤，在「樣式」功能區中，按下「條件式格式設定」清單鈕，選擇「圖示集」類別中「指標」項下的「三符號（無框）」警示圖示。

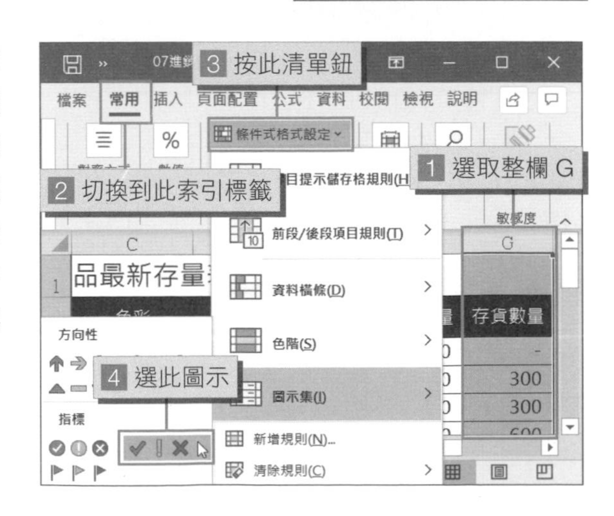

⑯ 依照不同的庫存量，給不同的圖示提醒。

	B	E	F	G
1	產品最新存量表			
2	書名	進貨數量	銷貨數量	存貨數量
3	Flash隨手書	1,400	1,400	-
4	PhotoImpact隨手書	1,200	900	300
5	Dreamweaver隨手書	1,200	900	300
6	美工圖庫大全	1,200	600	600
7	Word隨手書	1,200	600	600
8	Excel隨手書	1,200	600	600
9	PowerPoint隨手書	1,200	600	600

單元 08

範例光碟：CHAPTER 02\08存貨統計圖表

存貨統計圖表

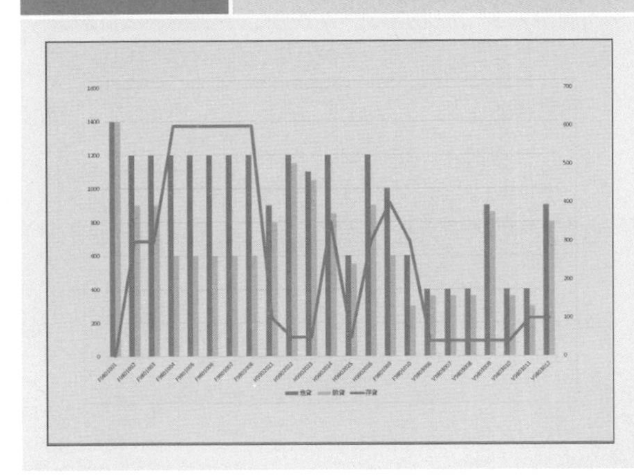

哪項產品屬於熱賣商品，進貨與銷貨的數量是否足夠？存貨數量是否太少？存貨統計圖表雖然沒有詳細的數字，但是能讓人快速瞭解整個進銷存的關係。

範例步驟

① 請開啟範例檔「08 存貨統計圖表(1).xlsx」，選取整欄 A 及整欄 E:G 共 4 欄，切換到「插入」功能索引標籤，在「圖表」功能區中，按下 「組合式」圖表清單鈕，執行插入 「群組直條圖 - 折線圖於副座標軸」指令。

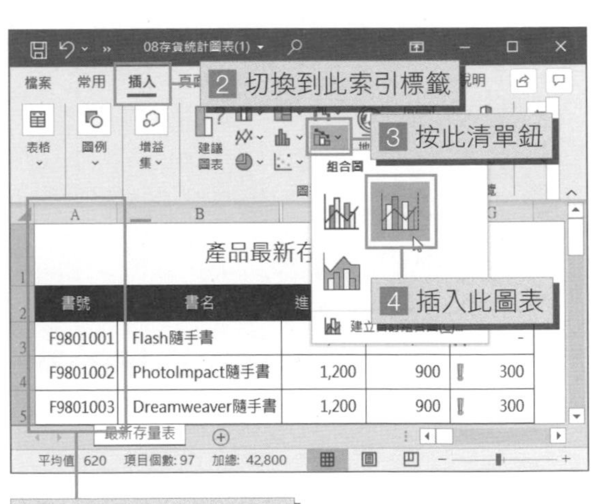

② 工作表中出現指定的圖表，但是最新存量表在同一工作表似乎有點擁擠。選取整張圖表區，切換到「圖表設計」功能索引標籤，在「位置」功能區中，執行「移動圖表」指令。

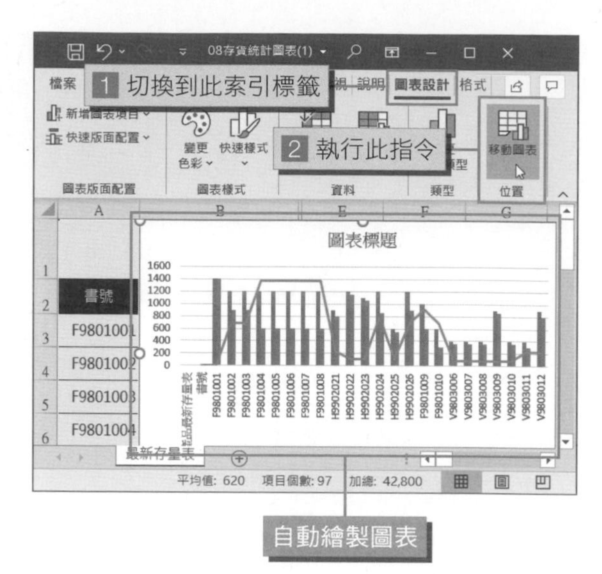

③ 開啟「移動圖表」對話方塊，選擇「新工作表」選項，並輸入工作表名稱「統計圖表」，設定完成按下「確定」鈕。

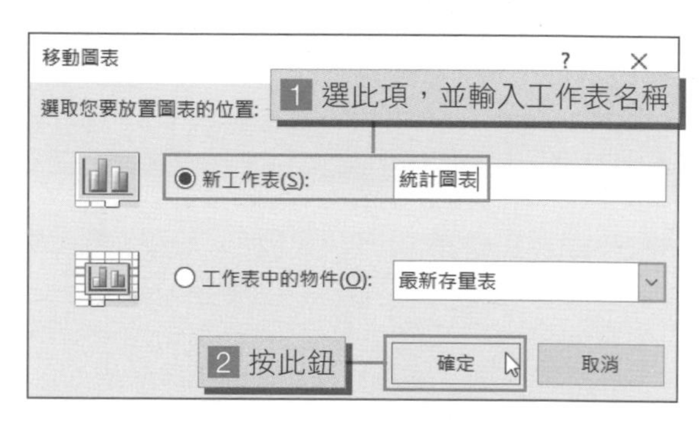

④ 圖表移到指定名稱的新工作表。繼續在「圖表設計」功能索引標籤，「資料」功能區中，執行「選取資料」指令。

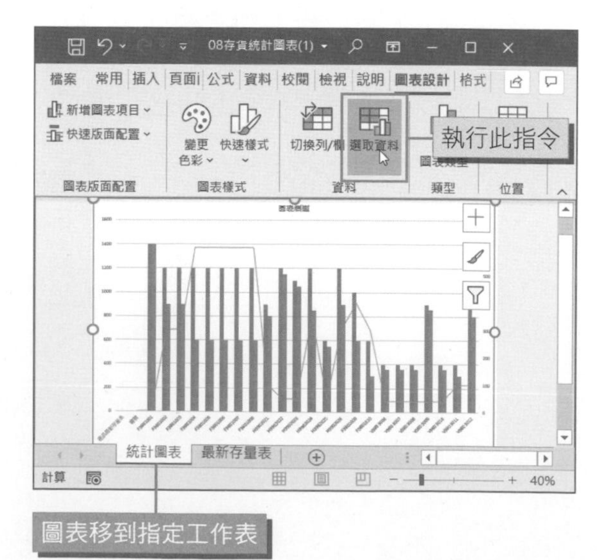

5. 開啟「選取資料來源」對話方塊，在水平（類別）座標軸標籤中，取消勾選「產品最新存量表」和「書號」標籤；在圖例項目（數列）中選取「數列 1」，並按下「編輯」鈕。

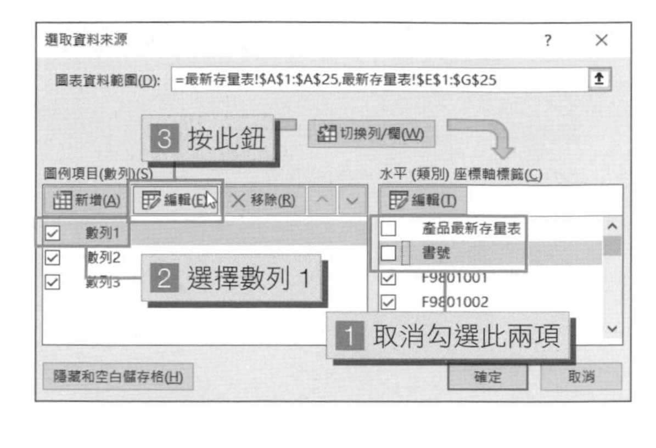

6. 另外開啟「編輯數列」對話方塊，輸入數列名稱為「進貨」，數列值不變，按下「確定」鈕回到「選取資料來源」對話方塊。

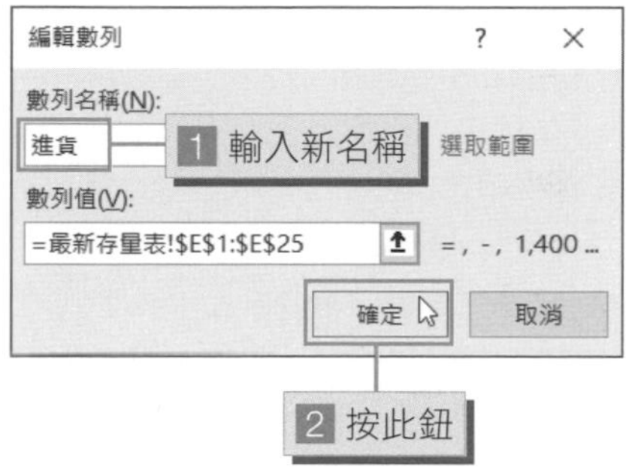

7. 依相同方法編輯數列 2 為「銷貨」，數列 3 為「存貨」，按下「確定」鈕結束選取資料來源。

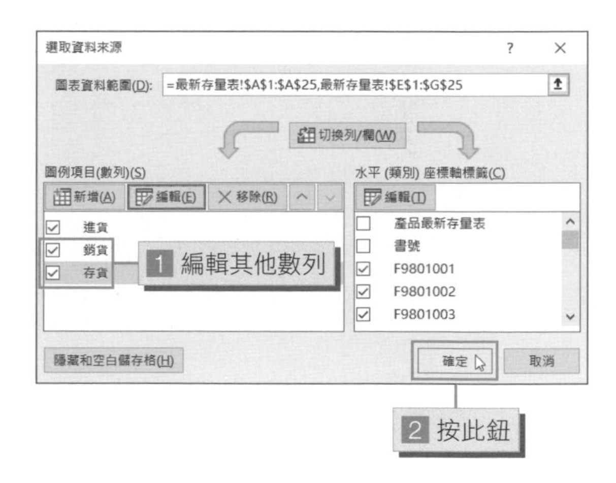

⑧ 圖表中有預設圖表標題，若要取消，可直接選取「圖表標題」文字方塊，按下鍵盤上【Delete】鍵。或是在「圖表版面配置」功能區中，按下「新增圖表項目」清單鈕，執行「圖表標題\無」指令。

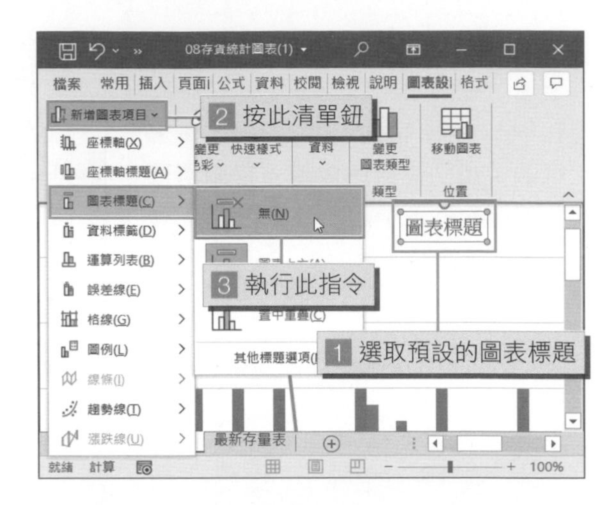

⑨ 如果不喜歡目前數列配色，也可在「圖表樣式」功能區中，按下「變更色彩」清單鈕，選擇「色彩3」配色表。

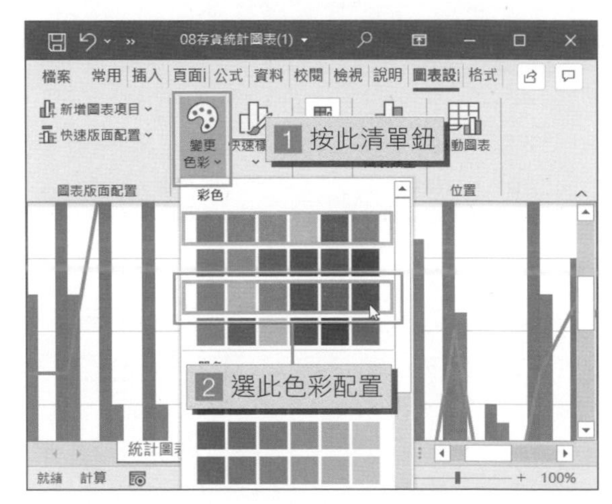

⑩ 選取數列"存貨"，也就是折線圖，切換到「圖表設計\格式」功能索引標籤，在「圖案樣式」功能區中，按下「圖案外框」清單鈕，在「粗細」選項下，選擇線條寬度為「4.5點」。

顯示變更後的數列顏色

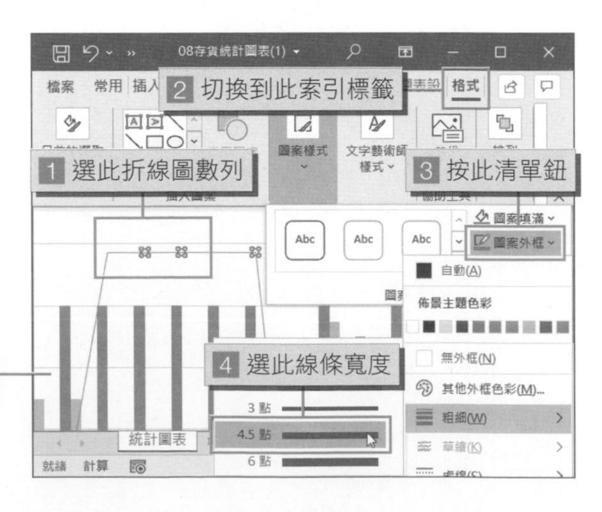

⑪ 最後選擇圖表區，替圖表換個背景色。在「目前的選取範圍」功能區中，按下「數列 " 存貨 "」旁的清單鈕（此處會隨著目前選取範圍而變動），選擇「圖表區」用以選取圖表區。

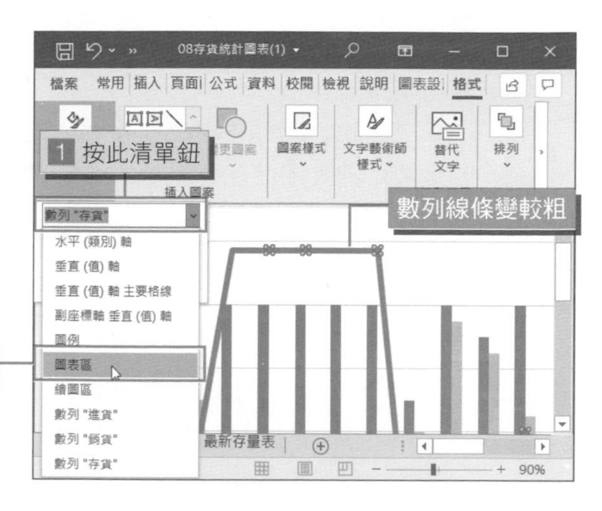

⑫ 在「圖案樣式」功能區中，按下「圖案填滿」清單鈕，選擇「藍色 , 輔色 1, 較淺 80%」色彩，作為圖表區的背景色。使用者還可以依據個人喜好，進行更多美化圖表的設定。

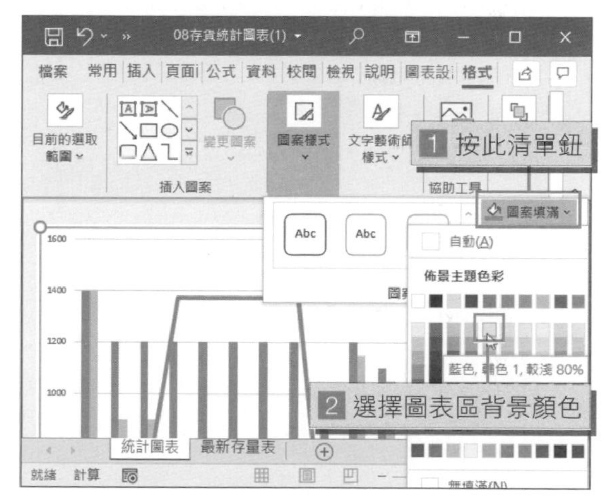

單元 09

範例光碟：CHAPTER 02\09應收帳款月報表

應收帳款月報表

應收帳款明細表

報表月份：11月份

統一編號	公司名稱	銷售金額	收款金額
44998878	菱家資訊有限公司	$63,630	$0
77889922	奇宏貿易有限公司	$297,320	$514,720
36119988	米希企業股份有限公司	$726,550	$81,300
84792992	奇妙企業股份有限公司	$308,730	$199,110
44783479	承鄉貿易股份有限公司	$214,340	$260,620
78984367	家碩科技股份有限公司	$803,840	$165,340
84666722	伊德資訊股份有限公司	$1,548,150	$584,790
41937489	吾恩企業股份有限公司	$84,040	$144,930
73819788	樺數資訊股份有限公司	$0	$381,680
14279278	鍵太股份有限公司	$0	$339,770
35213442	賜統企業股份有限公司	$0	$81,340
	總計	$4,046,600	$2,753,600

製造、銷售貨品之後，就輪到應收帳款的管理，不妨建立應收帳款資料庫，以便隨時掌握帳款的狀況。利用應收帳管資料庫，可以製作各月份應收帳款明細表，瞭解該月份新增或減少應收帳款的情形。

範例步驟

① 有些時候日期的格式會影響公式設定的複雜度，必要時要改變日期的顯示方式。請開啟範例檔「09 應收帳款月報表 (1).xlsx」，切換到「應收帳款資料」工作表，選取整欄 A:C，切換到「常用」功能索引標籤，在「儲存格」功能區中，按下「插入」清單鈕，執行「插入工作表欄」指令。

② 新增 3 欄空白欄，將游標移到智慧標籤上方則會出現清單鈕，按下清單鈕，暫時選擇「格式同右」，只需要相同的填滿及框線格式，至於數值格式稍後再變更。

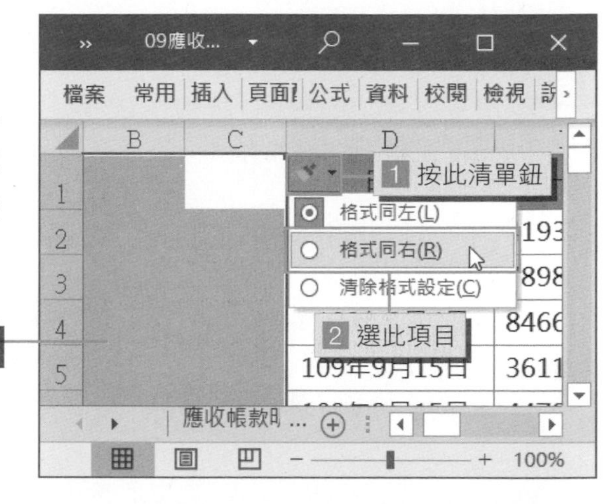

③ 分別在 A1:C1 儲存格輸入「年」、「月」和「日」的標題文字。選取 C2 儲存格，切換到「公式」功能索引標籤，在「函數庫」功能區中，按下「日期及時間」清單鈕，執行插入「DAY」函數。

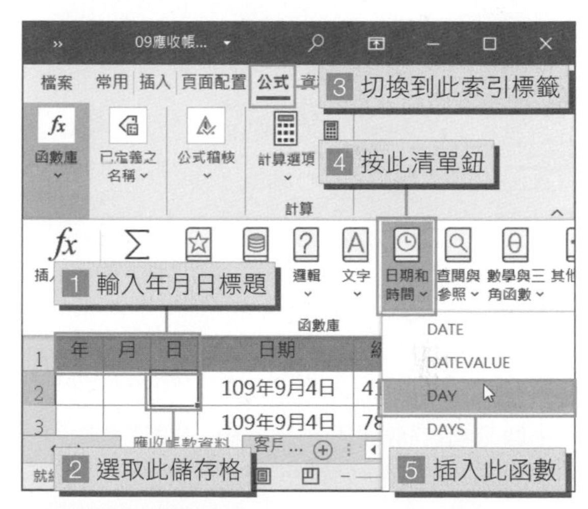

④ 開啟 DAY「函數引數」對話方塊，在 Serial_number 引數中選取「D2」儲存格，按下「確定」鈕。完整公式為「=DAY(D2)」。

操作MEMO DAY 函數

說明： 傳回指定日期的日數。(日數為 1-31)

語法： DAY(serial_number)

引數： 將資訊提供給動作、事件、方法、屬性、函數或程序的值。

- Serial_number（必要）。要傳回的指定日期。

⑤ 選取 B2 儲存格，再次按下「日期及時間」清單鈕，執行插入「MONTH」函數。開啟 MONTH「函數引數」對話方塊，在 Serial_number 引數中選取「D2」儲存格，按下「確定」鈕。完整公式為「= MONTH(D2)」。

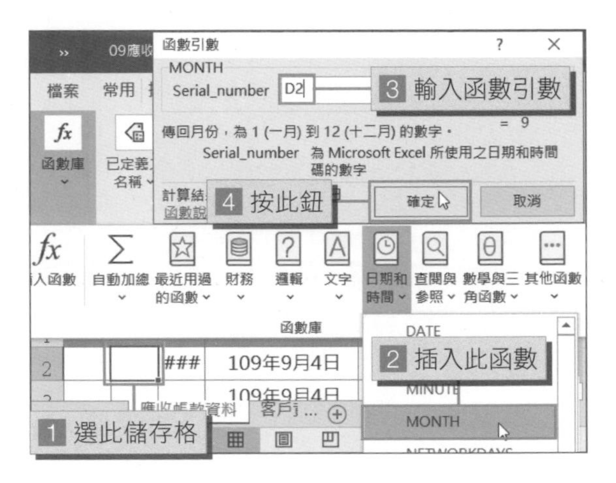

操作MEMO MONTH 函數

說明： 傳回指定日期的月份。(月份為 1-12)

語法： MONTH(serial_number)

引數： 將資訊提供給動作、事件、方法、屬性、函數或程序的值。

- Serial_number（必要）。要傳回的指定日期。

⑥ 選取 A2 儲存格，按下「日期及時間」清單鈕，執行插入「YEAR」函數。開啟 YEAR「函數引數」對話方塊，在 Serial_number 引數中仍然選取「D2」儲存格，按下「確定」鈕。完整公式為「=YEAR (D2)」。

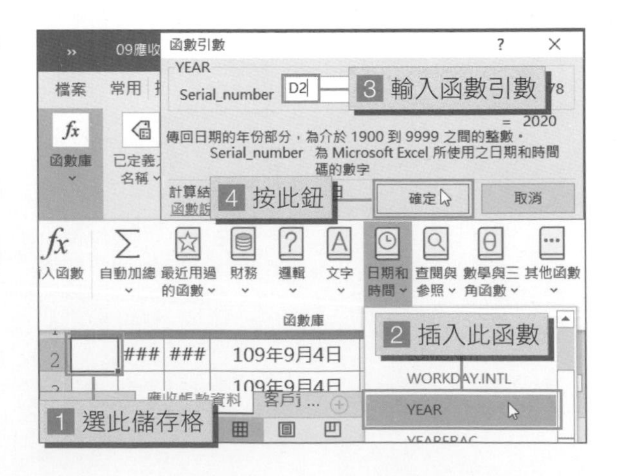

操作 MEMO　YEAR 函數

說明： 傳回指定日期的年份。（年份會傳回成 1900-9999 範圍內的整數）

語法： YEAR(serial_number)

引數： 將資訊提供給動作、事件、方法、屬性、函數或程序的值。

- Serial_number（必要）。要傳回的指定日期。

⑦ 但是 A1 儲存格會顯示西元年，若要顯示國曆年，就要減除「1911」。將游標插入點移到 YEAR 公式後方，繼續輸入公式「-1911」，按鍵盤【Enter】鍵完成輸入。完整公式為「=YEAR(D2)-1911」。

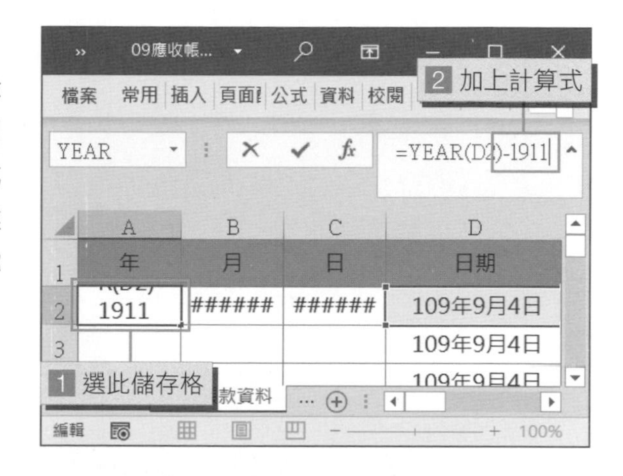

⑧ 選取整欄 A:C，切換到「常用」功能索引標籤，在「數值」功能區中，按下數值格式清單鈕，選擇「通用格式」，好讓年、月、日可以正常顯示數值。

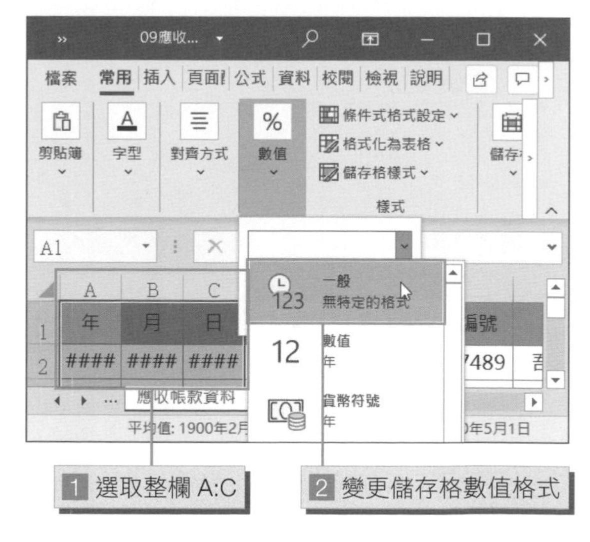

⑨ 選取 A2:C2 儲存格，使用拖曳方式複製公式到 A110:C110 儲存格範圍。由於儲存格內是公式所計算出來的結果，為了讓往後能長久使用，必須將公式轉換成數值。選取整欄 A:C，按滑鼠右鍵開啟快顯功能表，執行「複製」指令。

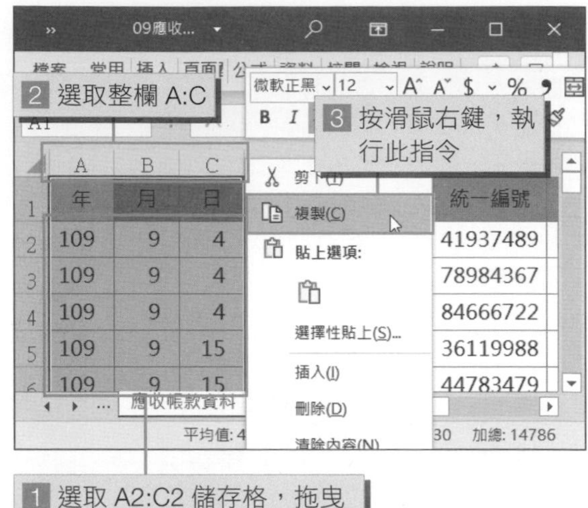

⑩ 選取 A1 儲存格，按滑鼠右鍵開啟快顯功能表，執行 「貼上值」指令，讓儲存格內容為數值。

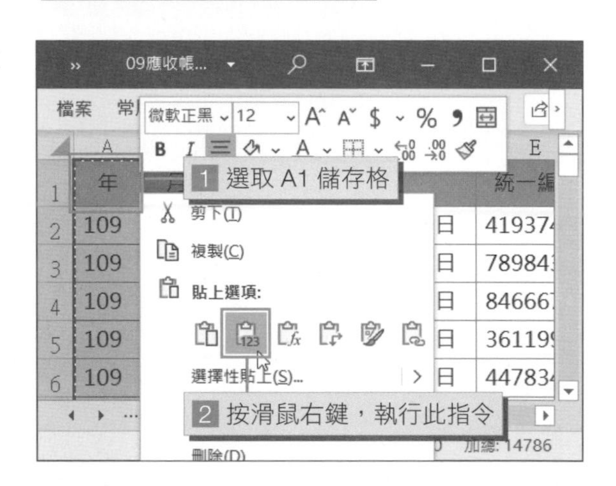

⑪ 此時原日期欄 D 可以功成身退。選取整欄 D，在「儲存格」功能區中，按下「刪除」清單鈕，執行「刪除工作表欄」指令。

儲存格內非公式而是數值

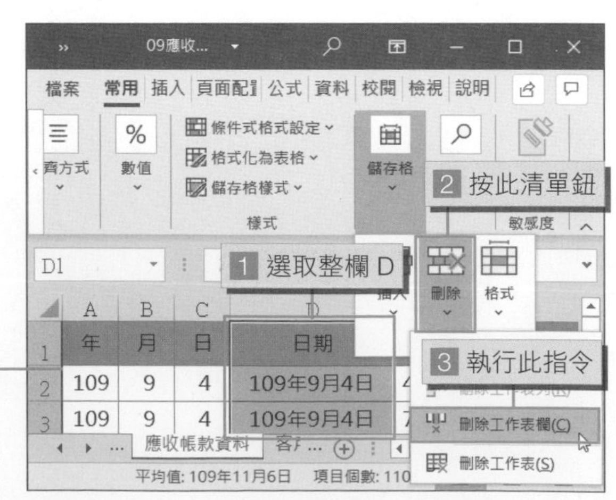

⑫ 切換到「應收帳款明細表」，選取 A2 儲存格，按滑鼠右鍵開啟快顯功能表，執行「儲存格格式」指令。

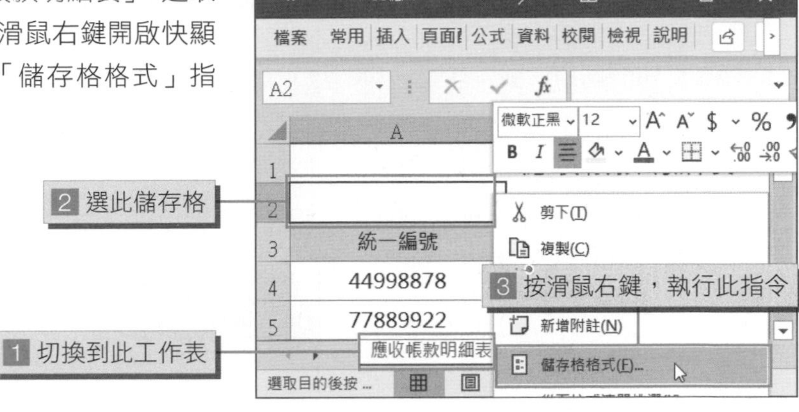

⑬ 開啟「設定儲存格格式」工作視窗，在「數值」索引標籤中選擇「自訂」類別，將游標插入點移到類型「G/通用格式」前方，輸入新增文字「"報表月份："」，然後將游標插入點移到「G/通用格式」後方，繼續輸入新增文字「"月份"」，輸入完按下「確定」鈕。完整的類型顯示為「"報表月份："G/通用格式"月份"」。

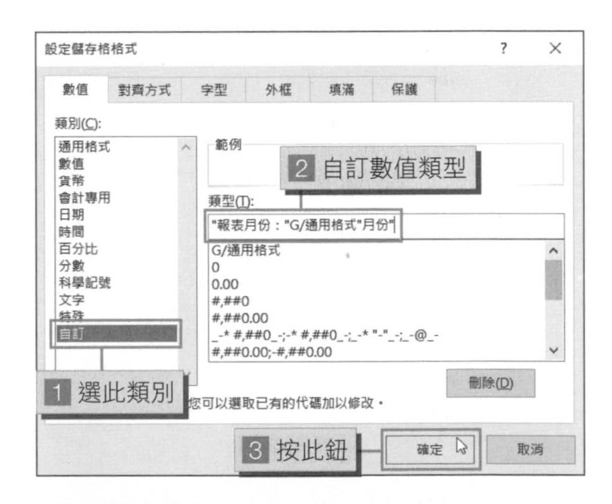

⑭ 在 A2 儲存格輸入數字「11」，儲存格會顯示「報表月份：11 月份」。

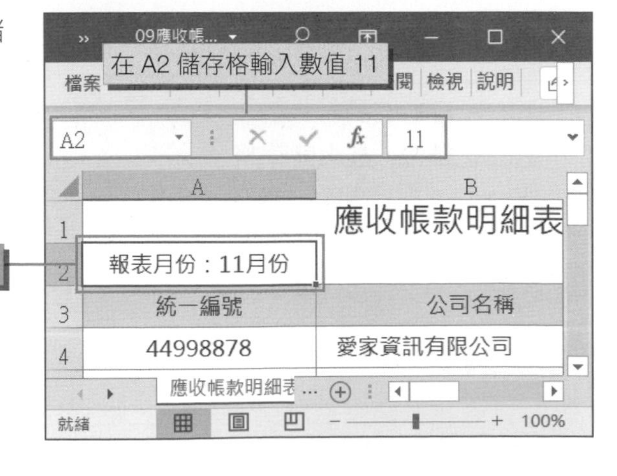

⑮ 接著選取 C4 儲存格，切換到「公式」功能索引標籤，在「函數庫」功能區中，按下「插入函數」圖示鈕。

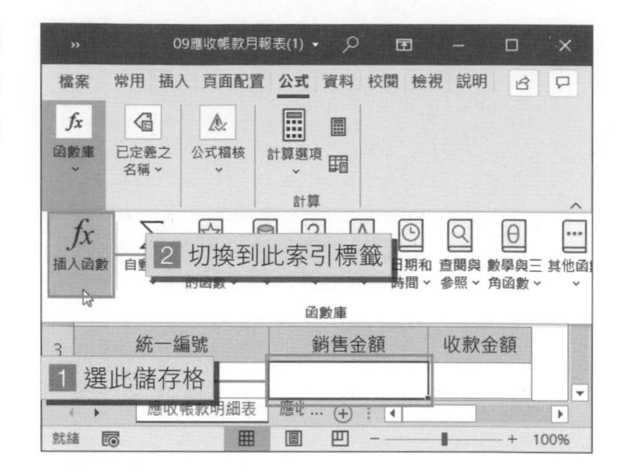

⑯ 開啟「插入函數」對話方塊，選擇「數學與三角函數」類別，選擇「SUMIFS」函數，按「確定」鈕。

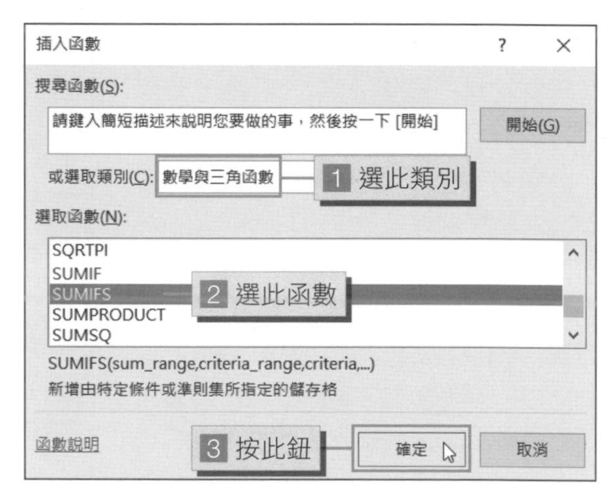

⑰ 開啟 SUMIFS「函數引數」對話方塊。Sum_range 引數輸入「應收帳款資料 !G:G」，Criteria_range1 引數輸入「應收帳款資料 !$B:$B」，Criteria1 引數輸入「$A$2」，Criteria_range2 引數輸入「應收帳款資料 !$D:$D」，Criteria2 引數輸入「$A4」，輸入完成後按下「確定」鈕。

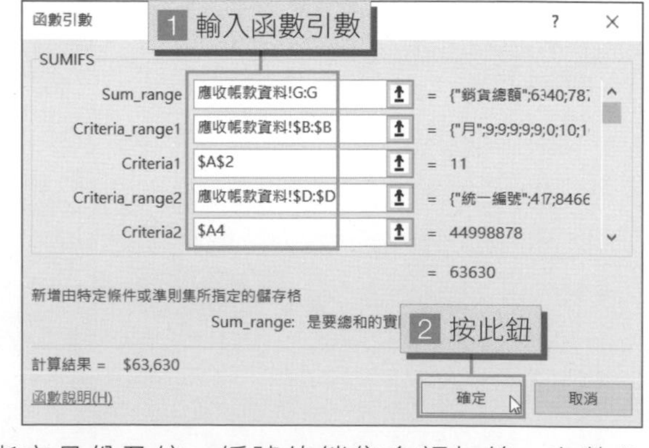

就是在應收帳款資料中，將符合指定月份及統一編號的銷售金額加總。完整公式為「=SUMIFS(應收帳款資料 !G:G, 應收帳款資料 !$B:$B,$A$2, 應收帳款資料 !$D:$D,$A4)」

操作 MEMO　SUMIFS 函數

說明： 將範圍中符合多個準則的儲存格相加。

語法： SUMIFS(sum_range, criteria_range1, criteria1, [criteria_range2, criteria2], ...)

引數：

- Sum_range（必要）。要計算加總的儲存格範圍。
- Criteria_range1（必要）。第一個條件值的篩選範圍。
- Criteria1（必要）。第一個條件值。
- Criteria_range2, criteria2, …（選用）。其他篩選範圍及其相關條件。最多允許 127 組範圍 / 準則。

⑱ 將 C4 儲存格公式複製到 D4 儲存格，再將 C4:D4 儲存格公式向下複製到 C14:D14 儲存格範圍。D4 儲存格出現 0 值，不是公式有誤，而是沒有相關的加總數值。

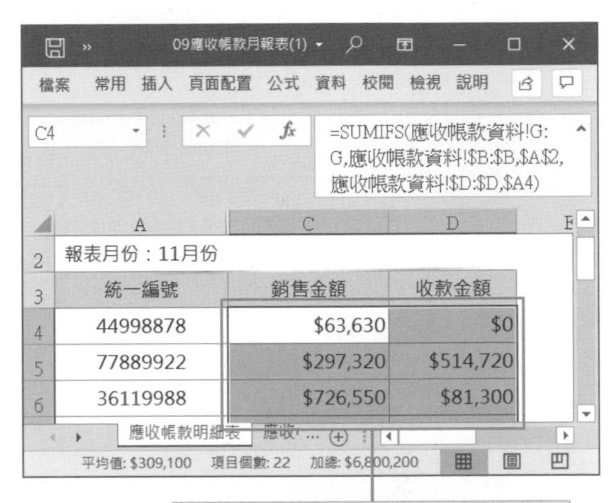

⑲ 最後計算總計金額。選取 C15 儲存格，切換到「公式」功能索引標籤，在「函數庫」功能區中，按下「自動加總」清單鈕，執行「加總」指令，選取加總範圍「C4:C14」，按下鍵盤【Enter】鍵。再將 C15 儲存格公式複製到 D15 儲存格即完成。

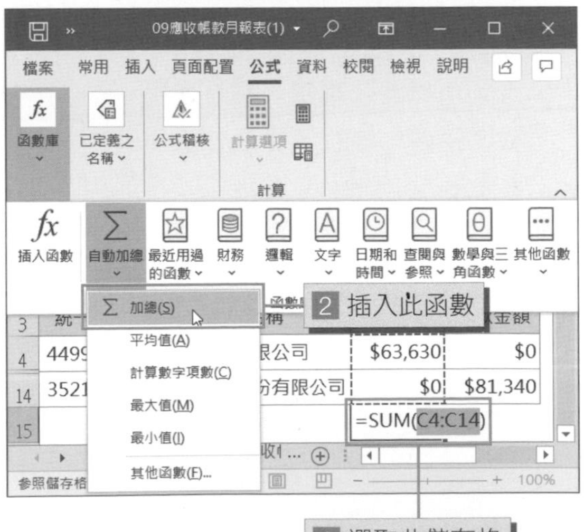

單元 10

範例光碟：CHAPTER 02\10應收帳款對帳單

應收帳款對帳單

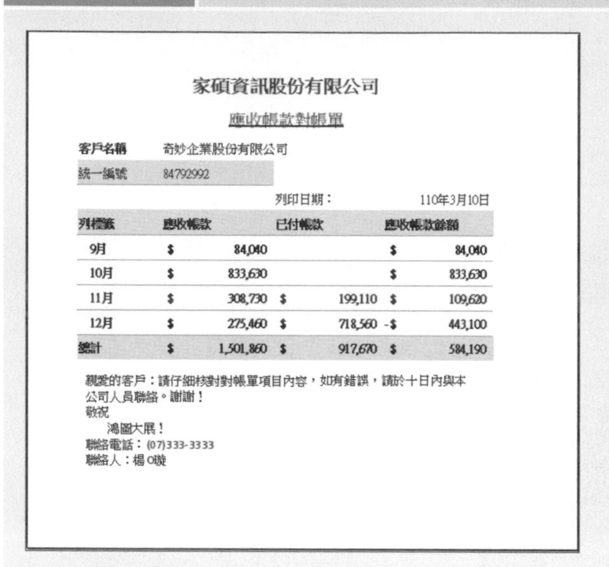

家碩資訊股份有限公司

應收帳款對帳單

客戶名稱　奇妙企業股份有限公司

統一編號　84792992

列印日期：　110年3月10日

列標籤	應收帳款	已付帳款	應收帳款餘額
9月	$ 84,040		$ 84,040
10月	$ 833,630		$ 833,630
11月	$ 308,730	$ 199,110	$ 109,620
12月	$ 275,460	$ 718,560	-$ 443,100
總計	$ 1,501,860	$ 917,670	$ 584,190

親愛的客戶：請仔細核對對帳單項目內容，如有錯誤，請於十日內與本公司人員聯絡。謝謝！
敬祝
　鴻圖大展！
聯絡電話：(07)333-3333
聯絡人：楊O璇

應收資料庫建立後，除了可以快速瞭解營收狀況外，還可以利用資料庫的內容，製作每個月的應收帳款對帳單，寄發給客戶確保應收帳款正確無誤，也順便提醒客戶還有多少帳款尚未付清。

範例步驟

1. 請開啟範例檔「10. 應收帳款對帳單(1).xlsx」，切換到「應收帳款資料」工作表，切換到「插入」功能索引標籤，在「表格」功能區中，執行「樞紐分析表」指令。

② 開啟「建立樞紐分析表」對話方塊，設定內容使用預設值，按「確定」鈕。

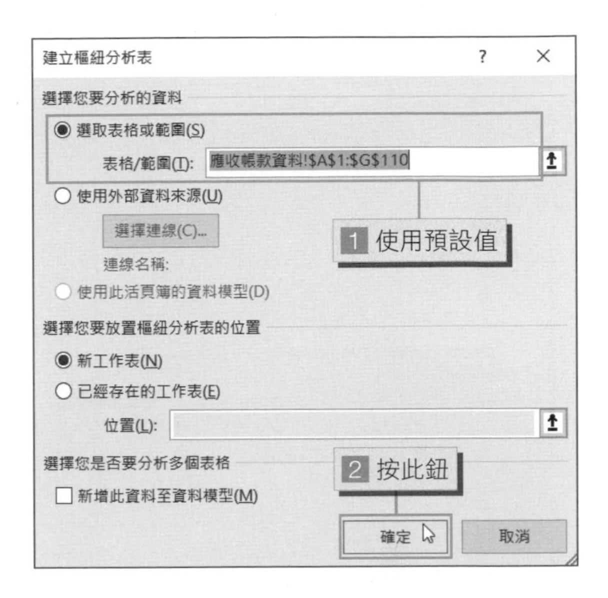

③ 開啟新工作表包含空白的樞紐分析表及「樞紐分析表欄位」工作窗格。使用拖曳的方式將「統一編號」欄位拖到「篩選」區域。

④ 工作表會同步顯示版面配置的變化。接著將「日期」欄位拖曳到「列」區域，「銷貨總額」拖曳到「Σ 值」區域。按下「計數 - 銷貨總額」欄位名稱旁的功能清單鈕，d 開啟快顯功能表，執行「值欄位設定」指令。

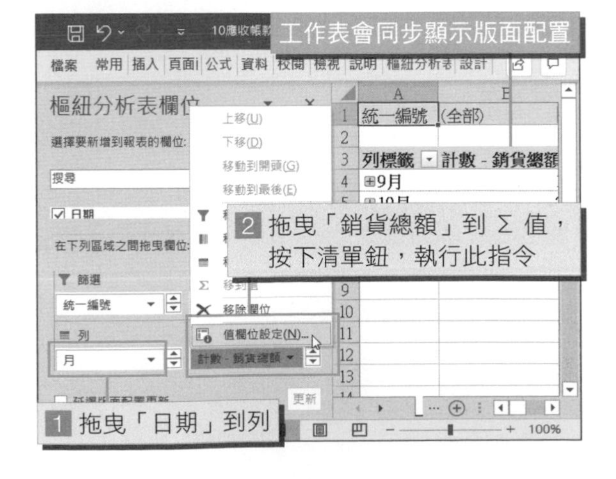

⑤ 開啟「值欄位設定」對話方塊，選擇「加總」計算類型，按下「數值格式」鈕變更數值格式。

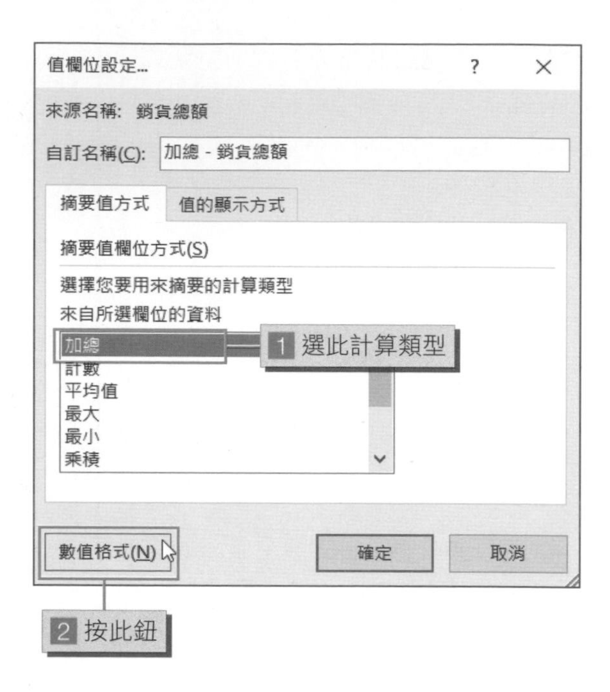

⑥ 另外開啟「設定儲存格格式」對話方塊，選取「會計專用」類別，設定格式為「0」小數位數，貨幣顯示為「$」，按下「確定」鈕。

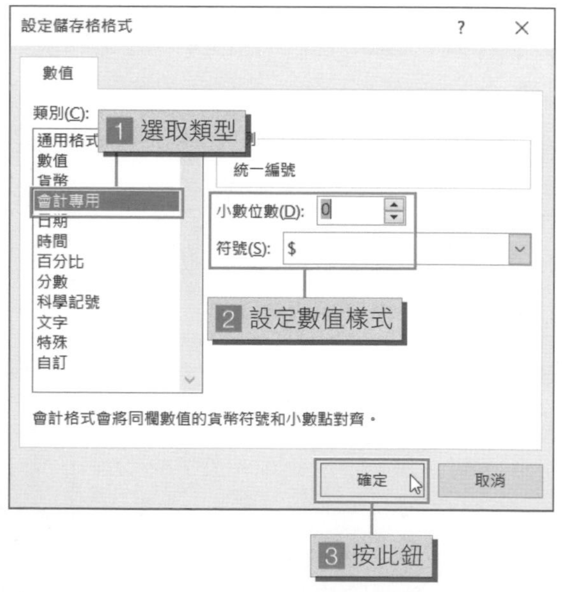

7. 回到「值欄位設定」對話方塊，輸入自訂名稱為「應收帳款」，按下「確定」鈕。

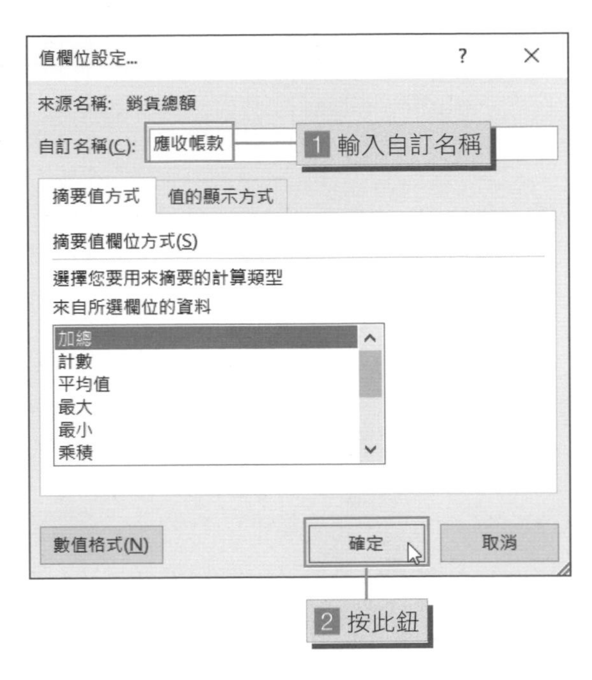

8. 依相同方式將「已付金額」拖曳到「Σ 值」區域後，按下「計數 - 已付金額」欄位名稱旁的功能清單鈕，執行「值欄位設定」指令，同樣選擇「加總」計算類型，並變更數值格式，最後輸入自訂名稱「已付帳款」，按下「確定」鈕。

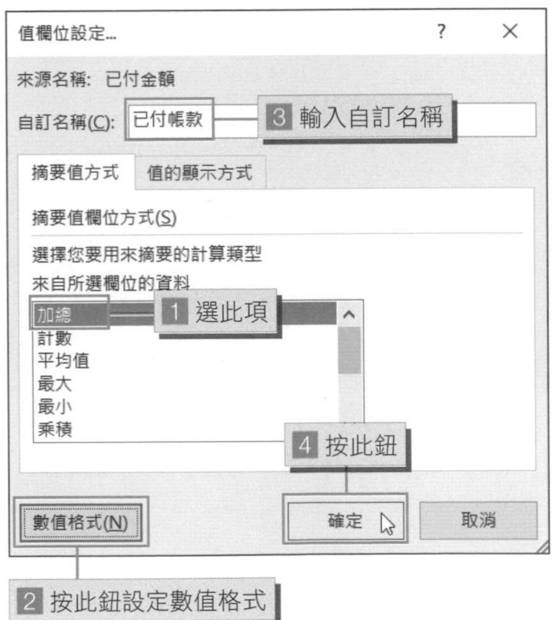

9 樞紐分析表版面配置設定完成，按下「樞紐分析表欄位」工作窗格中的清單鈕，執行「關閉」指令。

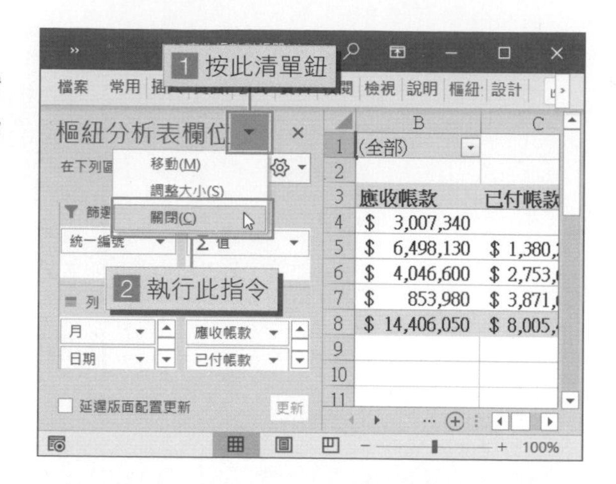

10 接著增加應收帳款餘額的計算欄位。切換到「樞紐分析表分析」功能索引標籤，在「計算」功能區中，按下「欄位、項目和集」清單鈕，執行「計算欄位」指令。

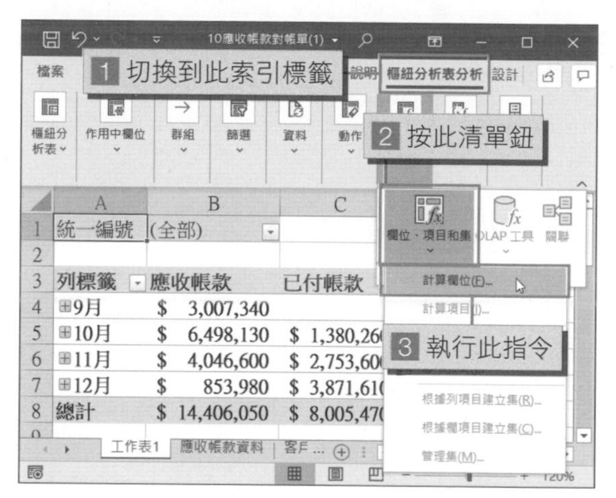

11 開啟「插入計算欄位」對話方塊，輸入名稱「帳單餘額」及公式「= 銷貨總額 - 已付金額」，按下「新增」鈕新增欄位名稱後，再按「確定」鈕。

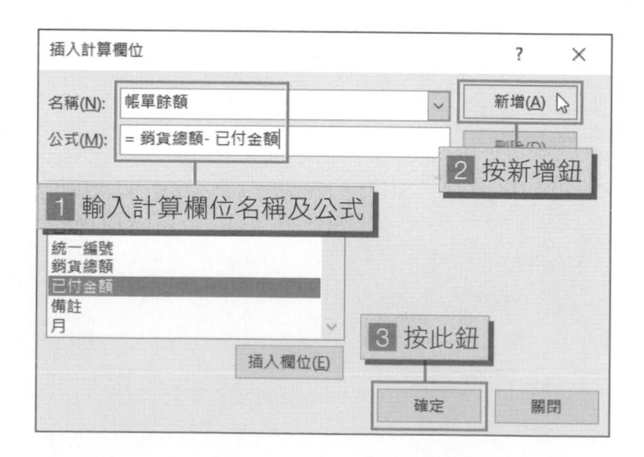

⑫ 選擇「加總 - 帳單餘額」欄位標題，執行「樞紐分析表分析\作用中欄位\欄位設定」指令。

⑬ 開啟「值欄位設定」對話方塊，輸入自訂名稱「應收帳款餘額」，確認計算類型和數值格式後，按「確定」鈕。

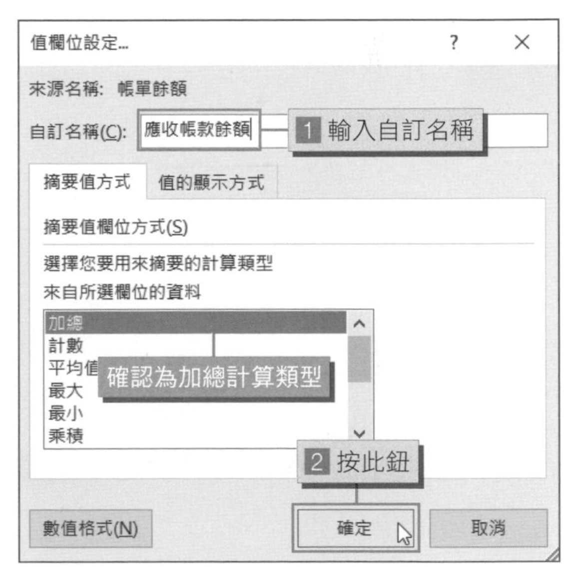

⑭ 先將工作表標籤重新命名為「對帳單」，選取整列 1:3，按滑鼠右鍵開啟快顯功能表，執行「插入」指令。

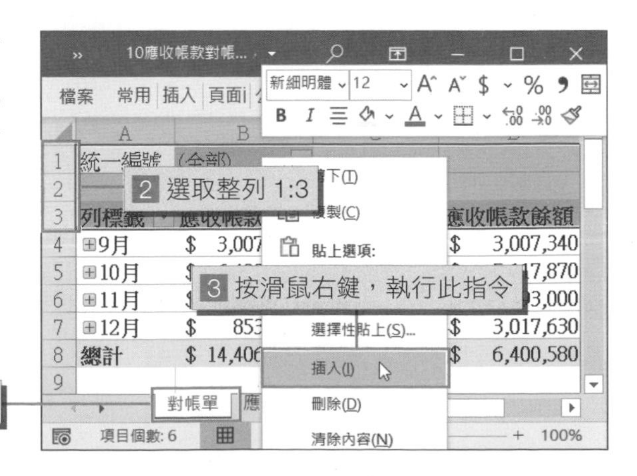

⑮ 新增3列空白列，輸入公司名稱、報表名稱及客戶名稱，並設定相關格式。選取B3儲存格，切換到「公式」功能索引標籤，在「函數庫」功能區中，按下「查閱與參照」清單鈕，執行插入「VLOOKUP」函數。

⑯ 開啟VLOOKUP「函數引數」對話方塊，在Lookup_value引數中選取「B4」儲存格，在Table_array引數中選取「客戶資料表!A1:C12」儲存格範圍，，在Col_index_num引數中輸入「3」，最後在Range_lookup引數中輸入「0」，按下「確定」鈕。就是找到統一編號所代表的公司名稱，完整公式為「=VLOOKUP(B4, 客戶資料表!A1:C12,3,0)」。

⑰ 回到工作表中，按下「統一編號」欄位標題旁的篩選鈕，選擇其中的統一編號，按「確定」鈕。

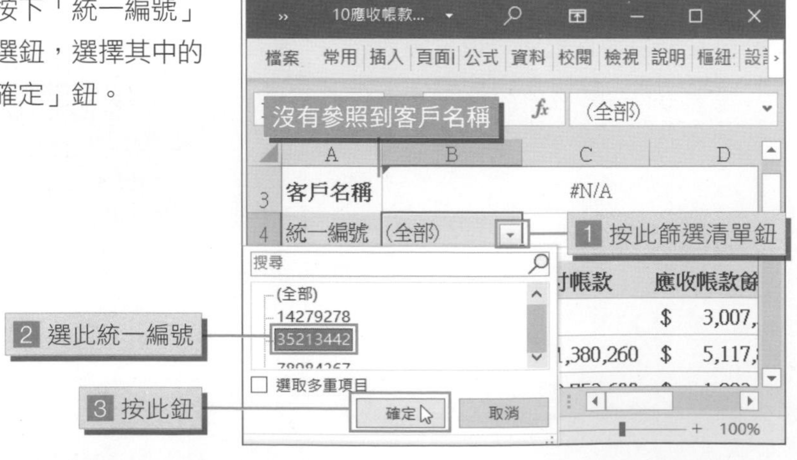

⑱ 客戶名稱中會顯示對應的公司名稱。先在 C5 儲存格輸入文字「列印日期：」，接著選取 D5 儲存格，繼續在「公式 \ 函數庫」功能區中，按下「日期與時間」清單鈕，執行插入「NOW」指令。

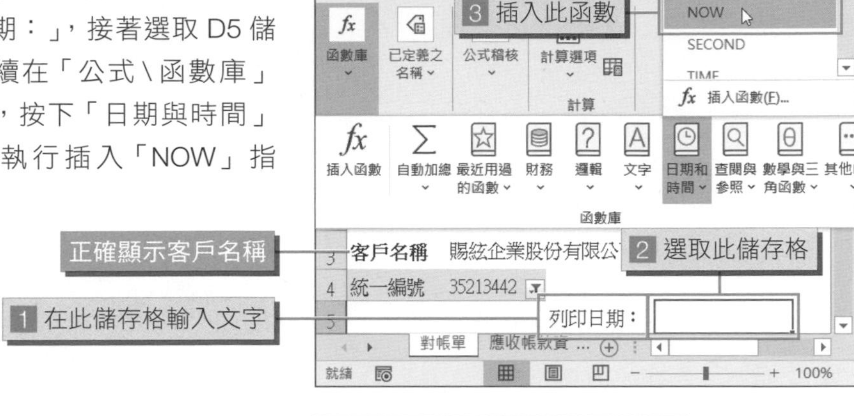

⑲ 開啟 NOW「函數引數」對話方塊，由於此函數不需要引數，直接按下「確定」鈕。

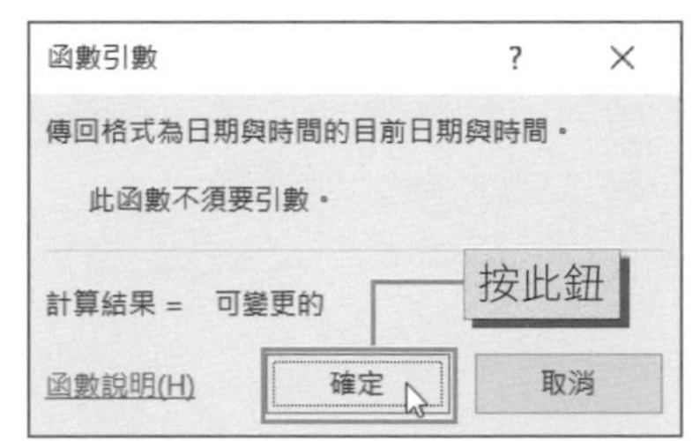

操作 MEMO　NOW 函數

說明： 傳回目前日期和時間的序列值。

語法： NOW()

引數： NOW 函數語法沒有任何將資訊提供給動作、事件、方法、屬性、函數或程序的值。

⑳ 日期處會顯示電腦系統當天的日期。還要輸入相關的付款資訊，在「插入 \ 圖例」功能區中，按下「圖案」清單鈕，執行插入 [A] 「文字方塊」指令。

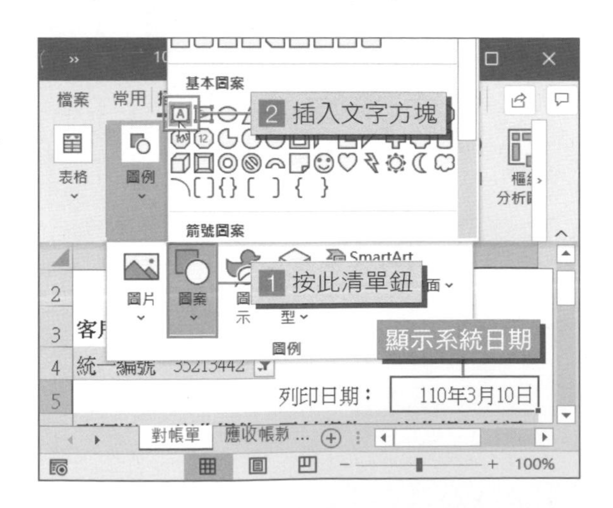

㉑ 當游標變成↓符號，在報表下方拖曳繪製出文字方塊。(事後可依據訊息內容再調整大小)

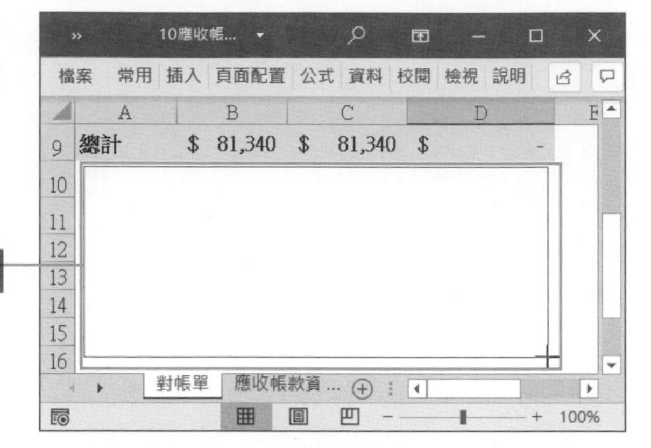

㉒ 在文字方塊中輸入要傳達給客戶訊息。選取文字方塊，在「圖形格式\圖案樣式」功能區中，按下「圖案外框」清單鈕，選擇執行「無外框」指令。

㉓ 文字方塊與工作表間沒有界線。最後隨著表格長短移動文字方塊位置即可。

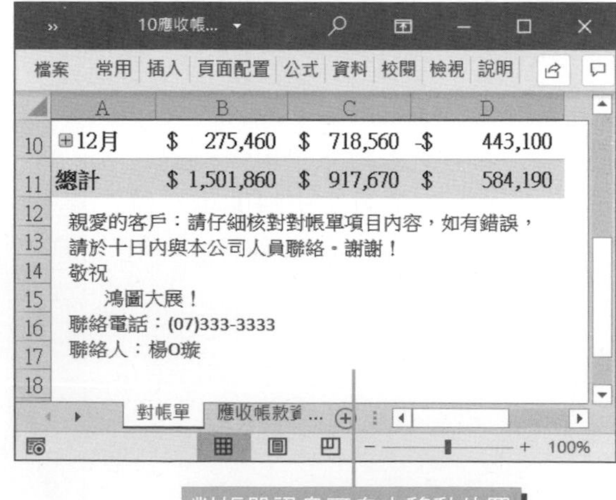

單元 11

範例光碟：CHAPTER 02\11應收帳款分析圖表

應收帳款分析圖表

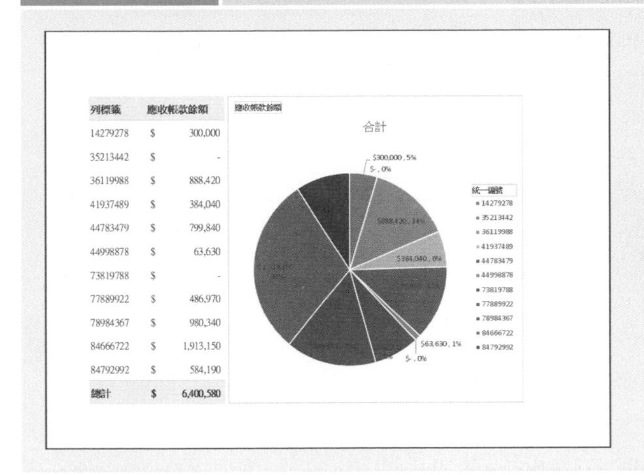

列標籤	應收帳款餘額	
14279278	$	300,000
35213442	$	-
36119988	$	888,420
41937489	$	384,040
44783479	$	799,840
44998878	$	63,630
73819788	$	-
77889922	$	486,970
78984367	$	980,340
84666722	$	1,913,150
84792992	$	584,190
總計	$	6,400,580

對於客戶的應收帳款，通常會依照客戶的信用狀況，給予不同的付款期限。目前公司尚未收回的應收帳款金額是多少？哪家客戶是公司該努力催款的大戶呢？可以透過圖表快速瞭解。

範例步驟

1. 製作應收帳款分析圖可以利用「對帳單」的樞紐分析表作修改，由於要繼續保存對帳單，因此將使用複製的方式，建立新的樞紐分析表。請開啟範例檔「11 應收帳款分析圖表(1).xlsx」，切換到「對帳單」工作表，選取樞紐分析表中的儲存格，切換到「樞紐分析表分析」功能索引標籤，在「動作」功能區中，按下「選取」清單鈕，執行「整個樞紐分析表」。

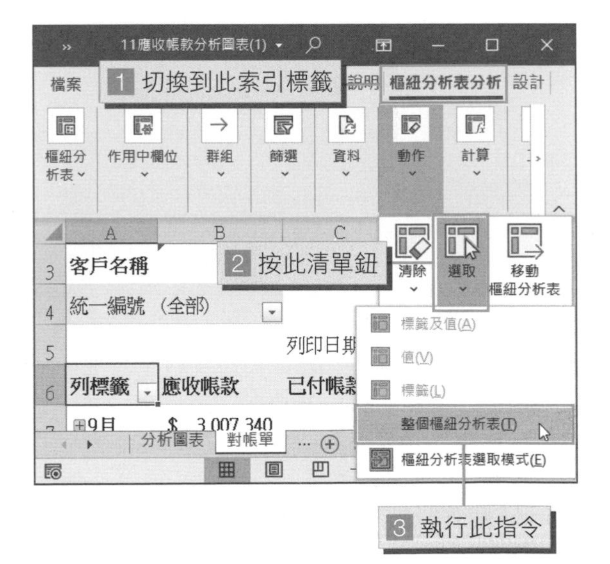

2. 接著按滑鼠右鍵開啟快顯功能表，執行「複製」指令。

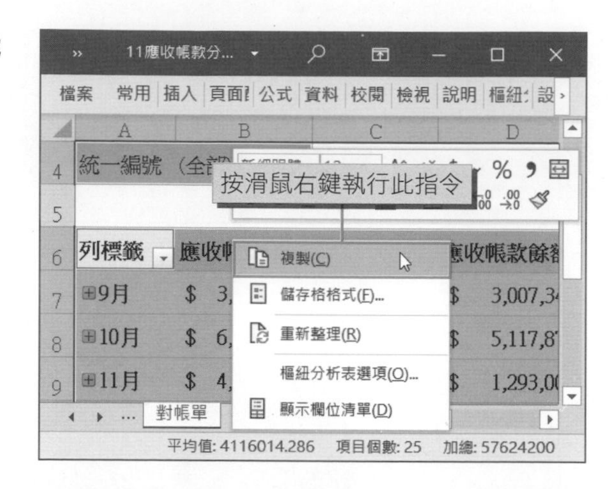

3. 切換到「分析圖表」工作表，選取 A1 儲存格，按滑鼠右鍵開啟快顯功能表，在「選擇性貼上\貼上」類別中，執行「保持來源欄寬」指令。

4. 樞紐分析表被複製到其他工作表中。切換到「樞紐分析表分析」功能索引標籤，在「工具」功能區中，執行「樞紐分析圖」指令。

樞紐分析表被複製到其他工作表

⑤ 開啟「插入圖表」對話方塊，選擇「圓形圖」，按下「確定」鈕。

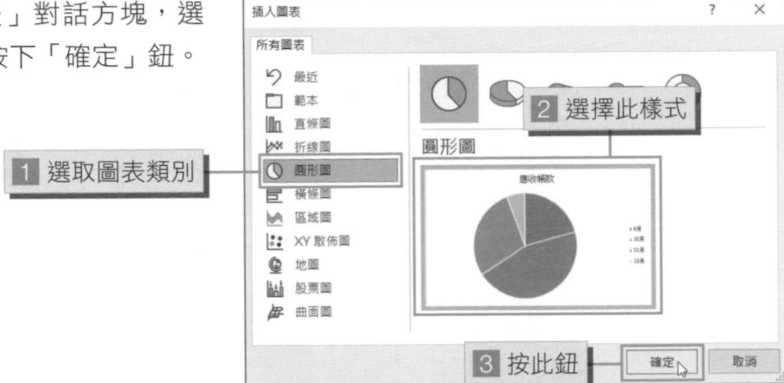

⑥ 在樞紐分析表中新增樞紐分析圖。選取圖表，切換到「樞紐分析圖分析」功能索引標籤，在「顯示 / 隱藏」功能區中，執行「欄位清單」指令。

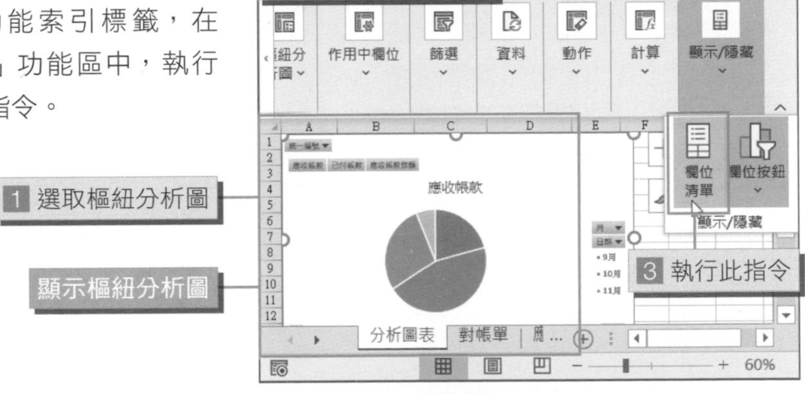

⑦ 開啟「樞紐分析圖欄位」工作窗格，取消勾選「日期」、「銷貨總額」和「已付金額」欄位，並將「統一編號」欄位移到「座標軸（類別）」區域。最後按下右上方的「關閉」鈕，關閉「樞紐分析圖欄位」工作窗格。

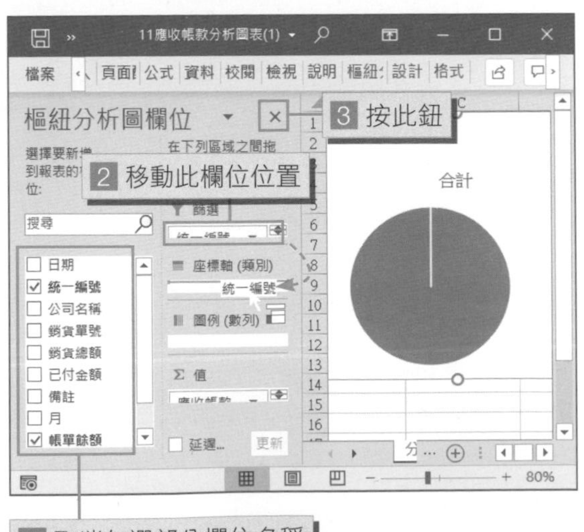

8. 調整圖表大小及位置，切換到「設計」功能索引標籤，在「圖表版面配置」功能區中，按下「新增圖表項目」清單鈕，執行「資料標籤\自動調整」指令，新增圖表中的資料標籤。

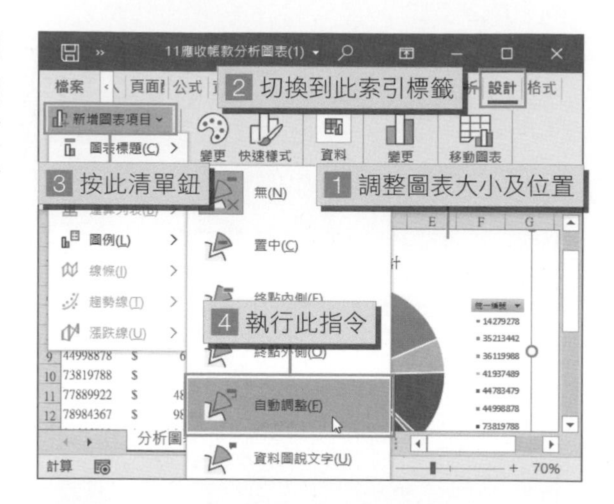

9. 選擇圖形中的「數列 " 合計 " 資料標籤」，切換到「格式」功能索引標籤，在「目前的選取範圍」功能區中，執行「格式化選取範圍」指令。

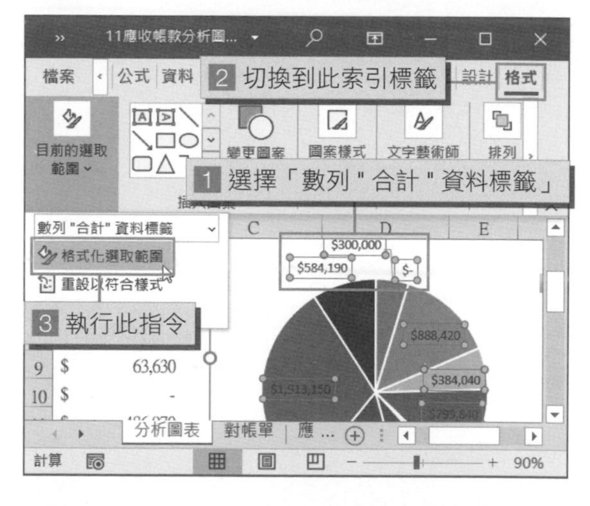

10. 開啟「資料標籤格式」工作窗格，在標籤選項中，增加勾選「百分比」，然後按下「關閉」鈕關閉工作窗格。

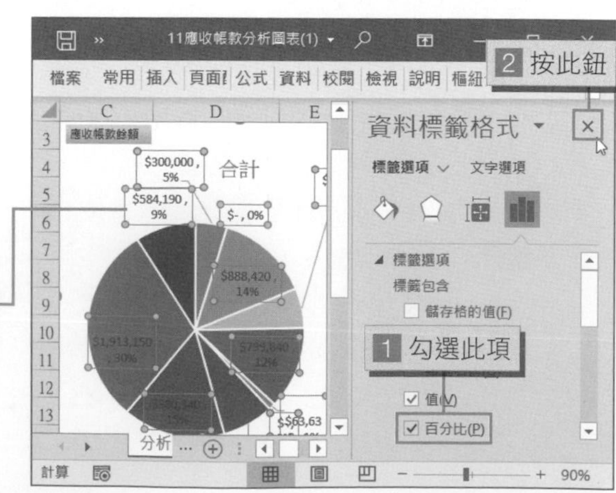

資料標籤中新增百分比

⑪ 選取 C2:D2 儲存格，按下鍵盤上的【Delete】鍵，刪除選取儲存格的內容，應收帳款分析圖大致上已經完成，可以隨個人喜好再加以美化即可。

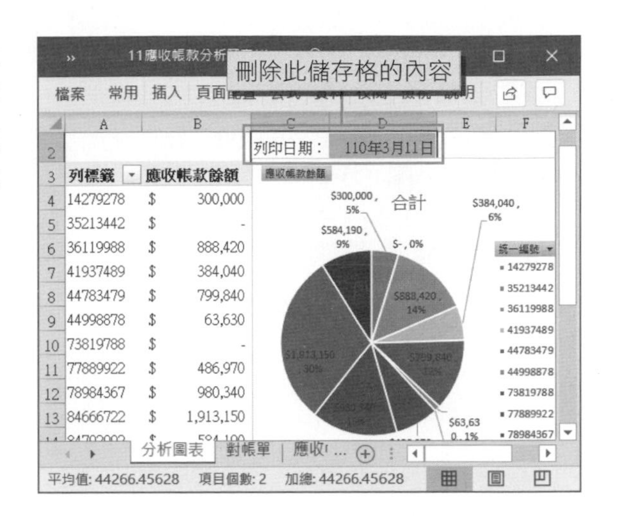

單元 12

範例光碟：CHAPTER 02\12應收票據分析表

應收票據分析表

家碩電機股份有限公司

應收票據管理表

日期：110年3月11日

客戶名稱	票據資訊				應收票據票齡分析					其它
	票據號碼	票據金額	收票日	到期日	0~15天	16~30天	31~60天	61~90天	90天以上	票據狀況
雲鴻貿易有限公司	JR11456131	$ 80,000	2020/12/28	2021/03/17	$ 80,000					代收中
全球電器股份有限公司	XA90994451	$ 60,000	2020/12/31	2021/03/14	$ 60,000					代收中
發達實業有限公司	DB65647810	$ 150,000	2021/01/05	2021/03/14	$ 150,000					代收中
亞音機械有限公司	UV98501348	$ 600,000	2021/01/08	2021/03/29		$ 600,000				
家碩實業有限公司	VQ78113418	$ 40,000	2021/01/13	2021/04/06		$ 40,000				
興達企業社	XW13458890	$ 1,000,000	2021/01/18	2021/04/14			$ 1,000,000			
雅典實業有限公司	GA31098715	$ 5,000	2021/01/21	2021/04/19			$ 5,000			
弘奕電機股份有限公司	VA53117846	$ 3,000	2021/01/22	2021/04/27			$ 3,000			
農聖企業社	RA11113378	$ 7,000	2021/01/27	2021/05/03			$ 7,000			
季歆企業社	DJ33675411	$ 200,000	2021/02/01	2021/05/11				$ 200,000		
雲鴻貿易有限公司	RH63451109	$ 60,000	2021/02/06	2021/05/20				$ 60,000		
雅典實業有限公司	ML76768800	$ 25,000	2021/02/09	2021/05/26				$ 25,000		
發達實業有限公司	MV34561198	$ 10,000	2021/02/14	2021/06/03				$ 10,000		
全球電器股份有限公司	DJ89013167	$ 60,000	2021/02/17	2021/06/09				$ 60,000		
弘奕電機股份有限公司	QH13419101	$ 30,000	2021/02/22	2021/06/16					$ 30,000	
弘奕電機股份有限公司	SA89045631	$ 90,000	2021/02/28	2021/06/24					$ 90,000	
全球電器股份有限公司	AC91131846	$ 3,000	2021/03/03	2021/06/30					$ 3,000	
季歆企業社	AS13143789	$ 20,000	2021/03/08	2021/07/08					$ 20,000	
農聖企業社	FK11480315	$ 330,000	2021/03/05	2021/07/14					$ 330,000	
亞音機械有限公司	UV90341178	$ 80,000	2021/03/10	2021/07/22					$ 80,000	
雲鴻貿易有限公司	QT71139045	$ 50,000	2021/03/11	2021/07/30					$ 50,000	
應收票據金額合計		$ 2,903,000			$ 290,000	$ 640,000	$ 1,015,000	$ 355,000	$ 603,000	
應收票據金額比例					9.99%	22.05%	34.96%	12.23%	20.77%	

應收票據的主要來源為公司提供勞務或商品予買方，買方所開立需於特定日期或時間內，無條件支付一定金額的票據。良好的票據控管，可有效提高公司資金的運轉。當收到客戶的票據時，第一步就是記錄客戶名稱、票據號碼、金額、票據到期日等等資料，待票據到期日一到，則拿至銀行兌現，並核銷票據紀錄。往來銀行也提供代收票據服務，可以將近期就要到期的票據先交由銀行保管，就不用擔心票據過期未兌現的問題。

範例步驟

① 要隨時保持最新的票齡分析，就要使用電腦系統日期，才能正確計算應收票據到期日的天數。請開啟範例檔「12 應收票據分析表 (1).xlsx」，選取 J3 儲存格，切換到「公式」功能索引標籤，在「函數庫」功能區中，按下「日期及時間」清單鈕，執行插入「NOW」函數。

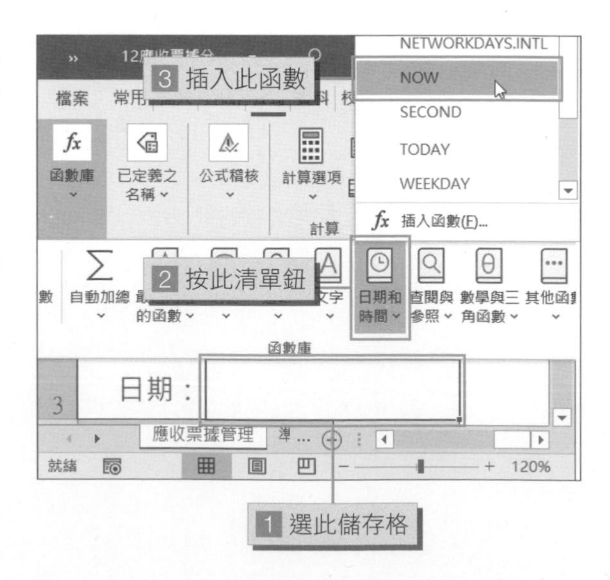

② 開啟 NOW「函數引數」對話方塊，由於此函數不需要引數，直接按「確定」鈕。

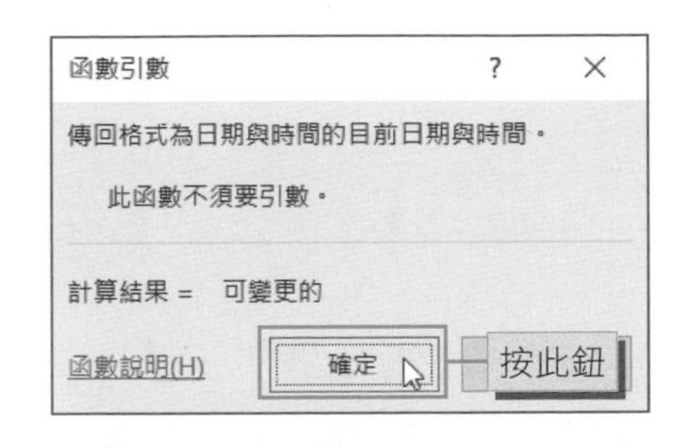

③ J3 儲存格顯示目前電腦系統日期（會隨著時間改變）。接著在資料編輯列名稱方塊上，直接輸入文字「今天」，按下鍵盤【Enter】鍵，用這個方式也可以定義範圍名稱。

④ 接著要輸入不同票齡顯示應收票據金額的公式。選取 F6 儲存格，輸入公式「=IF(E6="","",IF(E6-今天<=15,C6,""))」，按下鍵盤【Enter】鍵完成輸入。

公式說明：如果 E6（到期日）是空白（"" 表示空白），儲存格中則顯示空白，如果有輸入資料，則計算「E6（到期日）- 今天 (J3)」是否小於等於 15, 如果計算結果小於等於 15 天，則顯示 C6（票據金額），如果大於 15，則顯示空白。

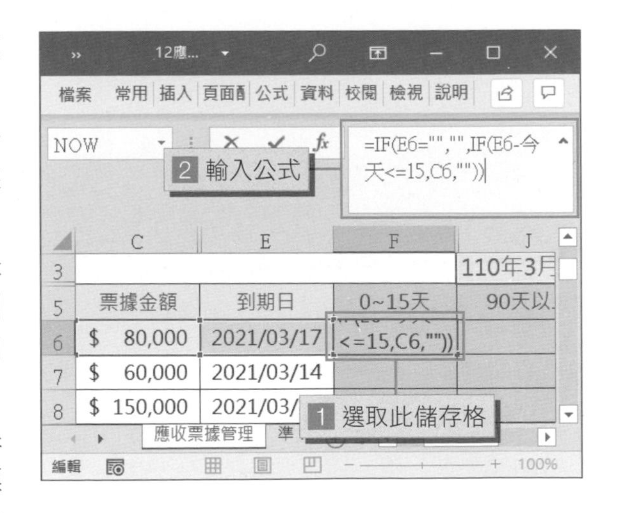

5 F6 儲存格顯示應收票據金額，使用拖曳的方式，將公式複製到 F26 儲存格。

6 請重複上述步驟，依照下表在相對應的欄位，輸入其他天數的公式。

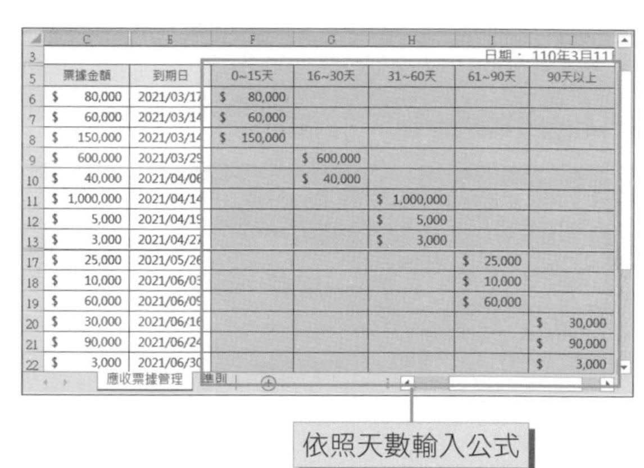

天數	儲存格	公式
16~30	G6	=IF(E6="","",IF(AND(E6- 今天 >15,E6- 今天 <=30),C6,""))
31~60	H6	=IF(E6="","",IF(AND(E6- 今天 >30,E6- 今天 <=60),C6,""))
61~90	I6	=IF(E6="","",IF(AND(E6- 今天 >60,E6- 今天 <=90),C6,""))
90 以上	J6	=IF(E6="","",IF(E6- 今天 >90,C6,""))

⑦ 接著利用下拉式清單，快速輸入票據狀況。選取 K6 儲存格，切換到「資料」功能索引標籤，在「資料工具」功能區中，按下「資料驗證」清單鈕，執行「資料驗證」指令。

⑧ 開啟「資料驗證」對話方塊，在「設定」標籤中設定資料驗證準則。在「儲存格內允許」選項中，按下拉清單鈕選擇「清單」，將游標插入點移到「來源」處，直接輸入「未兌現,代收中,已兌現」三個選項，選項和選項之間用「,」分隔，最後按下「確定」鈕設定完成。

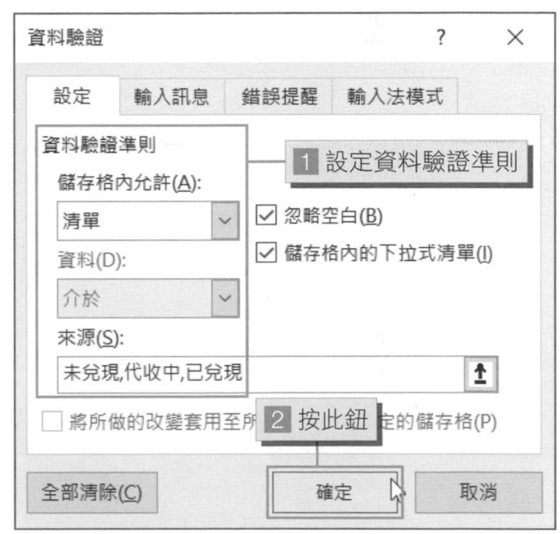

⑨ 回到工作表中，K6 儲存格出現下拉式清單鈕。將儲存格驗證準則，使用拖曳的方式複製到下方儲存格。

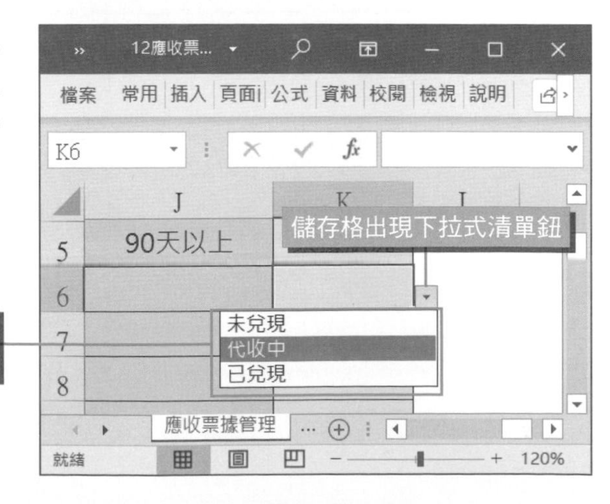

⑩ 選取 C27 儲存格，切換到「公式」功能索引標籤，在「函數庫」功能區中，執行「自動加總」指令，會顯示自動加總範圍為「C2:C26」，若無誤則按下鍵盤【Enter】鍵完成公式。

⑪ 接著選取 F27 儲存格，切換到「常用」功能索引標籤，在「編輯」功能區中，執行「自動加總」指令。沒看錯！在「常用」功能標籤中也藏有一個「自動加總」的功能。在這也會自動顯示要加總的範圍「F6:F26」，若無誤則按下鍵盤【Enter】鍵完成公式。

⑫ 將加總公式複製到右方的儲存格。選取 F28 儲存格，輸入公式「=F27/$C$27」，計算應收票據金額百分比。

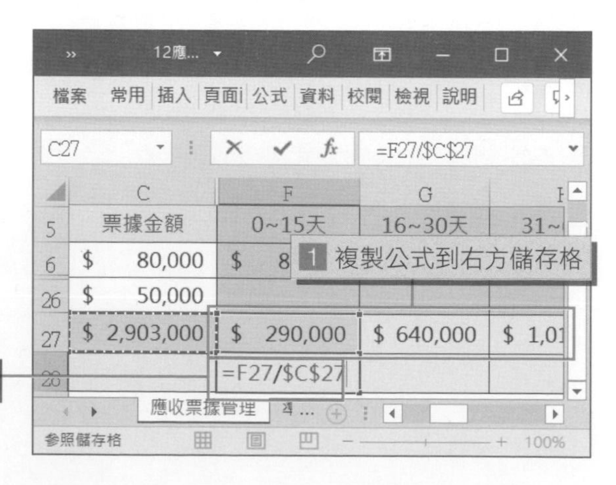

⑬ 將「應收票據金額百分比」公式複製到右方儲存格，完成應收票據分析表。

完成應收票據票齡分析

單元 »»»»» 13

範例光碟：CHAPTER 02\13應付帳款月報表

應付帳款月報表

家碩電機股份有限公司

應付帳款月報表

年	(全部)
月	(全部)

統一編號	公司名稱	應付帳款	已付帳款	應付帳款餘額
15279278	喬聖企業社	$ 739,770	$ 339,770	$ 400,000
35213552	凱歌企業股份有限公司	$ 81,360	$ 81,360	$ -
36119988	全球電器股份有限公司	$ 1,277,530	$ 429,470	$ 848,060
51937589	雲端貿易有限公司	$ 1,311,640	$ 825,580	$ 486,060
55783579	雅樂實業有限公司	$ 2,446,250	$ 1,846,390	$ 599,860
55998878	家碩實業有限公司	$ 159,590	$ 136,360	$ 23,230
73819788	李歐企業社	$ 381,280	$ 381,280	$ -
77889922	泓奕電機股份有限公司	$ 1,802,250	$ 911,120	$ 891,130
78985367	發達實業有限公司	$ 2,150,830	$ 669,470	$ 1,481,360
85666722	亞音機械有限公司	$ 2,696,390	$ 822,040	$ 1,874,350
85792992	廣達企業社	$ 1,648,080	$ 1,021,710	$ 626,370
總計		$ 14,694,970	$ 7,464,550	$ 7,230,420

公司向廠商購買原物料或是商品，多半都採月結制，每個月固定時間，廠商會製作應收帳款對帳單向公司請款，這時候就要將對帳單與內部的進貨記錄所製成的應付帳款月報表核對，核對無誤就會進入請款程序。

範例步驟

① 進貨時要帳款記錄到「應付帳款資料庫」工作表，以便製作月報表。請開啟範例檔「13 應付帳款月報表 (1).xlsx」，切換到「應收帳款資料」工作表，選取 A1 儲存格，切換到「常用」功能索引標籤，在「樣式」功能區中，按下「格式化為表格」清單鈕，選擇「表格樣式中等深淺 1」樣式。

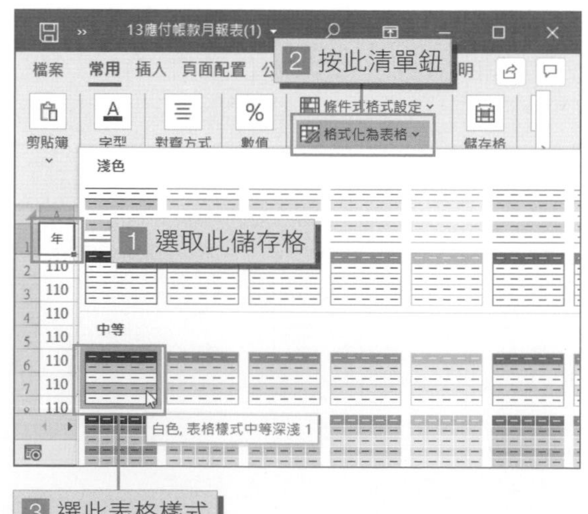

② Excel 會自動搜尋有資料的儲存格範圍作為建議的資料來源。使用預設的資料來源，勾選「我的表格有標題」，按「確定」鈕。

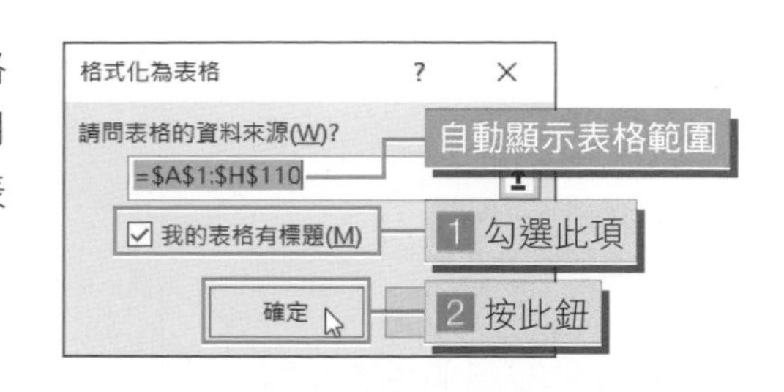

③ 工作表自動套用表格樣式。切換到「表格設計」功能索引標籤，在「內容」功能區中，重新將表格名稱命名為「應付帳款資料庫」，這個名稱可作為範圍名稱使用。繼續在「工具」功能區中，執行「以樞紐分析表摘要」指令，建立樞紐分析表。

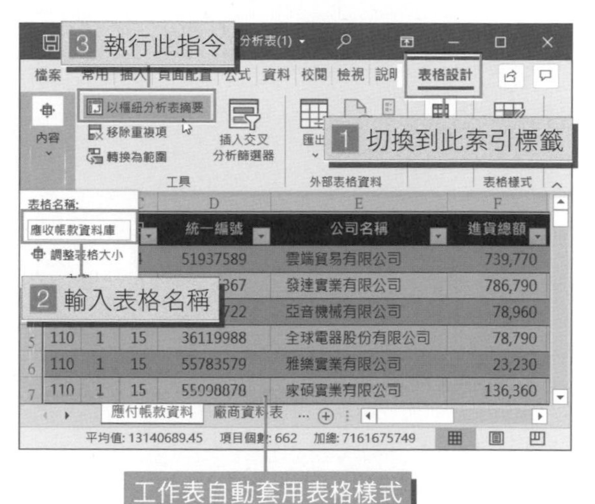

④ 開啟「建立樞紐分析表」對話方塊，使用預設的設定值，直接按「確定」鈕。

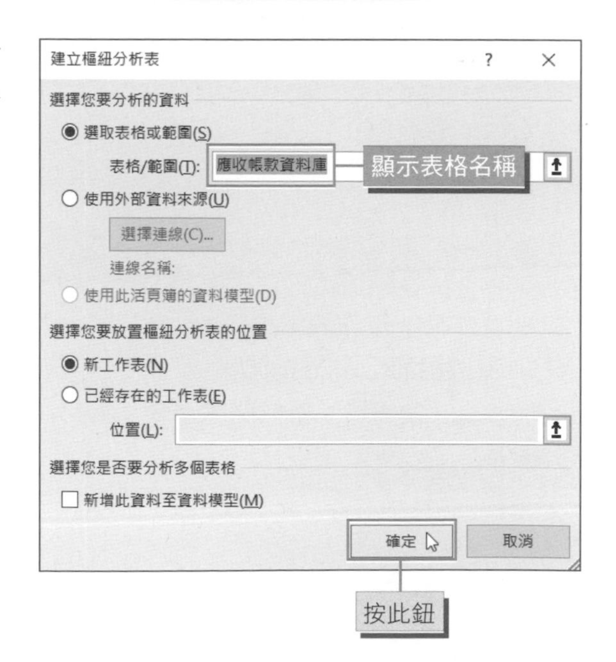

5 在新工作表中開啟「樞紐分析表欄位」工作窗格。樞紐分析表版面設置為：篩選區域：「年」、「月」；列區域：「統一編號」、「公司名稱」；Σ 值區域：「加總 - 進貨總額」、「加總 - 付款金額」，結束按下右上角的「關閉」鈕。

6 在列區域中，統一編號和公司名稱上下排列，看起來不美觀。切換到「設計」功能索引標籤，在「版面配置」功能區中，按下「報表版面配置」清單鈕，執行「以列表方式顯示」指令。

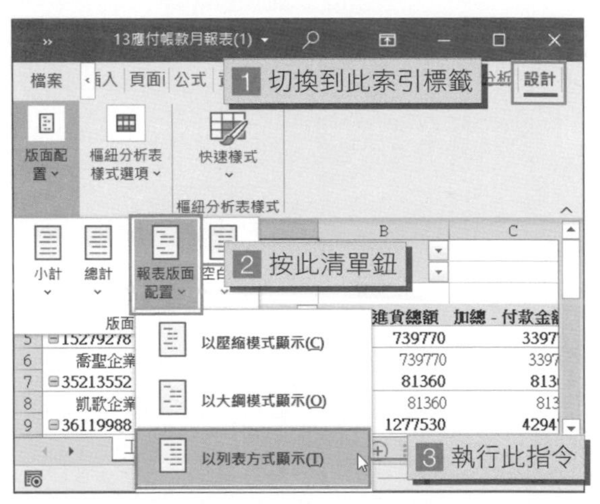

7 統一編號和公司名稱終於排排站了，合計快點消失，別再礙眼。繼續在「設計」功能索引標籤的「版面配置」功能區中，按下「小計」清單鈕，執行「不要顯示小計」指令。

8. 樞紐分析表版面配置暫時告一段落。接著要增加計算欄位，切換到「樞紐分析表分析」功能索引標籤，在「計算」功能區中，按下「欄位、項目和集」清單鈕，執行「計算欄位」指令。

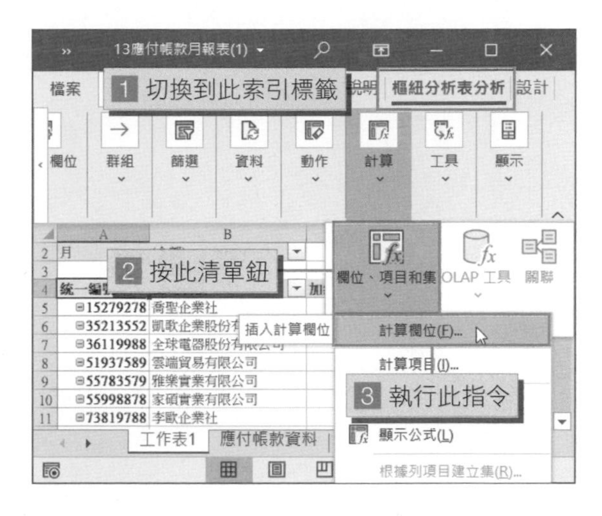

9. 開啟「插入計算欄位」對話方塊，名稱處輸入「未付款」，公式處輸入「= 進貨總額 - 付款金額」，設定完成按下「新增」鈕，然後再按下「確定」鈕關閉對話方塊。

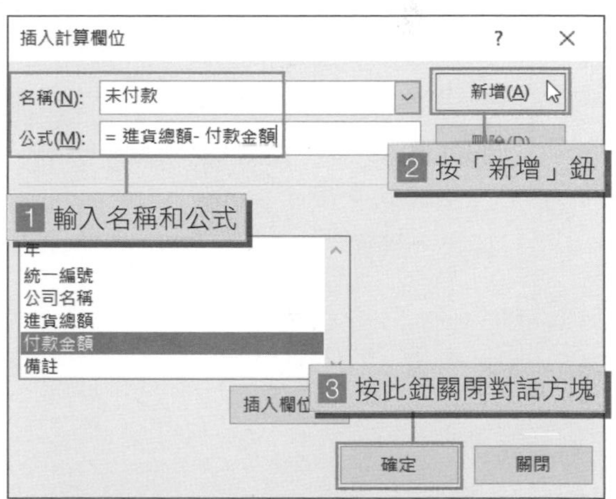

10. 樞紐分析表中新增「加總 - 未付款」欄位，選取 E4 儲存格，切換到「樞紐分析表分析」功能索引標籤，在「作用中欄位」功能區中的作用中欄位，輸入新名稱「應付帳款餘額」。

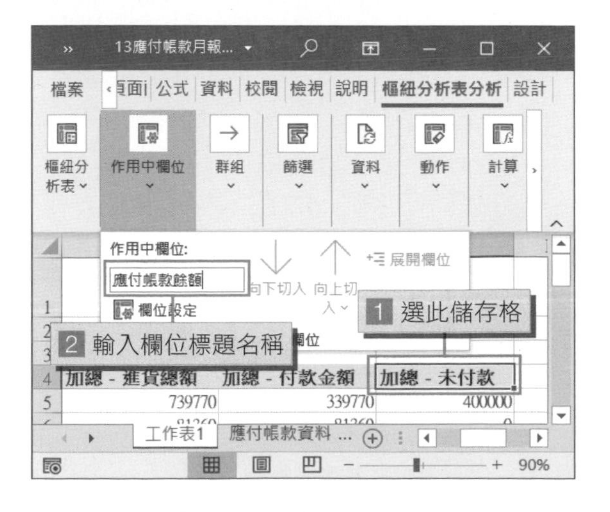

⑪ 依相同方法將「加總 - 進貨金額」、「加總 - 付款金額」變更名稱為「應付帳款」、「已付帳款」。

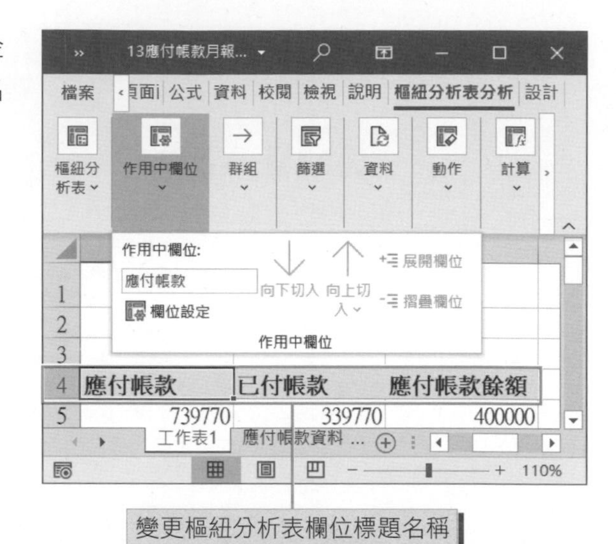

⑫ 最後插入公司名稱及報表名稱，按下篩選區域「月」的篩選清單鈕，選擇要顯示的報表月份，按下「確定」鈕即可。

單元 14

範例光碟：CHAPTER 02\14應付票據管理表

應付票據管理表

票據狀況	未兌現			
廠商名稱	**票據號碼**	**開票日**	**到期日**	**合計**
伊德資訊股份有限公司	ID90342176	2月2日	3月30日	$ 2,000
米希企業股份有限公司	ID90342183	2月2日	3月30日	$ 68,000
吾恩企業股份有限公司	ID90342177	2月2日	4月20日	$ 3,300
奇妙企業股份有限公司	ID90342173	1月12日	3月20日	$ 30,000
	ID90342184	3月10日	6月20日	$ 65,000
奇宏貿易有限公司	ID90342182	3月10日	5月20日	$ 42,000
承嚮貿易股份有限公司	ID90342174	1月12日	3月20日	$ 900
家碩科技股份有限公司	ID90342175	2月2日	3月30日	$ 3,000
愛家資訊有限公司	ID90342170	2月2日	4月20日	$ 8,000
	ID90342181	1月12日	3月20日	$ 55,000
賜紘企業股份有限公司	ID90342180	3月10日	5月20日	$ 68,000
樺數資訊股份有限公司	ID90342178	2月2日	5月20日	$ 7,000
鍵太股份有限公司	ID90342179	3月10日	6月20日	$ 20,000
總計				$ 372,200

應付票據的主要來源為享受賣方所提供的勞務或商品，而開立需於特定日期或時間內，無條件支付賣方一定金額的票據。

範例步驟

① 製作應付票據管理表的方式與製作應收票據管理表相同。請開啟範例檔「14 應付票據管理表 (1).xlsx」參考即可。但是要查詢已兌現或未兌現的應付票據金額有多少？就要使用樞紐分析表。切換到「插入」功能索引標籤，在「表格」功能區中，執行「樞紐分析表」指令。

② 開啟「建立樞紐分析表」對話方塊，預設的資料範圍會包含公司名稱…等資訊，不是正確的參照範圍，因此將游標插入點移到選取表格或範圍處，切換到「公式」功能索引標籤，在「已定義之名稱」功能區中，按下「用於公式」清單鈕，執行插入「應付票據管理表」範圍名稱。

③ 確認「建立樞紐分析表」對話方塊中資料來源的範圍，按下「確定」鈕。

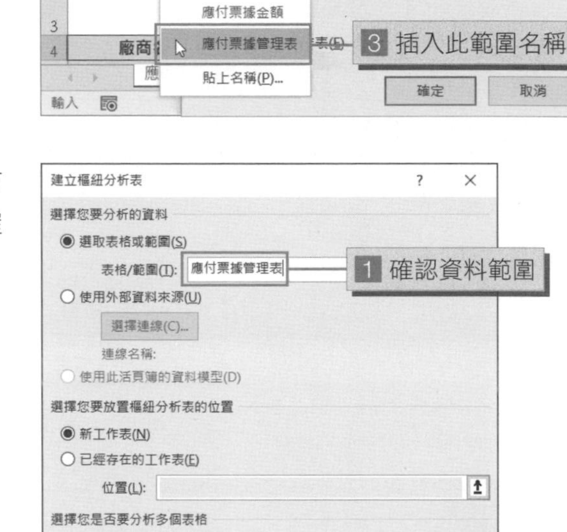

④ 新增一個工作表，並開啟「樞紐分析表欄位」工作窗格。設定版面配置為篩選區域：「票據狀況」；列區域：「廠商名稱」、「到期日」、「票據號碼」和「開票日」；Σ 值區域：「加總 - 票據金額」。當在拖曳「到期日」及「開票日」到列區域時，Excel 會自動新增「月」及「月 2」的大綱欄位名稱。

⑤ 由於新增的「月」及「月 2」欄位名稱影響報表美觀，因此直接在「樞紐分析表欄位」工作窗格中取消勾選即可。

⑥ 接著設定樞紐分析表的版面配置，切換到「樞紐分析表分析」功能索引標籤，在「樞紐分析表」功能區中，按下「選項」清單鈕，執行「選項」指令。

⑦ 開啟「樞紐分析表選項」對話方塊，切換到「顯示」索引標籤，取消勾選「顯示展開/摺疊按鈕」，並勾選「古典樞紐分析表版面配置」選項，按下「確定」鈕。

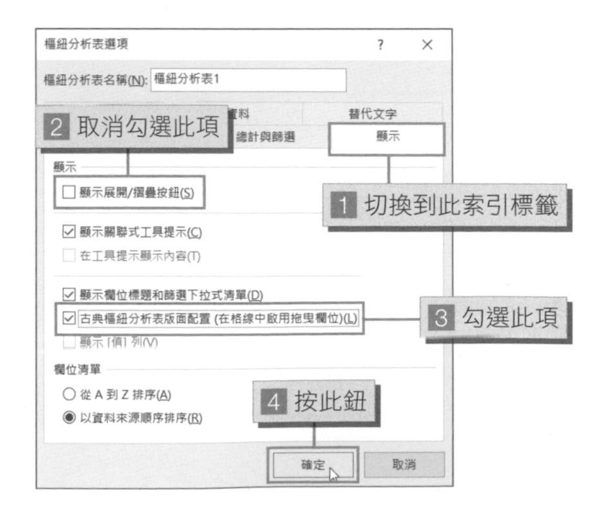

8. 每個欄位項目下方都有合計欄位，看起來太混亂，切換到「設計」功能索引標籤，在「版面配置」功能區中，按下「小計」清單鈕，執行「不要顯示小計」指令。

9. 最後將工作表名稱重新命名為「應付票據查詢」，就可以開始進行票據查詢。

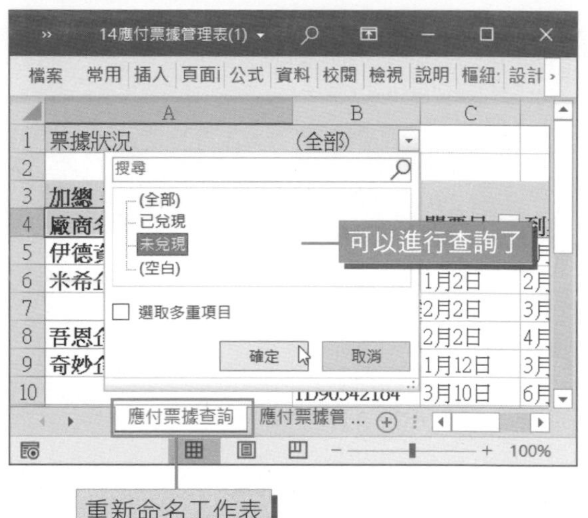

CHAPTER

3 會計帳務系統

Excel

單元 15

範例光碟：CHAPTER 03\15會計科目表

會計科目表

會計科目表

科目代號	科目名稱	科目代號	科目名稱
1000	資產	1550	遞延資產
1100	流動資產	1560	開辦費
1110	現金	1570	長期預付款
1120	銀行存款	1580	遞延稅捐
1130	短期投資	1600	其他資產
1140	應收票據	1610	存出保証金
1145	備抵呆帳-應收票據	1620	預付租金
1150	應收帳款	1630	其他雜項資產
1155	備抵呆帳-應收帳款	2000	負債
1160	其他應收款	2100	流動負債
1165	備抵呆帳-其他應收款	2110	短期借款
1170	存貨	2140	應付票據
1210	預付費用	2150	應付帳款
1220	預付貨款	2160	應付代收款
1230	預付稅捐	2170	應付費用
1240	其他預付款	2180	應付所得稅
1300	基金及長期投資	2190	其他應付款
1310	基金	2210	預收貨款
1320	長期投資	2500	長期負債
1400	固定資產	2510	長期借款
1410	土地	2520	應付公司債
1420	房屋建築	2530	長期應付票據
1425	累計折舊-房屋建築	2540	退休金準備
1430	機器設備	2550	遞延收入
1435	累計折舊-機器設備	3000	股東權益
1440	辦公設備	3100	股本
1445	累計折舊-辦公設備	3110	普通股股本
1450	運輸設備	3120	特別股股本
1455	累計折舊-運輸設備	3200	資本公積
1500	無形資產	3210	普通股股本溢價
1510	商譽	3220	特別股股本溢價
1520	商標權	3230	資產重估增值準備

電腦化的會計作業中，大多數從業人員為了增加工作效率，習慣性會以「科目代碼」取代「會計科目」作為輸入會計科目的依據。會計科目表是所有會計循環最基礎的工作，會計科目代碼的編制有一定的規定，最主要的原因是配合「國稅局」營利事業所得稅申報書的格式。

範例步驟

1. 使用「表單」功能，不但能新增或刪除會計科目，還可以查詢，但是這項功能不在預設的功能區，所以先要將「表單」從隱藏的功能，變成「我的最愛」。請開啟範例檔「15 會計科目表.xlsx」，按下「檔案」功能索引標籤。

② 開啟「檔案」工作視窗，按下「選項」索引標籤。

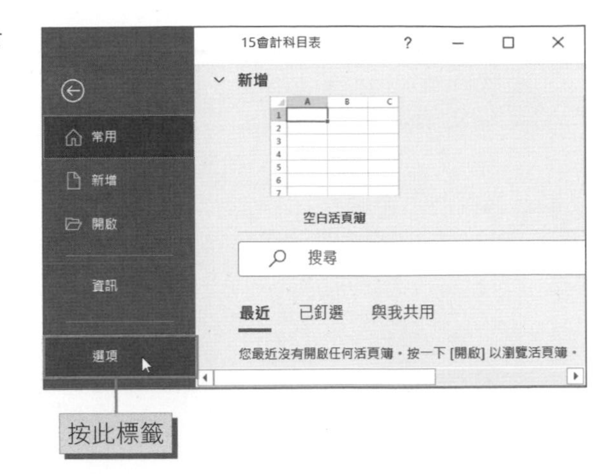

③ 開啟「Excel 選項」視窗，切換到「自訂功能區」索引標籤，在「自訂功能區\主要索引標籤」區域中，按下「新增索引標籤」鈕。

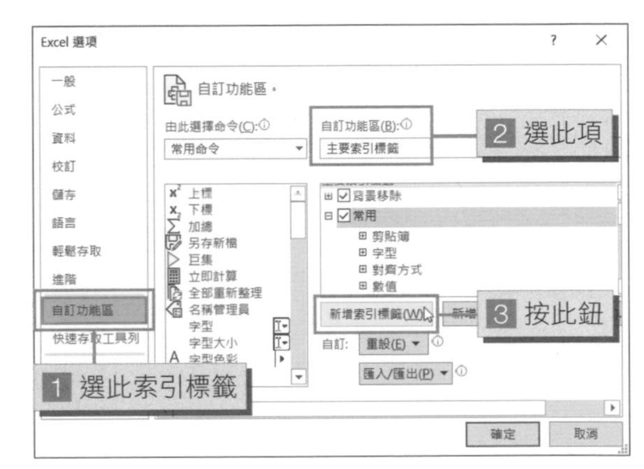

④「自訂功能區\主要索引標籤」區域中，出現新的索引標籤群組。選擇「新的索引標籤（自訂）」索引標籤，按下「重新命名」鈕。

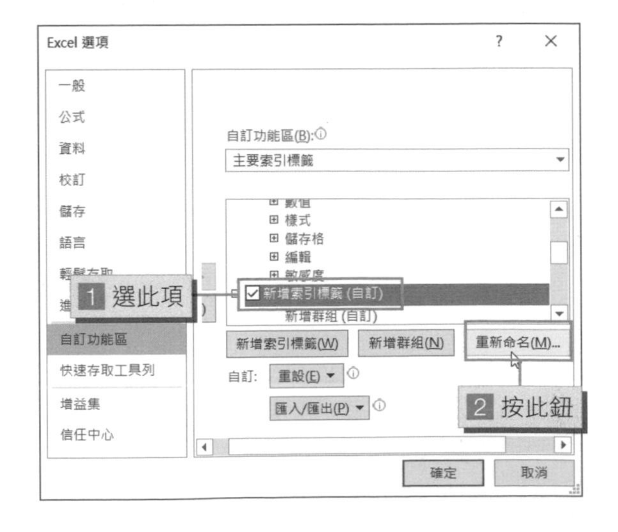

5 開啟「重新命名」對話方塊。輸入自訂索引標籤名稱「我的最愛」，按下「確定」鈕。

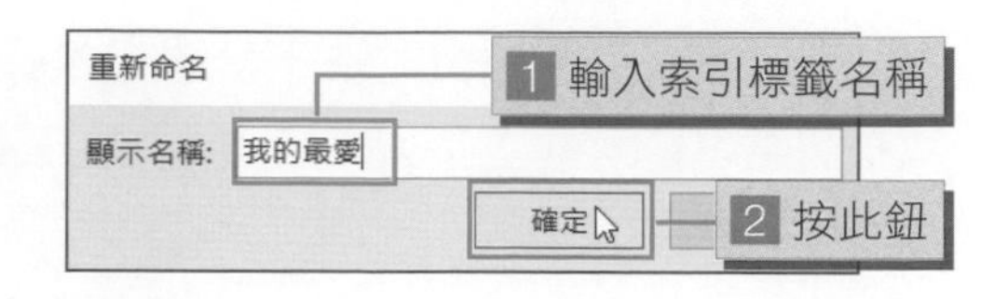

6 接著選取「新增群組（自訂）」選項，同樣按下「重新命名」鈕。

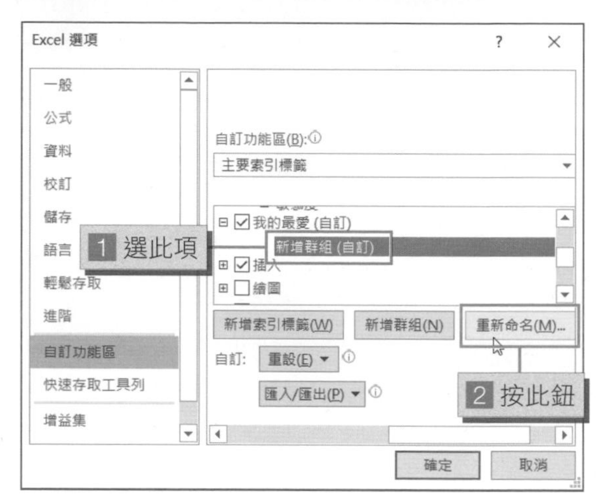

7 開啟「重新命名」對話方塊。任選一個符號，輸入群組顯示名稱「表單工具」，按下「確定」鈕。

8 在「由此選擇命令」的清單鈕選項中，選擇「不在功能區的命令」選項，在眾多功能中選擇「表單」功能，按下「新增」鈕。

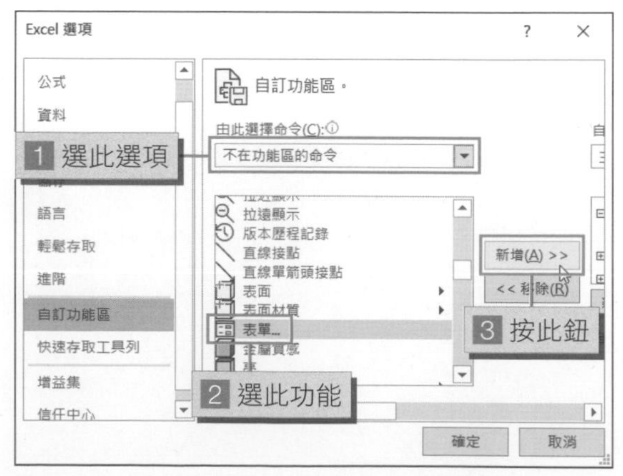

⑨ 此時剛新增的功能標籤群組下，會出現新增的「表單」功能，按下「確定」鈕完成自訂功能區。

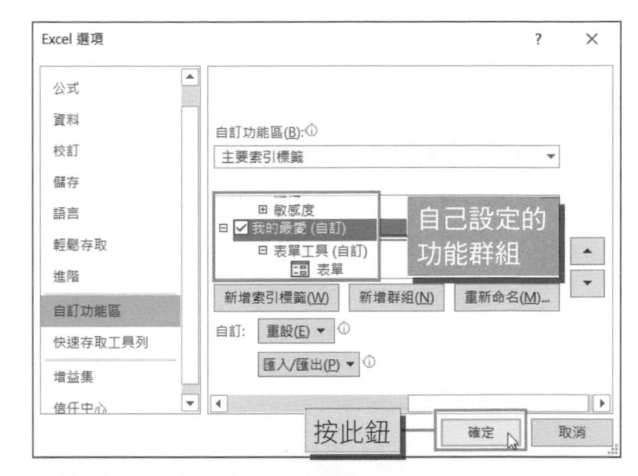

⑩ 注意到功能標籤中出現「我的最愛」功能標籤。切換到「我的最愛」功能索引標籤，在「表單工具」功能區中，執行「表單」指令。

⑪ 開啟「會計科目」對話方塊，按下「新增」鈕，開啟空白欄位可新增會計科目代碼與名稱。

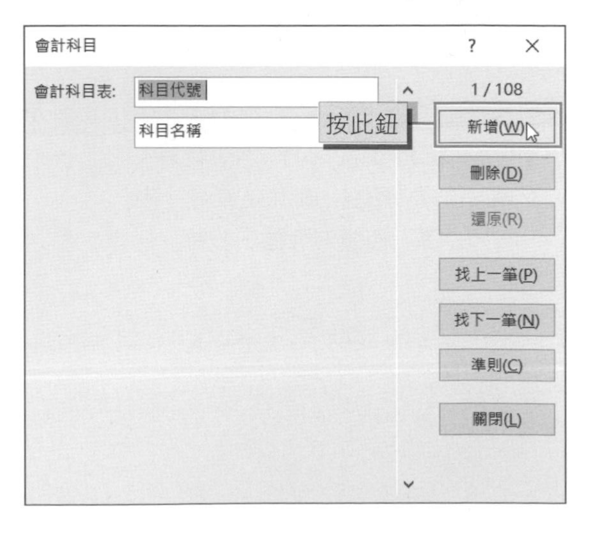

⑫ 輸入新的代碼（1101）及對應的科目名稱（零用金），輸入完成按下「新增」鈕。按下「關閉」鈕回到工作表。

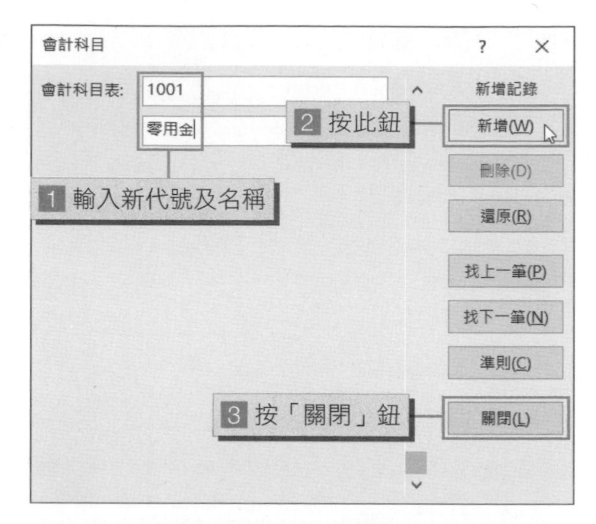

⑬ 在工作表中，原有會計科目表最下方出現一筆剛新增的資料。再次按下「表單」鈕。

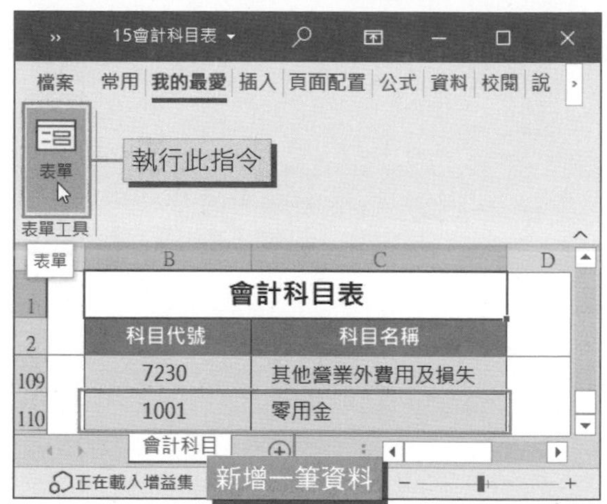

⑭ 若要查詢某個代碼對應的科目名稱，或是科目名稱對應的科目代碼，只要執行「表單」功能，按下「準則」鈕。

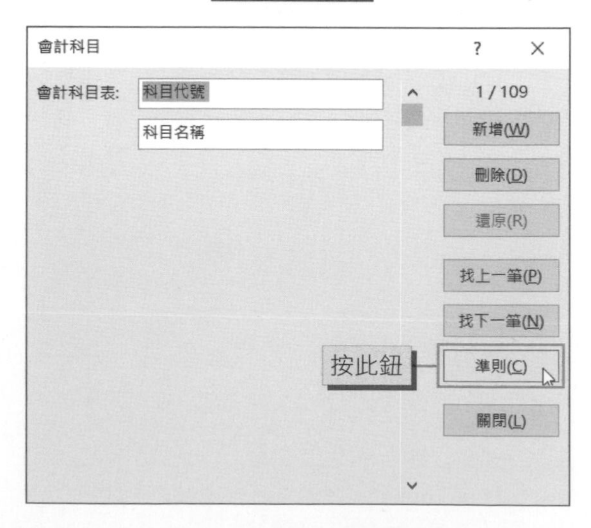

⑮ 輸入要查詢的科目名稱「零用金」，按下「找下一筆」鈕。（上方是以代號搜尋）

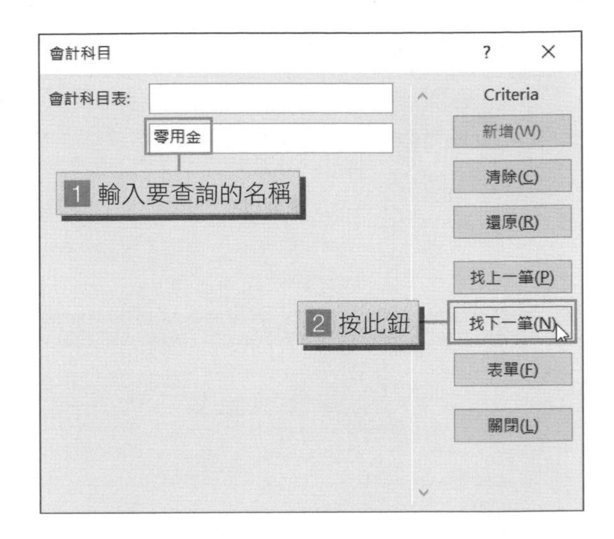

⑯ 就會顯示科目名稱所對應的科目代碼。若要將查詢出來的資料刪除，只需按下「刪除」鈕。

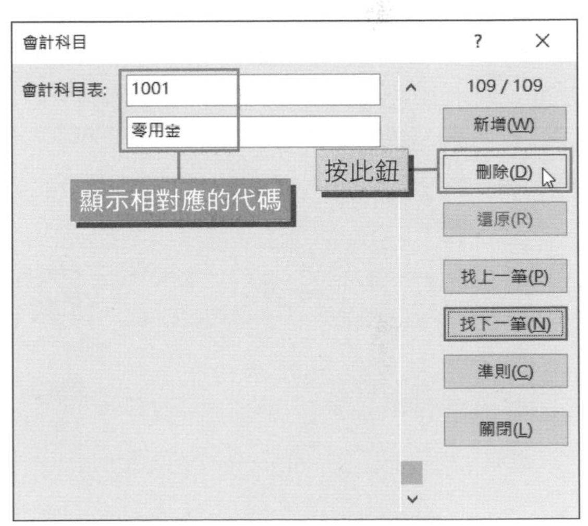

⑰ 出現確認刪除的對話方塊，按「確定」鈕，該筆資料就會從會計科目表中刪除。

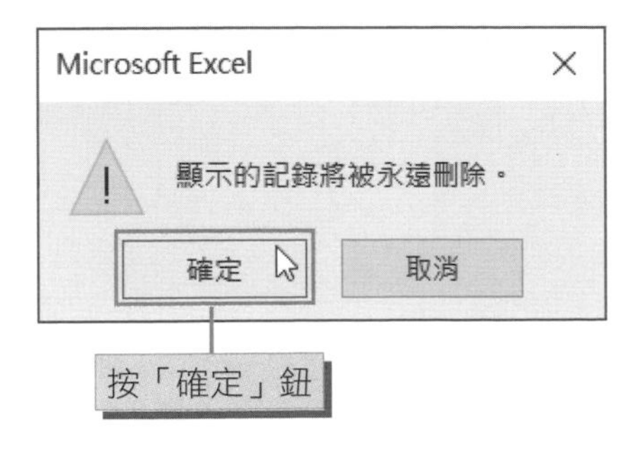

單元 16

範例光碟：CHAPTER 03\16記帳傳票

記帳傳票

轉帳傳票

傳票日期: 110年 1月 1日 傳票編號:

項次	科目代號	科目名稱	摘要	借方金額	貸方金額
1					
2					
3					
4					
5					
6					
		合計		$ -	$ -

記帳傳票是會計基本處理必備的表單，基本上分成「轉帳傳票」、「現金支出傳票」及「現金收入傳票」三種。其中只有轉帳傳票需要同時輸入「借方」及「貸方」的科目與金額，並使其平衡。而現金支出與現金收入傳票，只需要輸入特定一方的科目與金額，另一方則是對應的「現金」科目與加總的金額。

範例步驟

① 會計科目表製作完成後，當然要好好的利用才行，本範例已先將會計科目表設定範圍名稱。請開啟範例檔「16 記帳傳票(1).xlsx」，切換到「轉帳傳票」工作表，選取 D4 儲存格，切換到「公式」功能索引標籤，在「函數庫」功能區中，按下「邏輯」清單鈕，執行插入「IF」函數。

② 開啟 IF「函數引數」對話方塊，輸入第一個函數「B4=""」，輸入第二個函數「""」，將游標插入點移到第三個引數，按下資料編輯列上最近常用函數清單鈕，選擇插入「其他函數」。

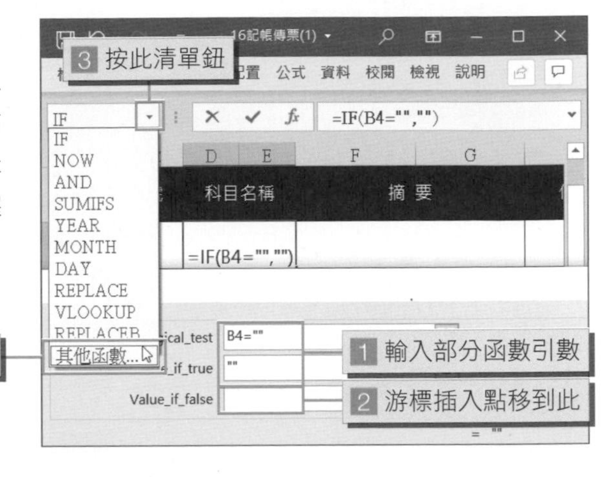

③ 開啟「插入函數」對話方塊，選擇「查閱與參照」類別，選擇「VLOOKUP」函數，按下「確定」鈕。

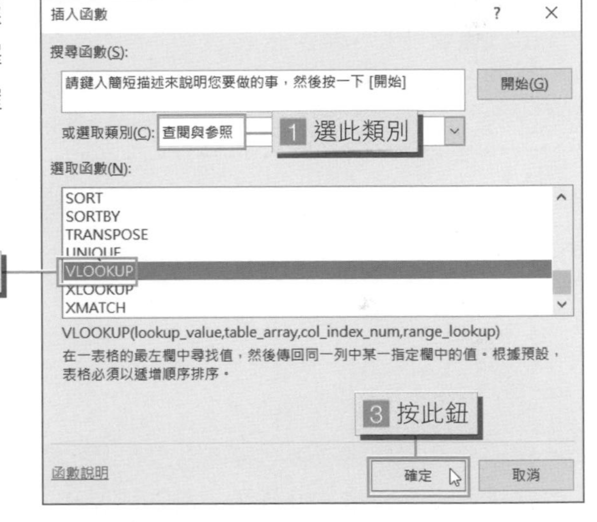

④ 開啟 VLOOKUP「函數引數」對話方塊，輸入 Lookup_value 引數為「B4」，將游標插入點移到 Table_array 引數空白處，切換到「公式」功能索引標籤，在「已定義之名稱」功能區中，按下「用於公式」清單鈕，執行「會計科目表」指令。

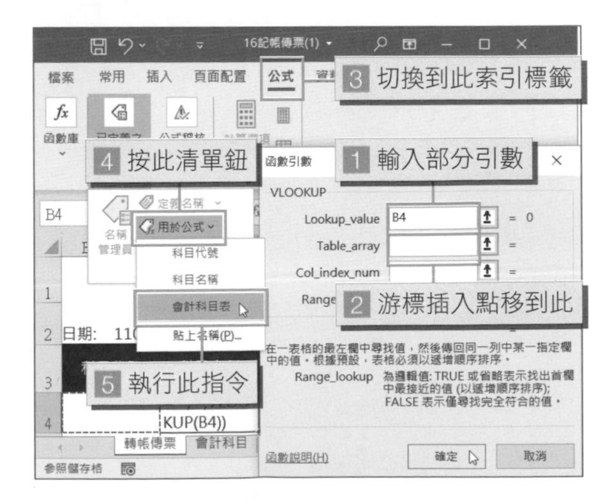

⑤ 繼續輸入 Col_index_num 引數為「2」,及 Range_lookup 引數為「0」,然後按下「確定」鈕。完整公式為「=IF(B4="","",VLOOKUP(B4, 會計科目表 ,2,0))」。

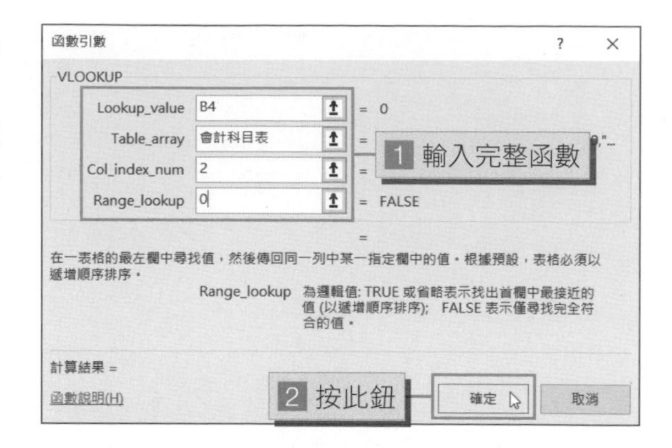

⑥ 當輸入科目代號後，則會自動顯示科目名稱。將 D4 儲存格公式，複製到下方儲存格。

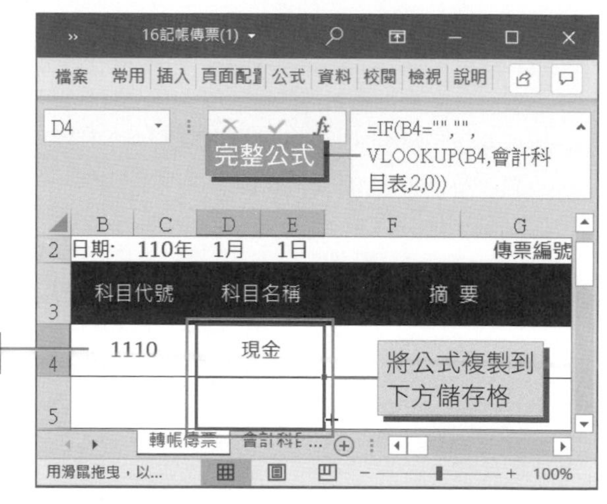

⑦ 轉帳傳票製作完成後，接著利用轉帳傳票，製作現金傳票。選取「轉帳傳票」工作表標籤，按滑鼠右鍵開啟快顯功能表，執行「移動或複製」指令。

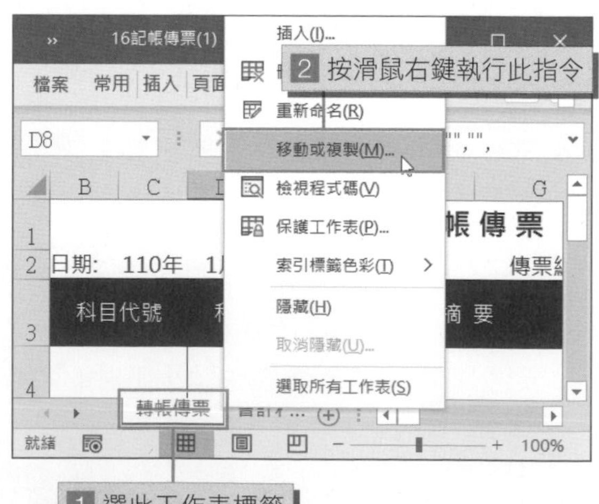

⑧ 開啟「移動或複製」對話方塊，選取「會計科目」工作表，勾選「建立複本」，按「確定」鈕。

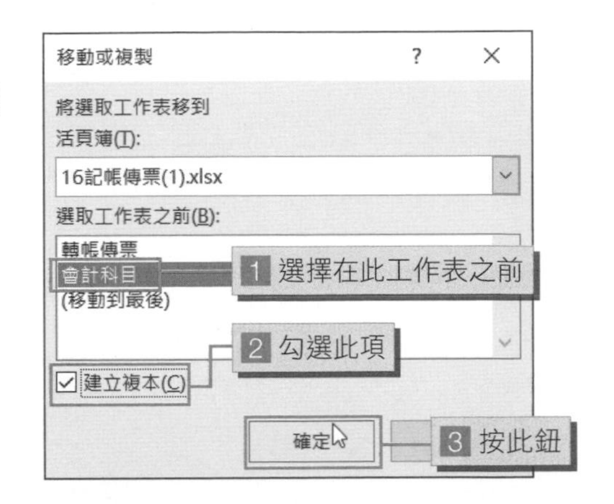

⑨ 出現「轉帳傳票 (2)」工作表標籤，選此標籤按下滑鼠右鍵，執行「重新命名」指令。

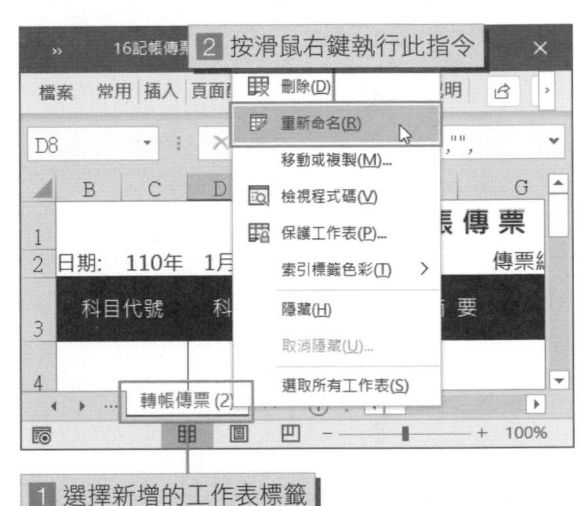

⑩ 輸入新工作表名稱「現金傳票」。由於現金傳票有現金收入傳票和現金支出傳票，格式內容相同，只有表頭名稱及金額部分有異，因此利用資料驗證的清單功能以及 IF 函數，就可以進行變身。選取 A1 儲存格，切換到「資料」功能索引標籤，在「資料工具」功能區中，按下「資料驗證」清單鈕，執行「資料驗證」指令。

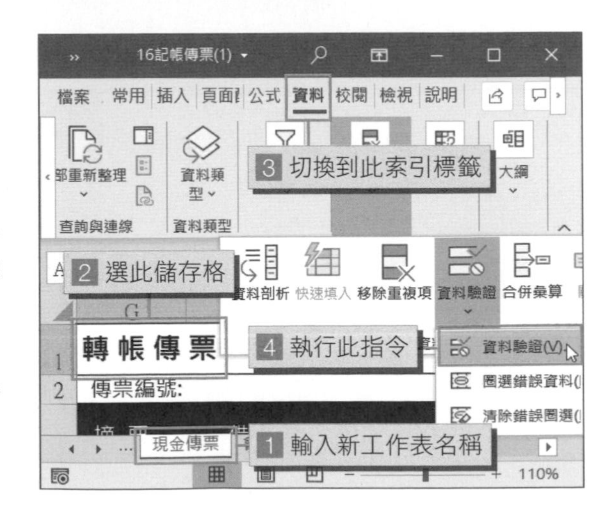

⑪ 開啟「資料驗證」對話方塊，在儲存格內允許處選擇「清單」項目，來源處輸入「現金收入傳票，現金支出傳票」，為了表頭標題美觀，可在文字與文字間加上一個空格，設定完成按下「確定」鈕。

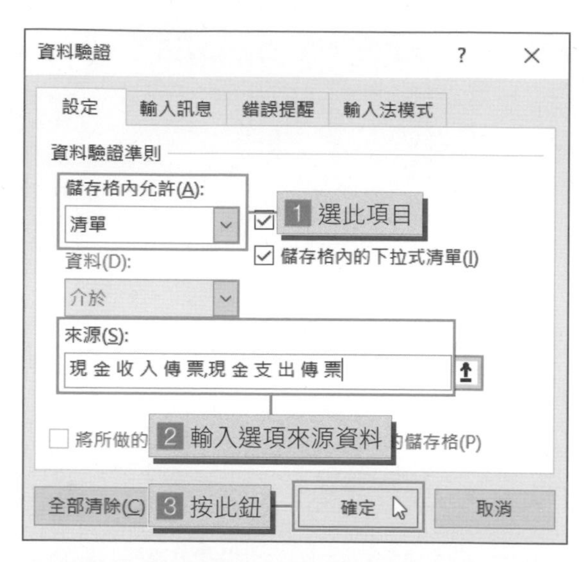

⑫ 選取 A1 儲存格時，會出現剛剛設定的清單選項，先選擇「現金收入傳票」。

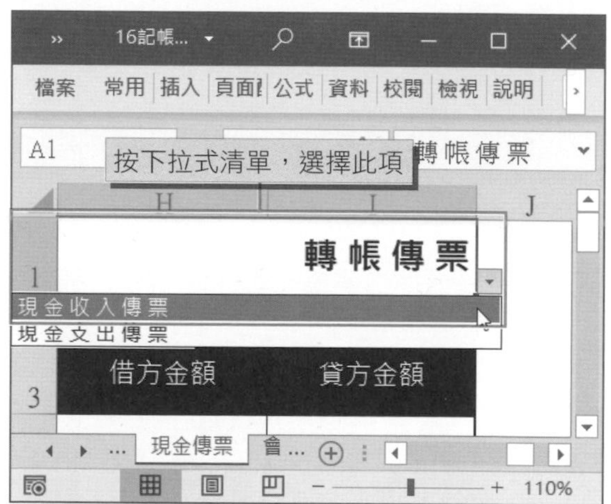

⑬ 由於現金傳票對應的科目都是現金，因此金額欄只需一個。選取整欄 I，按滑鼠右鍵開啟快顯功能表，執行「刪除」指令。

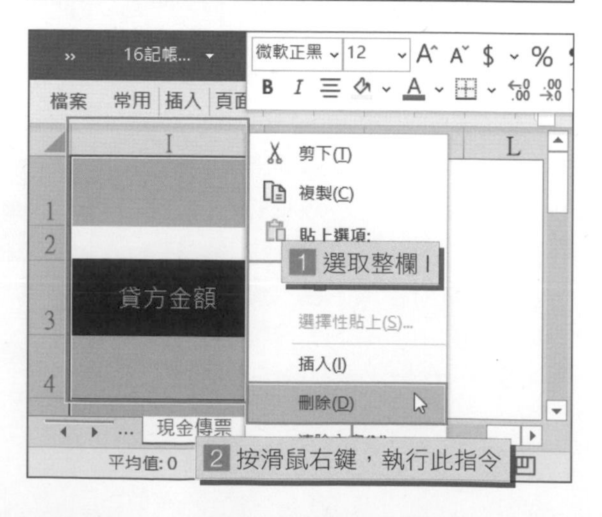

⑭ 接著選取 H3 儲存格，先輸入「=」號，按下資料編輯列上的最近使用過的函數清單鈕，選擇「IF」函數。

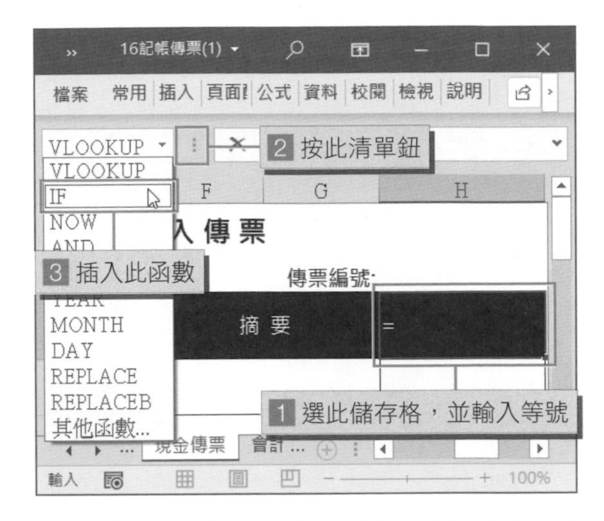

⑮ 開啟 IF「函數引數」對話方塊，在第一個函數中輸入「A1="現金收入傳票"」，第二個引數輸入「"貸方金額"」，第三個引數輸入「"借方金額"」，輸入完成後按「確定」鈕。完整公式為「=IF(A1="現金收入傳票","貸方金額","借方金額")」。

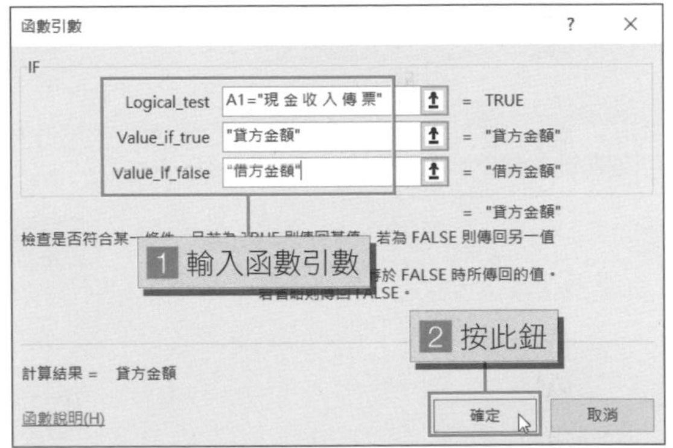

⑯ 此時 H1 儲存格出現對應傳票種類的表格標題。要特別注意的是，如果設定資料驗證來源時，現金收入傳票文字間若沒有空格，則 IF 函數第一個引數文字間也不需要空格，否則一律都會出現「借方金額」喔。

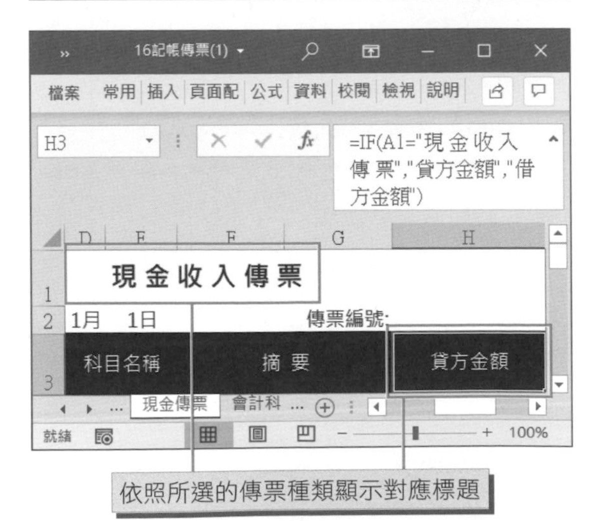

單元 17

範例光碟：CHAPTER 03\17日記帳

日記帳

2021/3/12 09:52 PM

日記帳

年	月	日	序號	傳票號碼	科目代號	科目名稱	借方金額	貸方金額	摘要
110	01	01	001	1100101001	1110	現金	100,000		期初開帳
110	01	01	001	1100101001	1120	銀行存款	500,000		期初開帳
110	01	01	001	1100101001	1430	生財器具	600,000		期初開帳
110	01	01	001	1100101001	1450	運輸設備	800,000		期初開帳
110	01	01	001	1100101001	3110	普通股股本		2,000,000	期初開帳
110	01	06	001	1100106001	1150	應收帳款	10,000		世紀公司
110	01	06	001	1100106001	2580	銷項稅額		9,524	
110	01	06	001	1100106001	4110	銷貨收入		476	世紀公司
110	01	08	001	1100108001	1110	現金		32,550	
110	01	08	001	1100108001	6250	郵電費	6,000		
110	01	08	001	1100108001	6270	廣告費	25,000		
110	01	08	001	1100108001	1680	進項稅額	1,550		

第1頁

人工作業下的會計循環：切傳票→登錄日記帳→過帳→總分類帳→編製試算表→編製損益表→編製資產負債表。但是換個角度想，在電腦作業下，是將交易紀錄直接登錄在資料庫中（也就是日記帳），再利用列印功能將會計傳票列印出來，這就是會計人員和程式設計師在思考邏輯上的差異。

範例步驟

① 首先將運用 CONCAT 函數，設計傳票編號為「年 + 月 + 日 + 當日流水號」共十碼的編號樣式。請開啟範例檔「17. 日記帳 (1).xlsx」，選取 F5 儲存格，切換到「公式」功能索引標籤，在「函數庫」功能區中，按下「文字」清單鈕，執行插入「CONCAT」函數。

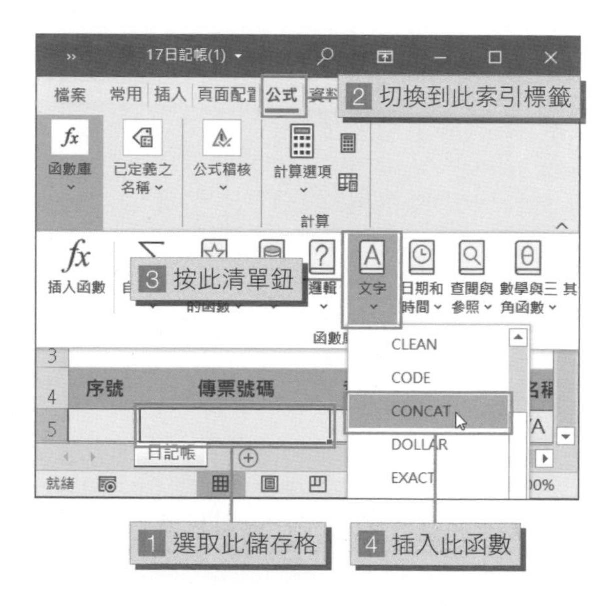

② 開啟 CONCAT「函數引數」對話方塊，輸入 Text1 引數為「B5:E5」，輸入完成按「確定」鈕。完整公式為「CONCAT(B5:E5)」。（也可以分別在每個引數個別輸入一個儲存格，如：Text1 為「B5」、Text2 為「C5」…以此類推，這樣公式就變成「CONCAT(B5,C5,D5,E5)」）

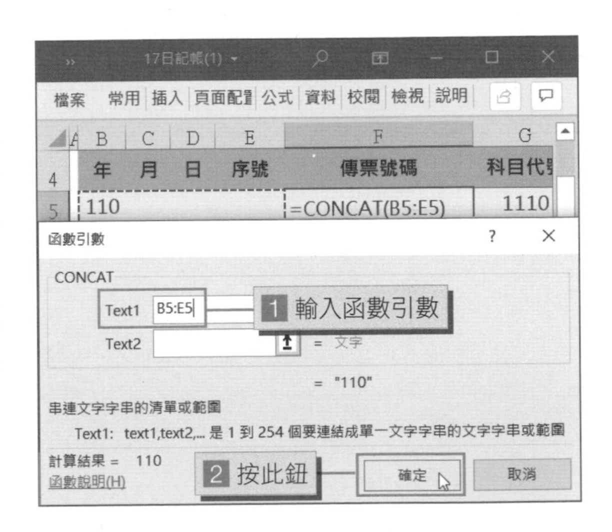

操作 MEMO　CONCAT 函數

說明： 可將多個文字字串結合成單一文字字串。（與舊版 Excel 的 CONCATENATE 函數相容）

語法： CONCAT (text1, [text2], ...)

引數： 將資訊提供給動作、事件、方法、屬性、函數或程序的值。

- Text1（必要）。要串連的第一個文字項目。
- Text2（選用）。要串連的其他文字項目，最多可有 253 個項目。這些項目必須以逗號分隔。

③ 選取整欄 B:E，按滑鼠右鍵開啟快顯功能表，執行「儲存格格式」指令。

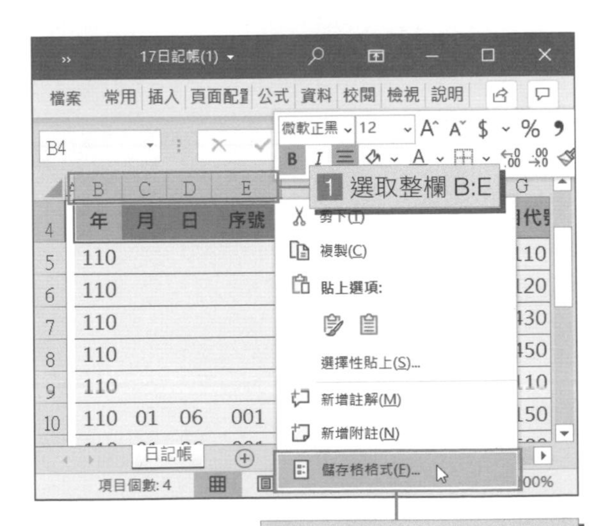

④ 開啟「設定儲存格格式」對話方塊，在「數值」標籤項下，選擇「文字」類別，按下「確定」鈕。

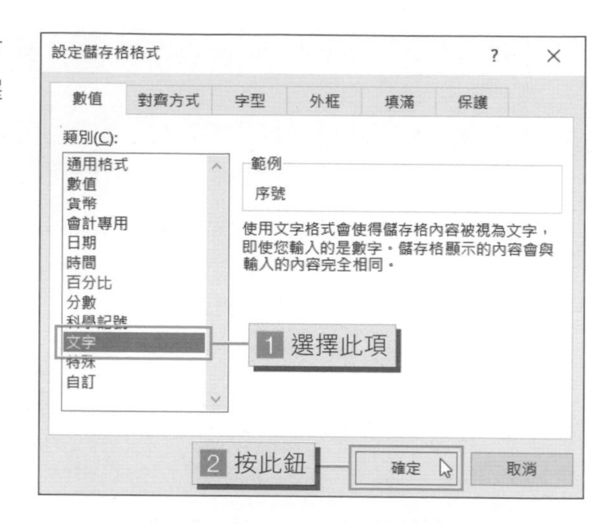

⑤ 傳票編號按依照指定樣式 10 碼編號，如果欄 B:E 是以預設的「通用格式」數值格式，則會縮減成 6 碼，且會受到日期影響。選取 F5 儲存格將公式複製到下方儲存格，按下儲存格旁的智慧標籤鈕，選擇「填滿但不填入格式」項目。

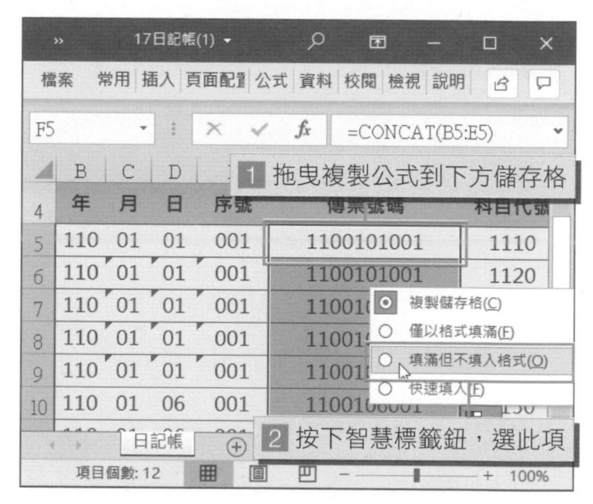

⑥ 由於科目名稱無法正確顯示，應該參照範圍有誤所致。選擇「日記帳」工作表標籤，按滑鼠右鍵開啟快顯功能表，執行「取消隱藏」指令。

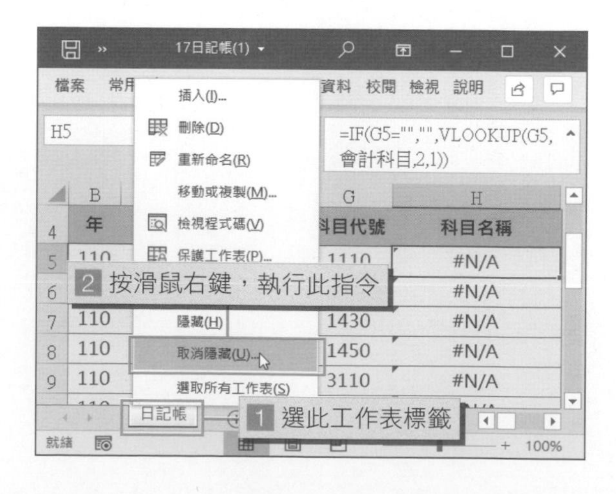

⑦ 開啟「取消隱藏」對話方塊，選擇要取消隱藏的「會計科目」工作表，按下「確定」鈕。

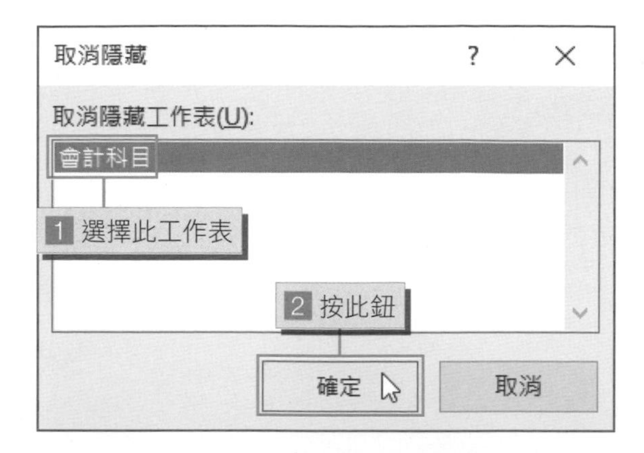

⑧ 工作表標籤列出現「會計科目」工作表。切換回「日記帳」工作表，因為科目名稱欄位，無法正確顯示對應的會計科目，所以必須修改參照位置，在「已定義之名稱」功能區中，執行「名稱管理員」指令。

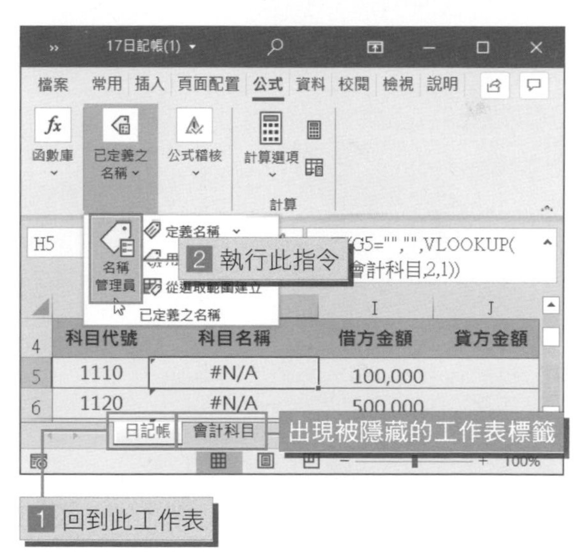

⑨ 開啟「名稱管理員」對話方塊，選取已定義的名稱「會計科目」，按下「摺疊」鈕，重新選取參照位置。

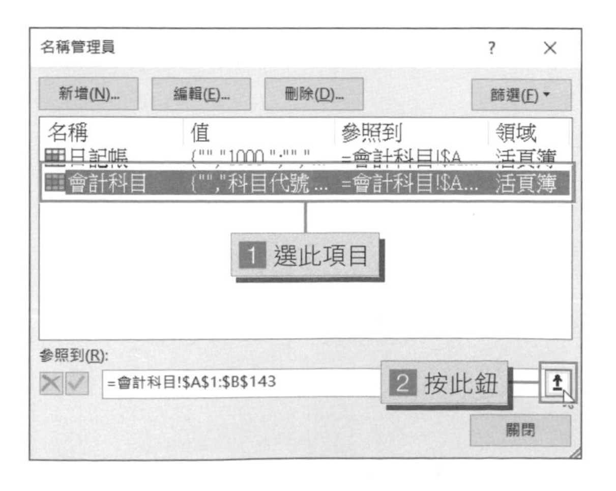

⑩ 切換到「會計科目」工作表，選取整欄 B:C 儲存格範圍，按下「展開」鈕回到「名稱管理員」對話方塊。

⑪ 確認新的參照範圍，按下「確認」鈕，然後按下「關閉」鈕回到工作表。

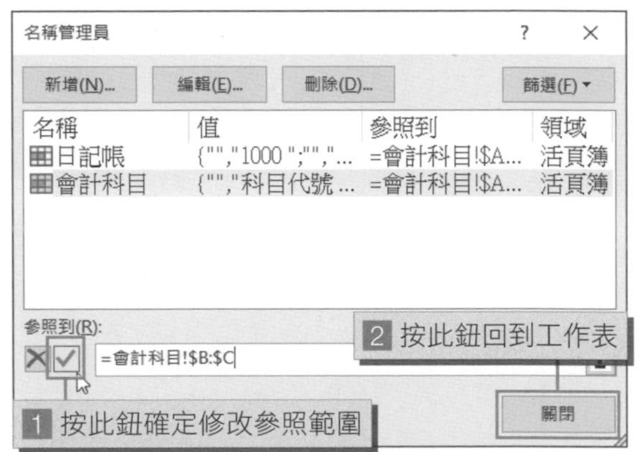

⑫ 會計科目可以恢復正常顯示。

⑬ 最後將「會計科目」工作表再次隱藏起來即可。選取「會計科目」工作表標籤，按下滑鼠右鍵開啟快顯功能表，執行「隱藏」指令。

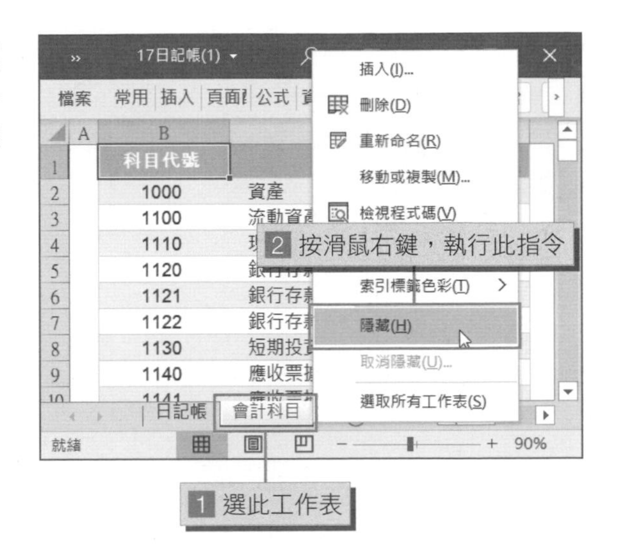

單元 18

範例光碟：CHAPTER 03\18帳務平衡檢測

帳務平衡檢測

日記帳

借貸不平衡　　貸方多100000

年	月	日	序號	傳票號碼	科目代號	科目名稱	借方金額	貸方金額	摘要
110	01	01	001	1100101001	1110	現金			期初開帳
110	01	01	001	1100101001	1120	銀行存款	500,000		期初開帳
110	01	01	001	1100101001	1430	生財器具	600,000		期初開帳
110	01	01	001	1100101001	1450	運輸設備	800,000		期初開帳
110	01	01	001	1100101001	3110	普通股股本		2,000,000	期初開帳
110	01	06	001	1100106001	1150	應收帳款	10,000		世紀公司
110	01	06	001	1100106001	2580	銷項稅額		9,524	
110	01	06	001	1100106001	4110	銷貨收入		476	世紀公司
110	01	08	001	1100108001	1110	現金		32,550	
110	01	08	001	1100108001	6250	郵電費	6,000		
110	01	08	001	1100108001	6270	廣告費	25,000		
110	01	08	001	1100108001	1680	進項稅額	1,550		
110	01	10	001	1100110001	1110	現金		1,908	
110	01	10	001	1100110001	1680	進項稅額	90		
110	01	10	001	1100110001	6230	文具印刷	484		文具
110	01	10	001	1100110001	6320	燃料費	1,334		公務車油費

「有借必有貸，借貸必相等」這是會計處理的最高指導原則，不管是轉帳傳票、日記帳、分類帳、甚至損益表及資產負債表，都要借貸平衡，所以帳務平衡檢測十分重要。

範例步驟

① 首先修改儲存格格式的對齊方式。請開啟範例檔「18 帳務平衡檢測 (1).xlsx」，選取 B1 儲存格，按下滑鼠右鍵開啟快顯功能表，執行「儲存格格式」指令。

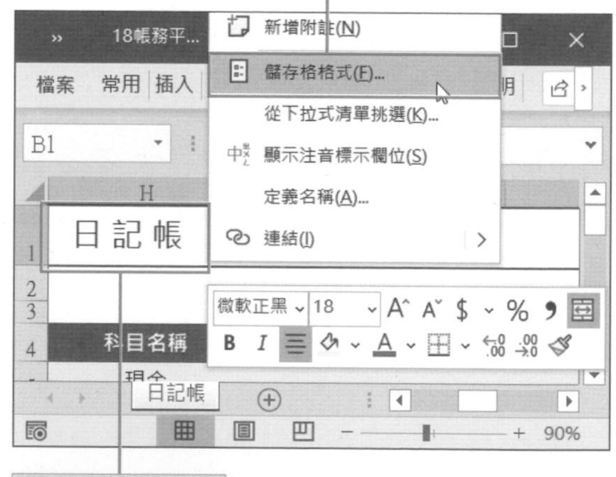

② 開啟「設定儲存格格式」對話方塊，切換到「對齊方式」索引標籤，按下水平文字對齊方式的清單鈕，選擇「跨欄置中」對齊方式。

③ 繼續取消勾選「合併儲存格」，按「確定」鈕，完成儲存格對齊方式設定。

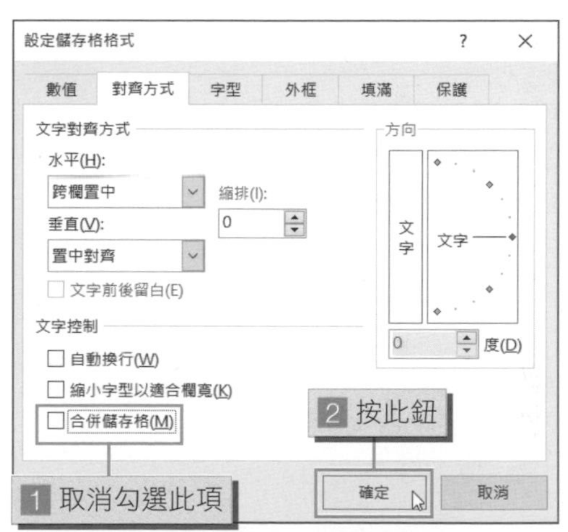

④ 表首標題文字雖然看起來沒有變化，但原本 B1:K1 儲存格範圍是合併成同一個儲存格，不論選取哪一個儲存格，在資料編輯列中都顯示「B1」；但是選擇「跨欄置中」並取消合併儲存格後，文字顯示位置不變，此範圍的儲存格都可以獨立選取，對輸入公式有幫助。

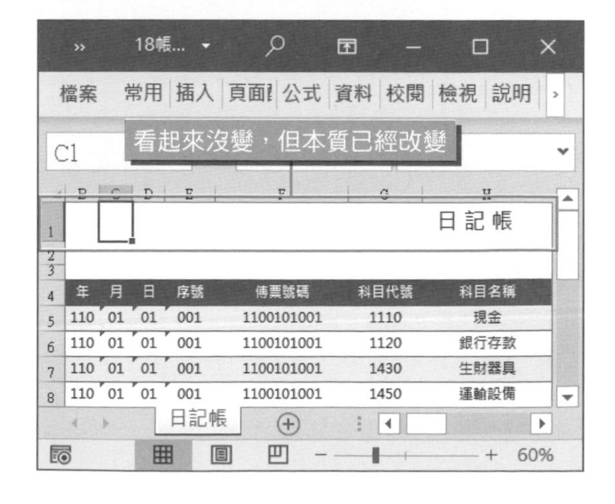

⑤ 選取 C2 儲存格，切換到「公式」功能索引標籤，在「函數庫」功能區中，按下「邏輯」清單鈕，執行插入「IF」指令。

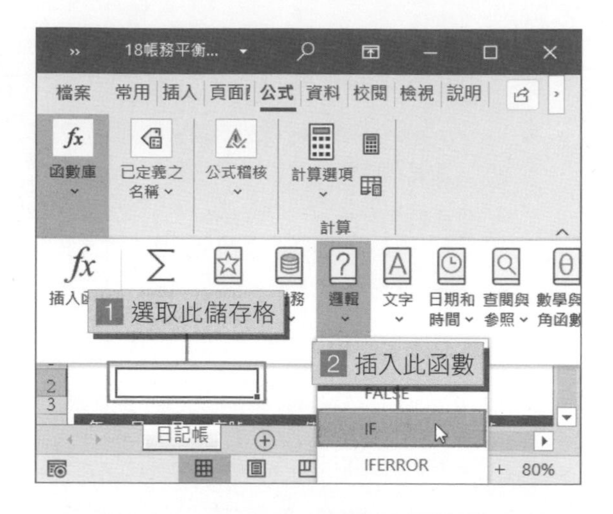

⑥ 開啟 IF「函數引數」對話方塊，將游標插入點移到第一個引數空白處，按下資料編輯列上最近使用過函數的清單鈕，選擇「其他函數」。

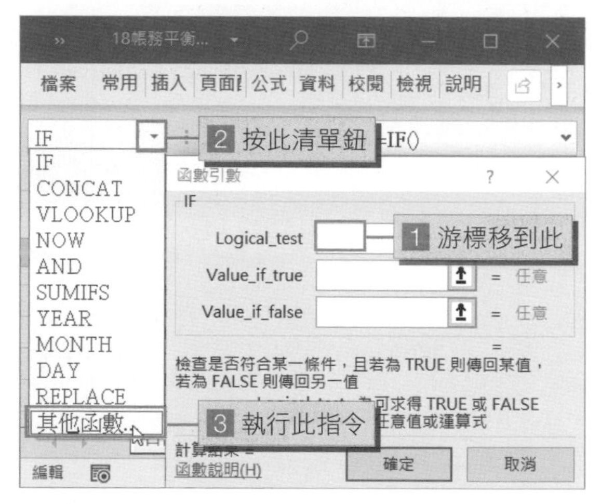

⑦ 開啟「插入函數」對話方塊，選擇「數學與三角函數」類別，選擇「SUM」函數，按「確定」鈕。

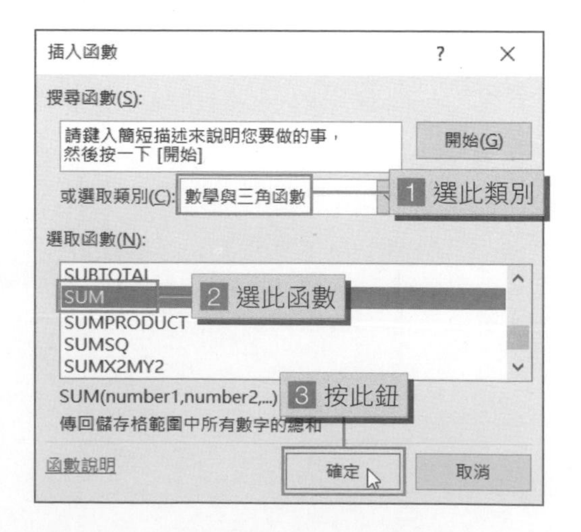

8. 另外開啟 SUM「函數引數」對話方塊，在 Number1 引數中選取整欄 I，SUM 函數引數輸入完成，將游標插入點移到資料編輯列「IF」函數位置，按一下滑鼠左鍵，繼續輸入未完成的 IF 函數引數。

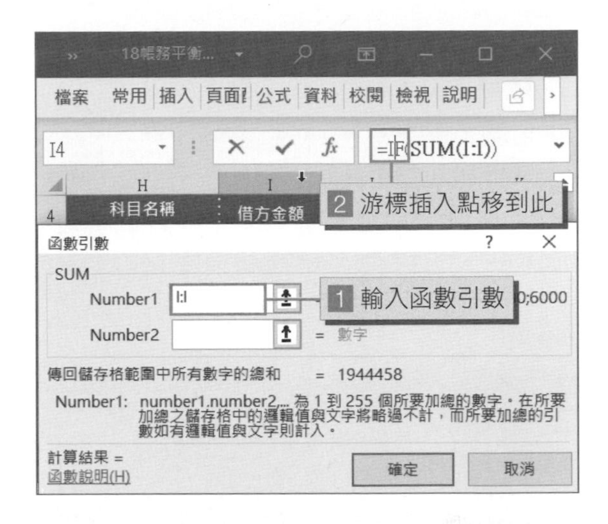

9. 回到 IF「函數引數」對話方塊，將游標插入點移到 Logical_test 引數中，在 SUM 函數的後方加上「=」號，再按下最近使用過的清單鈕，還是選擇插入「SUM」函數。

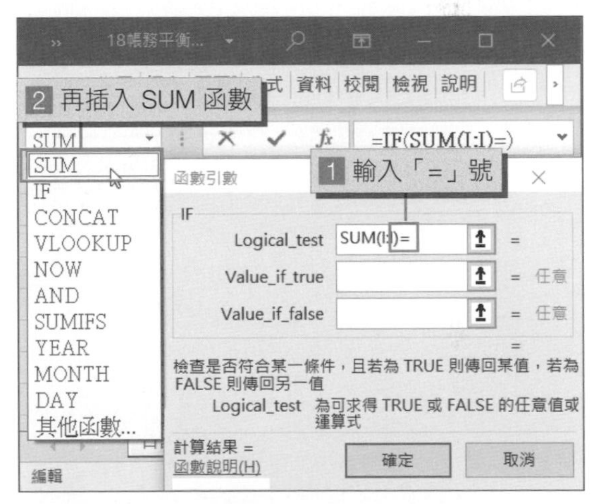

10. 開啟 SUM「函數引數」對話方塊，在 Number1 引數中選取整欄 J，當 SUM 函數引數輸入完成，再次將游標插入點移到資料編輯列「IF」函數位置，按一下滑鼠左鍵，繼續輸入未完成的 IF 函數引數。

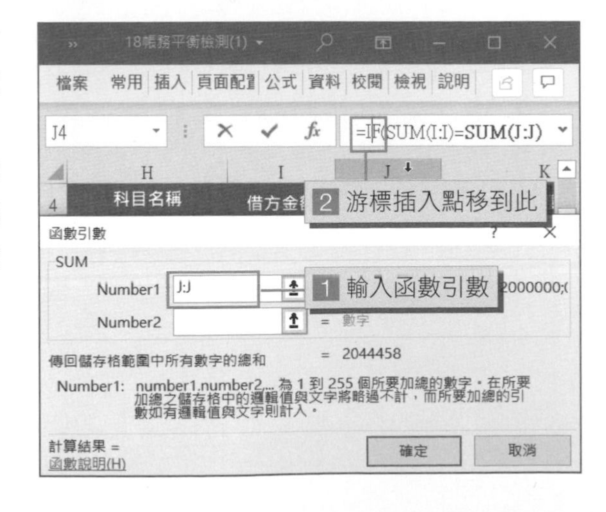

⑪ 回到 IF「函數引數」對話方塊，繼續在 Value_if_true 引數中輸入「""」，最後在 Value_if_false 引數中輸入「"借貸不平衡"」，按下「確定」鈕。完整公式為「=IF(SUM(I:I)=SUM(J:J),"","借貸不平衡")」

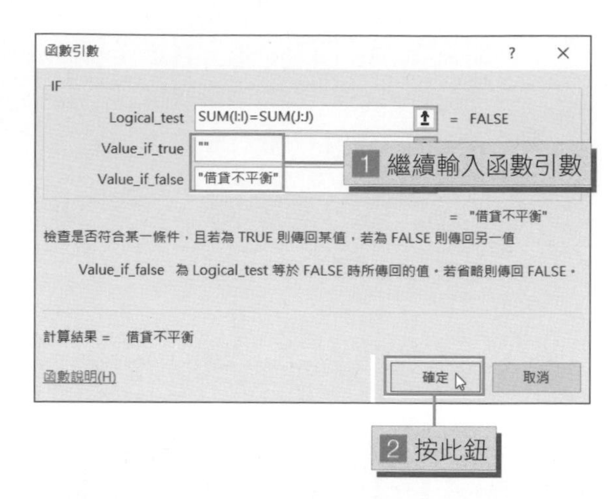

⑫ 糟糕！出現借貸不平衡的訊息，趕快找出問題所在。（I5 儲存格中輸入 100,000 則可解決）

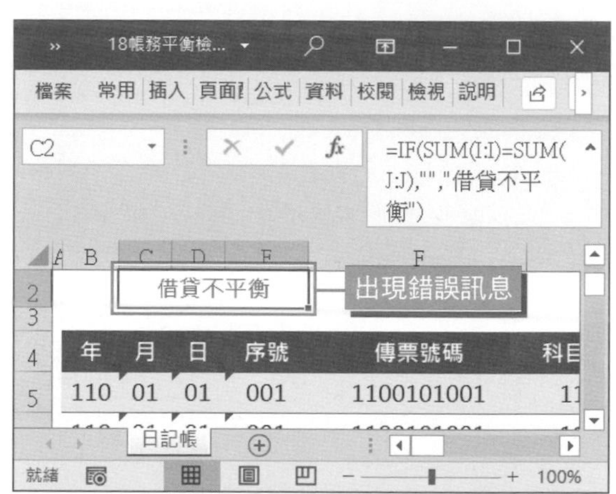

⑬ 也可以修改 C2 儲存格公式，或是在 F2 儲存格輸入公式「=IF(SUM(I:I)>SUM(J:J),"借方多"&SUM(I:I)-SUM(J:J),IF(SUM(I:I)<SUM(J:J),"貸方多"&SUM(J:J)-SUM(I:I),""))」，這樣就可以更明確知道錯誤的金額。

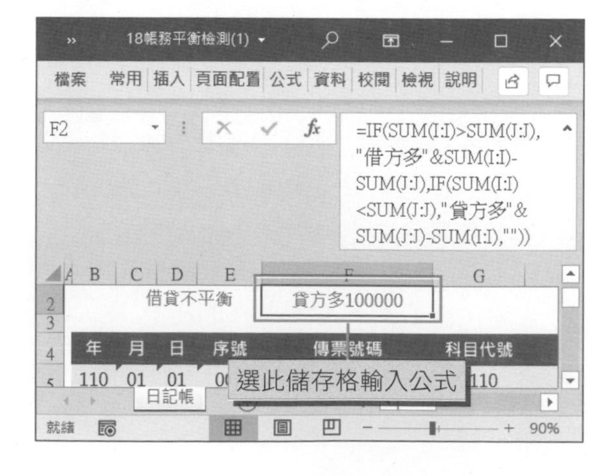

單元 19

範例光碟：CHAPTER 03\19明細分類帳

明細分類帳

明細分類帳

年	月	日	序號	科目代號	科目名稱	借方金額	貸方金額	摘要
110	01	01	001	1110	現金	100,000		期初開帳
110	01	08	001	1110	現金		32,550	
110	01	10	001	1110	現金		1,908	
110	01	11	001	1110	現金		2,687	
110	01	17	001	1110	現金		3,300	電腦週邊
110	01	20	001	1110	現金		3,613	
110	01	25	001	1110	現金		1,172	
110	01	25	002	1110	現金		5,600	公務出差
110	01	26	002	1110	現金		2,319	
110	01	28	001	1110	現金		2,500	
110	01	30	001	1110	現金		5,576	
110	01	31	002	1110	現金		4,729	
110	02	03	001	1110	現金		25,129	
110	02	08	001	1110	現金		23,660	
110	02	08	001	1110	現金		4,227	
110	02	10	001	1110	現金		3,763	
110	02	15	001	1110	現金		2,090	
110	02	18	001	1110	現金		1,184	
110	02	19	001	1110	現金		2,226	
110	02	22	001	1110	現金		7,678	
110	02	28	001	1110	現金		3,533	
110	01	01	001	1120	銀行存款	500,000		期初開帳
110	01	31	001	1120	銀行存款		282,101	
110	02	09	001	1120	銀行存款	690,117		世紀公司
110	02	28	002	1120	銀行存款		246,905	
110	01	06	001	1150	應收帳款	10,000		世紀公司
110	01	11	002	1150	應收帳款	31,500		世紀公司
110	02	09	001	1150	應收帳款	395,520		世紀公司
110	01	01	001	1430	生財器具	600,000		期初開帳
110	01	01	001	1450	運輸設備	800,000		期初開帳
110	01	08	001	1680	進項稅額	1,550		
110	01	10	001	1680	進項稅額	90		
110	01	17	001	1680	進項稅額	157		電腦週邊
110	01	20	001	1680	進項稅額	168		
110	01	25	001	1680	進項稅額	56		
110	01	25	002	1680	進項稅額	268		公務出差
110	01	26	002	1680	進項稅額	111		
110	01	28	001	1680	進項稅額	119		

「日記帳」的紀錄是依照交易發生的日期作為順序；而「明細分類帳」則是依據交易發生的會計科目作為分類，再按照發生的日期作順序紀錄。兩者在會計處理上是兩種不同的帳簿，但在 EXCEL 的電腦處理中，內容資料並無不同，只是依照不同的排序方式展現。

範例步驟

❶ 請開啟範例檔「19 明細分類帳 (1).xlsx」，選取 B1 儲存格，切換到「公式」功能索引標籤，在「函數庫」功能區中，按下「邏輯」清單鈕，執行插入「IF」函數。在 IF「函數引數」對話方塊，在 Logical_test 引數中輸入「G5=G6」， 在 Value_if_true 引數中輸入「" 明細分類帳 "」，在 Value_if_false 引數中輸入「" 日記帳 "」，按下「確定」鈕。完整公式為「=IF(G5=G6," 明細分類帳 "," 日記帳 ")」。

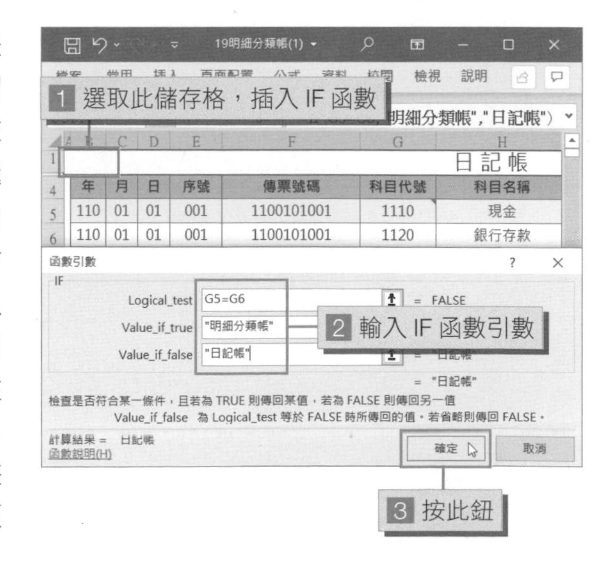

② 日記帳第一筆開帳分錄中不會有相同的兩個「科目名稱」(或說「科目代號」)，所以用此判定當第一筆「科目代號」等於第二筆「科目代號」時，報表名稱為「明細分類帳」，反之則為「日記帳」。而目前還是「日記帳」，等資料重新排序後，就會有所變化。選取 B4 儲存格，切換到「資料」功能索引標籤，在「排序與篩選」功能區中，執行「排序」指令。

③ 開啟「排序」對話方塊，先輸入第一個排序條件，依照「科目代號」的「值」由「最小到最大」排序，設定完成後，按「新增層級」鈕。

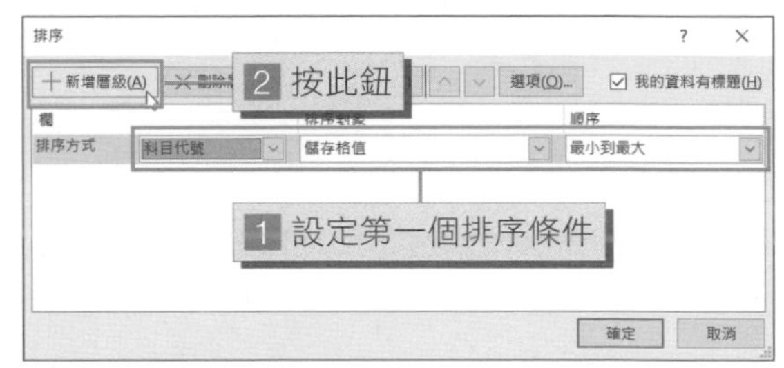

④ 繼續設定第二個排序條件，依照「月」的「值」由「A 到 Z」排序；按下「新增層級」鈕設定第三個排序條件，依照「日」的「值」由「最小到最大」排序，輸入完成後按下「確定」鈕。

⑤ 出現「排序警告」對話方塊，由於年、月、日及序號都是以文字格式顯示，所以才會出現警告訊息。選取「將任何看似數字的項目視為數字來排序」項目，按下「確定」鈕。

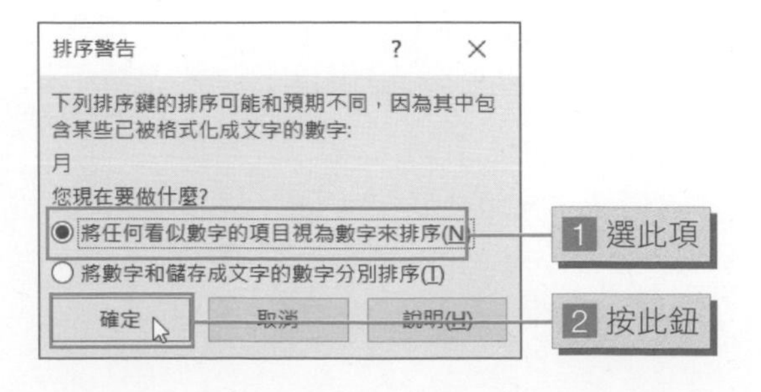

⑥ 資料重新排序，表首名稱也變成「明細分類帳」。再次選取 B1 儲存格，切換到「校閱」功能索引標籤，在「註解」功能區中，執行「新增註解」指令。

⑦ 出現註解文字方塊。輸入註解內容「有重要公式，請勿任意刪除！」，按下 ➢「張貼」鈕。

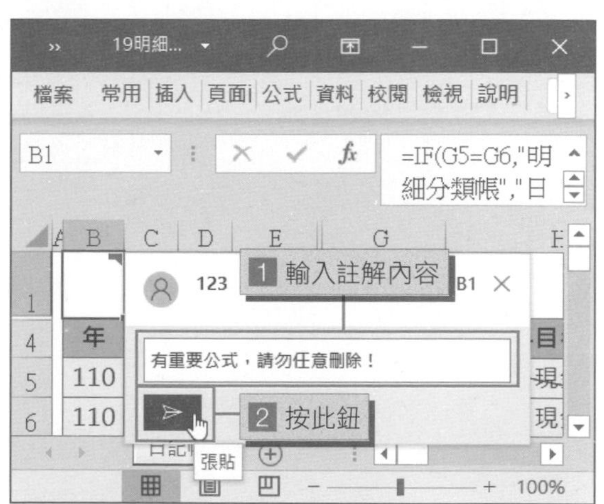

⑧ 游標只要移開註解位置（或任選儲存格），註解自動就會隱藏起來，僅在儲存格右上角出現紫色 ◥ 三角符號。只要再將滑鼠游標移到該位置，則會再次顯示註解內容。

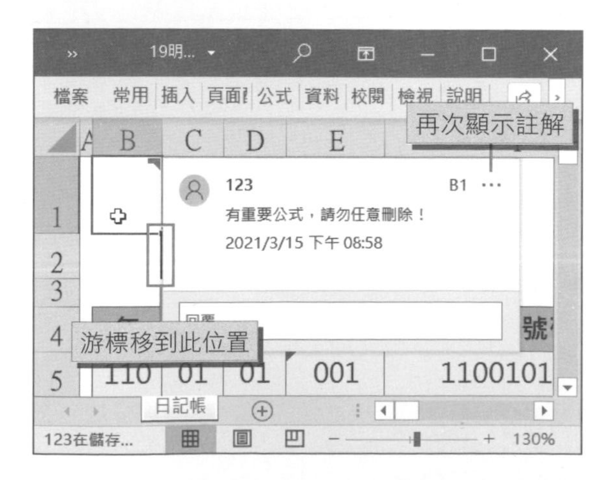

9 工作表中可能不只有一個註解，可以在「校閱」功能索引標籤的「註解」功能區中，執行「下一個註解」指令，尋找下一個。

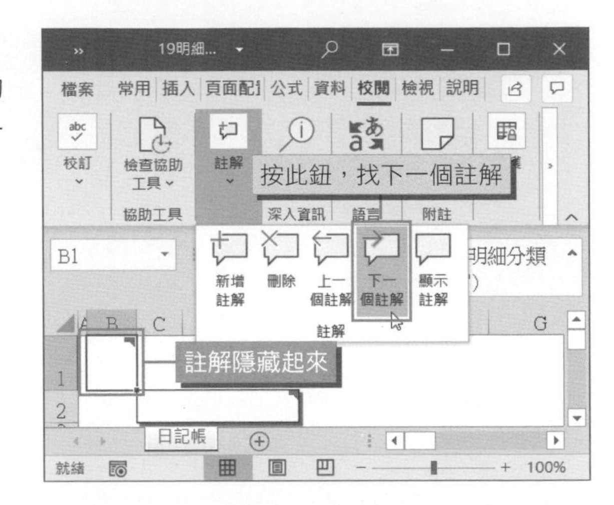

10 顯示 C2 儲存格的註解，在註解方塊中按下「編輯」鈕。

11 修改註解內容為「帳務平衡檢測公式」，按下「儲存」鈕。

⑫ 繼續在「校閱」功能索引標籤的「註解」功能區中，執行「顯示註解」指令，即可開啟「註解」工作窗格，顯示工作表中的所有註解。

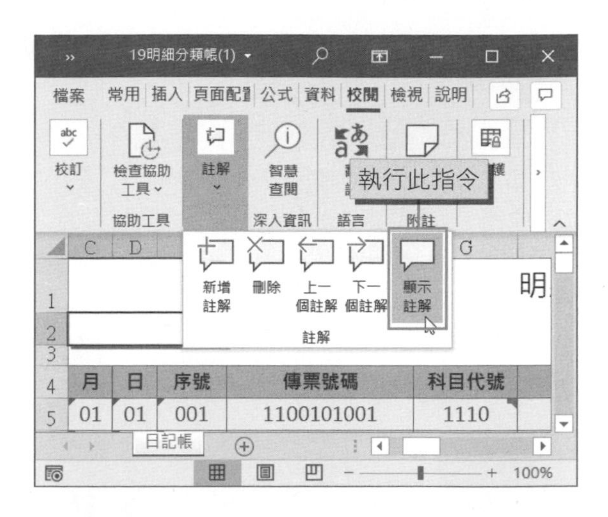

⑬ 在「註解」工作窗格，選取 G5 儲存格相對應的註解，此時工作表也會自動選取 G5 儲存格，按下註解方塊右上角的清單鈕，執行「刪除對話」指令。

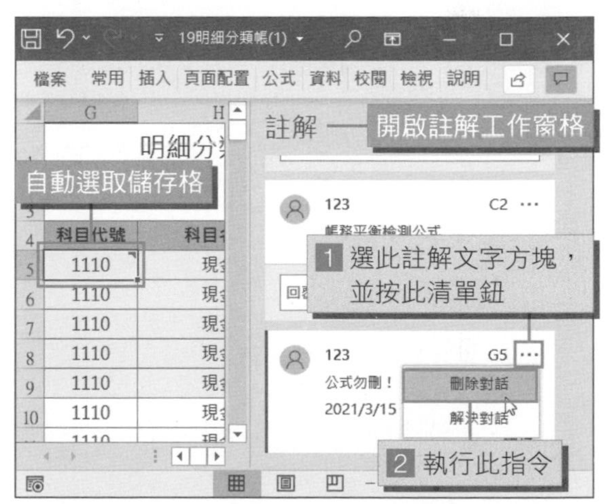

⑭ 工作窗格中沒有屬於 G5 儲存格的註解，而 G5 儲存格右上角的註解符號也消失了。按下「關閉」鈕，關閉工作窗格。

⑮ 日記帳隨著時間越久，累積的資料也越來越多，帳務平衡的檢測公式也會被垂直捲軸捲起而看不見，此時就需要讓表格標題凍住不動。選取 B5 儲存格，切換到「檢視」功能索引標籤，在「視窗」功能區中，按下「凍結窗格」清單鈕，執行「凍結窗格」指令。

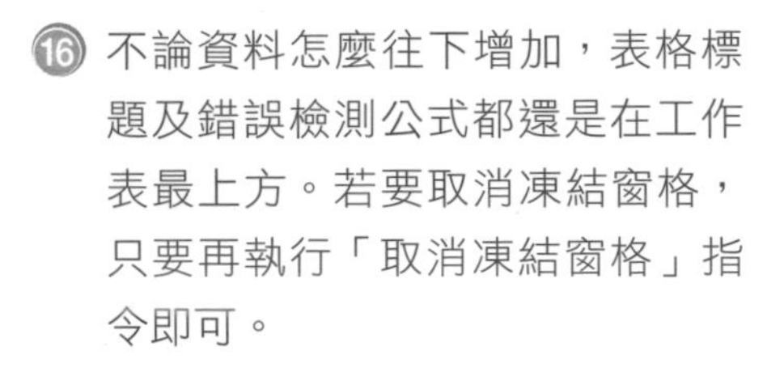
⑯ 不論資料怎麼往下增加，表格標題及錯誤檢測公式都還是在工作表最上方。若要取消凍結窗格，只要再執行「取消凍結窗格」指令即可。

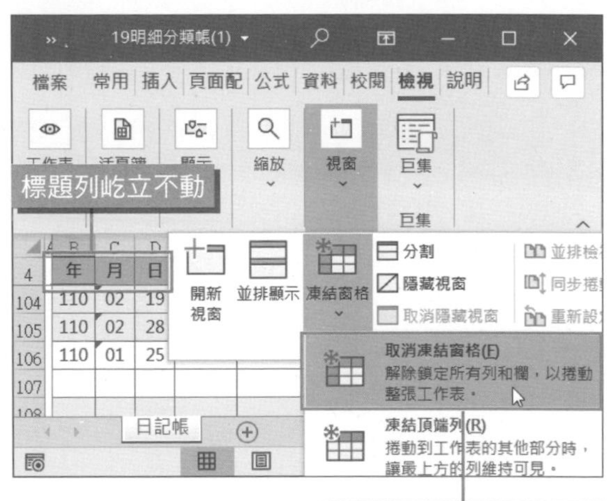

單元 20

💿 範例光碟：CHAPTER 03\20試算表

試算表

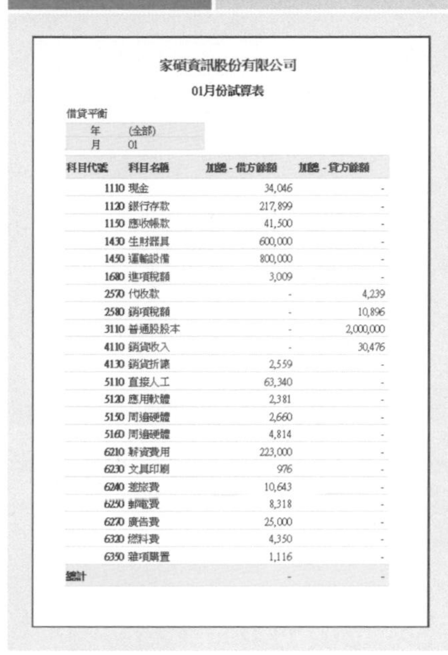

家碩資訊股份有限公司

01月份試算表

借貸平衡

年	(全部)
月	01

科目代號	科目名稱	加總 - 借方餘額	加總 - 貸方餘額
1110	現金	34,046	-
1120	銀行存款	217,899	-
1150	應收帳款	41,500	-
1430	生財器具	600,000	-
1450	運輸設備	800,000	-
1680	進項稅額	3,009	-
2570	代收款	-	4,239
2580	銷項稅額	-	10,896
3110	普通股股本	-	2,000,000
4110	銷貨收入	-	30,476
4130	銷貨折讓	2,559	-
5110	直接人工	63,340	-
5120	應用軟體	2,381	-
5150	周邊硬體	2,660	-
5160	周邊硬體	4,814	-
6210	薪資費用	223,000	-
6230	文具印刷	976	-
6240	差旅費	10,643	-
6250	郵電費	8,318	-
6270	廣告費	25,000	-
6320	燃料費	4,350	-
6350	雜項購置	1,116	-
總計		-	-

編製正式財務報表之前，一定要先編製工作底稿也就是「試算表」，這是過渡時期的報表，卻是會計循環中不可或缺的一環。抓帳是會計人員心中永遠的痛，在會計基本原則下，借方金額即便差貸方金額一毛錢都要錙銖必較，不把罪魁禍首抓出來就地正法，就是不能順利結帳。

範例步驟

1. 請開啟範例檔「20 試算表 (1).xlsx」，利用日計帳製作試算表。切換到「插入」功能索引標籤，在「表格」功能區中，執行「樞紐分析表」指令。

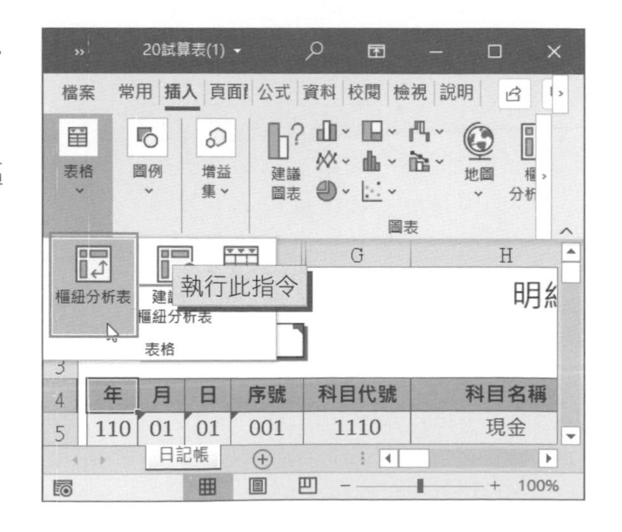

② 開啟「建立樞紐分析表」對話方塊，使用預設的表格範圍，選擇將樞紐分析表放置到「新工作表」，按「確定」鈕。

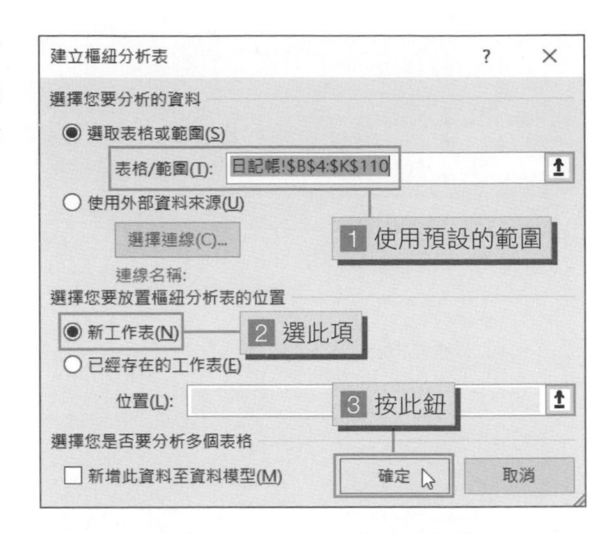

③ 工作表會開啟「樞紐分析表欄位」工作窗格，將「年」和「月」欄位名稱拖曳到「篩選」區域，將「科目代號」和「科目名稱」拖曳到「列」區域，再將「借方金額」拖曳到「Σ 值」區域，此時「借方科目」需要以「加總」作為計算方式。請按下「加總 - 借方金額」欄位名稱旁的清單鈕，執行「值欄位設定」指令。

④ 開啟「值欄位設定」對話方塊，在「摘要值方式」標籤項下選擇「加總」作為摘要的計算類型，接著按「數值格式」鈕，設定數值格式樣式。

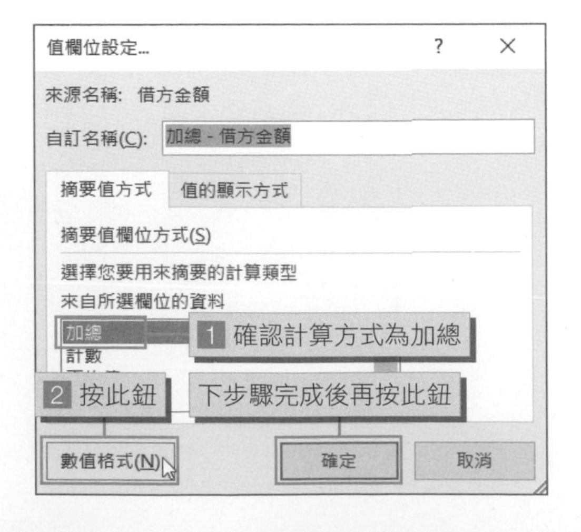

5. 另外開啟「設定儲存格格式」對話方塊，選擇「會計專用」類別，小數位數選擇「0」，符號選擇「無」，設定完成按下「確定」鈕。回到「值欄位設定」對話方塊，按下「確定」鈕。

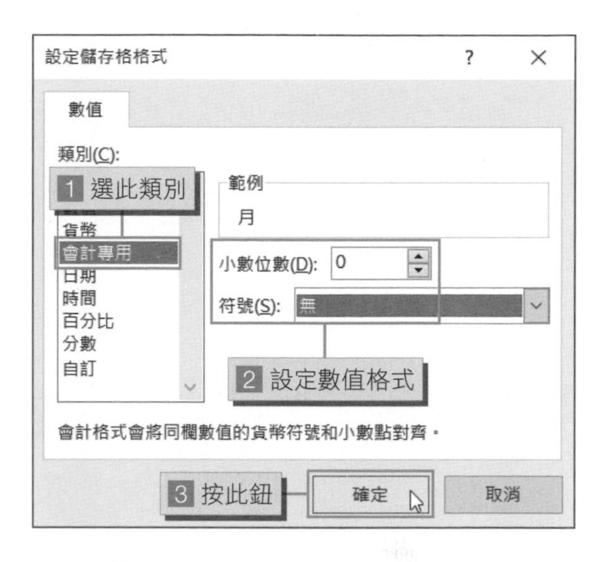

6. 接著將「貸方金額」欄位名稱，拖曳到「Σ 值」區域，並執行「值欄位設定」指令，依相同方式將「貸方金額」設定為「加總 - 貸方金額」，數值格式設定與「借方金額」同。按下工作窗格右上方「關閉」鈕，結束樞紐分析表工作窗格。

7. 選擇「工作表 1」工作表標籤，按滑鼠右鍵開啟快顯功能表，執行「重新命名」指令。

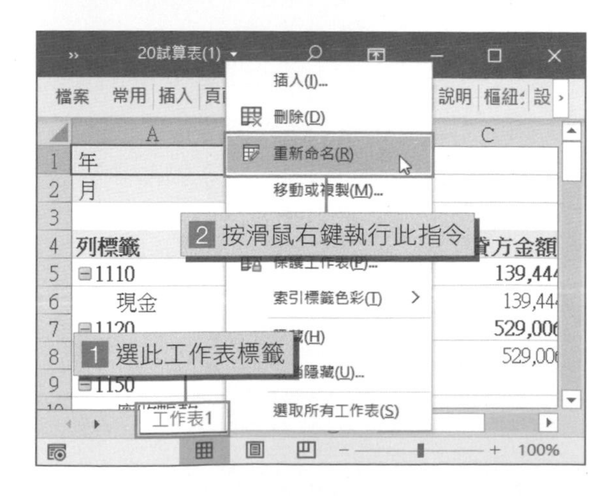

⑧ 輸入新工作表名稱「累計試算表」，按鍵盤「Enter」鍵或任選一個儲存格完成輸入。切換到「設計」功能索引標籤，在「版面配置」功能區中，按下「報表版面配置」清單鈕，執行「以列表方式顯示」指令，變更版面配置使得「科目代號」和「科目名稱」顯示在同一列。

⑨ 接著再按「小計」清單鈕，執行「不要顯示小計」指令，取消各科目名稱的小計。

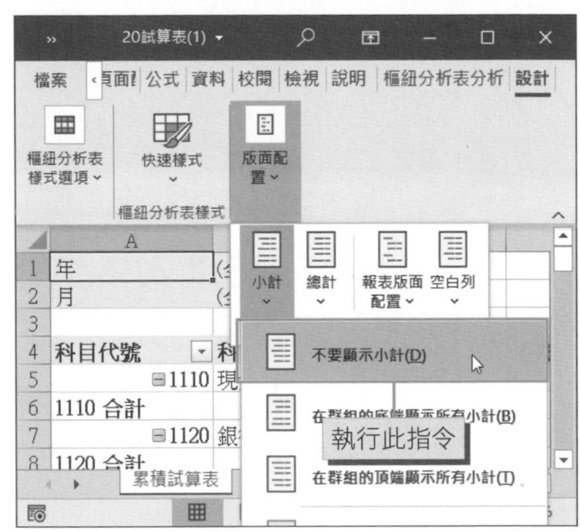

⑩ 按下「科目代號」標題旁的篩選清單鈕，取消勾選「空白」科目，按下「確定」鈕。

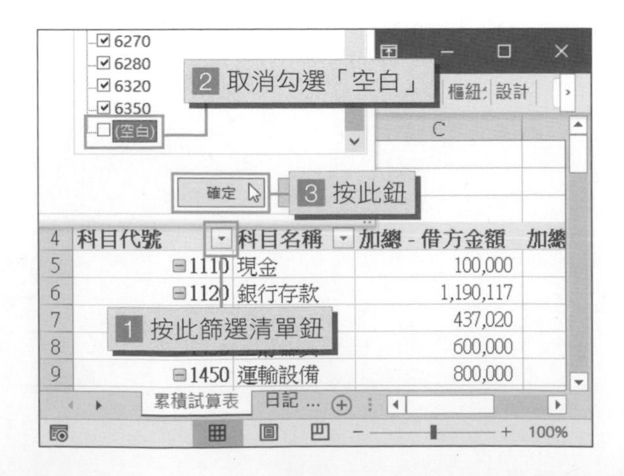

⑪ 截至目前為止這還不是真正的試算表。在會計科目中，一定會提到某一科目的正常餘額會在「借方」或「貸方」，而在試算表的數值內容就是「借方總額」減去「貸方總額」後正常餘額的呈現。選取 B5 儲存格，切換到「樞紐分析表分析」功能索引標籤，在「計算」功能區中，按下「欄位、項目和集」清單鈕，執行「計算欄位」指令。

⑫ 開啟「插入計算欄位」對話方塊，在「名稱」中輸入「借方餘額」，「公式」中輸入「=IF((借方金額 - 貸方金額)>0,(借方金額 - 貸方金額),0)」，按「新增」鈕新增欄位。

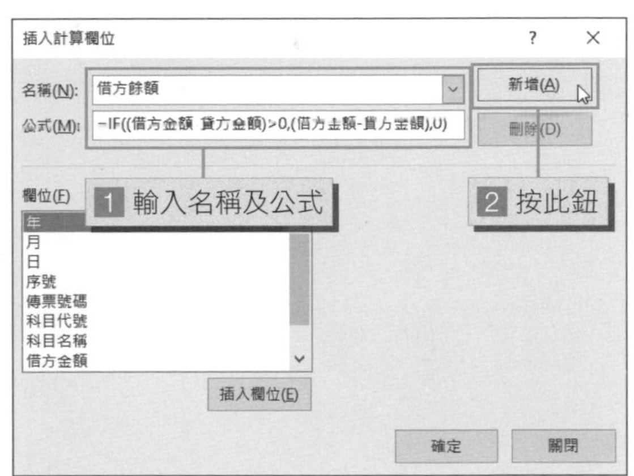

⑬ 繼續在「名稱」輸入「貸方餘額」，在「公式」輸入「=IF((貸方金額 - 借方金額)>0,(貸方金額 - 借方金額),0)」，按「新增」鈕新增欄位。「欄位」處會新增「借方餘額」和「貸方餘額」欄位名稱，按「確定」鈕完成設定。

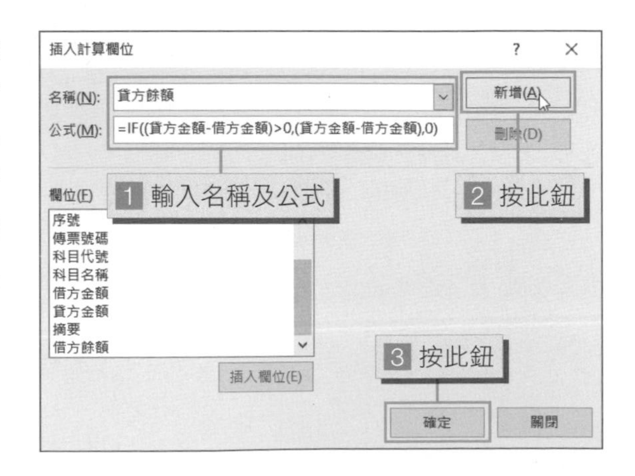

⑭ 累計試算表中多了「加總的借方餘額」及「加總的貸方餘額」兩欄。選取整欄 C:D，切換到「常用」功能索引標籤，在「儲存格」功能區中，按下「格式」清單鈕，執行「隱藏及取消隱藏\隱藏欄」指令。

⑮「加總 - 借方金額」及「加總 - 貸方金額」欄位被隱藏起來。選取整列 1:3，執行「插入\插入工作表列」指令。

⑯ 分別在新插入的列 1:2 輸入「公司名稱」及「報表名稱」，選取 A3 儲存格，輸入公式「=IF(SUM(E:E)=SUM(F:F),"借貸平衡","借貸不平衡")」即完成累計試算表。

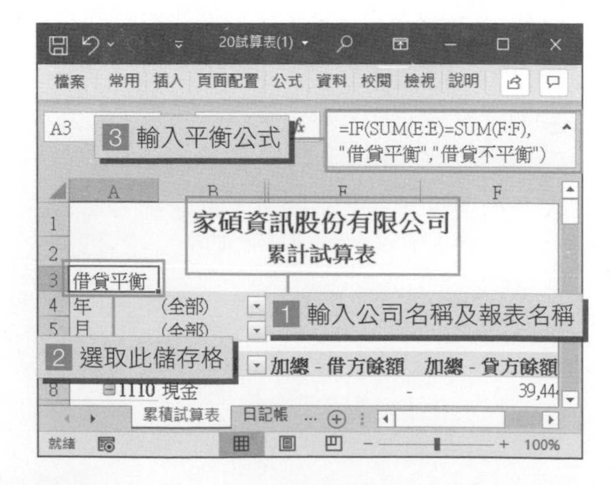

⑰ 累計試算表是為了編製「損益表」時使用，那「各月份試算表」則是為了編製「各月份損益表」而準備的，接著直接利用複製工作表來新增一個新的樞紐分析表。切換到「常用」功能索引標籤，在「儲存格」功能區中，按下「格式」清單鈕，執行「移動或複製工作表」指令。

⑱ 開啟「移動或複製」對話方塊，勾選「建立複本」，按「確定」鈕。

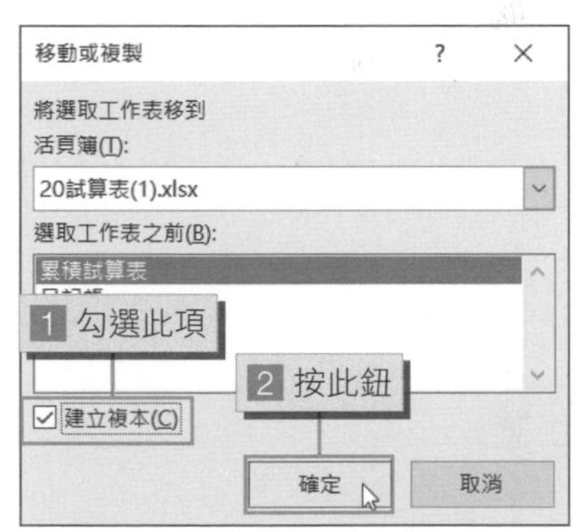

⑲ 工作表標籤索引多了一個「累計試算表 (2)」工作表。選取此工作表中的 A2 儲存格，輸入公式「=B5&" 月份試算表 "」。

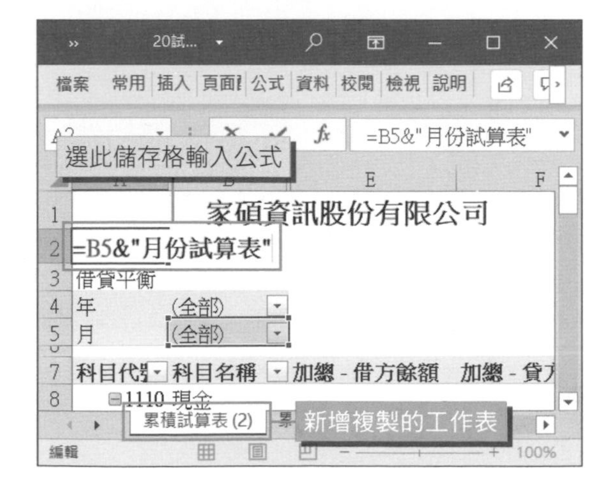

⑳ 按下樞紐分析表中的「月」篩選鈕，選擇「01」月，此時表頭標題也改成「01 月份試算表」。最後重新命名工作表名稱為「各月份試算表」即可。

單元 21

範例光碟：CHAPTER 03\21總分類帳

總分類帳

年	(全部)			
科目代號	(全部)			
科目名稱	月	日	加總 - 借方金額	加總 - 貸方金額
文具印刷	01	10	484	
		20	217	
		31	275	
	01 合計		976	
	02	08	196	
		18	234	
		28	382	
	02 合計		812	
文具印刷 合計			1,788	
水電費	02	03	1,054	
	02 合計		1,054	
水電費 合計			1,054	
代收款	01	31		4,239
	01 合計			4,239
	02	28		4,095
	02 合計			4,095
代收款 合計				8,334
生財器具	01	01	600,000	
	01 合計		600,000	
生財器具 合計			600,000	
周邊硬體	01	17	3,143	
		20	918	
		31	3,413	
	01 合計		7,474	
	02	10	1,436	
		15	1,990	
		19	396	
		28	1,046	
	02 合計		4,868	
周邊硬體 合計			12,342	
直接人工	01	31	63,340	
	01 合計		63,340	
	02	28	50,000	
	02 合計		50,000	
直接人工 合計			113,340	

如果在累計試算表中，發現有異常狀況時，應該第一個想到要去查詢總分類帳。從總分類帳可以簡單找到出錯的時點，才不至於像無頭蒼蠅似的去翻閱查詢日記帳或是傳票憑證，可以很快的除錯。

範例步驟

① 總分類帳和試算表必須共用「日記帳」為資料來源，接著介紹利用同一資料來源建立新的樞紐分析表，請開啟範例檔「21 總分類帳 (1).xlsx」，切換到「日記帳」工作表。切換到「插入」功能索引標籤，在「表格」功能區中，執行「樞紐分析表」指令。

② 開啟「建立樞紐分析表」對話方塊，使用 Excel 提供的預設值，按下「確定」鈕。

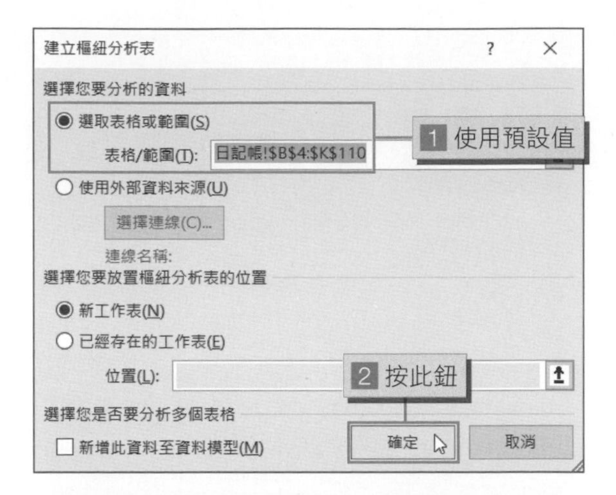

③ 有些使用者習慣舊版 Excel 樞紐分析表的版面配置方式，直接拖曳欄位名稱到工作表，接著切換到「樞紐分析表分析」功能索引標籤，在「樞紐分析表」功能區中，按下「選項」清單鈕，執行「選項」指令，切換到古典樞紐分析表版面配置。

④ 開啟「樞紐分析表選項」對話方塊，切換到「顯示」索引標籤，勾選「古典樞紐分析表版面配置」選項，按「確定」鈕。

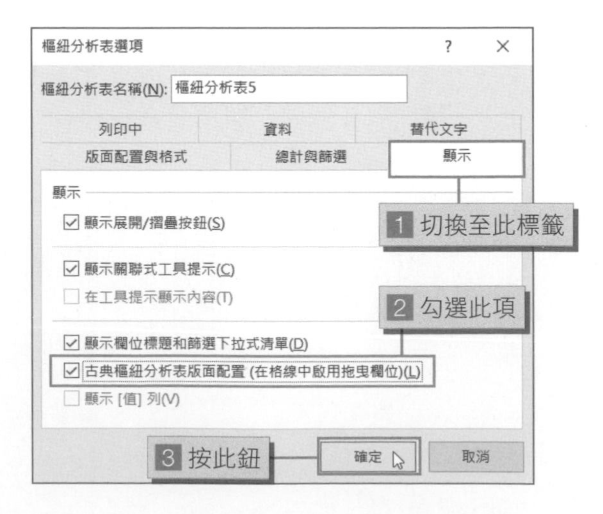

5. 版面變成古典樞紐分析表模式，當然欄位標題也要跟著配合。按下樞紐分析表欄位工作窗格中的「工具」鈕，選擇執行「只有欄位區段」指令。

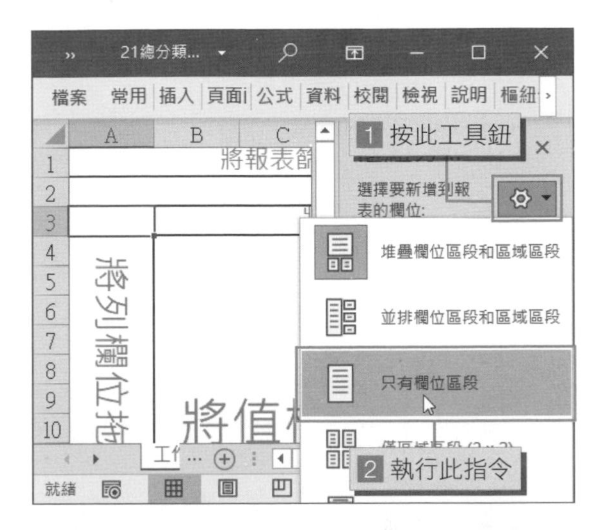

6. 將「年」欄位名稱直接拖曳到工作表中的「篩選」區域。

7. 接著繼續使用拖曳的方式完成樞紐分析表的版面配置。篩選區域：「年」和「科目代號」；列區域：「科目名稱」、「月」和「日」；Σ 值區域：「借方金額」和「貸方金額」。別忘了可以進入「值欄位設定」對話方塊進行「數值設定」，讓數字顯示千分位符號。

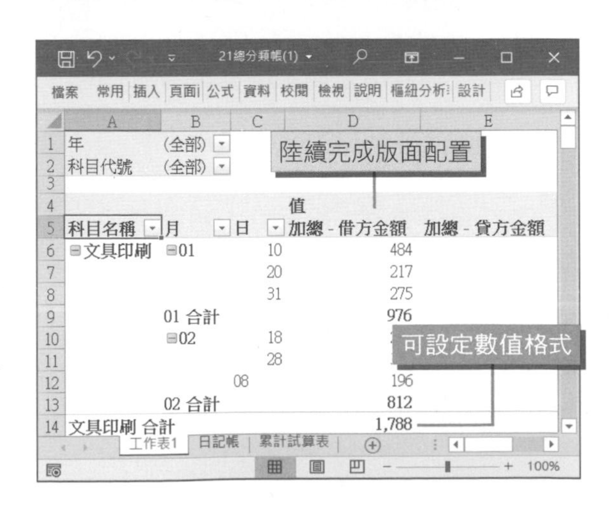

⑧ 選取「工作表 1」工作表標籤，快按滑鼠左鍵二下，將工作表重新命名為「總分類帳」。分別按下「科目名稱」、「月」和「日」科目名稱的篩選清單鈕，取消勾選「空白」資料。

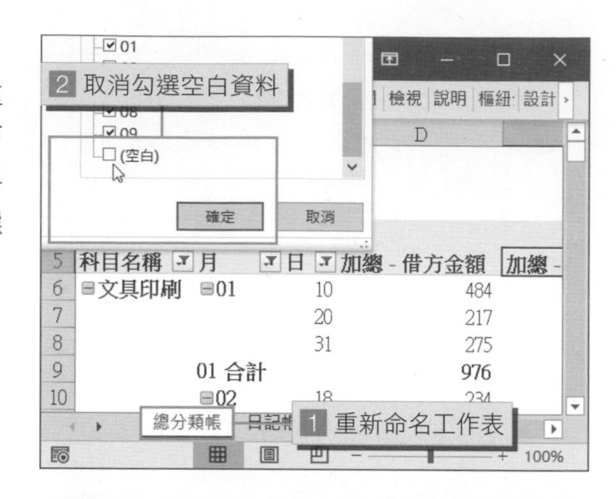

⑨ 使用拖曳的方式，手動將日期依順序重新排序，例如：拖曳 C12 儲存格到游標所指的位置。最後再微調儲存格內容的對齊位置即可。

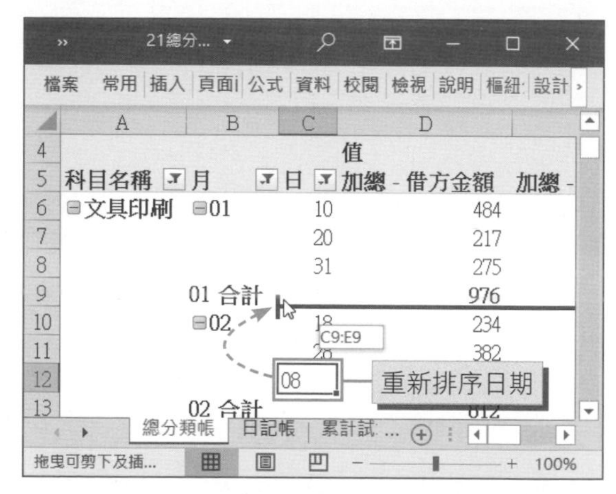

⑩ 要確保樞紐分析表中的資料是正確有兩個重點要注意：一、資料來源是否已經超過設定的範圍？二、是否有更新資料來源？首先將樞紐分析表的資料來源範圍擴大，以備不時之需。切換到「樞紐分析表分析」功能索引標籤，在「資料」功能區中，按下「變更資料來源」清單鈕，執行「變更資料來源」指令。

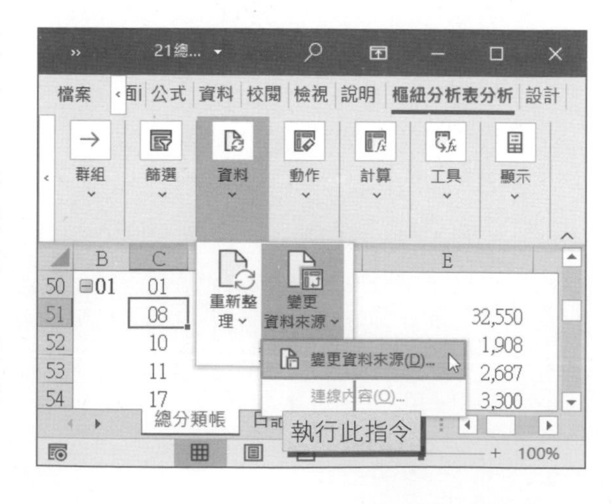

⑪ 開啟「變更樞紐分析表資料來源」對話方塊，直接在原有範圍加上兩個「0」，使範圍從「日記帳!$B$4:$K$110」變成「日記帳!$B$4:$K$11000」，按下「確定」鈕即可。

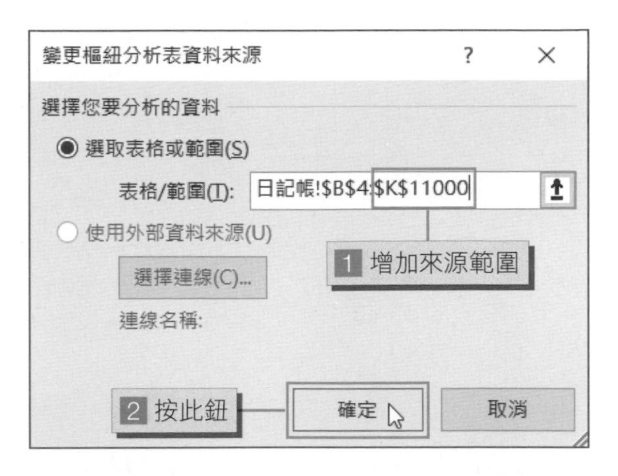

⑫ 資料範圍擴大後，再來就是要經常更新資料。同樣在「資料」功能區中，按下「重新整理」清單鈕，「全部重新整理」指令即可。

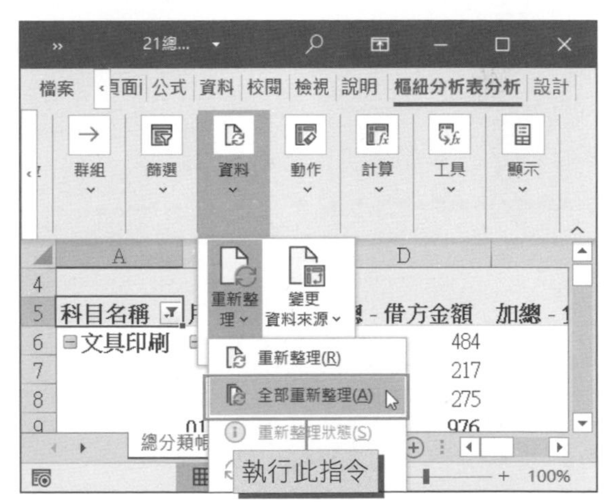

⑬ 如果覺得怕忘記手動更新資料，不妨在「樞紐分析表」功能區中，按下「選項」清單鈕，執行「選項」指令。開啟「樞紐分析表選項」對話方塊後，切換到「資料」索引標籤，勾選「檔案開啟時自動更新」選項，按下「確定」鈕就完成了。

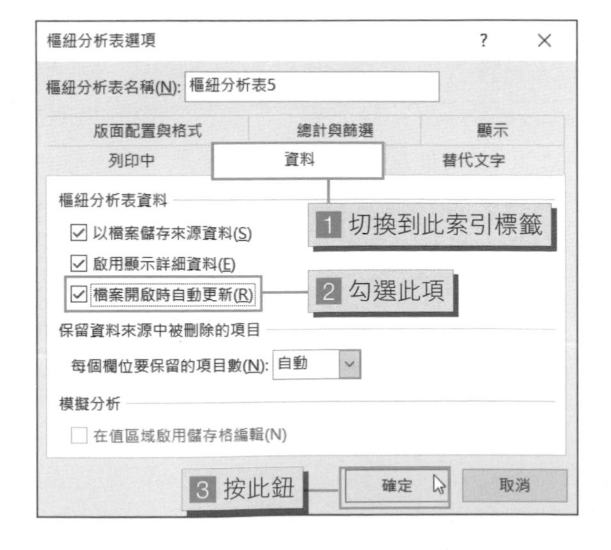

單元 22

範例光碟：CHAPTER 03\22損益表

損益表

家碩資訊股份有限公司

損益表

(全部)月份

	總金額		比率	
銷貨收入	$ 1,413,417		100.18%	
銷貨退回	-		0.00%	
銷貨折讓	(2,559)		0.18%	
銷貨收入淨額		$ 1,410,858		100.00%
銷貨成本		(128,063)		9.08%
直接人工	$ 113,340		8.03%	
應用軟體	4,371		0.31%	
周邊硬體	10,352		0.73%	
銷貨毛利		$ 1,282,795		90.92%
營業費用				
薪資費用	$ 424,000		30.05%	
租金費用	-		0.00%	
文具印刷	1,788		0.13%	
差旅費	14,669		1.04%	
郵電費	32,224		2.28%	
修繕費	22,357		1.58%	
水電費	1,054		0.07%	
燃料費	11,066		0.78%	
書報雜誌	-		0.00%	
雜費	300		0.02%	
雜項購置	1,116		0.08%	
營業費用合計		$ 508,574		36.05%
營業淨利		$ 774,221		54.88%
營業外收益				
利息收入	$ -		0.00%	
營業外收益合計		$ -		0.00%
營業外費用				
利息費用	$ 11,150		0.79%	
營業外費用合計		$ 11,150		0.79%
稅前淨利		$ 763,071		54.09%
所得稅費用		-		0.00%
稅後淨利		$ 763,071		54.09%

第1頁

經過「日記帳」、「試算表」…等準備工作，要進入會計流程的尾聲階段，編製「累計損益表」及「各月損益表」報表。損益表記載「虛帳戶」的會計科目，也就是「收入」及「費用」。「費用」科目的正常餘額在借方，「收入」科目的正常餘額應該在貸方，兩者的差異就是本期損益。

範例步驟

① 本範例已先將常用的會計科目，依照損益表的格式先輸入到儲存格內，數值在運用函數公式去參照累計試算表的餘額，每當累計試算表的資料更新後，損益表的金額也會隨之更新。請開啟範例檔「22 損益表 (1).xlsx」，先切換到「累計損益表」工作表，選取A3 儲存格，輸入公式「= 累計試算表 !B4&" 月份 "」。

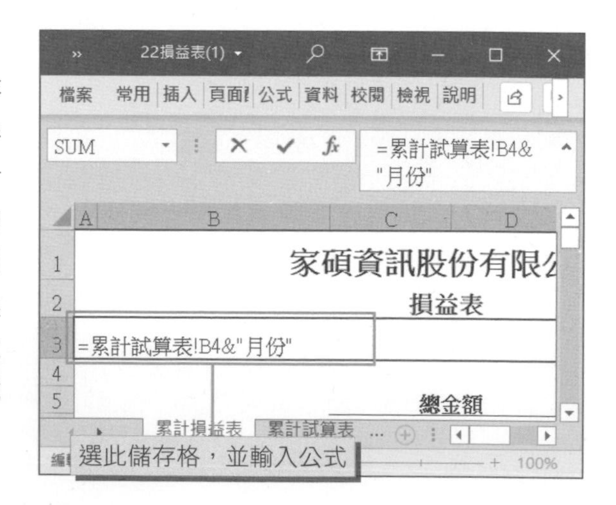

② 表首月份已經參照累計試算表的篩選月份。選取 C6 儲存格，輸入參照公式「=IF(ISNA(VLOOKUP(A6, 累計試算表 ,4,FALSE)),0,IF(VLOOKUP(A6, 累計試算表 ,4,FALSE)<>0,-VLOOKUP(A6, 累計試算表 ,4,FALSE),VLOOKUP(A6, 累計試算表 ,5,FALSE)))」。「累計試算表」為已定義的範圍名稱，資料來源為「= 累計試算表 !$B$7:$F$120」，詳細資料請於「名稱管理員」中查詢。

操作 MEMO　ISNA 函數

說明： 參照欄位若是錯誤值「#N/A」時（即無法使用的數值），則傳回 TRUE 值；若為其他數字或符號則傳回 FALSE 值。

語法： ISNA(value)

引數： • Value（必要）。檢查此引數是否為 #N/A 錯誤值。

③ 公式計算出銷貨收入的金額。選取 C7 儲存格，輸入參照公式「=IF(ISNA(VLOOKUP(B7, 累計試算表 ,4,FALSE)),0,IF(VLOOKUP(B7, 累計試算表 ,4,FALSE)<>0,-VLOOKUP(B7, 累計試算表 ,4,FALSE),VLOOKUP(B7, 累計試算表 ,5,FALSE)))」。

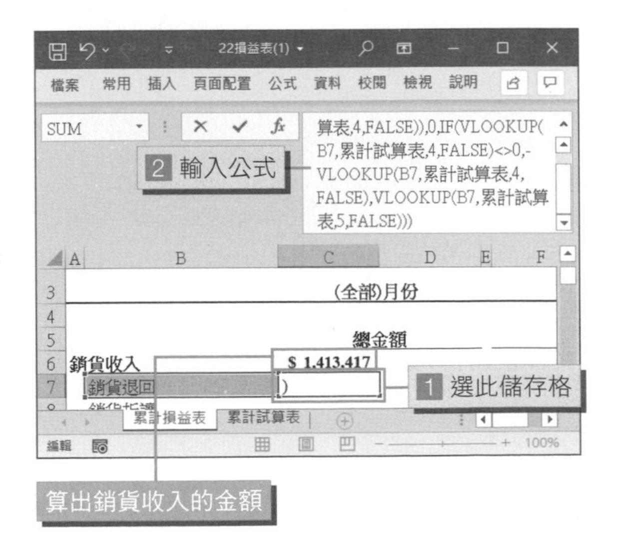

損益表中總金額欄位主要類別的公式，如下表所示：

適用科目	公式內容
收入類	=IF(ISNA(VLOOKUP(A6, 累計試算表 ,4,FALSE)),0,IF(VLOOKUP(A6, 累計試算表 ,4,0)<>0,-VLOOKUP(A6, 累計試算表 ,4,0),VLOOKUP(A6, 累計試算表 ,5,0)))
成本、費用類（含折讓）	=IF(ISNA(VLOOKUP(B7, 累計試算表 ,4,FALSE)),0,IF(VLOOKUP(B7, 累計試算表 ,4,0)<>0,VLOOKUP(B7, 累計試算表 ,4,0),-VLOOKUP(B7, 累計試算表 ,5,0)))

以收入類的公式作說明：第一個反白部分函數表示：A6 儲存格（即「銷貨收入」)，在「累計試算表」對應的 E28 儲存格，是否為「#N/A」值，若是則傳回「TURE」。

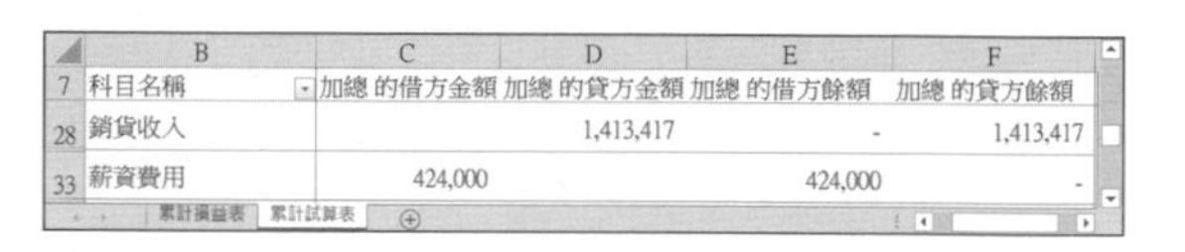

第二個框線部份函數表示：若 A6 儲存格（即「銷貨收入」)，在「累計試算表」對應的 E28 儲存格之數值，若不等於零，則顯示 E28 儲存格的「負」值；若金額等於零，則顯示 F28 儲存格的值。

4. 選取 C7 儲存格，切換到「常用」功能索引標籤，在「剪貼簿」功能區中，按下「複製」清單鈕，執行「複製」指令。

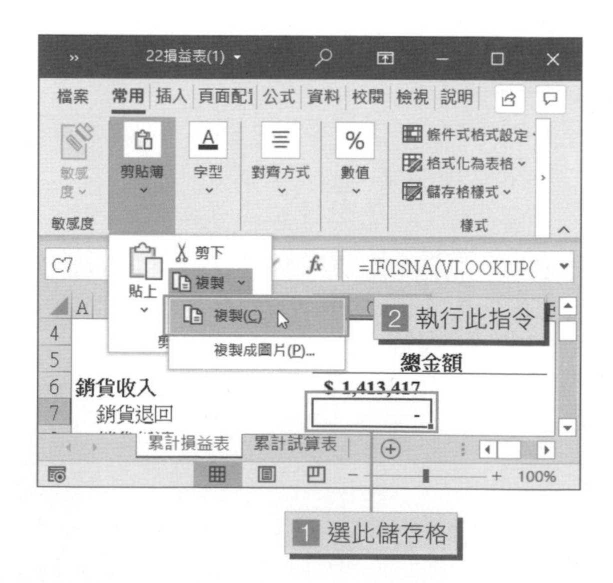

⑤ 選取 C8 儲存格，在「剪貼簿」功能區中，按下「貼上」清單鈕，執行貼上 「公式」指令。

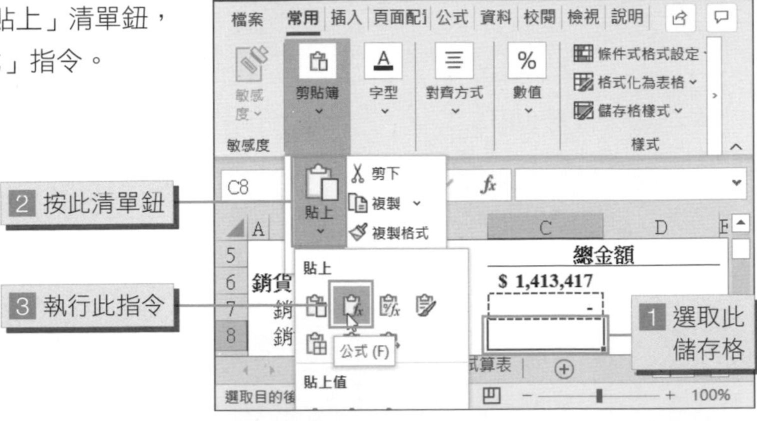

⑥ 計算出銷貨折讓的金額，由於銷貨折讓為銷貨收入的減項，因此利用儲存格數值格式顯示出負值。依上述步驟，按照會計科目類別輸入適合的公式。

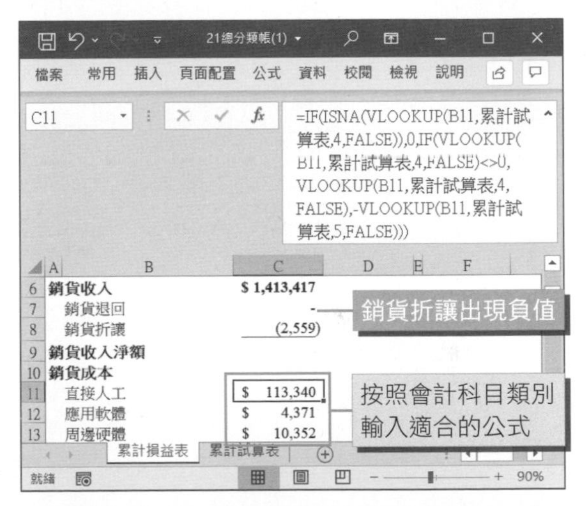

⑦ 接下來將各會計科目對應的儲存格欄位依照下表輸入公式。

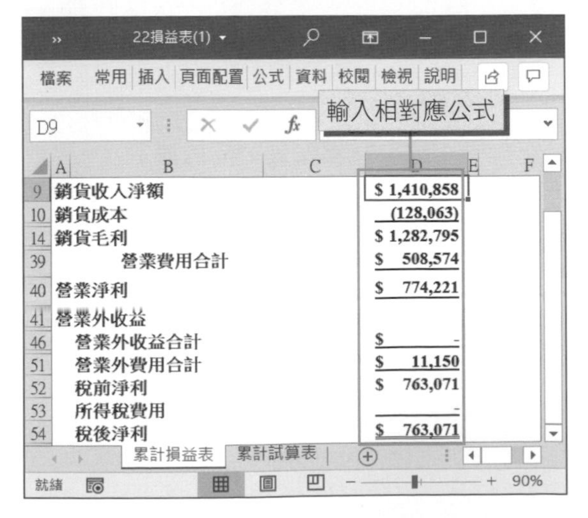

科目名稱	輸入公式欄位	公式
銷貨成本淨額	D9	=C6-C7-C8
銷貨成本	D10	=SUM(C11:C14)
銷貨毛利	D14	=D9-D10
營業費用合計	D39	=SUM(C17:C38)
營業淨利	D40	=D15-D39
營業外收益合計	D46	=SUM(C43:C45)
營業外費用合計	D51	=SUM(C49:C50)
稅前淨利	D52	=D40+D46-D51
稅後淨利	D53	=D52-D53

8 接著計算損益報表上的各項比例。首先輸入「銷貨收入比率」公式，也就是「銷貨收入 ÷ 銷貨收入淨額」。選取 F6 儲存格，輸入公式「=C6/D9」。

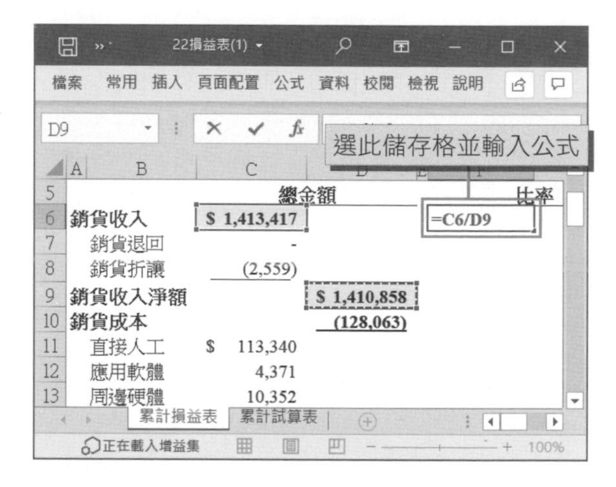

9 銷貨退回比率＝銷貨退回 ÷ 銷貨收入淨額」，既然都是除以「銷貨收入淨額」，因此可設定 D9 儲存格為絕對參照位置。反白選取 F6 儲存格公式中的「D9」，按一下鍵盤【F4】鍵，變成「$D$9」絕對位置，完整公式為「=C6/$D$9」。選取 F6 儲存格，拖曳複製公式下方儲存格，按下「智慧標籤」鈕，選擇「填滿但不填入格式」。

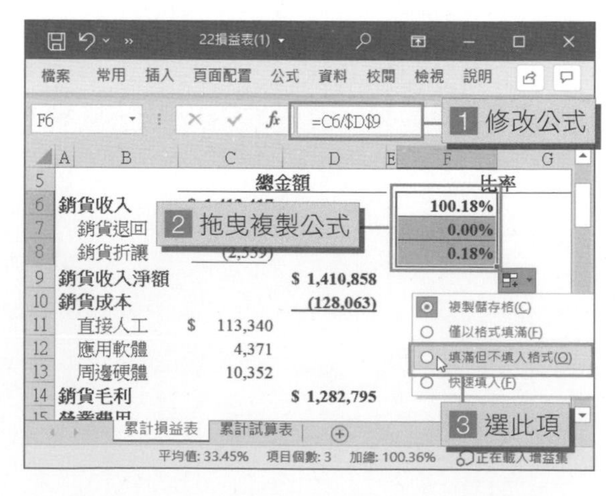

⑩ 由於要複製及輸入的公式頗多，可開啟範例檔「22 損益表 .xlsx」，核對輸入的公式有沒有錯誤。

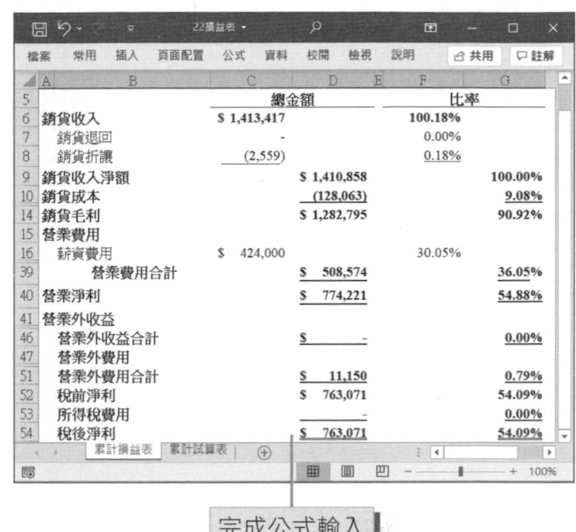

	B	C	D	E	F	G
5		總金額			比率	
6	銷貨收入	$ 1,413,417			100.18%	
7	銷貨退回	-			0.00%	
8	銷貨折讓	(2,559)			0.18%	
9	銷貨收入淨額		$ 1,410,858			100.00%
10	銷貨成本		(128,063)			9.08%
14	銷貨毛利		$ 1,282,795			90.92%
15	營業費用					
16	薪資費用	$ 424,000			30.05%	
39	營業費用合計		$ 508,574			36.05%
40	營業淨利		$ 774,221			54.88%
41	營業外收益					
46	營業外收益合計		$ -			0.00%
47	營業外費用					
51	營業外費用合計		$ 11,150			0.79%
52	稅前淨利		$ 763,071			54.09%
53	所得稅費用		-			0.00%
54	稅後淨利		$ 763,071			54.09%

單元 23

◉ 範例光碟：CHAPTER 03\23資產負債表

資產負債表

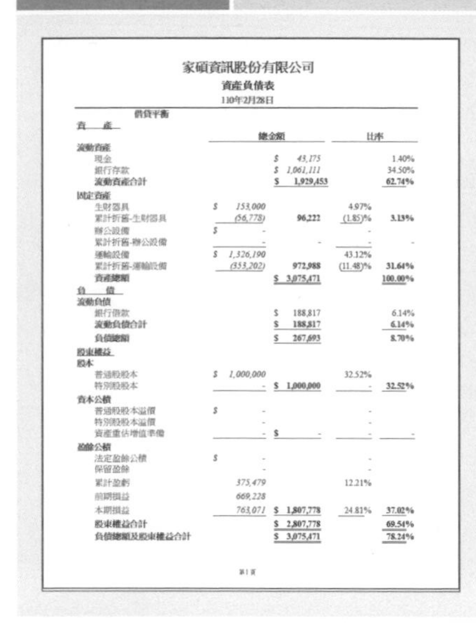

家碩資訊股份有限公司

資產負債表

110年2月28日

借貸平衡

資　產	總金額		比率	
流動資產				
現金		$ 43,175		1.40%
銀行存款		$ 1,061,111		34.50%
流動資產合計		$ 1,929,453		62.74%
固定資產				
生財器具	$ 153,000		4.97%	
累計折舊-生財器具	(56,778)	96,222	(1.85)%	3.13%
辦公設備	$ -		-	
累計折舊-辦公設備	-	-	-	-
運輸設備	$ 1,326,190		43.12%	
累計折舊-運輸設備	(353,202)	972,988	(11.48)%	31.64%
資產總額		$ 3,075,471		100.00%
負　債				
流動負債				
銀行借款		$ 188,817		6.14%
流動負債合計		$ 188,817		6.14%
負債總額		$ 267,693		8.70%
股東權益				
股本				
普通股股本	$ 1,000,000		32.52%	
特別股股本	-	$ 1,000,000	-	32.52%
資本公積				
普通股股本溢價	$ -		-	
特別股股本溢價	-		-	
資產重估增值準備	-	$ -	-	-
盈餘公積				
法定盈餘公積	$ -		-	
保留盈餘	-		-	
累計盈虧	375,479		12.21%	
前期損益	669,228			
本期損益	763,071	$ 1,807,778	24.81%	37.02%
股東權益合計		$ 2,807,778		69.54%
負債總額及股東權益合計		$ 3,075,471		78.24%

第1頁

會計學上損益表科目屬於「虛帳戶」，到了期末必須要結清歸零，「當期損益」則列入資產負債表項下。資產負債表科目屬於「實帳戶」。從開帳開始，每期期末金額都會累積到下期，作為下期的期初金額。因此依照編製損益表的方式，處理資產負債表會計科目，但「當期損益」則要利用函數的輔助，才能正確的顯示數值。

範例步驟

❶ 首先建立資產負債表的表首日期，請開啟範例檔「23 資產負債表 (1).xlsx」，切換到「資產負債表」工作表。選擇 A3 儲存格，輸入公式「=MAX(日記帳 !B:B)&" 年 "&MAX(日記帳 !C:C)&" 月 "」，也就是找出日記帳中最大的年和月的數值，並分別加上 " 年 " 和 " 月 " 的文字組合而成。

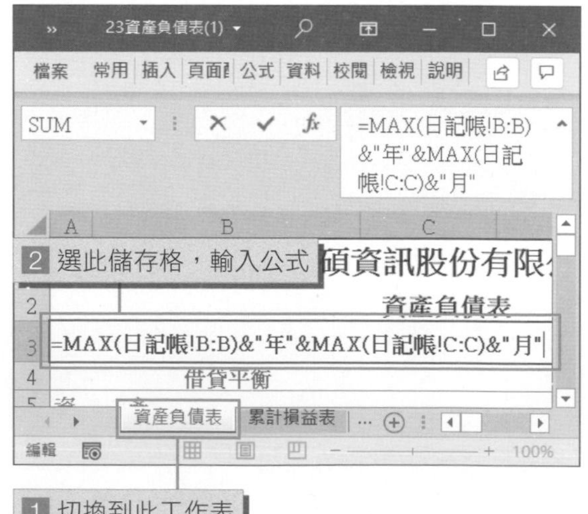

操作 MEMO　MAX 函數

說明： 會傳回一組數值中的最大值。

語法： MAX(number1, [number2], ...)

引數： 將資訊提供給動作、事件、方法、屬性、函數或程序的值。

- Number1（必要）。要尋找最大值的範圍 1。
- Number2, ...（選用）。要尋找最大值的其他範圍，最多有 255 個引數。

② 表首日期則為目前最大日期「110 年 2 月」，但是沒有顯示「日」。資產負債表的表首日期為一個時間點，通常為該月的最後一天或是一年的最後一天。但是若使用 MAX() 函數找最大「日」可能會出現一個問題，就是「110 年 2 月 31 日」這種不合理的現象。

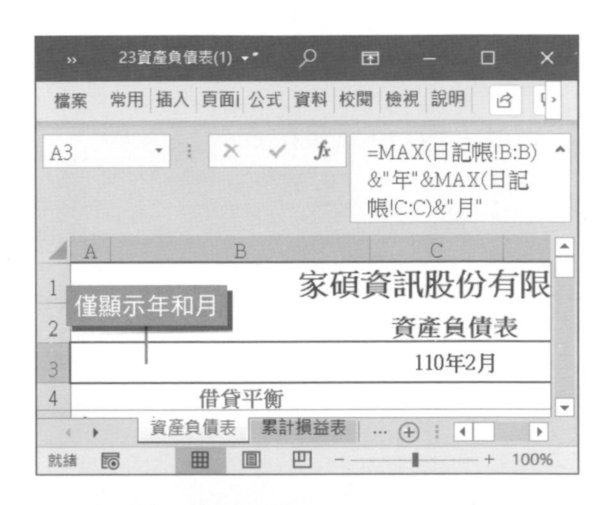

③ 選取 A3 儲存格，快按滑鼠左鍵二下，將游標插入點移至公式最後面，繼續輸入顯示「日」的公式「&IF(AND(MAX(日記帳 !C:C)=2, MOD(MAX(日記帳 !B:B),4)=1),29, IF(MAX(日記帳 !C:C)=2,28,IF(MAX (日記帳 !C:C)=OR(4,6,9,11),30,31))) &" 日 "」。也就是使用 IF 函數判斷月份，如果是「2 月份」，則判定是否為閏年，若是顯示數值「29」，若不是則顯示「28」；接著則進入第二部分判斷，如果是「小月」，則顯示數值「30」；其餘月份也就是「大月」，則顯示數值「31」。

操作MEMO MOD 函數

說明： 傳回兩數相除後的餘數。

語法： MOD(number, divisor)

引數： 將資訊提供給動作、事件、方法、屬性、函數或程序的值。

- Number（必要）。被除數。
- Divisor（必要）。除數。

④ 資產負債表中有一項很重要的資料來自於損益表科目，那就是「本期損益」。如果直接將此儲存格參照到「累計損益表」工作表的「稅後淨利」，當會計科目新增或減少時，所參照的欄位會出現錯誤，最好的方式就是建立損益準則。首先切換到「準則」工作表，分別在 B5 儲存格輸入文字「科目代號」，B6 儲存格輸入文字「>=4000」，C5 儲存格輸入文字「月」，C6 儲存格輸入公式「="<="&MAX(日記帳 !C:C)」。

⑤ 選取 B5:C6 儲存格範圍，切換到「公式」功能索引標籤，在「已定義之名稱」功能區中，執行「定義名稱」指令。

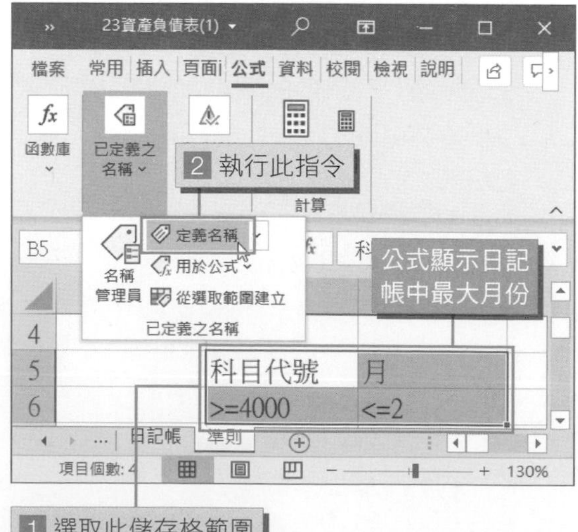

6 開啟「新名稱」對話方塊，輸入「損益準則」為範圍名稱，按「確定」鈕。

7 回到工作表，選取 A2 儲存格，輸入公式「=DSUM(日記帳 ," 貸方金額 ", 損益準則)-DSUM(日記帳 ," 借方金額 ", 損益準則)」，也就是將日記帳中截至目前為止，所有科目代號大於 4000（損益科目）的貸方總額減去借方總額，所得的數值也就是「本期損益」。

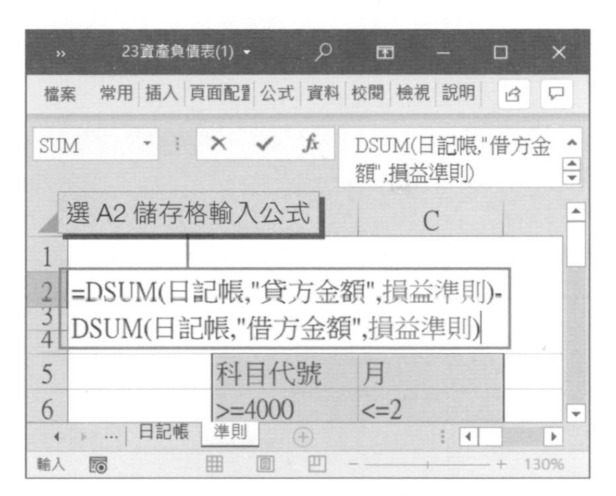

操作 MEMO　DSUM 函數

說明： 將清單或資料庫的記錄欄位（欄）中，符合指定條件的數字予以加總。

語法： DSUM(database, field, criteria)

引數： 將資訊提供給動作、事件、方法、屬性、函數或程序的值。

- Database（必要）。指的是組成清單或資料庫的儲存格範圍，第一列必須是標題列。
- Field（必要）。指出所要加總的欄位名稱，可以使用雙引號括住的欄標題，如 " 費用 " 或 " 收入 "，或是代表欄在清單中所在位置號碼，如 1 代表第一欄。
- Criteria（必要）。這是含有指定條件的儲存格範圍。

8 經過公式計算「準則」工作表中的「本期損益」和「累計損益表」工作表的「稅後淨利」相同。最後選取 A2 儲存格，直接在資料編輯列上定義範圍名稱「本期損益」。

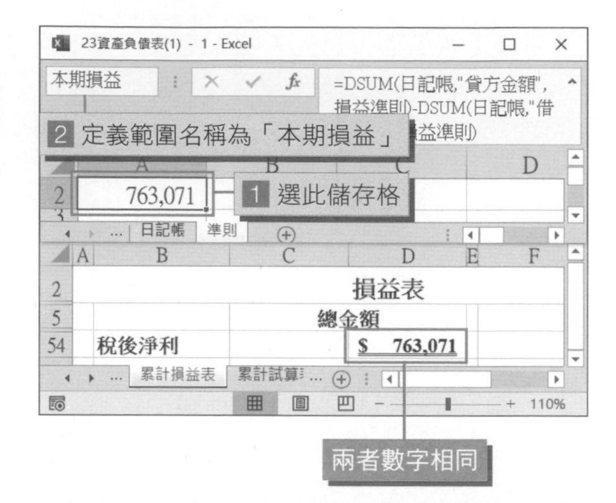

9 事前的準備工作已經完成，準備開始編製資產負債表。輸入的公式區分成「資產類」和「負債」、「業主權益類」兩種。選取 D8 儲存格，輸入資產類公式。

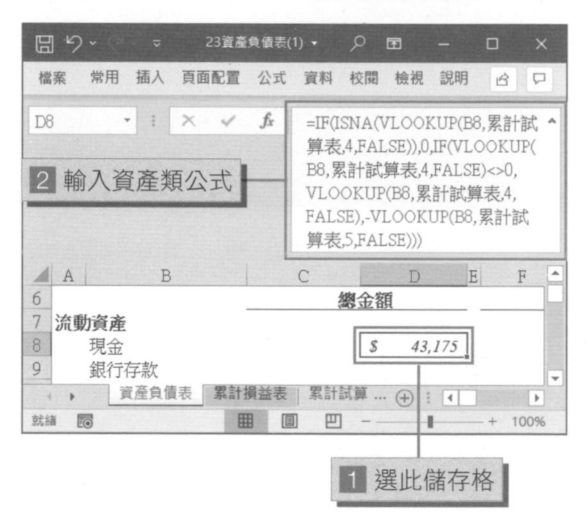

適用科目	公式內容
資產類	=IF(ISNA(VLOOKUP(B8, 累計試算表 ,4,FALSE)),0,IF(VLOOKUP(B8, 累計試算表 ,4,FALSE)<>0,VLOOKUP(B8, 累計試算表 ,4,FALSE),-VLOOKUP(B8, 累計試算表 ,5,FALSE)))
負債及業主權益類	=IF(ISNA(VLOOKUP(B5, 累計試算表 ,4,FALSE)),0,IF(VLOOKUP(B5, 累計試算表 ,4,FALSE)<>0,-VLOOKUP(B5, 累計試算表 ,4,FALSE),VLOOKUP(B5, 累計試算表 ,5,FALSE)))

⑩ 陸續輸入對應的公式，在此則不贅述，可參考已完成的範例檔「23 資產負債表 .xlsx」。

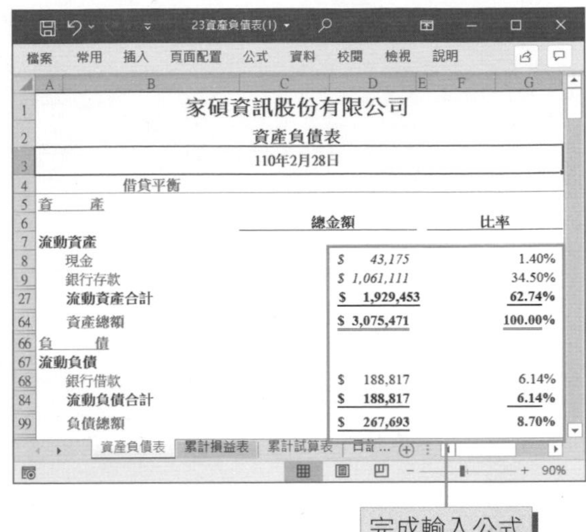

單元 24

範例光碟：CHAPTER 03\24現金流量表

現金流量表

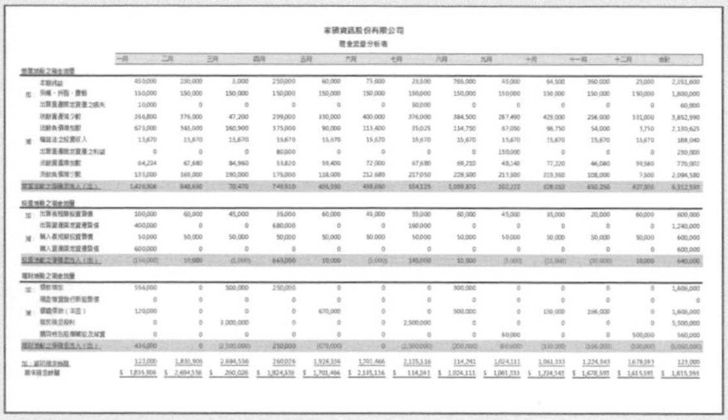

家碩資訊股份有限公司

現金流量分析表

		一月	二月	三月	四月	五月	六月	七月	八月	九月	十月	十一月	十二月	合計
營業活動之現金流量														
	本期純益	450,000	230,000	2,000	250,000	60,000	75,600	23,500	765,000	45,000	64,500	360,000	25,000	2,351,600
加	呆帳、折舊、攤銷	150,000	150,000	150,000	150,000	150,000	150,000	150,000	150,000	150,000	150,000	150,000	150,000	1,800,000
	出售資產固定資產之損失	10,000	0	0	0	0	0	50,000	0	0	0	0	0	60,000
	流動資產減少數	356,800	376,000	47,200	299,000	330,000	400,000	376,000	384,500	287,490	429,000	256,000	331,000	3,852,990
	流動負債增加數	673,000	345,000	160,900	375,000	90,000	113,400	35,025	114,750	67,050	96,750	54,000	3,750	2,130,625
減	權益法之投資收入	15,670	15,670	15,670	15,670	15,670	15,670	15,670	15,670	15,670	15,670	15,670	15,670	188,040
	出售資產固定資產之利益	0	0	0	80,000	0	0	0	0	150,000	0	0	0	230,000
	流動資產增加數	64,224	67,680	84,960	53,820	59,400	72,000	67,680	69,210	48,148	77,220	46,080	59,580	770,002
	流動負債減少數	133,000	169,000	190,000	175,000	118,000	212,680	217,050	229,500	213,500	219,360	108,000	7,500	2,094,580
營業活動之現金流入（出）		1,428,906	848,650	70,470	749,510	456,930	458,650	554,125	1,099,870	102,222	628,010	650,250	427,000	6,912,593
投資活動之現金流量														
加	出售長短期投資售價	100,000	60,000	45,000	35,000	60,000	45,000	55,000	60,000	45,000	35,000	20,000	60,000	600,000
	出售資產固定資產售價	400,000	0	0	680,000	0	0	160,000	0	0	0	0	0	1,240,000
減	購入長短期投資售價	50,000	50,000	50,000	50,000	50,000	50,000	50,000	50,000	50,000	50,000	50,000	50,000	600,000
	購入資產固定資產售價	600,000	0	0	0	0	0	0	0	0	0	0	0	600,000
投資活動之現金流入（出）		(150,000)	10,000	(5,000)	665,000	10,000	(5,000)	165,000	10,000	(5,000)	(15,000)	(30,000)	10,000	640,000
理財活動之現金流量														
加	借款增加	554,000	0	500,000	250,000	0	0	0	300,000	0	0	0	0	1,604,000
	現金增資發行新股售價	0	0	0	0	0	0	0	0	0	0	0	0	0
減	償還借款（本金）	120,000	0	0	0	670,000	0	0	500,000	0	130,000	196,000	0	1,616,000
	發放現金股利	0	0	3,000,000	0	0	0	2,500,000	0	0	0	0	0	5,500,000
	贖回特別股庫藏股及減資	0	0	0	0	0	0	0	0	60,000	0	0	500,000	560,000
理財活動之現金流入（出）		434,000	0	(2,500,000)	250,000	(670,000)	0	(2,500,000)	(200,000)	(60,000)	(130,000)	(196,000)	(500,000)	(6,072,000)
加：期初現金餘額		123,000	1,835,906	2,694,556	260,026	1,924,536	1,701,466	2,115,116	114,241	1,024,111	1,061,333	1,224,343	1,678,593	123,000
期末現金餘額		$ 1,835,906	$ 2,694,556	$ 260,026	$ 1,924,536	$ 1,701,466	$ 2,115,116	$ 114,241	$ 1,024,111	$ 1,061,333	$ 1,224,343	$ 1,678,593	$ 1,615,593	$ 1,615,593

「現金流量表」在財務會計中，是僅次於「資產負債表」及「損益表」的第三大財務報表。透過現金流量表可以顯示出公司在某一段期間中現金流動的情形，並可以預測未來的對資金需求，讓財務人員及公司負責人及早的規劃調度資金。

範例步驟

① 現金流量表有標準的格式，只要依據標題欄輸入對照的數值（資料來源由「各月份試算表」中取得），運用一些簡單的計算公式，就可以完成。

現金流量表主要公式如下：

項目	計算項目	計算公式
營業活動現金流入	本期純益呆帳、折舊、攤銷 + 出售資產固定資產之損失 + 流動資產減少數 + 流動負債增加數 - 權益法之投資收入 - 出售資產固定資產之利益 - 流動資產增加數 - 流動負債減少數	=SUM(C6:C10)-SUM(C11:C14)
投資活動現金流入	出售長短期投資售價 + 出售資產固定資產售價 - 購入長短期投資售價 - 購入資產固定資產售價	=SUM(C18:C19)-SUM(C20:C21)
理財活動現金流入	借款增加 + 現金增資發行新股售價 - 償還借款（本金）- 發放現金股利 - 贖回特別股庫藏股及減資	=SUM(C25:C26)-SUM(C27:C29)
期末現金餘額	營業活動現金流入 + 投資活動現金流入 + 理財活動現金流入 + 期初現金餘額	=C15+C22+C30+C32

由於計算上只有簡單的運算，則不多做贅述。特別提醒是「合計」欄位中的「期初現金餘額」，是指「開始月份」的金額，而不是前一個月份的期初金額。請直接開啟範例檔「24 現金流量表(1).xlsx」，可以看到完成公式的現金流量分析表。

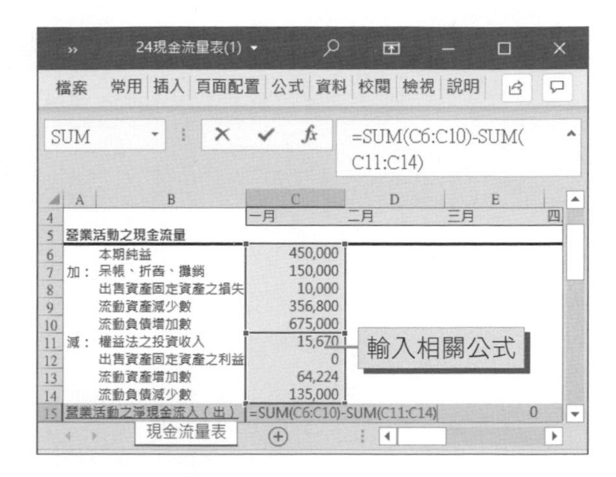

② 選取 C4 儲存格，切換到「公式」功能索引標籤，在「已定義之名稱」功能區中，執行「定義名稱」指令。開啟「新名稱」對話方塊，輸入範圍名稱「開始月份」，按「確定」鈕。

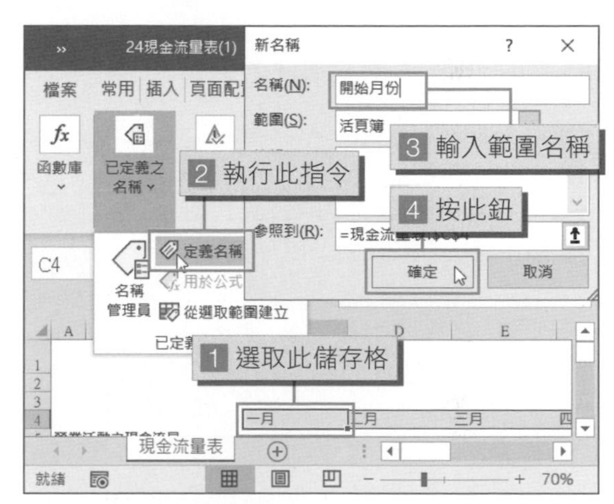

③ 選取 C41:N41 儲存格範圍，執行「定義名稱」指令，開啟「新名稱」對話方塊，輸入範圍名稱「月份」，按「確定」鈕。

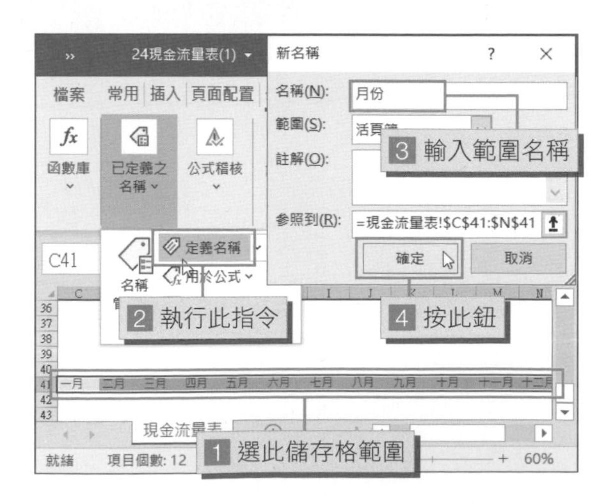

④ 選取 C42 儲存格，輸入公式「=MATCH(開始月份,月份,0)」。

操作 MEMO　MATCH 函數

說明： 搜尋儲存格範圍（範圍：工作表上的兩個或多個儲存格。範圍中的儲存格可以相鄰或不相鄰。）中的指定項目，並傳回該項目於該範圍中的相對位置。

語法： MATCH(lookup_value, lookup_array, [match_type])

引數： 將資訊提供給動作、事件、方法、屬性、函數或程序的值。

- Lookup_value（必要）。指在 lookup_array 中比對的值。可以是數字、文字、邏輯值或儲存格位置。
- Lookup_array（必要）。搜尋的儲存格範圍。
- Match_type（選用）。預設值是 1。

⑤ 選取 D42 儲存格，輸入公式「=IF(C42=12,1,C42+1)」。

⑥ 將 D42 儲存格公式拖曳複製到 N42 儲存格。選取 D4 儲存格，輸入公式「=INDEX(月份 ,1,D42)」。

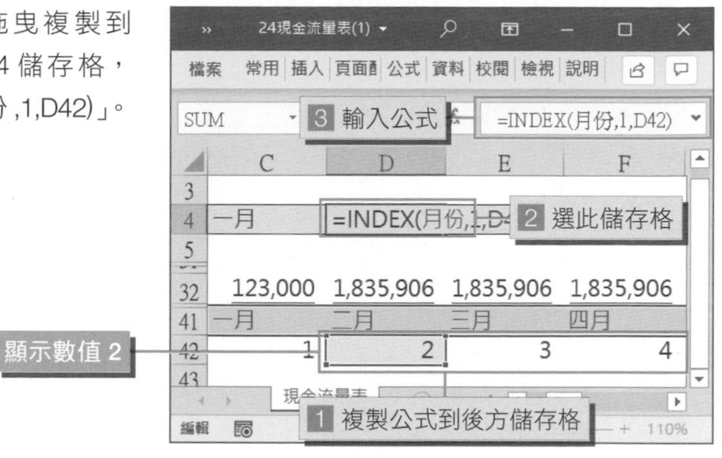

操作 MEMO　INDEX 函數

說明： 傳回根據欄列號碼所選取之表格或陣列（陣列：用來建立產生多個結果或運算一組以列及欄排列之引數的單一公式。陣列範圍共用一個公式；一個陣列常數是用作一個引數的一組常數。）中的值。

語法： INDEX(array, row_num, [column_num])

引數： 將資訊提供給動作、事件、方法、屬性、函數或程序的值。

- Array（必要）。這是儲存格範圍或常數陣列。如果 array 只包含單列或單欄，則相對應的 Row_num 或 Column_num 引數必須二選一。
- Row_num（必要）。選取陣列中傳回值的列。
- Column_num（選用）。選取陣列中傳回值的欄。

⑦ 輸入那麼多公式，現在開始顯示成果了！選取 C4 儲存格，將「開始月份」改為「七月」，D4 儲存格因為使用公式而自動改成「八月」；但 E4:N4 儲存格因未使用公式而沒有任何變動。

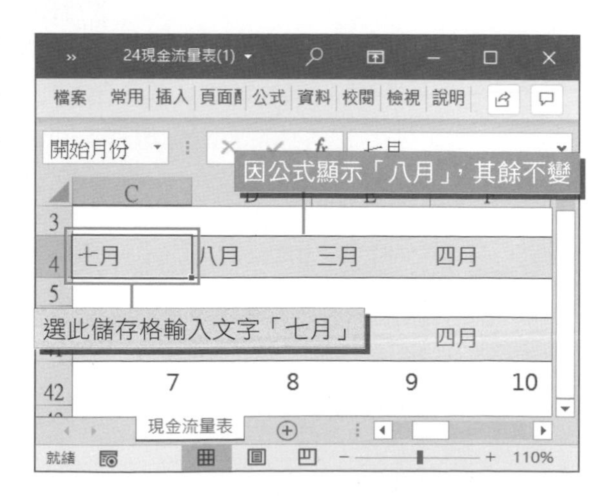

8 將 D4 儲存格公式，拖曳複製至儲存格 E4:N4，無論「開始月份」為幾月份，皆會自動顯示連續月份。

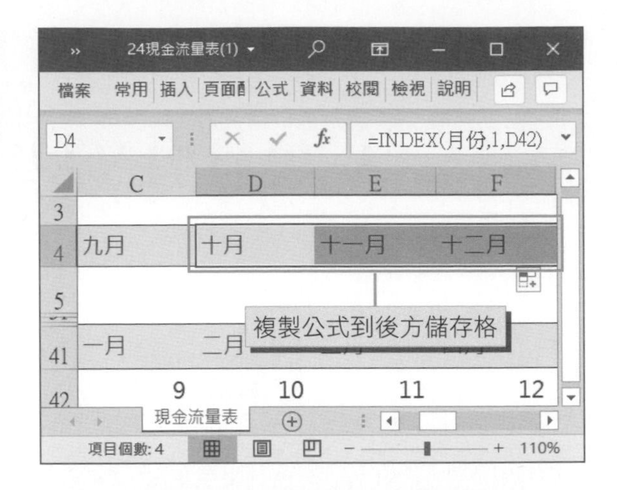

9 由於現金流量表下方設有公式，如果沒有設定列印範圍，下方的公式會一併列印出來。請開啟範例檔「24. 現金流量表.xlsx」，選取 A1:O33 儲存格範圍，切換到「頁面配置」功能索引標籤，在「版面配置」功能區中，按下「列印範圍」清單鈕，執行「設定列印範圍」指令即可。

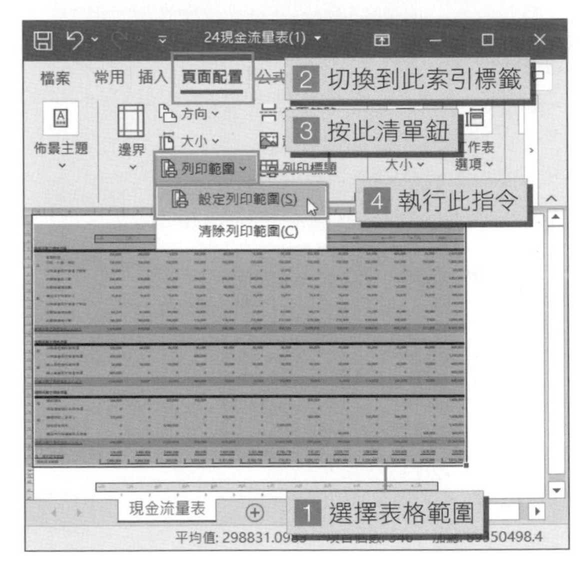

單元 25

範例光碟：CHAPTER 04\25日常費用分析圖表

日常費用分析圖表

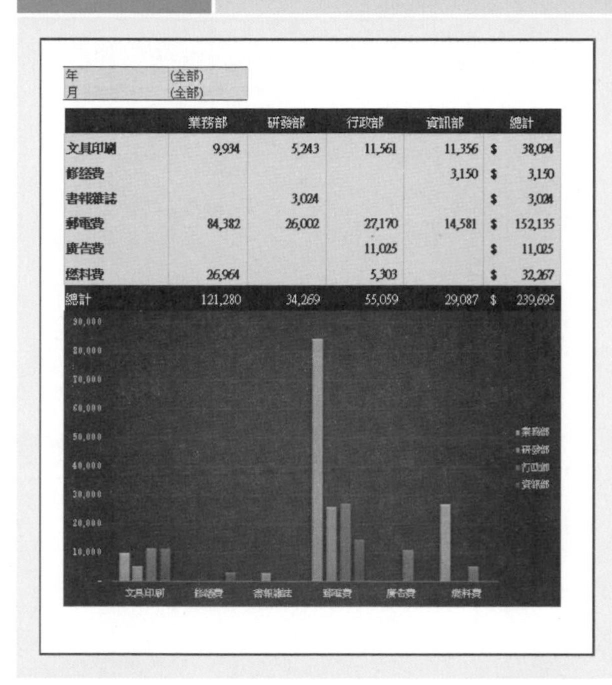

年	(全部)
月	(全部)

	業務部	研發部	行政部	資訊部	總計
文具印刷	9,934	5,243	11,561	11,356	$ 38,094
修繕費				3,150	$ 3,150
書報雜誌		3,024			$ 3,024
郵電費	84,382	26,002	27,170	14,581	$ 152,135
廣告費			11,025		$ 11,025
燃料費	26,964		5,303		$ 32,267
總計	121,280	34,269	55,059	29,087	$ 239,695

公司除了生產成本、人事費用外，還需要支出一些營業費用，例如電話費、電費、水費或是書報雜誌費…等。這些日常性的費用，可能隸屬不同部門，將這些費用分析出來，可以作為編列隔年預算的參考。

範例步驟

① 請開啟範例檔「25 日常費用分析圖表 (1).xlsx」，利用零用金帳作為日常費用分析的資料來源。切換到「插入」功能索引標籤，執行「圖表\樞紐分析圖\樞紐分析圖及分析表」指令。

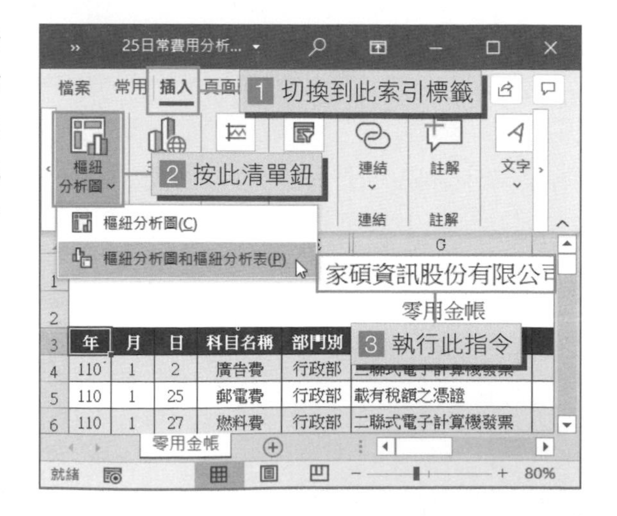

② 開啟「建立樞紐分析表」對話方塊，修改並擴大預設的資料來源的範圍為「零用金帳!$A$3:$J$50000」，選擇「新工作表」，按下「確定」鈕。

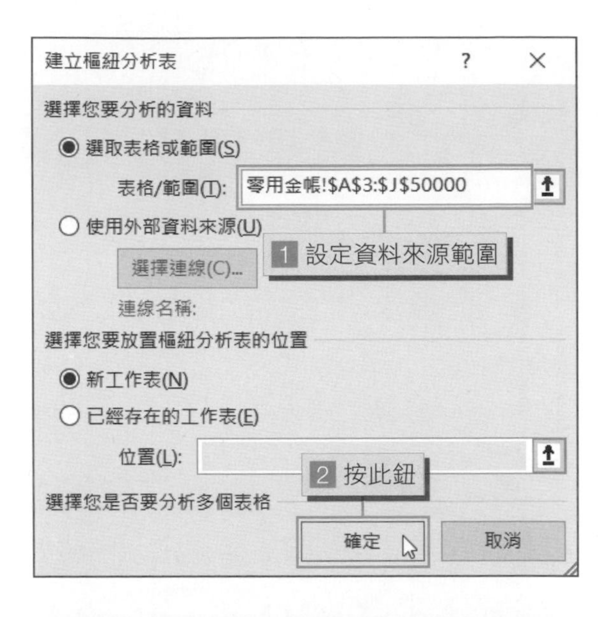

③ 設定樞紐分析表版面配置。篩選區域：「年」和「月」；座標軸（類別）區域：「科目名稱」；圖例（數列）區域：「部門別」；Σ值區域：「加總 - 請款金額」(若非顯示「加總」請至「值欄位設定」處修改)。設定完成後，按下「關閉」鈕關閉「樞紐分析圖欄位」工作窗格。

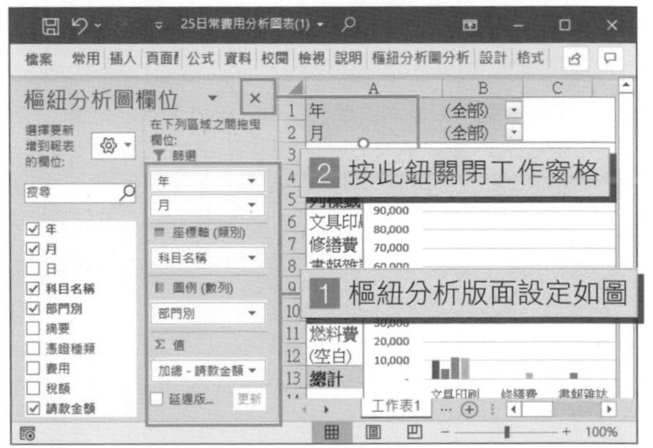

④ 工作表中同時出現樞紐分析圖及圖報表。選擇「工作表 1」工作表索引標籤，按滑鼠右鍵開啟快顯功能表，執行「重新命名」指令，將工作表重新命名為「費用分析圖表」。

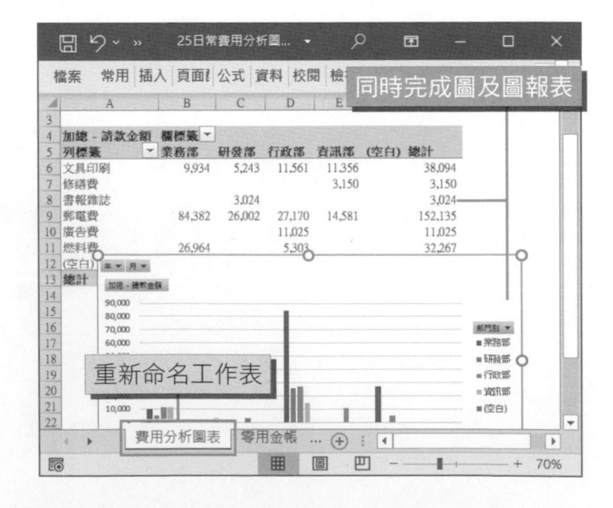

⑤ 如果覺得 Excel 提供的顏色不適合，可以變更佈景主題，獲得更多選擇。切換到「頁面配置」功能索引標籤，在「佈景主題」功能區中，按下「佈景主題」清單鈕，選擇「大馬士革風」樣式。

⑥ 選擇樞紐分析表範圍中任何儲存格，切換到「設計」功能索引標籤，按下 ▿「樞紐分析表樣式選項」清單鈕，選擇「淡紫，樞紐分析表樣式中等深淺 19」樣式。（將游標移到樣式上方時，可立即預覽工作表）

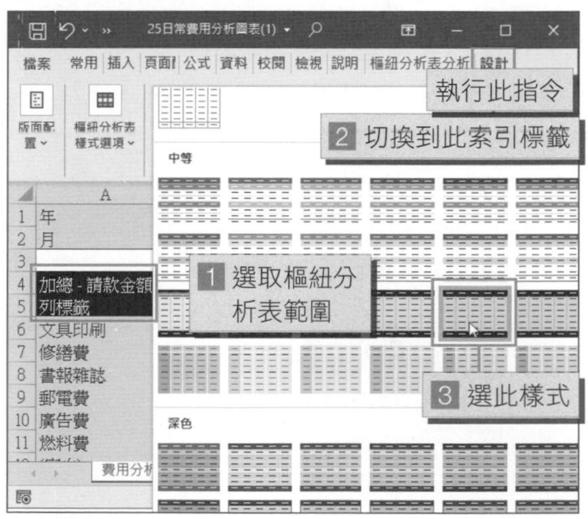

⑦ 選擇樞紐分析圖範圍，此時則會出現「樞紐分析圖工具」功能索引標籤，切換到「設計」功能索引標籤，按下「快速樣式」清單鈕，選擇「樣式 8」。

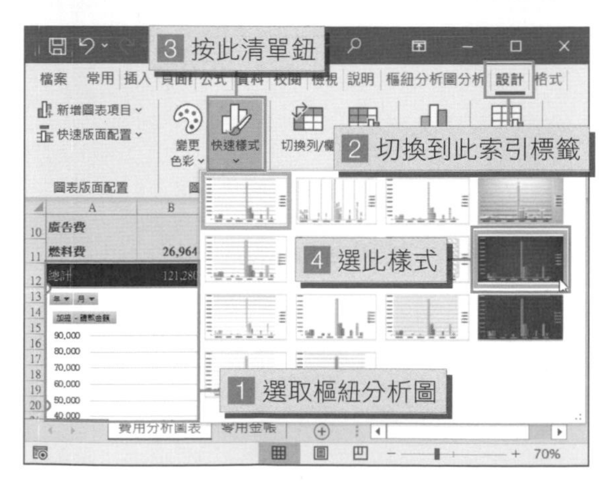

⑧ 如果覺得樞紐分析圖中的欄位按鈕影響美觀，可以切換到「樞紐分析圖分析」功能索引標籤，在「顯示 / 隱藏」功能區中，按下「欄位按鈕」清單鈕，執行「全部隱藏」指令。

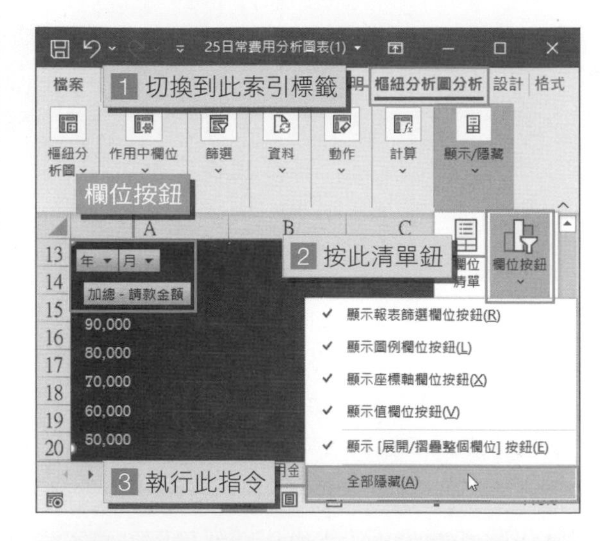

⑨ 想要知道費用科目的明細，不必回到「零用金帳」工作表查詢，只要將摘要欄位加進樞紐分析表中即可。選擇樞紐分析表範圍，切換到「樞紐分析表分析」功能索引標籤，在「顯示」功能區中，執行「欄位清單」指令，即可重新開啟「樞紐分析表欄位」工作窗格。

⑩ 拖曳「摘要」欄位名稱到「列」區域，此時樞紐分析表科目名稱下方會出現科目的明細摘要。按下「文具印刷」欄位名稱前的「摺疊」鈕則可隱藏摘要資料。

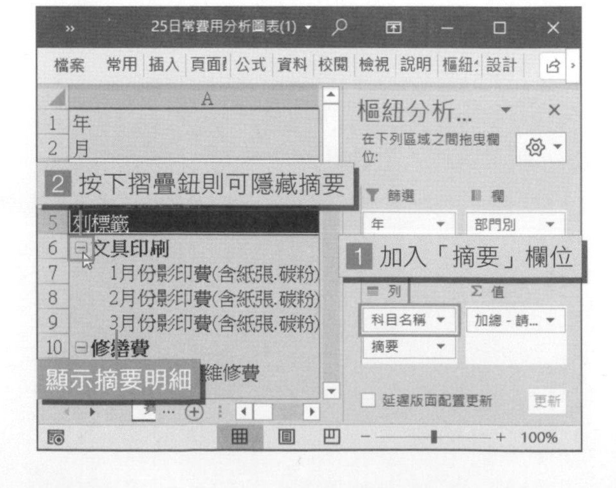

⑪ 此時科目名稱前的「折疊」鈕則變成「展開」鈕，摘要資料被隱藏起來。顯示於版面配置區域的欄位標題，若要取消則要執行「欄位標題」指令。

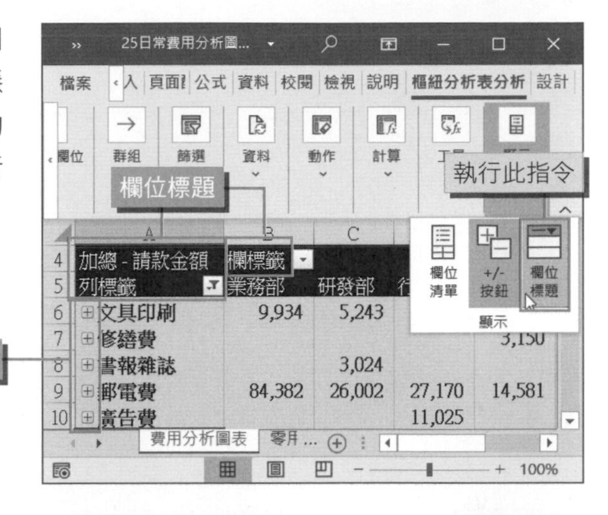

⑫ 欄位標題消失了，那科目名稱前方摘要明細的按鈕，也可以隱藏起來。執行「+/- 按鈕」指令，即可將按鈕隱藏起來。

NOTES

CHAPTER

4 薪資計算管理

Excel

單元 26

範例光碟：CHAPTER 04\26勞健保負擔分析表

勞健保負擔分析表

勞健保費用負擔表

員工編號	姓名	健保公司負擔	健保費用小計	勞保公司負擔	勞保職災公司負擔	退休金提撥	勞保費用小計
C001	潘O宏	1,559	$ 1,559	2,560	67	1,908	$ 4,535
C002	梁O誼	1,294	$ 1,294	2,125	55	1,584	$ 3,764
C004	林O蓁	1,294	$ 1,294	2,125	55	1,584	$ 3,764
C005	郭O愷	1,235	$ 1,235	2,028	53	1,512	$ 3,593
C006	潘O宇	1,235	$ 1,235	2,028	53	1,512	$ 3,593
I001	歐O穎	1,412	$ 1,412	2,319	60	1,728	$ 4,107
I002	李O涵	1,559	$ 1,559	2,560	67	1,908	$ 4,535
I003	劉O廷	1,412	$ 1,412	2,319	60	1,728	$ 4,107
P001	林O儀	2,245	$ 2,245	3,687	96	2,748	$ 6,531
P002	蔡O軒	1,872	$ 1,872	3,075	80	2,292	$ 5,447
P004	林O辰	1,706	$ 1,706	2,802	73	2,088	$ 4,963
P005	顏O涵	1,632	$ 1,632	2,681	70	1,998	$ 4,749
P006	王O晴	1,632	$ 1,632	2,681	70	1,998	$ 4,749
P007	郭O庭	1,706	$ 1,706	2,802	73	2,088	$ 4,963
P008	林O勻	1,632	$ 1,632	2,681	70	1,998	$ 4,749
R001	林O臻	1,485	$ 1,485	2,439	64	1,818	$ 4,321
R002	施O尹	1,235	$ 1,235	2,028	53	1,512	$ 3,593
總計		$ 26,145	$ 26,145	$ 42,940	$ 1,119	$ 32,004	$ 76,063

當員工抱怨薪水扣除勞、健保費後，所剩無幾的同時，公司老闆也有話要說。因為除了員工個人負擔要幫忙代扣之外，公司也要另外支付相當比例的勞、健保費用，還要提撥員工退休金準備。所以在實質支付的薪資外，公司對員工還有許多潛在的費用需要支付。

範例步驟

① 首先計算勞工保險費，是由普通事故費率和就業保險費率組合而成，一般雇主負擔 70%，員工負擔 20%，另外 10% 則由政府負擔，此外雇主還必須負擔職業災害的保費，職災保費費率因各行業而不同。請開啟範例檔「26 勞健保負擔分析表 (1).xlsx」，切換到「勞保級距表」工作表，選取 C2 儲存格，輸入勞保費雇主負擔金額公式「=ROUND($A2* 普通事故費率 * 雇主負擔率 ,0)+ROUND($A2* 就業保險費率 * 雇主負擔率 ,0)」。

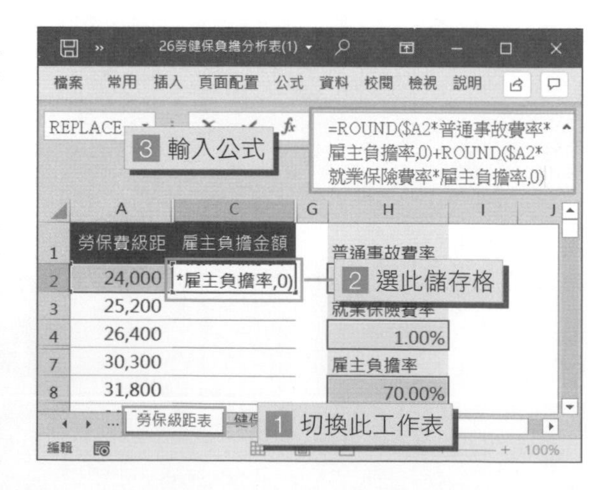

操作 MEMO　ROUND 函數

說明： 將數字四捨五入至指定的位數

語法： ROUND(number, num_digits)

引數：
- Number（必要）。要四捨五入的數字。
- Num_digits（必要）。對數字引數進位的位數。

Num_digits	進位方式
大於 0（零）	數字四捨五入到指定的小數位數
等於 0	將數字四捨五入到最接近的整數
小於 0	將數字四捨五入到小數點左邊的指定位數

② 本範例以行業別災害平均費率為 0.14%，與上、下班災害費率 0.07%，合計為 0.21% 作為假設職災費率。選取 D2 儲存格，輸入職災保險雇主負擔金額公式「=ROUND($A2* 職災費率 ,0)」。

③ 最後在 F2 儲存格，輸入退休金雇主強制提撥金額的公式「=$E2* 退休金提撥率」，最後將以上 3 個公式複製到下方儲存格，則完成勞保級距表。

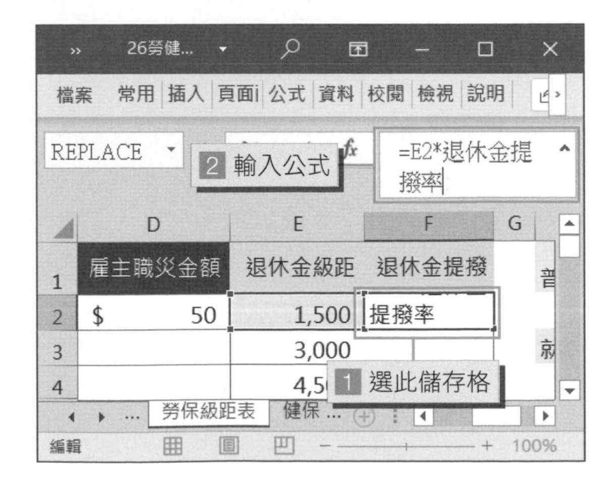

④ 接下來切換到「勞健保負擔表」工作表，因為健保投保金額不得低於實際薪資的規定，先用 MATCH 找到月投保金額中，最接近底薪的投保金額所代表的儲存格列號，再使用 INDEX 函數，找出月投保金額中，最接近列號的下一列，所代表的金額。請選取 D3 儲存格，輸入健保投保金額公式「=INDEX(健保費級距 ,MATCH($C3, 健保費級距 ,1)+1)」。

順便分別於 G3 及 J3 儲存格輸入勞保及退休金投保金額公式「=INDEX(勞保費級距 ,MATCH($C3, 勞保費級距 ,1)+1)」及「=INDEX(退休金級距 ,MATCH($C3, 退休金級距 ,1)+1)」。如果不是特別高或特別低的薪資級距，原則上健保、勞保及勞退，三者的投保薪資應該會相同。

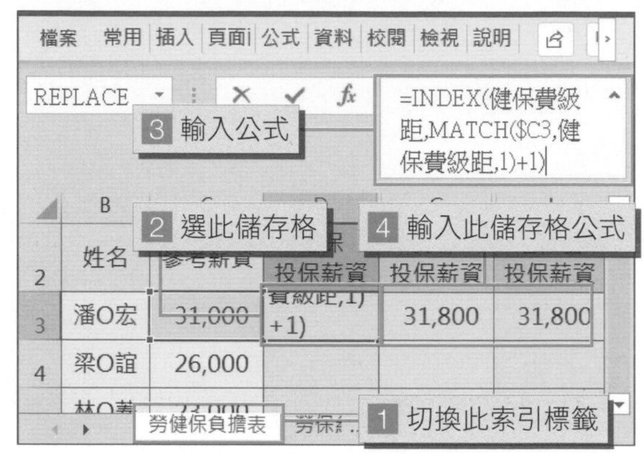

⑤ 接著選取 E3 儲存格，輸入健保公司負擔金額公式「=VLOOKUP($D3, 健保負擔金額表 ,6,0)」，輸入完成後，在 F3 儲存格輸入健保費用小計公式「=E3」。

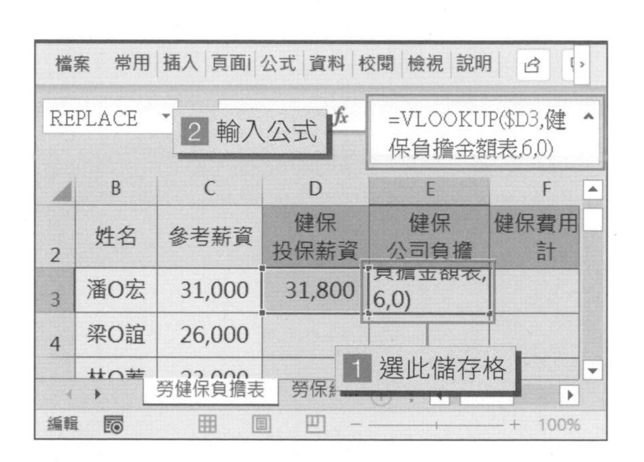

⑥ 選取 H3 儲存格，輸入勞保公司負擔金額公式「=VLOOKUP($G3, 勞保負擔金額表 ,3,0)」，完成後繼續在 I3 儲存格輸入勞保職災金額公式「=VLOOKUP($G3, 勞保負擔金額表 ,4,0)」。

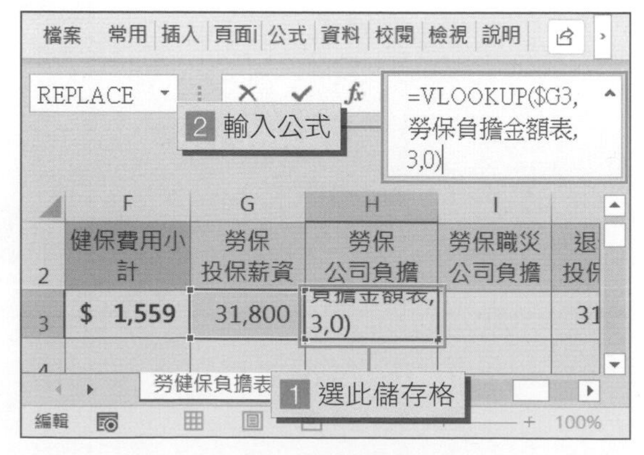

⑦ 選取 K3 儲存格，輸入強制提撥退休金公式「=VLOOKUP($J3, 退休金負擔表 ,2,0)」。

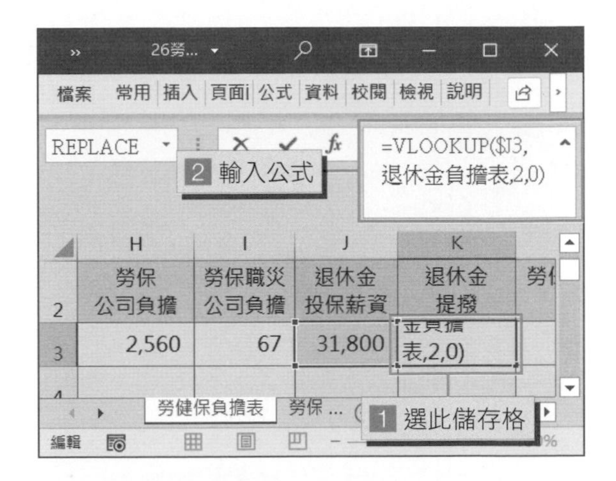

⑧ 選取 L3 儲存格，輸入勞保費用小計公式「=H3+I3+K3」。所有公式都輸入完畢後，將公式複製到下方儲存格。

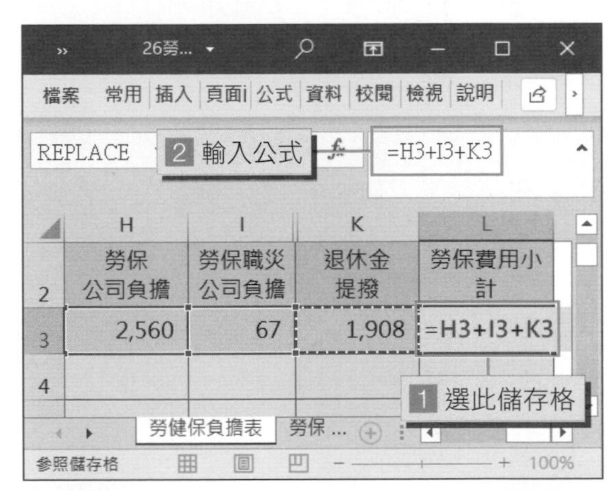

⑨ 最後按住鍵盤 Ctrl 鍵，選取整欄 C:D、G 和 J 共 4 欄，按滑鼠右鍵開啟快顯功能表，執行「隱藏」指令，即完成勞健保負擔表。

⑩ 二代健保上路之後，除了按月繳交健保費外，依照規定「全年累計超過投保金額 4 倍部分的獎金」必須計算補充保費。而單次給付未達者 20,000 元時，不扣補充保費；但逾當月投保金額四倍部分之獎金不論是否低於 20,000 元，須全額計收補充保險費。請切換到「補充保費計算表」工作表，選取 E3 儲存格，輸入公式「=D3*4」，計算 4 倍投保金額。

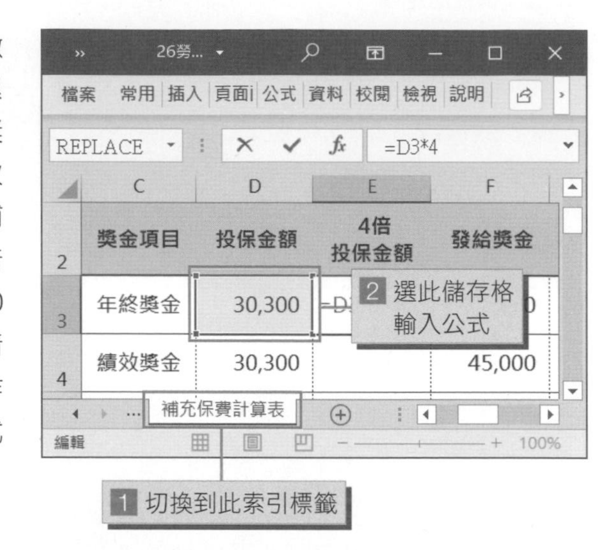

⑪ 選取 G3 儲存格，輸入公式「=F3」；再選 G4 儲存格，輸入公式「=G3+F4」計算累計獎金金額。

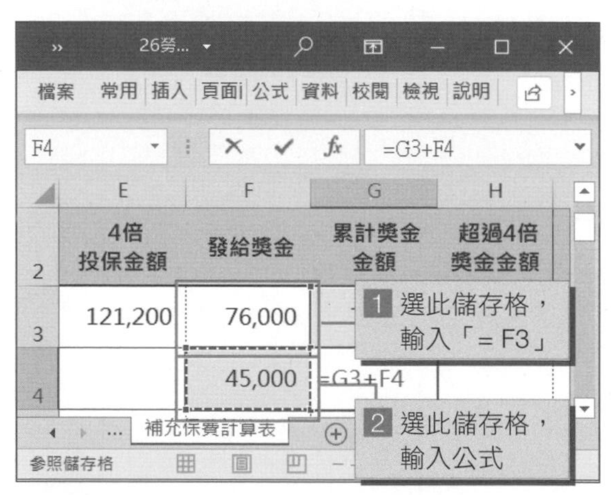

⑫ 選取 H3 儲存格，輸入公式「=IF(G3-E3<0,0,G3-E3)」，計算累計獎金超過 4 倍月投保金額的差異數，當差異數為負數時，則以「0」值顯示。

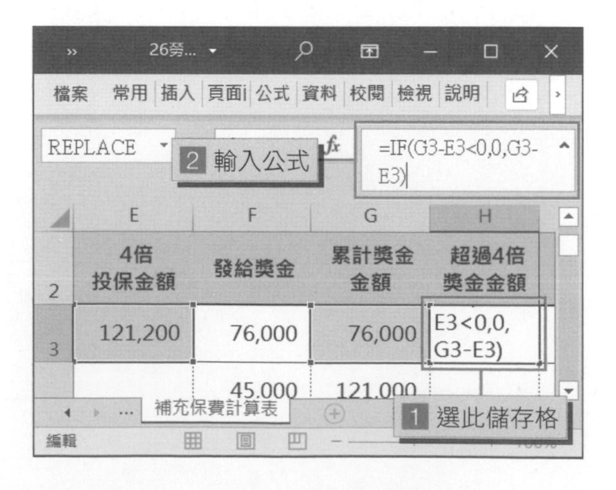

⑬ 選取 I3 儲存格，切換到「公式」功能索引標籤，在「函數庫」功能區中，按下「自動加總」清單鈕，執行「最小值」函數，計算補充保費基數。

⑭ 開啟 MIN 函數引數對話方塊，分別選取「F3」及「H3」儲存格作為 2 個函數引數，也就是在「發給獎金」及「超過 4 倍獎金金額」兩者之間取最小值，作為補充保費基數。

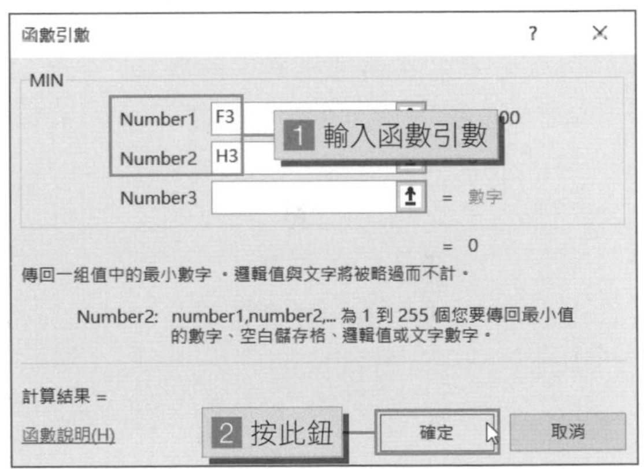

操作 MEMO　MIN 函數

說明： 會傳回一組數值中的最小值。

語法： MIN(number1, [number2], ...)

引數： 將資訊提供給動作、事件、方法、屬性、函數或程序的值。

- Number1（必要）。要尋找最小值的範圍 1。
- Number2, ...（選用）。要尋找最小值的其他範圍，最多有 255 個引數。

⑮ 最後依照補充保費基數乘上目前補充保費費率，計算應扣繳的補充保費。選取 J3 儲存格，輸入公式「=I3*$J$1」，記得要將目前費率的 J1 儲存格變成絕對位置。

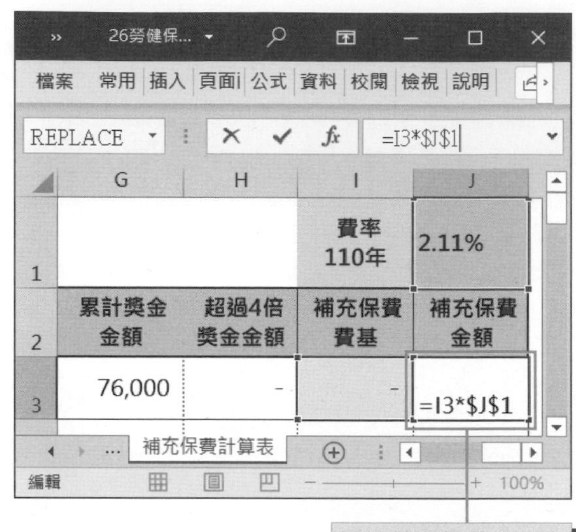

⑯ 將所有公式複製到下方儲存格，計算出應扣的補充保費。繳獎金指所得稅法規定的薪資所得項目，且未列入投保金額計算之具獎勵性質之各項給予，如年終獎金、三節獎金、紅利等。像補助性質的結婚補助、教育補助費、旅遊補助、喪葬補助、學分補助、醫療補助、保險費補助、交際費、差旅費、差旅津貼、慰問金、補償費等⋯，則不列入扣繳補充保險費獎金項目。

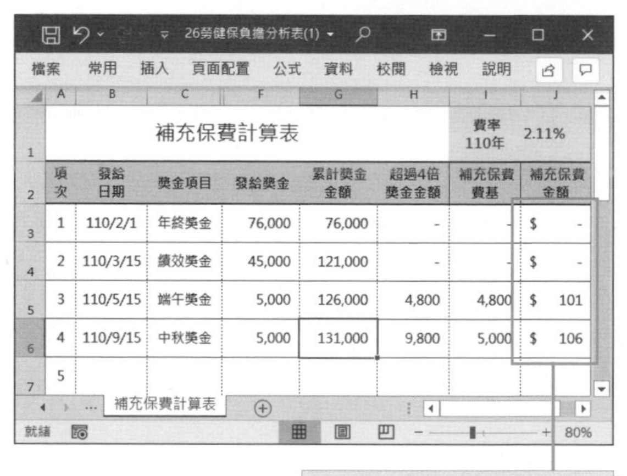

單元 27

範例光碟：CHAPTER 04\27退休金提撥登記表

退休金提撥登記表

員工退休金自行提撥登記表

序號	姓名	身分證字號	出生日期			實際薪資	月提繳工資	自行提繳率	提繳開始日期	備註
			年	月	日					
1	潘O宏	Q220***340	78年	10月	27日	$ 48,000	$ 48,200	6.00%	110年1月1日	
2	梁O誼	A120***232	70年	5月	25日	$ 43,000	$ 43,900	6.00%	110年1月1日	
3	林O蓁	A220***704	83年	10月	15日	$ 40,000	$ 40,100	5.00%	110年1月1日	
4	郭O愷	B120***760	78年	9月	23日	$ 38,000	$ 38,200	6.00%	110年1月1日	
5	潘O宇	A126***020	72年	12月	15日	$ 38,000	$ 38,200	4.00%	110年1月1日	
6	李O涵	A226***021	72年	1月	3日	$ 45,000	$ 45,800	6.00%	110年1月1日	
7	劉O廷	A125***022	75年	2月	8日	$ 42,000	$ 43,900	6.00%	110年1月1日	
8	林O儀	A226***023	74年	3月	13日	$ 59,000	$ 60,800	3.00%	110年1月1日	
9	蔡O軒	A235***024	79年	4月	18日	$ 53,000	$ 55,400	6.00%	110年1月1日	
10	林O辰	A229***025	80年	5月	23日	$ 49,000	$ 50,600	2.00%	110年1月1日	

根據勞基法規定公司應為員工按月提繳不低於其每月工資 6% 勞工退休金，儲存於勞保局設立之勞工退休金個人專戶。專戶所有權屬於員工本人，不會因為轉換工作而受影響。員工與可以另外在每月工資 6% 範圍內，自行提繳退休金，員工個人自願提繳部分，得自當年度個人綜合所得總額中全數扣除。

範例步驟

① 請開啟範例檔「27. 退休金提撥登記表 (1).xlsx」，切換到「準則」工作表，M2 儲存格的數值是百分比顯示，如果直接拖曳使用智慧標籤的「以數列方式填滿」，會以整數「1」為單位增加，第 2 欄則會變成「101%」，而不是「2%」。選取 M2 儲存格，按住滑鼠右鍵向下拖曳到 M7 儲存格，放開滑鼠右鍵，執行「數列」指令。

② 開啟「數列」對話方塊，選擇預設類型的「等差級數」，間距值輸入「0.01」，按「確定」鈕。

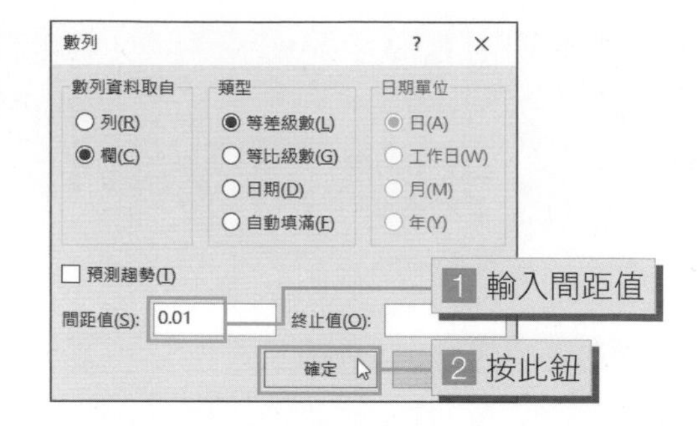

③ 自行提撥率會按照百分之 1 的級距向下填滿。選擇 N2 儲存格，直接向下拖曳，放開滑鼠後，按下智慧標籤鈕，選擇「快速填入」。

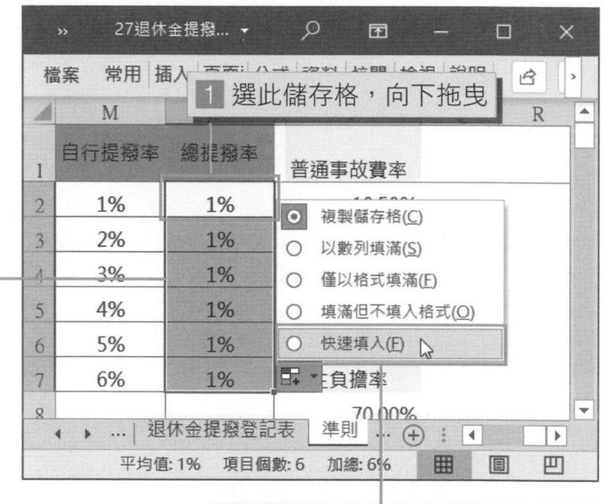

④ N3:N7 儲存格會自動填入與 M3:M7 儲存格相同的數值，但是 M8 儲存格沒有數值，所以 N8 儲存格也不會有數值。選取 N6:N7 儲存格範圍，直接向下拖曳到 N13 儲存格。

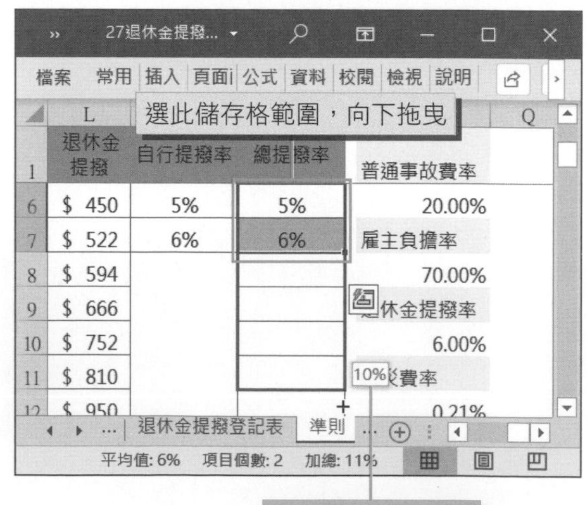

5 N8:N13 儲存格會依照 N6:N7 儲存格的間距值，自動以數列填滿。先選取 M1:M7 儲存格範圍，再按住鍵盤【Ctrl】鍵選取 N1:N13 儲存格範圍，切換到「公式」功能索引標籤，在「已定義之名稱」功能區中，執行「從選取範圍建立」指令。

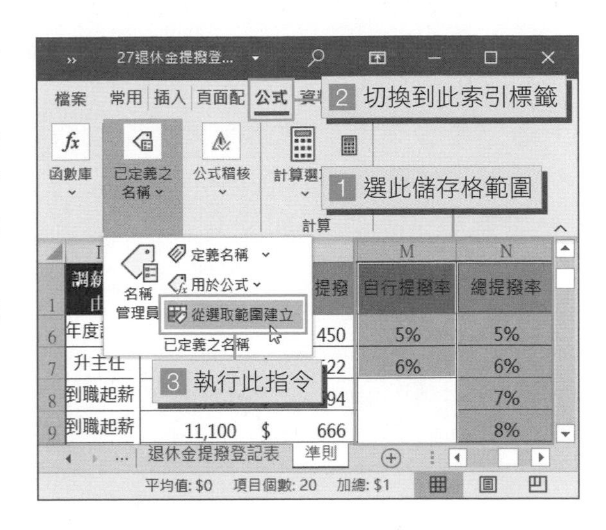

6 開啟「以選取範圍建立名稱」對話方塊，勾選「頂端列」，按下「確定」鈕。

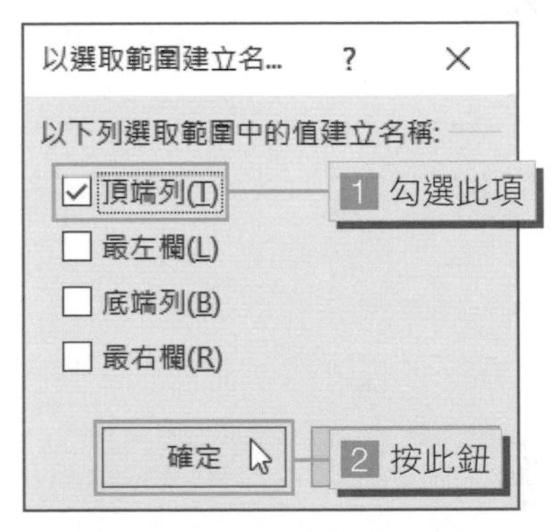

7 切換到「退休金提撥登記表」，選取 G4 儲存格，輸入公式「=VLOOKUP(B4, 薪資異動表 ,7,0)」，並將公式複製到下方儲存格。

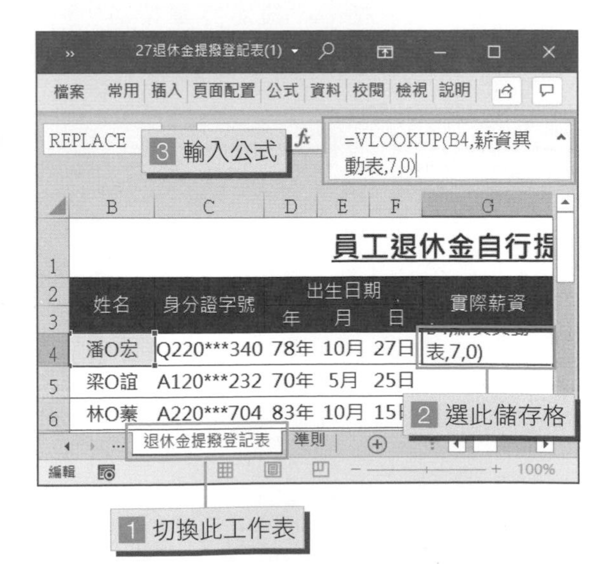

8 實際薪資和退休金級距的薪資有些許差距，扣繳時需以退休金級距的薪資作為標準。選取 H4 儲存格，輸入公式「=INDEX(退休金級距,MATCH($G4,退休金級距,1)+1)」，並將公式複製到下方儲存格。

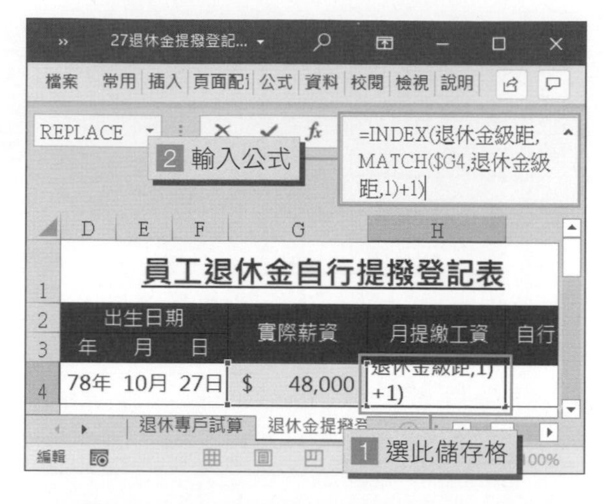

9 接著要製作「清單」，記錄員工要自行提撥的百分比（1%~6%）。選取 I4 儲存格，切換到「資料」功能索引標籤，執行「資料驗證」指令，開啟「資料驗證」對話方塊。在儲存格內允許處，選擇「清單」項目，將游標移到來源空白處，切換到「公式」功能索引標籤，執行「用於公式\自行提撥率」指令，設定完畢按「確定」鈕。

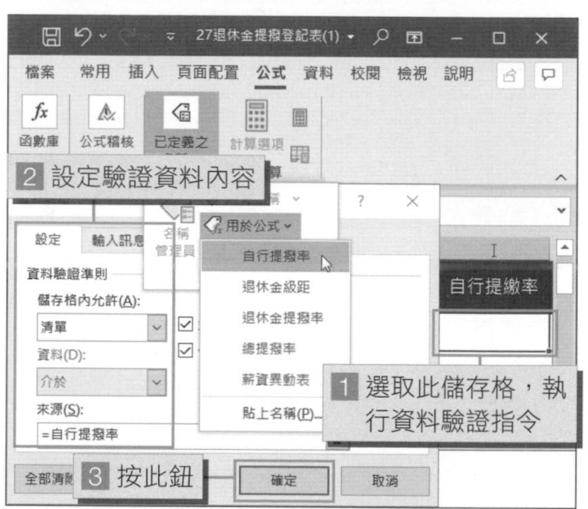

10 最後依照員工的意願填入自行提撥率，以月提繳工資的 6% 為上限，當然也可以不要提撥。

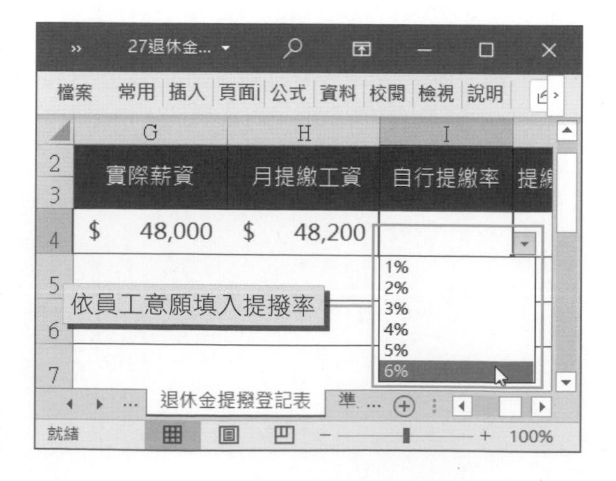

⑪ 對於要自行提撥交給勞動基金代管，還是要留下來自己存？假設月提繳薪資為「30,300」元，以雇主強制提撥的 6% 來計算，如果在勞動局保證的最低報酬率「0.7858%」利率下（110 年 3 月），年資 10 年，個人退休金帳戶會有多少錢？（最低報酬率不得低於 2 年期定期儲蓄存款）。請切換到「退休專戶試算」工作表，依照上述條件，輸入到對應的儲存格，輸入完成選取 C6 儲存格，切換到「公式」功能索引標籤，在「函數庫」功能區中，按下「財務」清單鈕，執行插入「FV」函數。

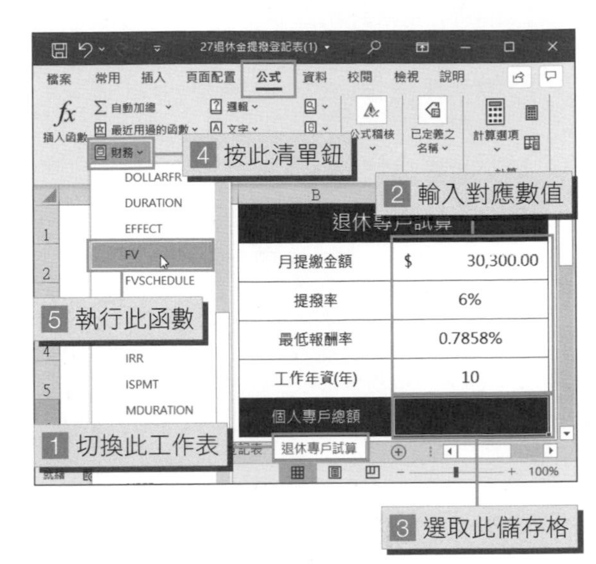

⑫ 在 FV 函數引數對話方塊中，第 1 引數輸入「C4/12」，年利率要改成月利率；第 2 引數輸入「C5*12」，年資要改成月份；第 3 引數輸入「-C2*C3」，每月提繳的金額，記得要以負數輸入；第 4 引數省略；第 5 引數輸入「0」，表示期末到期，按下「確定」鈕。

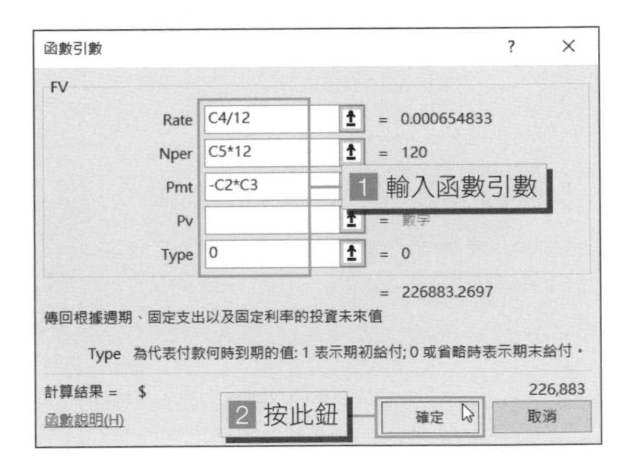

操作 MEMO FV 函數

說明： 傳回根據週期、固定支出及固定利率的投資未來值。

語法： FV(rate,nper,pmt,[pv],[type])

引數： 將資訊提供給動作、事件、方法、屬性、函數或程序的值。

- Rate（必要）。各期的利率。
- Nper（必要）。年金的總付款期數。
- Pmt（必要）。這是各期給付的金額；不得在年金期限內變更。pmt 包含本金和利息，但不包含其他的費用或稅款。與 pv 引數須擇一使用。
- Pv（選用）。未來付款的現值或目前總額。與 pmt 引數須擇一使用。
- Type（選用）。數字 0 或 1，指出付款期限。

⑬ 計算出個人專戶內的金額。由於計算出來的金額會有小數點，因此將原來的公式，加上 Round 函數，讓數值四捨五入到整數位。修改後公式為「=ROUND(FV(C4/12,C5*12,-C2*C3,,0),0)」。

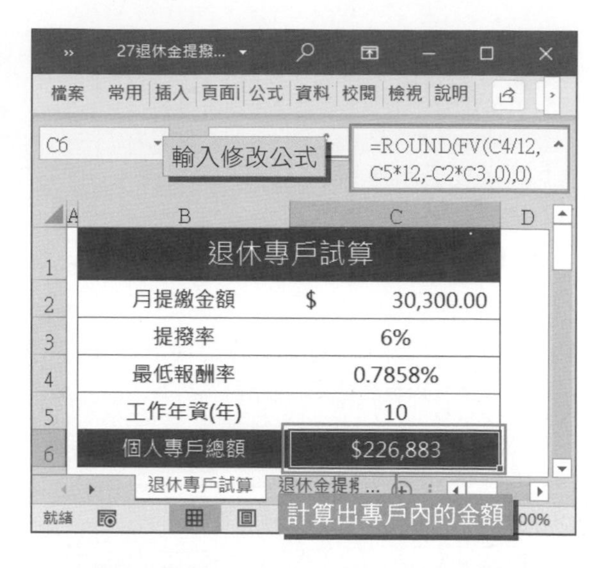

⑭ 勞動部網站也提供員工試算公式，內容增加預計薪資可能調動的成長率。不妨設定連結到網站，方便日後使用。選取 E2 儲存格，切換到「插入」功能索引標籤，在「連結」功能區中，按下「連結」清單鈕，執行「插入連結」指令。

⑮ 開啟「插入超連結」對話方塊，連結至「現存的檔案或網頁」，並選擇「已瀏覽過的頁面」查詢歷程紀錄，或是直接輸入勞動部試算網址：「https://calc.mol.gov.tw/trial/personal_account_frame.asp」，按下「確定」鈕。

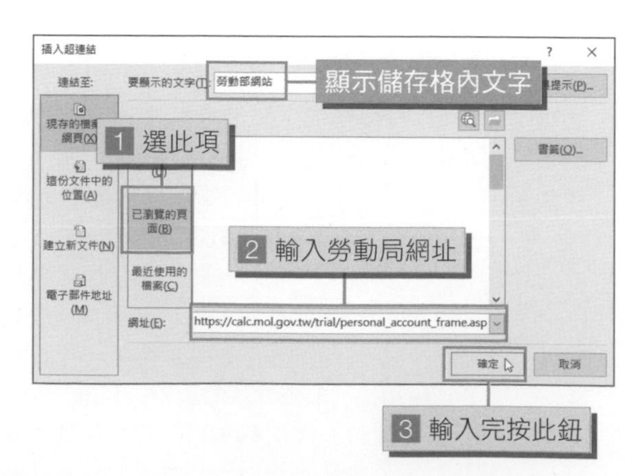

⑯ 儲存格內文字出現超連結。由於超連結後顯示文字變小，因此修改字型大小及顏色，讓文字更明顯。按下超連結，另外開啟瀏覽器。

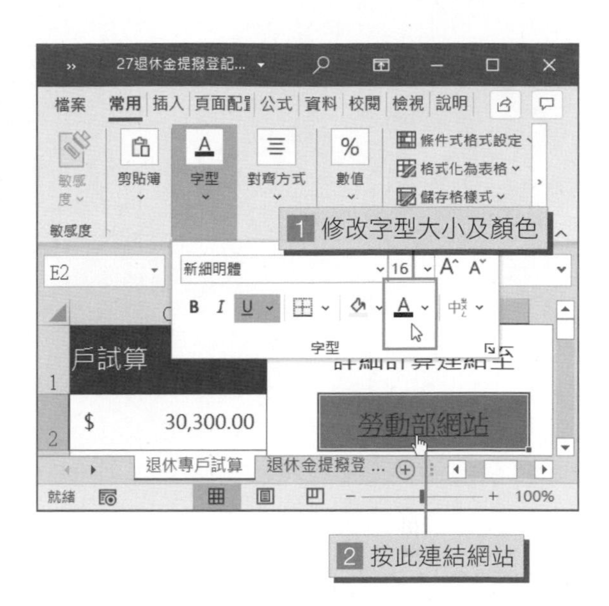

⑰ 開啟勞動部網站試算區網頁，輸入相關條件也可以算出退休金專戶的金額。當然這些都只是概算，詳細的算法還要考慮薪資變動，影響提繳金額；每年勞動基金的收益率都不同，這些都會影響未來專戶內的金額。

單元 28

範例光碟：CHAPTER 04\28員工薪資計算表

員工薪資計算表

110年3月員工薪資

序號	員工編號	姓名	部門	底薪	全勤獎金	績效獎金	扣：請假款	扣：自提退休金	薪資總額	代扣所得稅	代扣健保費	代扣勞保費	減項小計	應付薪資	病假天	事假天	遲到mins	備註
1	C001	[illegible]	行政部	36,500	-	-	1,217	2,406	$ 32,877	-	1,776	878	$ 2,654	$ 30,223		1.0		
2	C002	[illegible]	行政部	31,500	2,000	-	-	2,088	$ 31,412	-	986	732	$ 1,718	$ 29,694			10	
3	C004	[illegible]	行政部	28,500	2,000	-	-	1,590	$ 28,910	-	1,341	663	$ 2,004	$ 26,906				
4	C005	[illegible]	行政部	26,500	-	-	883	1,728	$ 23,889	-	428	635	$ 1,063	$ 22,826		1.0		
5	C006	[illegible]	行政部	26,500	-	-	442	1,152	$ 24,906	-	1,712	635	$ 2,347	$ 22,559	1.0			
6	I001	[illegible]	資訊部	30,500	2,000	1,000	-	-	$ 33,500	-	493	732	$ 1,225	$ 32,275			10	
7	I002	[illegible]	資訊部	33,500	2,000	-	-	2,178	$ 33,322	-	540	801	$ 1,341	$ 31,981				
8	I003	[illegible]	資訊部	30,500	-	-	200	1,998	$ 28,302	-	493	732	$ 1,225	$ 27,077			20	
9	P001	[illegible]	研發部	46,500	3,000	2,000	-	1,518	$ 49,982	-	1,496	1,054	$ 2,550	$ 47,432				
10	P002	[illegible]	研發部	40,500	-	3,000	1,350	2,634	$ 39,516	-	651	966	$ 1,617	$ 37,899		1.0		
11	P004	[illegible]	研發部	36,500	3,000	2,000	-	802	$ 40,698	-	592	878	$ 1,470	$ 39,228				
12	P005	[illegible]	研發部	34,500	3,000	-	-	-	$ 37,500	-	1,620	801	$ 2,421	$ 35,079				
13	P006	[illegible]	研發部	34,500	-	-	288	-	$ 34,212	-	540	801	$ 1,341	$ 32,871	0.5			
14	P007	[illegible]	研發部	36,500	3,000	1,000	-	-	$ 40,500	-	592	878	$ 1,470	$ 39,030				
15	P008	[illegible]	研發部	34,500	3,000	500	-	-	$ 38,000	-	540	801	$ 1,341	$ 36,659				
16	R001	[illegible]	財務部	31,500	2,000	-	-	-	$ 33,500	-	493	732	$ 1,225	$ 32,275				
17	R002	[illegible]	財務部	27,500	2,000	-	-	-	$ 29,500	-	428	635	$ 1,063	$ 28,437				
	小計			566,500	27,000	9,500	4,380	18,094	$ 580,526	-	14,721	13,354	$ 28,075	$ 552,451				

員工薪資表中除了本薪之外，加項獎金就是全勤獎金、業績獎金以及一些補助項目，如伙食費、交通津貼…等。而全勤獎金與請假以及遲到相關，直接影響本薪減項的計算。代扣的項目包括勞、健保以及所得稅，有些公司設有福利委員會或工會，還要被代扣福委會的福利金，工會的會費…等。薪資總額扣除掉代扣項目的金額，就是該支付給員工的實際薪資。

範例步驟

① 參照薪資資料之前，一定要先將薪資異動表最新的資料排在前面。請開啟範例檔「28 員工薪資計算表 (1).xlsx」，切換到「薪資異動記錄表」工作表，切換到「資料」功能索引標籤，在「排序與篩選」功能區中，執行「排序」指令。開啟「排序」對話方塊，依照「員工編號」由 A 到 Z；「調年」從最大到最小；「調月」從最大到最小的排序方式重新排序，按下「確定」鈕。

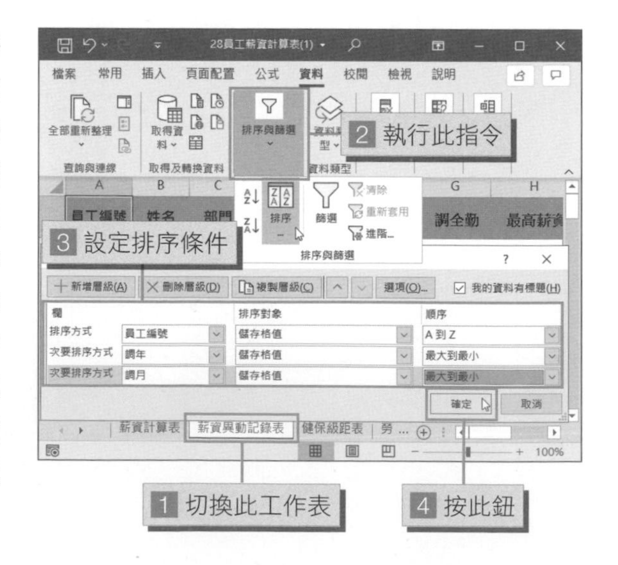

② 確認薪資資料都是最新的之後，切換回「薪資計算表」工作表，選取 E3 儲存格，輸入公式「=VLOOKUP(B3, 薪資異動表 ,6,0)」。

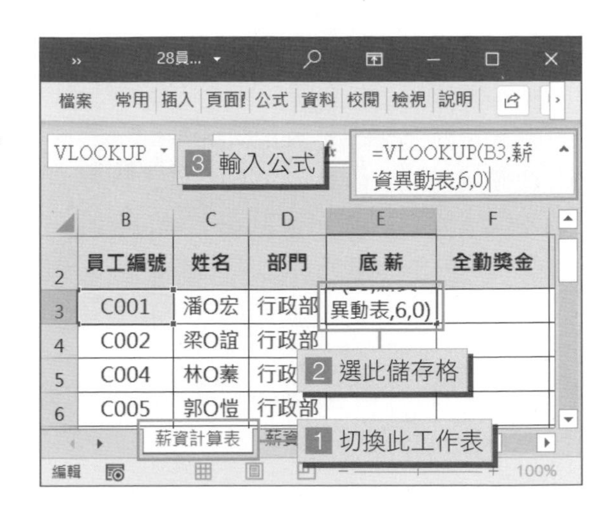

③ 全勤獎金的計算有一點複雜，首先要先判斷每個員工的該月是否可以獲得全勤獎金，如果不可以就顯示 0 值，如果可以則要參照該名員工全勤獎金的金額。假設遲到 10 分鐘內，沒有請事病假，則可以得到全勤獎金。

計算全勤獎金的公式可分成 4 個部分：

A. 如果事病假加起來等於 0，就顯示 0 值，否則就顯示 1 值。公式為「IF(P3+Q3=0,0,1)」

B. 如果遲到小於或等於 10，就顯示 0 值，否則就顯示 1 值。公式為「IF(R3<=10,0,1)」

C. 參照全勤獎金公式為「VLOOKUP(B3, 薪資異動表 ,7,0)」

D. 最後就是判定如果 A+B=0，則顯示全勤獎金；若 A+B ≠ 0，則顯示 0。

接著選取 F3 儲存格，輸入完整公式「=IF(IF(P3+Q3=0,0,1)+IF(R3<=10,0,1)=0,VLOOKUP(B3, 薪資異動表 ,7,0),0)」。

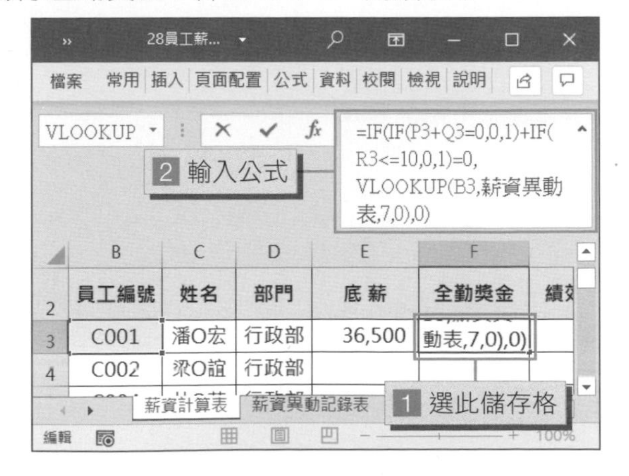

④ 績效獎金則沒有一定的公式，就依照實際給付的金額輸入（沒有則省略）。接著就計算請假扣款，假設請假扣款的規定如下：遲到不超過 10 分鐘則不扣，超過 10 分鐘，則每分鐘扣 10 元；請事假則是以底薪除以 30 天，再乘上事假天數；而病假則是扣半薪。
請選取 H3 儲存格，輸入公式「=ROUND(E3/30*(P3/2+Q3)+IF(R3<=10,0,R3*10),0)」。

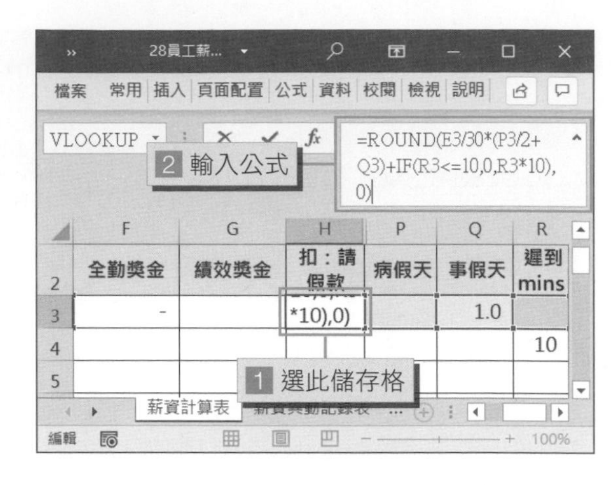

⑤ 退休金自行提撥的部分免稅，因此要從薪資總額中扣除。接著計算自行提撥的部分，選取 I3 儲存格，輸入公式「=IFNA(VLOOKUP($C3, 自行提撥表 ,7,0)*VLOOKUP($C3, 自行提撥表 ,8,0),0)」。

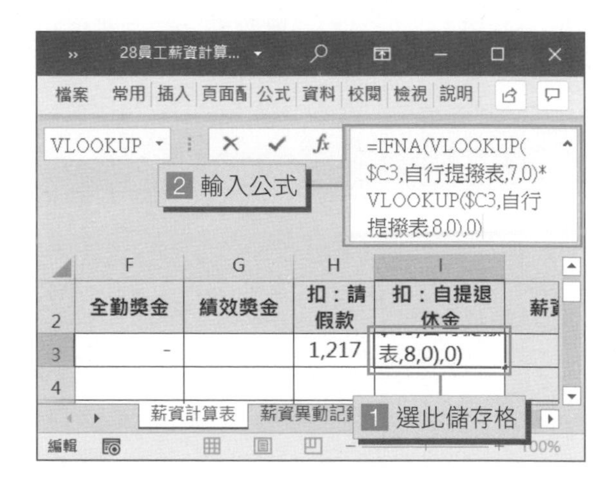

操作 MEMO IFNA 函數

說明： 如果公式傳回 #N\A 錯誤值，就傳回指定的值，否則傳回公式的結果。

語法： IFNA(value, value_if_na)

引數：
- Value（必要）。檢查此引數是否有 #N\A 錯誤值。
- Value_if_na（必要）。若是 #N\A 錯誤值時要傳回的值。

6 最後計算薪資總額，也就是不含代扣薪資，實際作為申報所得稅的金額。選取 J4 儲存格，輸入公式「=E3+F3+G3-H3-I3」，選取 F3:J3 儲存格範圍，將公式複製到下方儲存格，並在下方小計列加上自動加總的公式即可。

7 再來計算代扣所得稅的金額。依據薪資所得扣繳表，原則上單身者單月薪資未滿 84,500 元，不需要代扣所得稅，而有一位扶養親屬的單月薪資更要達到 92,000，才需代扣所得稅。代扣所得稅公式主要分成兩個 VLOOKUP 函數：

A. 依據員工編號參照薪資異動表中，該員工扶養的人數「VLOOKUP($B3, 薪資異動表 ,10,0)」

B. 再依據薪資總額去參照薪資所得扣繳表中，應扣繳的金額「VLOOKUP(J3, 薪資所得扣繳表 , 扶養人數 +2)」。

雖然兩個都是 VLOOKUP 函數，但是員工編號要找到完全符合的資料，因此第 4 個引數要設定為 0（FALSE），薪資總額則可省略。請選取 K3 儲存格，輸入完整公式「=VLOOKUP(J3, 薪資所得扣繳表 ,VLOOKUP($B3, 薪資異動表 ,10,0)+2)」。

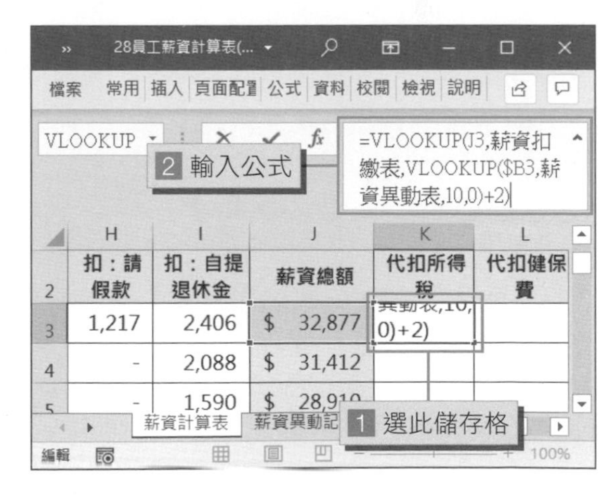

⑧ 然後計算代扣健保費的金額。由於健保費的計算是依照投保金額為基準，而非實際薪資，因此要先依照底薪去參照每月的月投保金額。

A. 礙於投保金額不得低於實際薪資的規定，先用 MATCH 找到月投保金額中，最接近底薪的投保金額所代表的儲存格列號，再使用 INDEX 函數，找出月投保金額中，最接近列號的下一列，所代表的金額。公式為「INDEX(健保費級距 ,MATCH($E3, 健保費級距 ,1)+1)」。

B. 接著依照員工編號參照薪資異動表中，健保眷保的人數。公式為「VLOOKUP($B3, 薪資異動表 ,11,0)」。

C. 最後依照每月的投保薪資，參照健保負擔金額表中，應負擔的健保金額。

請選取 L3 儲存格，輸入完整公式「=VLOOKUP(INDEX(健保費級距 , MATCH($E3, 健保費級距 ,1)+1), 健保負擔金額表 ,VLOOKUP($B3, 薪資異動表 ,11,0)+1,0)」。

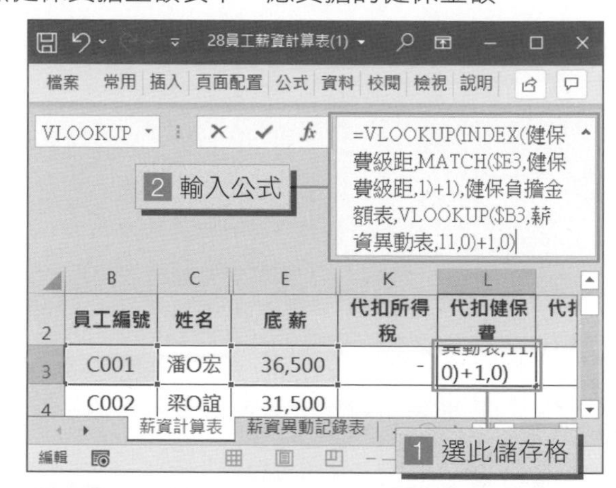

⑨ 代扣勞保費公式與代扣健保費相似，但是勞保沒有扶養親屬或眷屬人數的問題，單純很多。請選取 M3 儲存格，並輸入公式「= VLOOKUP(INDEX(勞保費級距 , MATCH($E3, 勞保費級距 ,1)+1), 勞保負擔金額表 ,2,0)」。

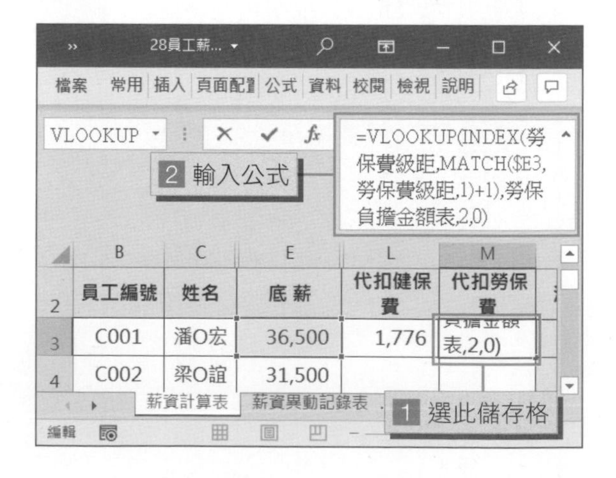

⑩ 接著計算減項金額小計。選取 N3 儲存格，切換到「常用」功能索引標籤，在「編輯」功能區中，執行「自動加總」指令，重新選擇加總範圍為「K3:M3」儲存格。最後將所有公式複製到下方儲存格即完成。

⑪ 該給的、該扣的都算好了，剩下就是應付薪資。選取 O3 儲存格，輸入公式「=J3-N3」計算出應付薪資。最後將所有公式複製到下方儲存格，並在最後一列加上小計的公式即完成員工薪資計算表。

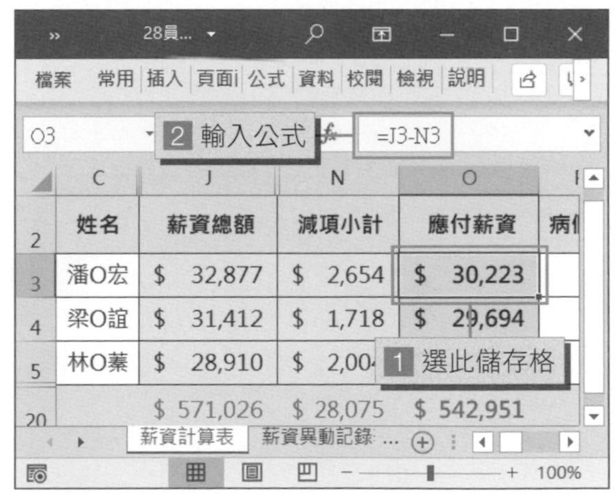

單元 29

範例光碟：CHAPTER 04\29扣繳憑單薪資統計表

扣繳憑單薪資統計表

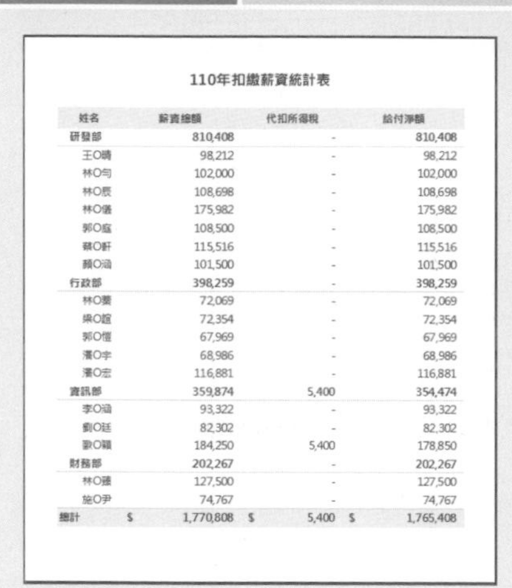

110年扣繳薪資統計表

姓名	薪資總額	代扣所得稅	給付淨額
研發部	810,408	-	810,408
王O晴	98,212	-	98,212
林O句	102,000	-	102,000
林O辰	108,698	-	108,698
林O儀	175,982	-	175,982
郭O庭	108,500	-	108,500
蔡O軒	115,516	-	115,516
顏O涵	101,500	-	101,500
行政部	398,259	-	398,259
林O蓁	72,069	-	72,069
梁O誼	72,354	-	72,354
郭O愷	67,969	-	67,969
潘O宇	68,986	-	68,986
潘O宏	116,881	-	116,881
資訊部	359,874	5,400	354,474
李O涵	93,322	-	93,322
劉O廷	82,302	-	82,302
歐O穎	184,250	5,400	178,850
財務部	202,267	-	202,267
林O臻	127,500	-	127,500
施O尹	74,767	-	74,767
總計	$ 1,770,808	$ 5,400	$ 1,765,408

員工每月薪資達一定金額，應於給付日次月 10 日前，將扣繳稅款填寫扣繳繳款書，至銀行繳納代扣的所得稅。而每年一月底前，會計人員必須將上一年度員工薪資所得加以統計，到稅捐機關網站上辦理扣繳申報，並列印扣繳憑單給員工。

範例步驟

① 由於每個月薪資計算表是由許多公式幫忙計算，一旦參照資料有變動時，會嚴重影響薪資計算表。因此當每個月薪資確定發放金額後，就要將資料轉換成數值儲存，以便年度統計。請開啟範例檔「29 扣繳憑單薪資統計表 (1).xlsx」，先切換到「薪資計算表」工作表，選取 A3:O19 儲存格範圍，切換到「常用」功能索引標籤，在「剪貼簿」功能區中，按下「複製」清單鈕，執行「複製」指令。

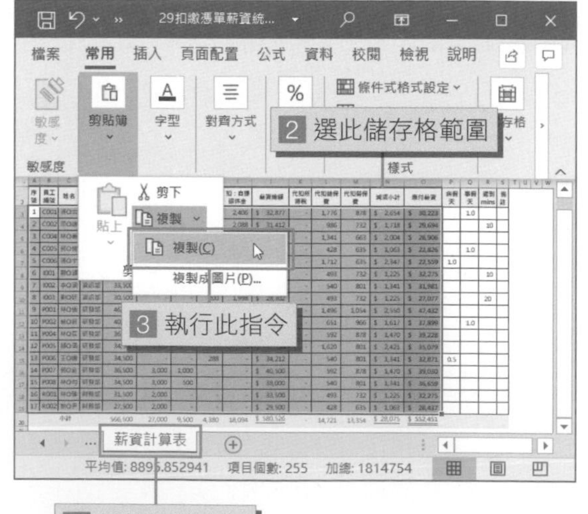

② 切換到「薪資資料庫」工作表，切換到「檢視」功能索引標籤，在「視窗」功能區中，按下「凍結窗格」清單鈕，執行「凍結頂端列」指令，讓標題列一直保持在上方。

③ 選取 A36 儲存格，切換到「常用」功能索引標籤，在「剪貼簿」功能區中，按下「貼上」清單鈕，執行「貼上值」指令。

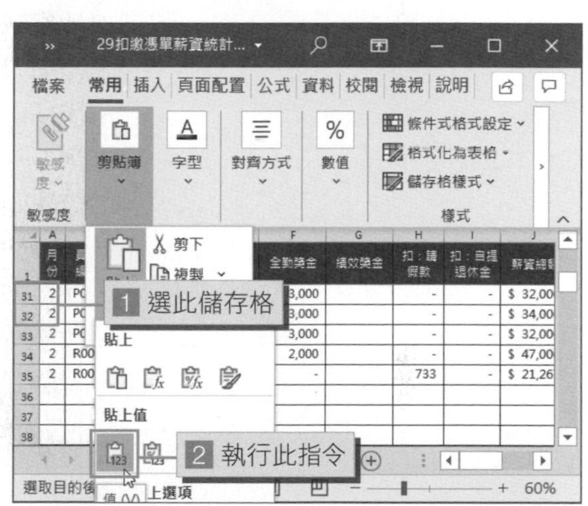

④ 三月份的薪資計算表資料被貼到薪資資料庫中。將 A36 儲存格由序號「1」改成月份「3」，並複製到 A37: A52 儲存格範圍。

5 每個月的薪資都記錄到資料庫之後，等要填報扣繳憑單薪資時，就可以輕鬆的統計出來。當對樞紐分析表版面配置有遲疑的時候，Excel 提供建議的參考方案，切換到「插入」功能索引標籤，在「表格」功能區中，執行「建議的樞紐分析表」指令。

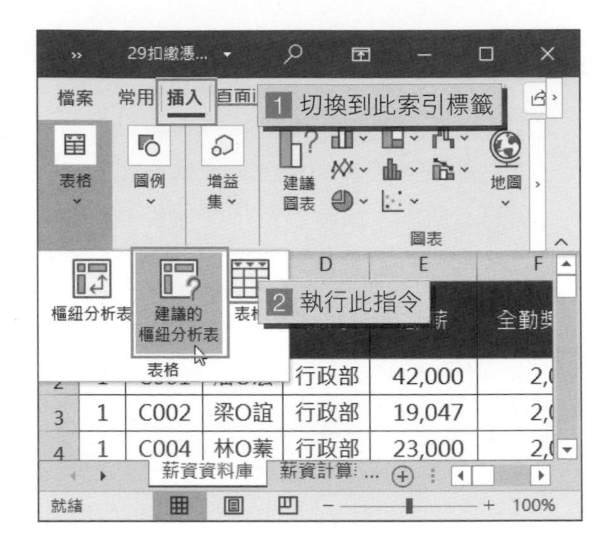

6 開啟「建議的樞紐分析表」對話方塊，參考「加總 - 薪資總額、加總 - 代扣所得稅、加總 - 代扣健保費」建議方案，按下「確定」鈕。

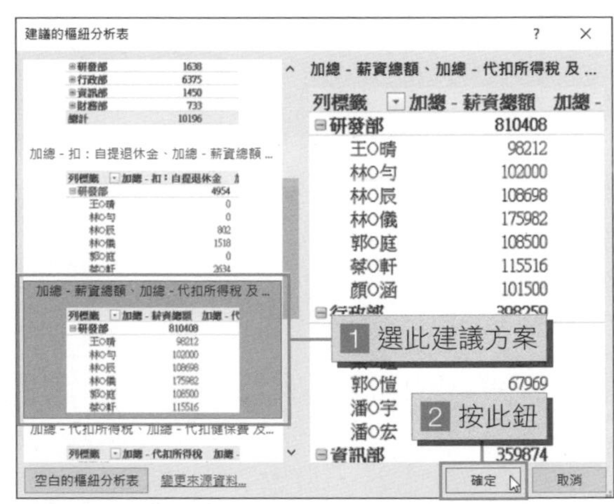

7 在新工作表中建立樞紐分析表。由於扣繳憑單申報書中填寫的資料不包含健保費，因此在「樞紐分析表欄位」工作窗格中，取消勾選「代扣健保費」欄位名稱。

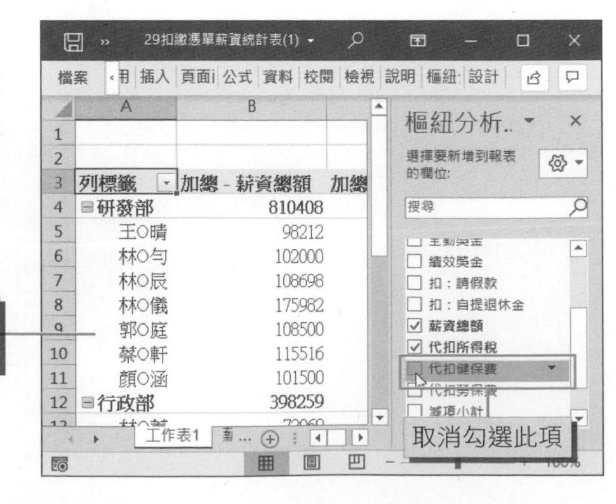

⑧ 選取新工作表標籤，重新命名工作表為「薪資統計表」。接下來還要計算給付淨額，也就是薪資總額扣除已代扣繳的所得稅。切換到「樞紐分析表分析」功能索引標籤，在「計算」功能區中，按下「欄位、項目和集」清單鈕，執行「計算欄位」指令。

⑨ 開啟「插入計算欄位」對話方塊，輸入名稱為「給付淨額」，公式為「= 薪資總額 - 代扣所得稅」，按「新增」鈕。

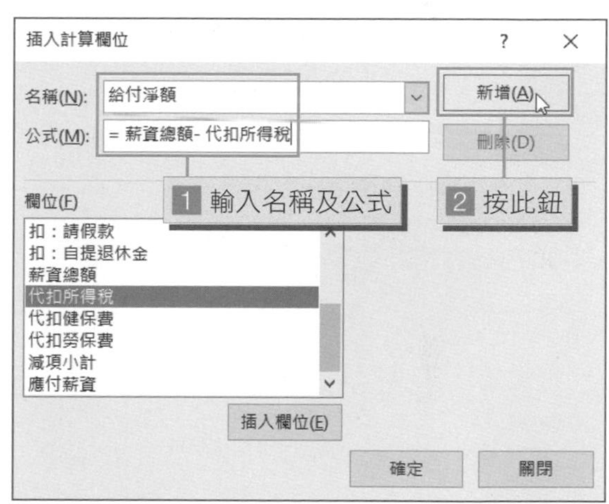

⑩ 欄位中新增一個「給付淨額」，按「確定」鈕。

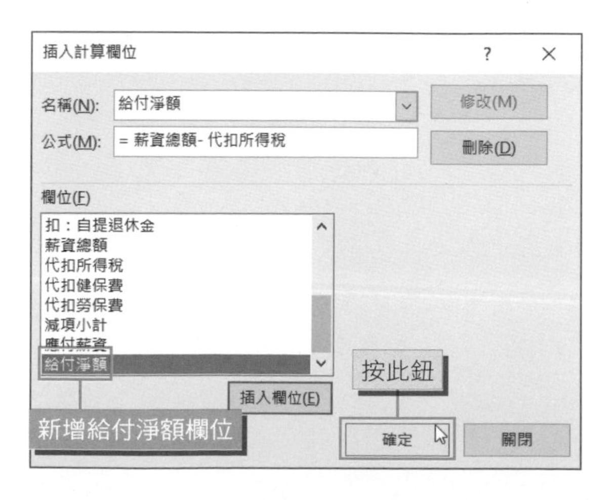

⑪ 樞紐分析表中新增「加總 - 給付淨額」資料。合併 A1:D1 儲存格，輸入表首名稱「110 年扣繳薪資統計表」；分別在 A2:D2 儲存格重新輸入標題名稱「姓名、薪資總額、代扣所得稅、給付淨額」，最後隱藏整列 3，將樞紐分析表美化完成。

單元 30

範例光碟：CHAPTER 04\30薪資費用分析圖表

薪資費用分析圖表

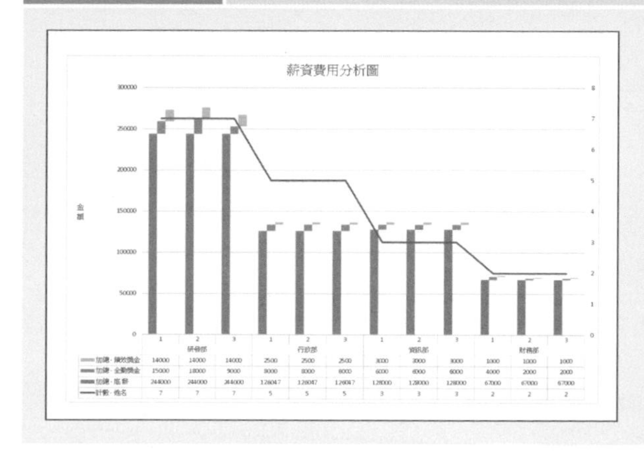

近年來人力資源管理，獨立成一門專業的學科，在財務的角度來看，每當製作新年度的營運計畫時，常會引用以前年度分析數據，而企業員工的人數和平均薪資，通常是用來分析費用及變動成本的最佳依據。

範例步驟

① 每個月計算完員工薪資後，可將各月份的薪資彙整在薪資資料庫，方便各項人力資源分析使用。從部門人力薪資分析圖表中，可以比較各部門的員工人數及薪資費用。請開啟範例檔「30薪資費用分析圖表 (1).xlsx」，切換到「插入」功能索引標籤，在「圖表」功能區中，按下「樞紐分析圖」清單鈕，執行「樞紐分析圖」指令。

2. 開啟「建立樞紐分析圖」對話方塊，將選取表格範圍擴大成「薪資資料庫 '!$A$1:$R$10000」儲存格範圍，按「確定」鈕。

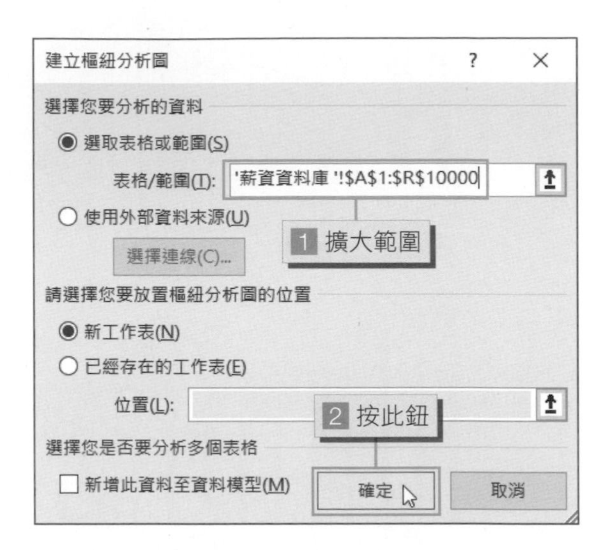

3. 新增樞紐分析圖和報表的工作表。在「樞紐分析圖欄位」工作窗格中設定版面配置，座標軸區域：「部門」和「月份」；Σ 值區域：「計數 - 姓名」、「加總 - 底薪」、「加總 - 全勤獎金」、「加總 - 績效獎金」。

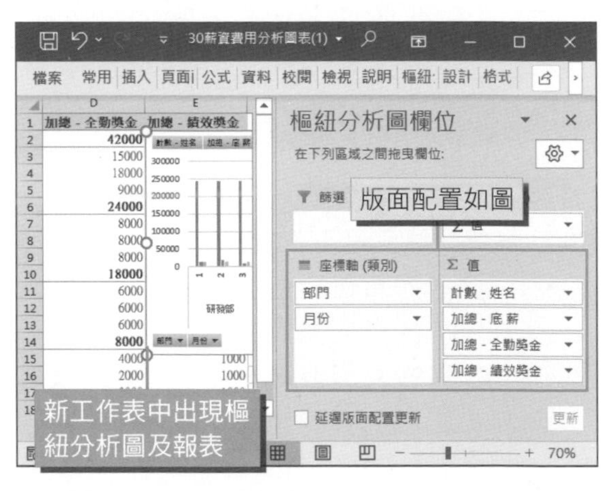

4. 雖然開始只要建立樞紐分析圖，但是圖和報表實在是分不開，所以樞紐分析表還是緊緊相隨，但是可以讓他們分成兩個工作表。請選取樞紐分析圖並切換到「設計」功能索引標籤，在「位置」功能區中，執行「移動圖表」指令。

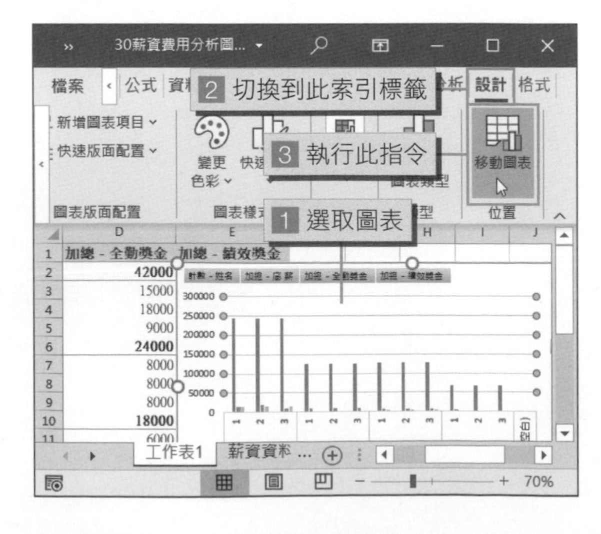

5 開啟「移動圖表」對話方塊，選擇「新工作表」並輸入名稱「薪資費用分析圖」，按「確定」鈕。

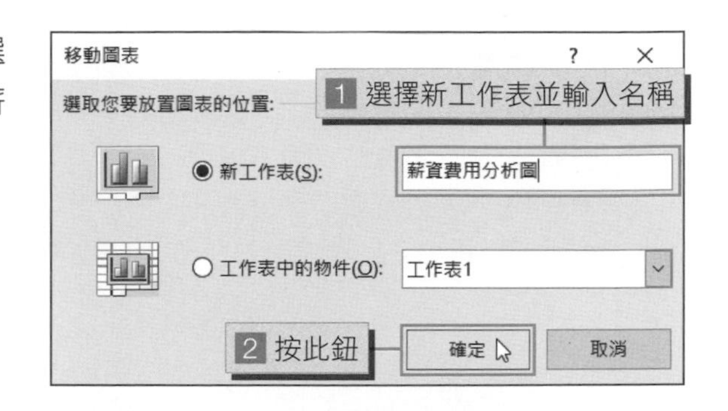

6 分析圖被移到新工作表。在「設計」功能索引標籤的「類型」功能區中，執行「變更圖表類型」。

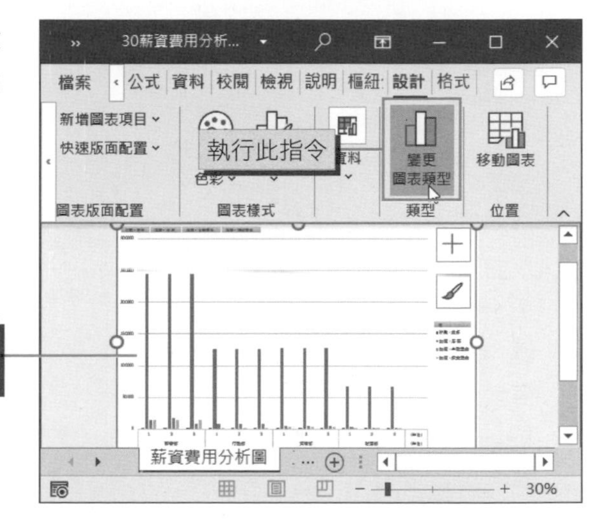

7 開啟「變更圖表類型」對話方塊，選擇「組合圖」類型，「自訂組合」樣式，圖表類型「計數 - 姓名」選擇「折線圖」，並勾選「副座標軸」；其餘「加總 - 底薪」、「加總 - 全勤獎金」和「加總 - 績效獎金」選擇「堆疊直條圖」，最後按「確定」鈕。

8 由於座標軸無法看清楚數值，因此要在圖表下方加上數列數值。在「圖表版面配置」功能區中，按下「快速版面配置」清單鈕，選擇「版面配置 5」樣式。

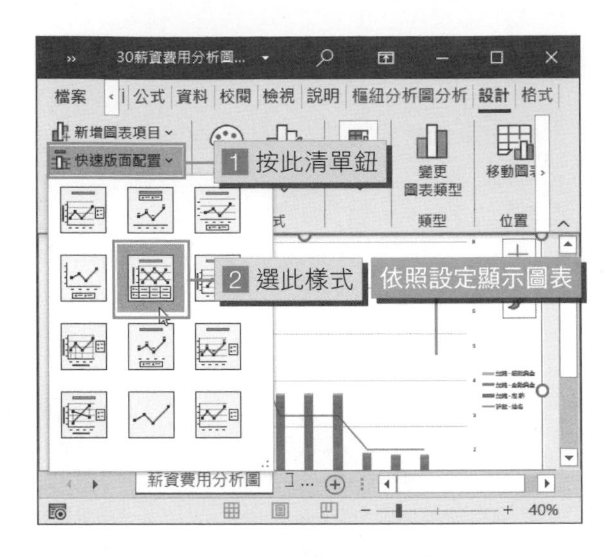

9 選擇圖表標題文字方塊，重新輸入標題名稱為「薪資費用分析圖」，切換到「常用」功能索引標籤，在「字型」功能區中，修改字型大小為「18」。

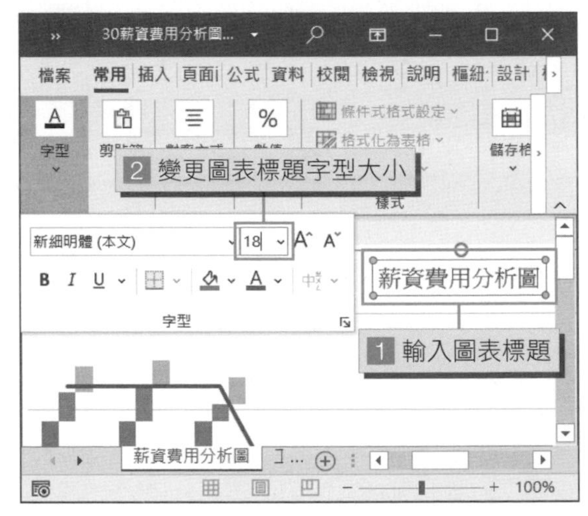

10 資料表會顯示空白資料，按下圖表左下方「部門」的欄位清單鈕，取消勾選「空白」，按下「確定」鈕。

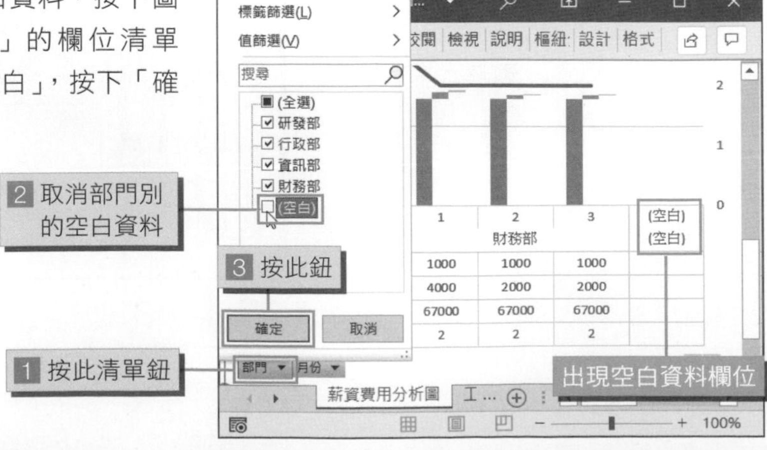

⑪ 圖表中的欄位按鈕也可以隱藏，切換到「樞紐分析圖分析」功能索引標籤，在「顯示 / 隱藏」功能區中，按下「欄位按鈕」清單鈕，執行「全部隱藏」指令。

⑫ 最後按住鍵盤【Ctrl】鍵，同時選取「薪資資料庫」和「工作表1」這兩個工作表，按下滑鼠右鍵，開啟快顯功能表，執行「隱藏」指令。

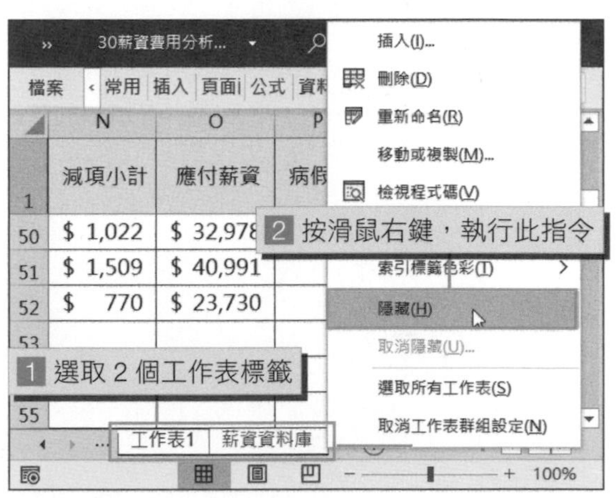

⑬ 工作表標籤上只剩下「薪資費用分析圖」工作表。

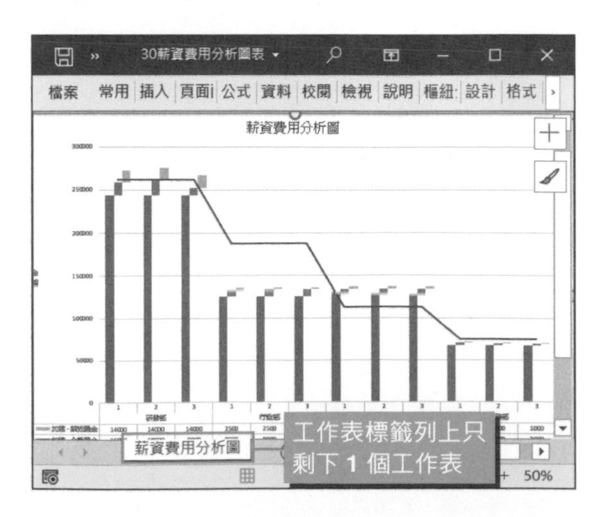

NOTES

CHAPTER

5 固定資產管理

Excel

單元 31

範例光碟：CHAPTER 05\31各種折舊方法

各種折舊方法

折舊分析表	
原始成本	$1,500,000
耐用年限	5
殘值	250,000

本期提列	開始年度	第1年	第2年	第3年	第4年	第5年
直線法	$0	$250,000	$250,000	$250,000	$250,000	$250,000
定率餘額遞減法	$0	$451,500	$315,599	$220,603	$154,202	$107,787
倍率餘額遞減法	$0	$600,000	$360,000	$216,000	$74,000	$0
年數合計法	$0	$416,667	$333,333	$250,000	$166,667	$83,333
變率數餘額遞減	$0	$900,000	$350,000	$0	$0	$0

帳面價值	開始年度	第1年	第2年	第3年	第4年	第5年
直線法	$1,500,000	$1,250,000	$1,000,000	$750,000	$500,000	$250,000
定率餘額遞減法	$1,500,000	$1,048,500	$732,902	$512,298	$358,096	$250,309
倍率餘額遞減法	$1,500,000	$900,000	$540,000	$324,000	$250,000	$250,000
年數合計法	$1,500,000	$1,083,333	$750,000	$500,000	$333,333	$250,000
變率數餘額遞減	$1,500,000	$600,000	$250,000	$250,000	$250,000	$250,000

EXCEL函數中折舊的方法有好幾種，但在稅法上只有「直線法」、「定率遞減法」及「工作時間法」這三種可供選擇，一旦選定折舊方法後，就不能輕易更改。由於固定資產的殘值會直接影響公司盈餘狀況，對於提列折舊的方法，可以依據不同類別的資產特性，選用不同的折舊方法，並製作成折舊分析表，提供企業在財務及稅務規劃上的依據。

範例步驟

1. 為了不讓預留殘值影響比較結果，假設殘值皆與依「直線法」所計算出的殘值相同。請開啟範例檔「31各種折舊方法(1).xlsx」，選取B4儲存格，切換到「公式」功能索引標籤，在「函數庫」功能區中，按下「數學與三角函數」清單鈕，執行插入「ROUND」函數。

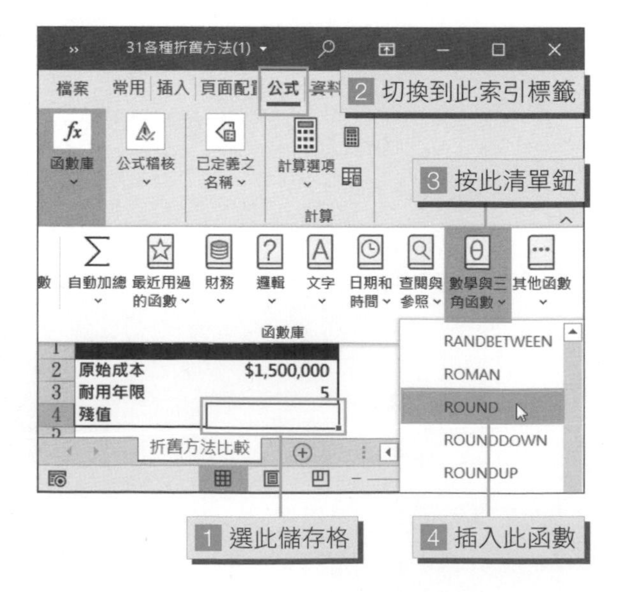

2. 開啟 ROUND「函數引數」對話方塊，輸入函數 Number 引數為「=ROUND(原始成本/(耐用年限+1),0)」(本範例已先定義範圍名稱)，Num_digits 引數為「0」，輸入完按「確定」鈕。

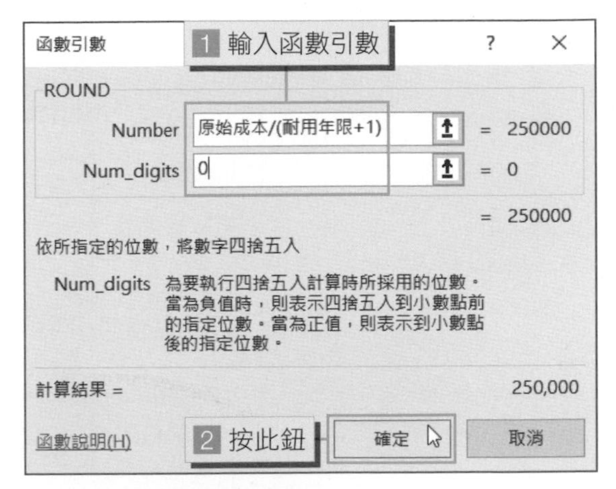

3. 折舊分析表最主要的目的，當有購入固定資產時，分析適合的折舊方式，但耐用年限都不盡相同，可以利用函數設定攤提年數標題。選取 B7 儲存格，按滑鼠右鍵開啟快顯功能表，執行「儲存格格式」指令。

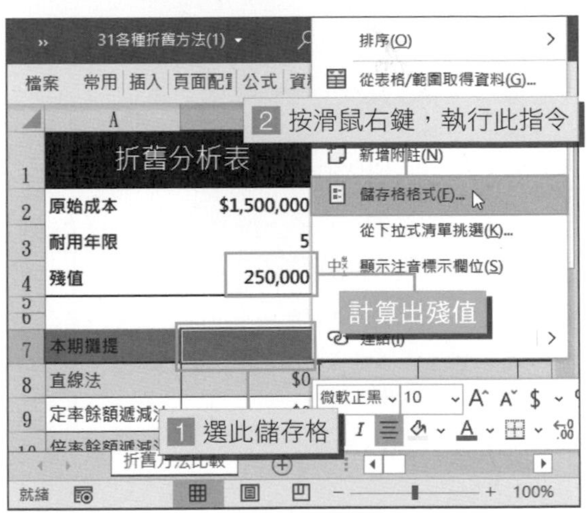

4. 開啟「設定儲存格格式」對話方塊，切換到「數值」索引標籤，選擇「自訂」類別，將類型處原有設定文字刪除，直接輸入文字「"開始年度"」，按下「確定」鈕。

⑤ 選取 B7 儲存格並輸入「0」值，資料編輯列上的值為「0」，但儲存格卻顯示「開始年度」。選取 C7 儲存格，按滑鼠右鍵開啟快顯功能表，執行「儲存格格式」指令。

顯示文字

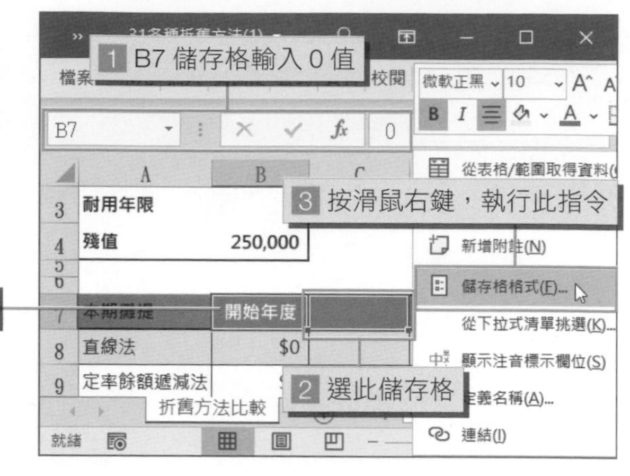

⑥ 開啟「設定儲存格格式」對話方塊，切換到「數值」索引標籤，選擇「自訂」類別，將類型處原有文字「G\ 通用格式」前方，加入文字「" 第 "」字，繼續在後方加入「" 年 "」字，完整類型顯示為「" 第 "G\ 通用格式 " 年 "」，按下「確定」鈕。

⑦ 選取 C7 儲存格，輸入公式「=IF(耐用年限 <=B7,"",B7+1)」。

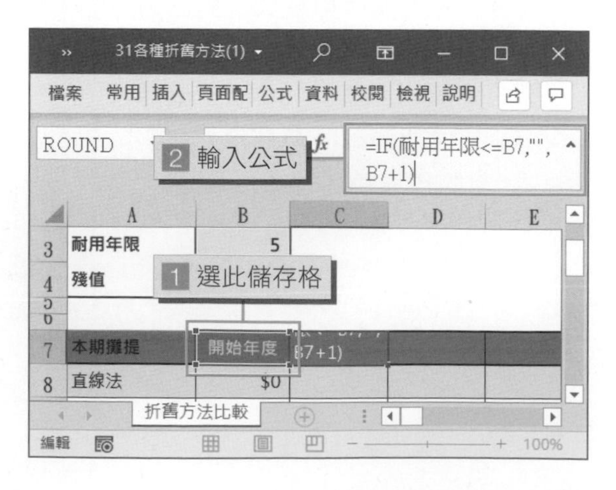

⑧ 將 C7 儲存格公式複製到後方儲存格，當耐用年限修改時，標題的年份也會隨之增減。

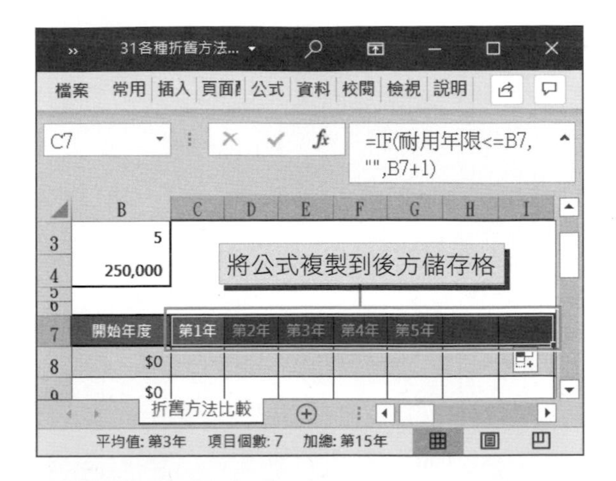

⑨ 選取 C8 儲存格，輸入第一年直線法折舊公式「=IF(C7="","",SLN(原始成本 , 殘值 , 耐用年限))」。

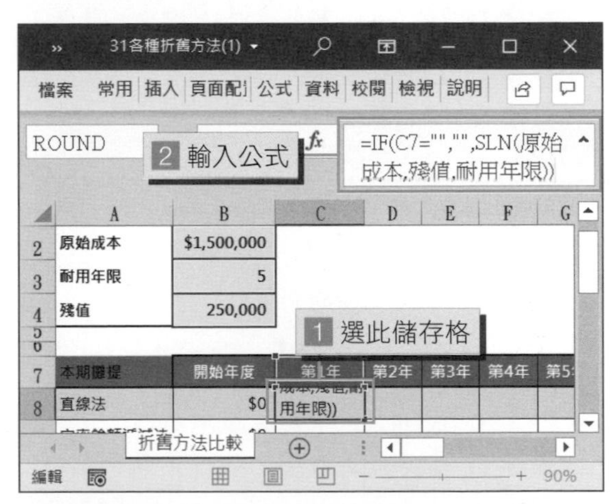

⑩ 接著依據下表輸入第一年各種方法的折舊公式，輸入完成後，將第一年的公式複製到後方儲存格，完成折舊分析表。

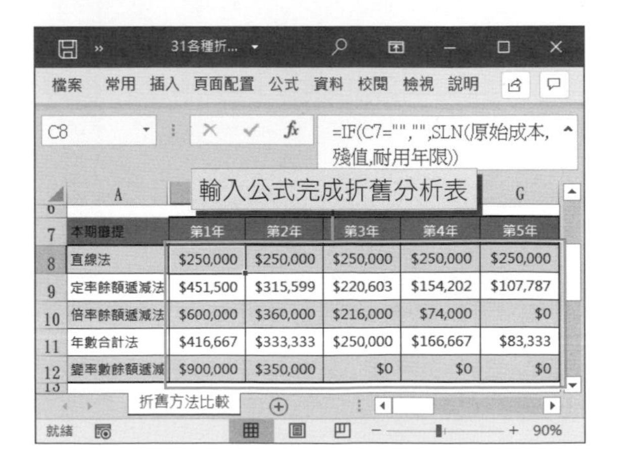

折舊方法	欄位	公式
定率餘額遞減	C9	=IF(C7="","",DB(原始成本 , 殘值 , 耐用年限 ,C7))
倍率餘額遞減法	C10	=IF(C7="","",DDB(原始成本 , 殘值 , 耐用年限 ,C7))
年數合計法	C11	=IF(C7="","",SYD(原始成本 , 殘值 , 耐用年限 ,C7))
變率數餘額遞減法	C12	=IF(C7="","",VDB(原始成本 , 殘值 , 耐用年限 ,B7,C7,3,TRUE))

⑪ 接下來要完成帳面價值比較表。選取 B14 儲存格輸入「=B7」，選取 B15 儲存格輸入輸入「= 原始成本」(此為範圍名稱名稱)，選取 C14 儲存格輸入「=C7」，選取 C15 儲存格輸入「=IF(C$7="","",B15-C8)」。

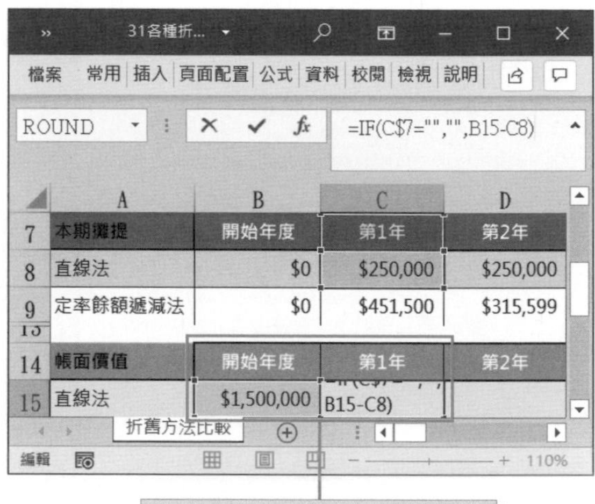

⑫ 選取 B15:C15 儲存格，按滑鼠右鍵，開啟快顯功能表，執行「複製」指令 。

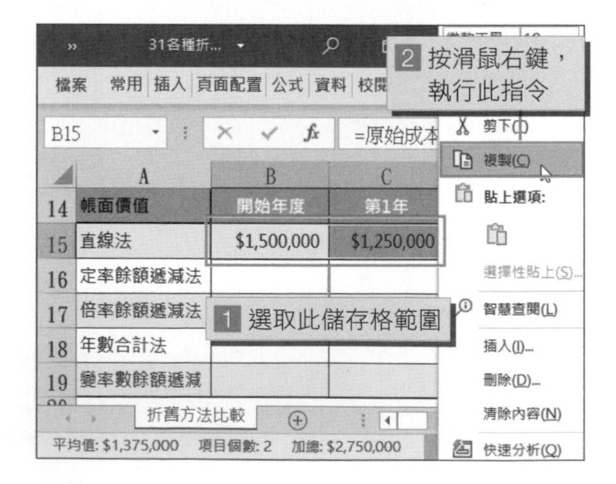

⑬ 選取 B16:C19 儲存格，按滑鼠右鍵，開啟快顯功能表，執行「貼上公式」指令。

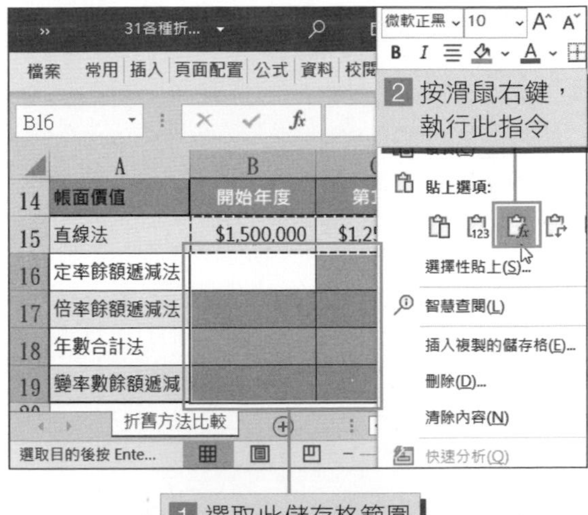

⑭ 最後選取 C15：C19 儲存格範圍，使用拖曳的方式將公式複製到右方儲存格，完成帳面價值比較表。

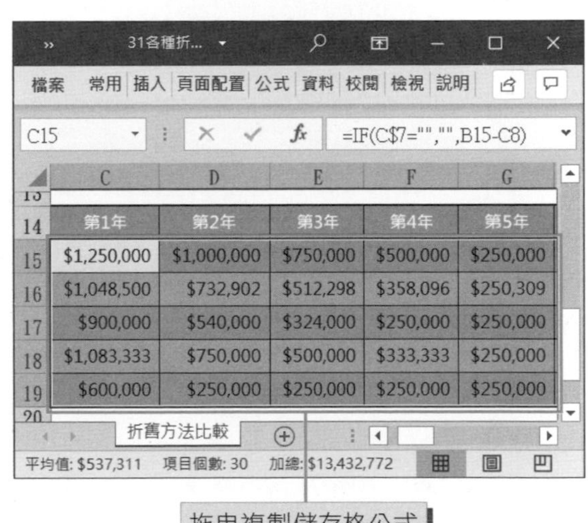

本章使用的折舊函數說明：

操作 MEMO　SLN 函數

說明： 傳回某項資產按直線折舊法所計算的每期折舊金額。

語法： SLN(cost, salvage, life)

引數：
- Cost（必要）。資產取得的原始成本。
- Salvage（必要）。資產的殘值。
- Life（必要）。固定資產的使用年限。

操作 MEMO DB 函數

說明： 傳回資產在指定期間內使用定率遞減法所計算的折舊金額

語法： DB (cost , salvage , life , period , month)

引數：
- Cost（必要）。資產取得的原始成本。
- Salvage（必要）。資產的殘值。
- Life（必要）。固定資產的使用年限。
- Period（必要）。指要計算折舊的期間（與耐用年限單位相同）
- Month（選用）。第一年的月份數。如被省略，則假定其值為 12

操作 MEMO DDB 函數

說明： 傳回資產在指定期間內使用倍率遞減法計算的折舊。

語法： DDB(cost, salvage, life, period, [factor])

引數：
- Cost（必要）。資產取得的原始成本。
- Salvage（必要）。資產的殘值。
- Life（必要）。固定資產的使用年限。
- Period（必要）。計算折舊的期間。 Period 必須與 life 使用相同的單位。
- Factor（選用）。這是餘額遞減的速率。如果省略 factor，將假設其值為 2（倍率遞減法）。

操作 MEMO SYD 函數

說明： 傳回資產在指定期間內按年數合計法所計算的折舊。

語法： SYD (cost , salvage , life , per)

引數：
- Cost（必要）。資產取得的原始成本。
- Salvage（必要）。資產的殘值。
- Life（必要）。固定資產的使用年限。
- Per（必要）。指計算折舊數額計算的期數（與耐用年限單位相同）

操作 MEMO VDB 函數

說明： 傳回某項固定資產某期間的折舊數總額，折舊係按倍率遞減法或其他您所指定的遞減法計算。 VDB 代表變數餘額遞減（Variable Declining Balance）。

語法： VDB (cost , salvage , life , start_period , end_period , factor , no_switch)

引數：
- Cost（必要）。資產取得的原始成本。
- Salvage（必要）。資產的殘值。
- Life（必要）。固定資產的使用年限。
- Start_period（必要）。指折舊數額計算的開始期數（與耐用年限單位相同）
- End_period（必要）。指折舊數額計算的結束期數（與耐用年限單位相同）
- Factor（選用）。指定餘額遞減的方法。引數被省略則預設值為 2（即用倍率遞減法）。
- No_switch（選用）。為一邏輯值，用以判斷是否要在折舊數額大於遞減餘額法算出的數額時，將折舊切換成直線法的折舊數額。

單元 32

範例光碟：CHAPTER 05\32分析租賃或購入固定資產

分析租賃或購入固定資產

購買		租賃		共同條件	
原始成本	1,200,000	租金費用	380,000	降低成本成本	550,000
耐用年限	5年			所得稅率	40%
每年折舊費用	200,000			折現率	6%

購買	第0年	第1年	第2年	第3年	第4年	第5年
投資額	-1,200,000					
降低成本收入		550,000	550,000	550,000	550,000	550,000
折舊費用		-200,000	-200,000	-200,000	-200,000	-200,000
稅金		-140,000	-140,000	-140,000	-140,000	-140,000
折舊費用(沖轉)		200,000	200,000	200,000	200,000	200,000
加總	-1,200,000	410,000	410,000	410,000	410,000	410,000
淨現值	-1,200,000	-813,208	-448,309	-104,065	220,693	527,069

租賃	第0年	第1年	第2年	第3年	第4年	第5年
租金費用		-380,000	-380,000	-380,000	-380,000	-380,000
降低成本收入		550,000	550,000	550,000	550,000	550,000
稅金		-68,000	-68,000	-68,000	-68,000	-68,000
加總		102,000	102,000	102,000	102,000	102,000
淨現值		96,226	187,006	272,647	353,441	429,661

通常公司要新增設備時，傳統的觀念都是購買作為固定資產，資金的來源多半是自有資金或是銀行借貸。現在租賃設備的觀念越來越流行，不但可以免除維修上的困擾，降低保管成本，還可以預防投資錯誤而產生的資產損失。至於判斷要購買或是租賃資產，不妨可以利用淨現值比較法作為評估的依據。

範例步驟

1. 首先製作「購買」固定資產的現金流量分析表格。請開啟範例檔「32 分析租賃或購入固定資產(1).xlsx」，選擇 B4 儲存格，切換到「公式」功能索引標籤，在「函數庫」功能區中，執行「插入函數」指令。

② 開啟「插入函數」對話方塊，有時候臨時會突然想不起來函數名稱，可以在搜尋函數空白處輸入關鍵字「直線折舊」，在選取類別中選擇「全部」，按下「開始」鈕，讓 Excel 提供建議。

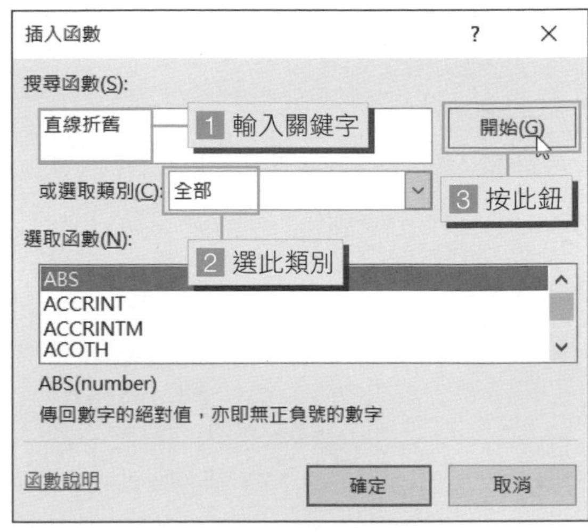

③ 選擇建議函數中的「SLN」函數，按下「確定」鈕。

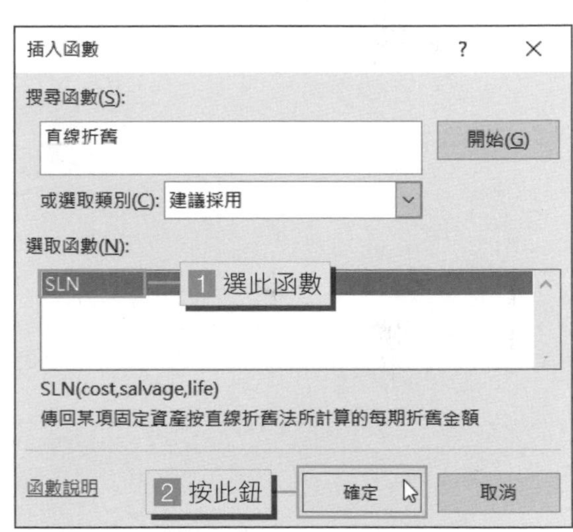

④ 依序輸入函數引數，輸入原始成本 Cost 為「B2」儲存格，預留殘值 Salvage「B2/(B3+1)」，耐用年限 Life 為「B3」儲存格，輸入完成按「確定」鈕，完整公式為「=SLN(B2,B2/(B3+1),B3)」。由於直線法的預留殘值＝折舊費用＝固定資產取得價格 \(耐用年限 + 1)，所以亦可省略 Salvage 引數，直接將耐用年限 +1 即可，公式輸入「=SLN(B2, ,B3+1)」亦可。

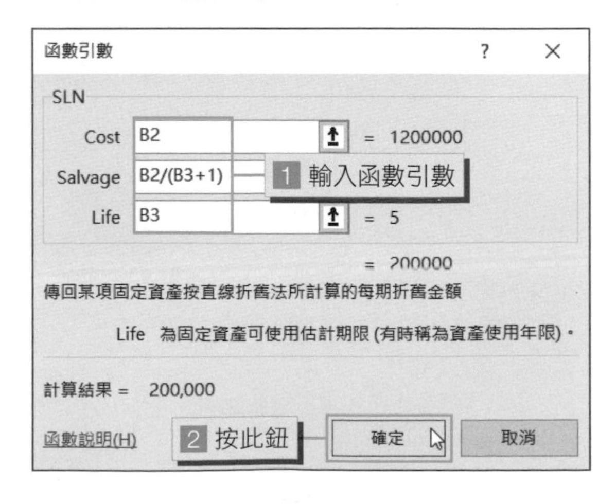

⑤ 計算出折舊費用後，依照表格的內容輸入相對應的公式。首先輸入投資額公式，選取 B7 儲存格，先輸入「=-」號，再選擇「B2」儲存格，按下鍵盤【F4】鍵，使儲存格位置變為絕對參照位置「$B$2」。完整參照位置「=-$B$2」。

輸入降低成本收入公式，選取 C8 儲存格，先輸入「=」號，再選擇「F2」儲存格，按下鍵盤【F4】鍵，使儲存格位置變為絕對參照位置「$F$2」。

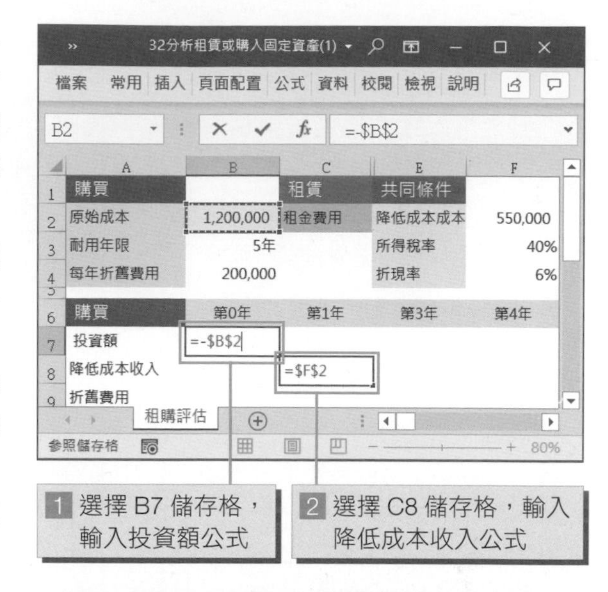

⑥ 繼續輸入表格內公式，選取 C9 儲存格，先輸入參照位置「=-$B$4」儲存格。接著選取 C10 儲存格，輸入稅金公式「=-(C8+C9)*$F$3」。

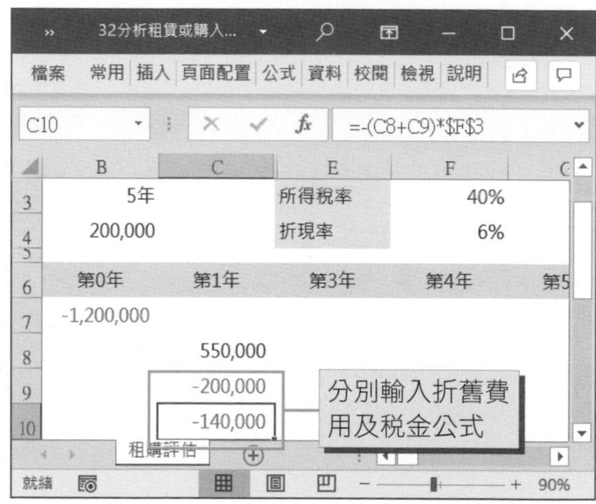

⑦ 選取 C11 儲存格輸入參照位置「=$B$4」。將 C8:C11 儲存格公式複製到右方儲存格備用。

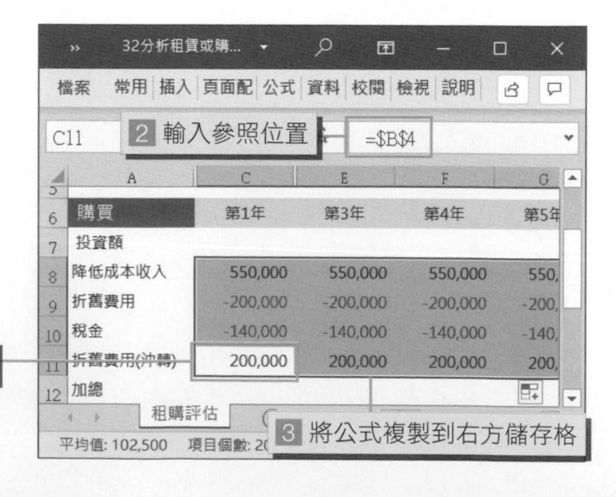

⑧ 選取 B12 儲存格，切換到「常用」功能索引標籤，在「編輯」功能區中，按下「自動加總」清單鈕，執行「加總」指令。選擇加總範圍為 B7:B11 儲存格範圍，使得 B12 儲存格完整公式為「=SUM(B7:B11)」。

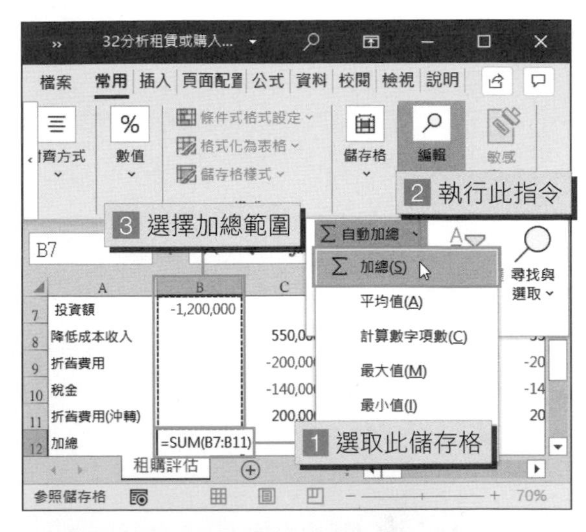

⑨ 將 B12 儲存格公式複製到右方儲存格。選取 B13 儲存格，輸入參照位置為「=B12」。

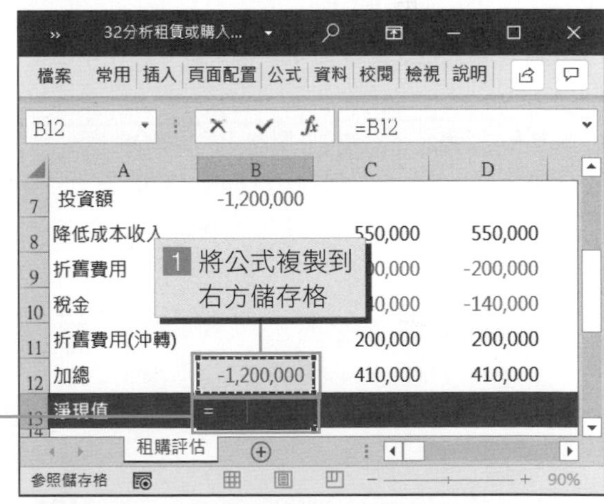

⑩ 接著選取 C13 儲存格，切換到「公式」功能索引標籤，在「函數庫」功能區中，按下「財務」清單鈕，執行插入「NPV」函數。

⑪ 輸入 NPV 函數引數，Rate 引數中輸入「$F$4」，Value1 引數中輸入「$C12:C12」，按「確定」鈕。

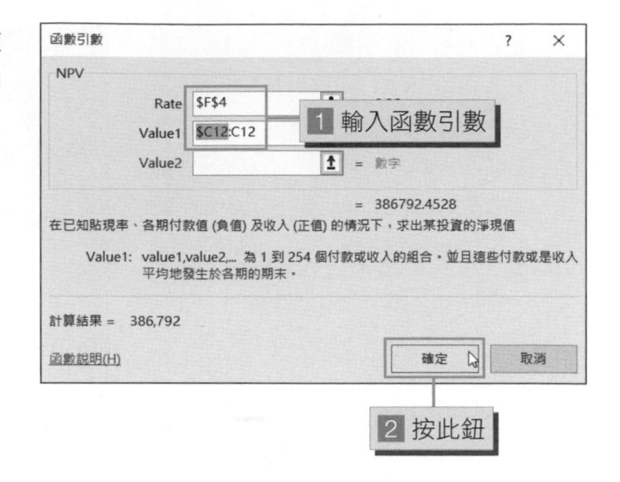

操作 MEMO　NPV 函數

說明： 使用貼現率和未來各期支出（負值）和收入（正值）來計算投資的淨現值。

語法： NPV(rate,value1,[value2],...)

引數：
- Rate（必要）。期間內的貼現率。
- Value1（必要）。代表支出和收入的引數
- Value2…（選用）。Value1, value2, ... 必須使用相同的時間間距。

⑫ 最後在 C13 儲存格公式的後方加上「+$B13」，按【Enter】鍵完成淨現值公式，完整公式為「=NPV($F$4,$C12:C12)+$B13」。將公式複製到右方儲存格，完成「購買」固定資產的現金流量分析表格。

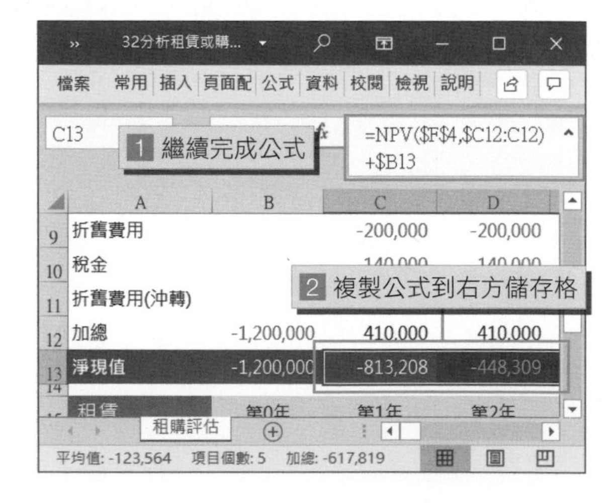

⑬ 接下來製作「租賃」的現金流量分析表格。先依照下表輸入基本資料，輸入完成後，將公式複製到右方儲存格。而後選取 C13:G13 儲存格範圍，切換到「常用」功能索引標籤，在「剪貼簿」功能區中，按下「複製」清單鈕，執行「複製」指令。

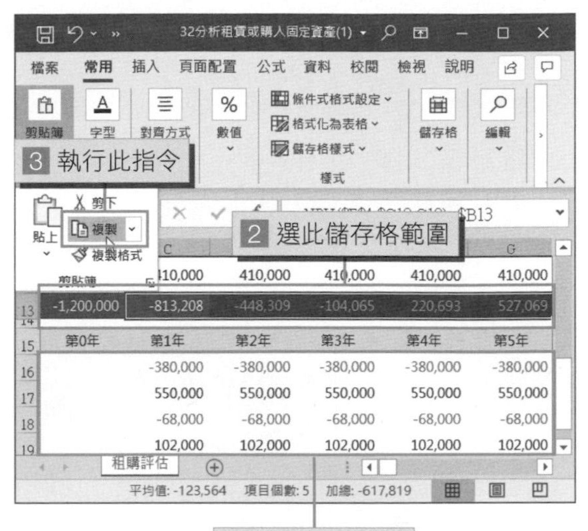

儲存格	公式	儲存格	公式
C16	=-$D$2	C18	=-(C16+C17)*$F$3
C17	=$F$2	C19	=SUM(C16:C18)

⑭ 選取 C20 儲存格，在「剪貼簿」功能區中，按下「貼上」清單鈕，執行貼上「公式」指令。

⑮ 雖然第 5 年租賃的淨現值比購買低，但是租賃 5 年期間淨現值都是「正」值，應該以「租賃」固定資產較為有利。不過固定資產雖然帳面上只有 5 年的耐用年限，若是平日保養得宜，還可以延長耐用年限，若再考慮購買的資金是否要支付利息，以及保養費用的編列，好像似乎還是以租賃較為划算。

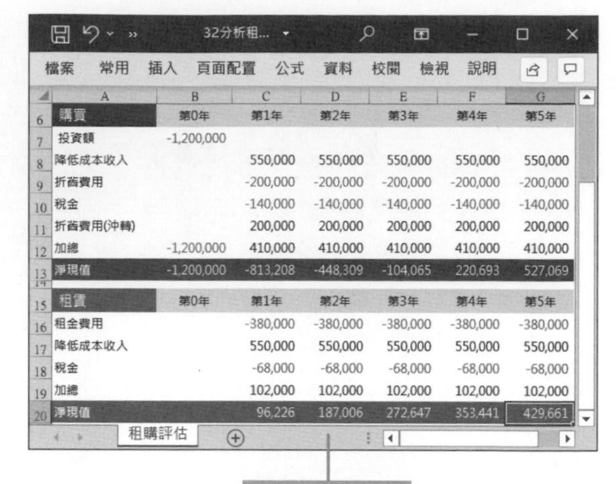

	A	B	C	D	E	F	G
6	購買	第0年	第1年	第2年	第3年	第4年	第5年
7	投資額	-1,200,000					
8	降低成本收入		550,000	550,000	550,000	550,000	550,000
9	折舊費用		-200,000	-200,000	-200,000	-200,000	-200,000
10	稅金		-140,000	-140,000	-140,000	-140,000	-140,000
11	折舊費用(沖轉)		200,000	200,000	200,000	200,000	200,000
12	加總	-1,200,000	410,000	410,000	410,000	410,000	410,000
13	淨現值	-1,200,000	-813,208	-448,309	-104,065	220,693	527,069
15	租賃	第0年	第1年	第2年	第3年	第4年	第5年
16	租金費用		-380,000	-380,000	-380,000	-380,000	-380,000
17	降低成本收入		550,000	550,000	550,000	550,000	550,000
18	稅金		-68,000	-68,000	-68,000	-68,000	-68,000
19	加總		102,000	102,000	102,000	102,000	102,000
20	淨現值		96,226	187,006	272,647	353,441	429,661

完成評估表格

單元 33

範例光碟：CHAPTER 05\33財產目錄

財產目錄

財產目錄

110年　3月　31日

類別	財產編號	設備或生財器具名稱	所在地址	數量	單位	取得時間			價格		預留殘值	取得原價減預留價值	耐用年數			折舊額		未折減餘額	備註
						年	月	日	取得原價	改良或修理			原表	新表	換算	本期提列數	截至本期止累計數		
生財器具	CS89611	電腦1	本公司	4	套	106	3	5	170,000		28,333	141,667	5			4,890	115,429	54,571	
生財器具	OA89102	多功能印表機	本公司	2	套	108	6	7	80,000		13,333	66,667	5			5,772	24,183	55,817	
生財器具	CS90521	電腦排音設備	本公司	1	套	109	5	25	230,000		38,333	191,667	5			15,123	32,557	197,443	
生財器具	CS90522	電腦2	本公司	12	套	109	8	8	650,000		108,333	541,667	5			65,000	69,749	580,251	
生財器具 合計									1,130,000		188,332	941,668				90,785	241,918	888,082	
其他設備	OT90504	行動電話	本公司	5	台	109	5	20	49,000		8,167	40,833	5			3,110	7,048	41,952	
其他設備 合計									49,000		8,167	40,833				3,110	7,048	41,952	
運輸設備	TP89202	貨車	本公司	1	台	107	5	1	780,000		195,000	585,000	3			64,110	568,973	211,027	
運輸設備 合計									780,000		195,000	585,000				64,110	568,973	211,027	
機器設備	MA89304	色彩輸出機	本公司	1	套	108	9	3	760,000		126,667	633,333	5			85,370	199,196	560,804	
機器設備	MA89305	彩片機	本公司	1	台	108	12	1	1,230,000		111,818	1,118,182	10			102,628	148,580	1,081,420	
機器設備 合計									1,990,000		238,485	1,751,515				187,998	347,776	1,642,224	
辦公設備	OA89101	辦公傢具	本公司	1	批	107	3	5	1,000,000		166,667	833,333	5			28,767	512,329	487,671	
辦公設備 合計									1,000,000		166,667	833,333				28,767	512,329	487,671	
總計									$ 4,949,000		$ 796,651	$4,152,349				$ 374,770	$ 1,678,044	$ 3,270,956	

使用 EXCEL 建立財產目錄，不僅是會計上必須編製的基本報表而已，還可以兼作固定資產資料庫和計算「當期折舊」費用的好幫手，若依照規定表格設計，還可以直接列印出來，貼在營利事業所得稅申報書中，省去填寫財產目錄的麻煩，真是非常方便！財務會計理論上對固定資產的耐用年數沒有明文規定，但在稅務會計上，每項固定資產都有耐用年數的限制，可以上網查詢各項資產的耐用年數表。

範例步驟

① 請開啟範例檔「33 財產目錄 (1) .xlsx」，計算固定資產的預留殘值，公式為「預留殘值 = 成本 / (耐用年限 +1) 」。選取 L5 儲存格輸入「=IF($N5="","",ROUND($J5/($N5+1),0))」。

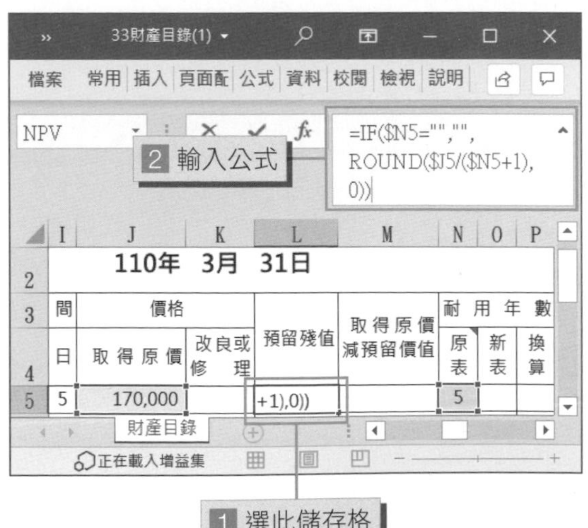

2. 選取 M5 儲存格輸入公式「=IF($N5="","",$J5-$L5)」，輸入完成後，選取 L5:M5 儲存格，將公式複製到下方儲存格。

3. 接著計算本期提列金額，雖然使用的函數很簡單，但結構有些複雜，選取 Q5 儲存格，輸入完整公式為「=IF($N5="","",IF(DATE(結算年 , 結算月 , 結算日)<=DATE($G5,$H5,$I5),"",IF(DATE(結算年 , 結算月 , 結算日)>DATE($G5+$N5,$H5,$I5-1),0,ROUND(SLN($J5,$L5,$N5)/365*IF(結算年 =$G5,DATE(結算年 , 結算月 , 結算日)-DATE($G5,$H5,$I5),DATE($G5,$H5,$I5)-DATE($G5,1,1)),0))))」。

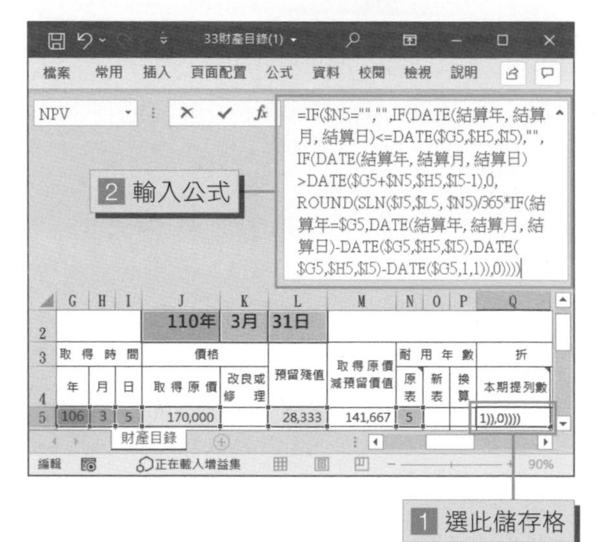

公式說明：

最前段公式為避免複製公式到未使用儲存格時，所產生錯誤訊息而設置。第 2 段是結算日時，該資產為取得，無需提列折舊金額，故顯示空格。第 3 段資產已超過耐用年限，無折舊金額可提列，故顯示零值。第 4 段計算取得日到結算日的天數。第 5 段為計算結算日到該年年初的天數。最後的部份為每年折舊金額換算成每日，再乘上第 4 段或第 5 段所產生的天數，則是截至結算日應提列的折舊金額。

④ 計算出本期提列金額，並將公式複製到下方儲存格。

累計折舊和本期折舊的公式架構相似。選取 R5 儲存格，並輸入累計折舊公式「=IF($G5="","",IF(DATE(結算年，結算月，結算日)<=DATE($G5, $H5, $I5),"",ROUND(IF(DATE($G5, $H5, $I5)+($N5*365)<DATE(結算年,結算月,結算日),$J5-$L5,SLN($J5, $L5, $N5)/365*(DATE(結算年,結算月,結算日)-DATE($G5, $H5, $I5))),0)))」。

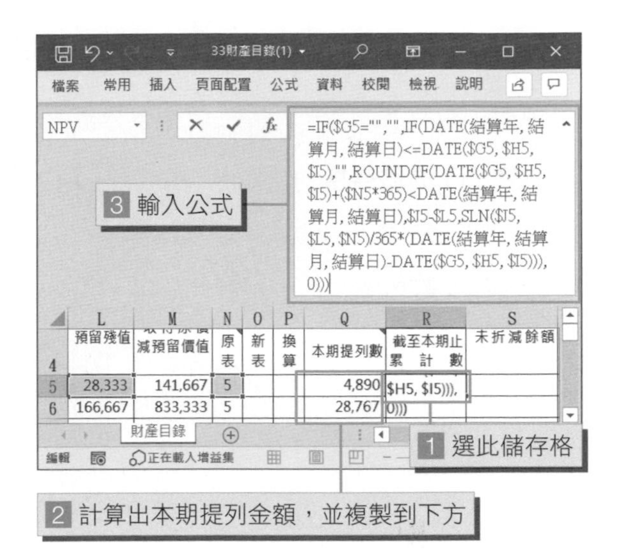

公式說明：

前 2 段公式與本期折舊的公式相同。第 3 段表示已經超過耐用年數，「累計折舊」則計算「成本」減去「預留殘值」即可。最後部分則是計算每天的折舊金額乘上從「取得日」到「結算日」的天數即是「累計折舊」。

⑤ 接下來輸入「未折減餘額」公式，選取 S5 儲存格，輸入公式「=IF(成本="","",成本-累計折舊)」。

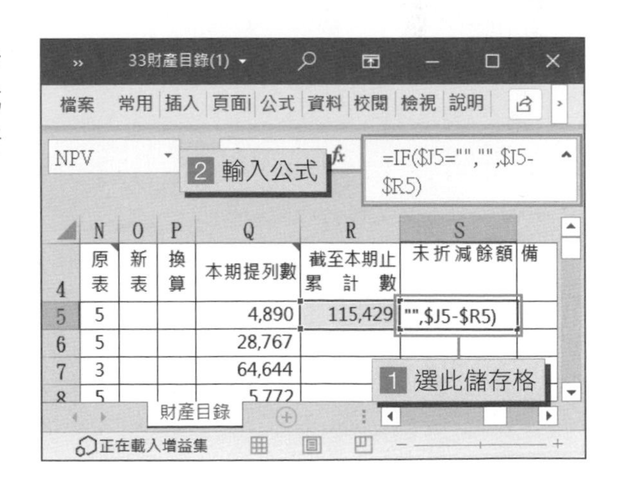

6 最後將 R5:S5 儲存格公式，複製到下方儲存格即完成財產目錄。

7 固定資產超過耐用年數則需要報廢、出售或是延長耐用年限的後續處理，所以在財產目錄上設定格式化條件，讓 EXCEL 顯示提醒訊息。選取 S5 儲存格，切換到「常用」功能索引標籤，在「樣式」功能區中，按下「條件式格式設定」清單鈕，執行「醒目提示儲存格規則 \ 介於」指令。

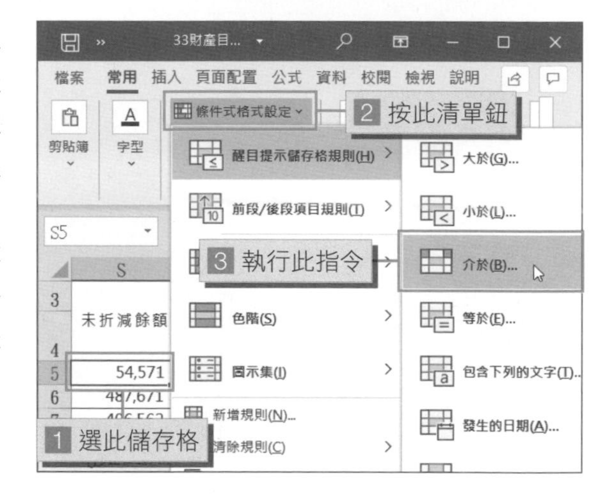

8 開啟「介於」對話方塊，設定儲存格的值介於「=$L5*2」且「=$L5+1」之間，顯示格式使用預設的格式，設定完後按「確定」鈕。

⑨ 同一個儲存格可以設定多個格式化條件，已經設定下一個年度即將超過年限的格式化條件，接著再設定一個已經過期的格式提醒。同樣選取 S5 儲存格，執行「等於」指令。

⑩ 設定儲存格的值等於「=$L5」，按下顯示格式旁的清單鈕，選擇「綠色填滿與深綠色文字」樣式，設定完後按「確定」鈕。

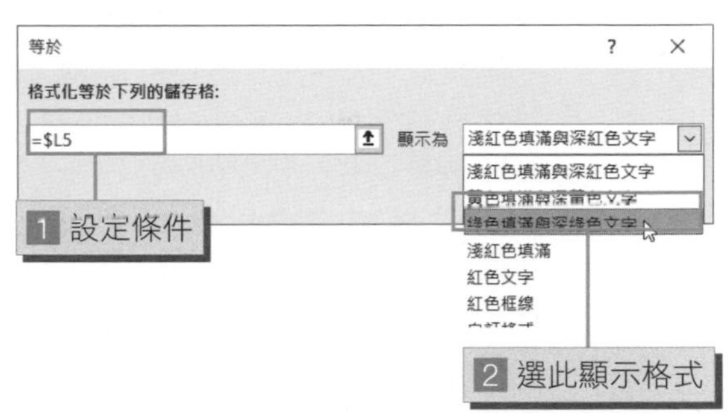

⑪ 繼續選取 S5 儲存格，執行「複製格式」指令。當游標變成 ✥ 油漆刷符號，則可使用拖曳的方式，複製格式化條件到下方儲存格。

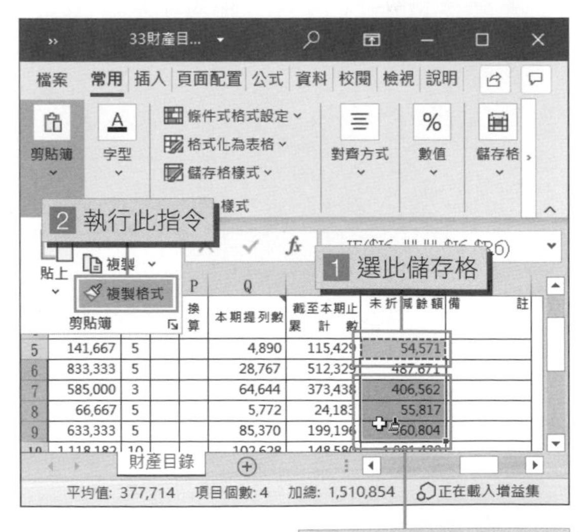

⑫ 當未折減餘額符合任何一個設定的條件，儲存格則會顯示該條件式的格式。

⑬ 一般財產目錄會將不同類別的資產，依照取得日期排序後，並加總各類別的資產總額。請開啟範例檔「33 財產目錄 (2).xlsx」，首先使用「排序」功能，將相同類別集合起來，先選取 A3:T13 儲存格範圍，切換到「資料」功能索引標籤，在「排序與篩選」功能區中，執行「排序」指令。

⑭ 開啟「排序」對話方塊，先勾選「我的資料有標題」，設定第一組排序條件，依照「類別」從 A 到 Z 排序，按下「新增層級」鈕。

⑮ 接著設定第二組排序條件，依照「取得時間」從最小到最大排序，設定完成後，按下「確定」鈕。

⑯ 最後再用「小計」功能完成加總的欄位。重新選取 A3:T13 儲存格範圍，切換到「資料」功能索引標籤，在「大綱」功能區中，執行「小計」指令。

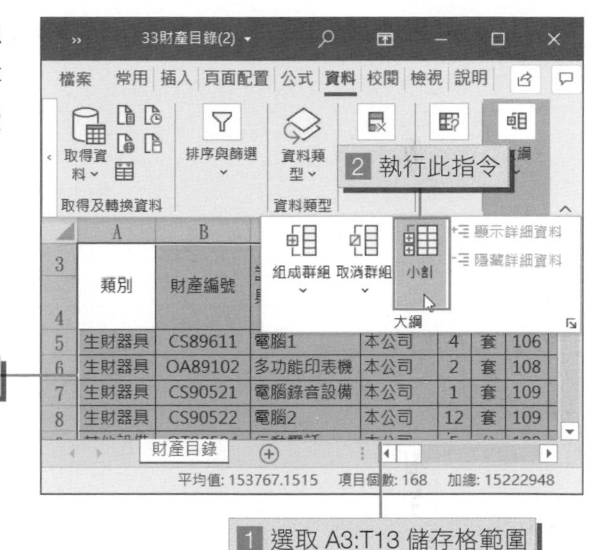

⑰ 因為部分表格標題為合併儲存格，所以會出現此提示訊息，直接按「確定」鈕。

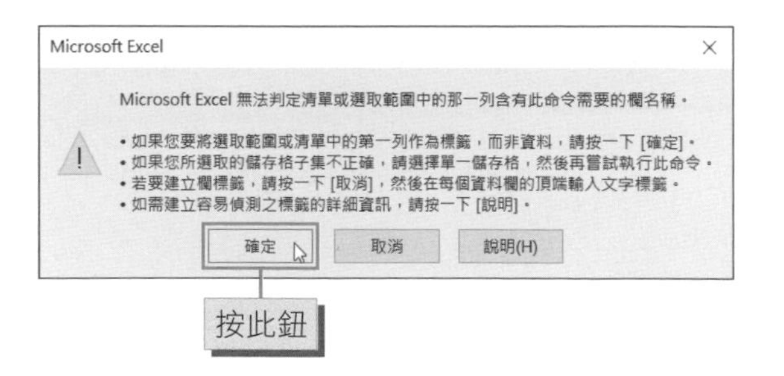

⑱ 出現「小計」對話方塊，設定依照「類別」作為分組，使用「加總」函數，勾選「價格」、「預留殘值」、「取得原價 減預留殘值」、「折舊額」、「欄 R」及「未折減餘額」等欄位作為小計位置（其餘皆取消勾選），設定完成按「確定」鈕。

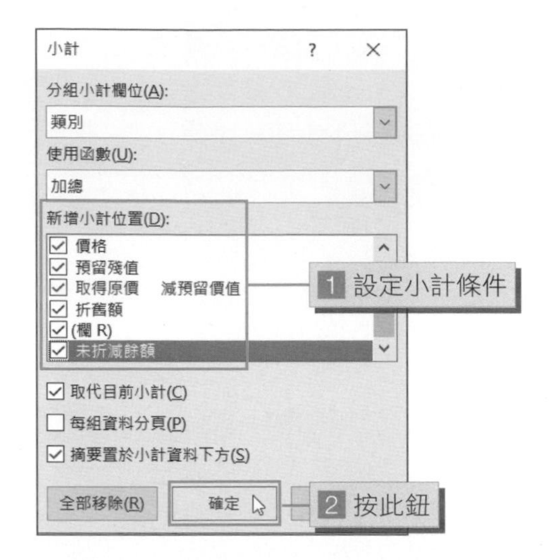

⑲ 依照類別在指定欄位增加小計的金額。

按此可開啟或摺疊該類別明細

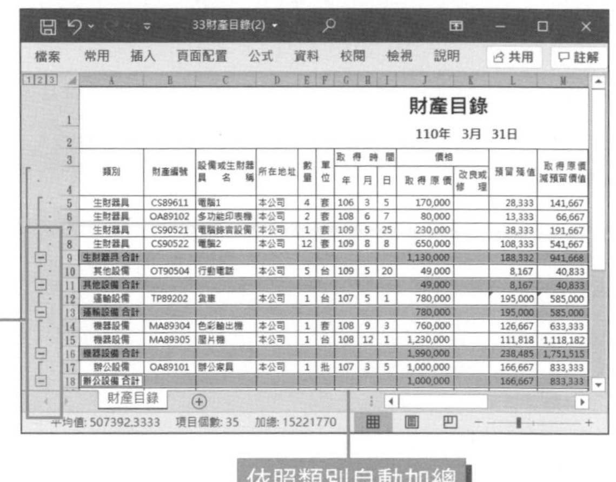

CHAPTER

6 股務管理系統

Excel

單元 34

範例光碟：CHAPTER 06\34股東名冊

股東名冊

股東名冊

戶號	姓名	戶籍地址	合計股數	股款	持股比	出生年月日	身分證字號	備註	稱謂
001	潘O宇	台南縣大社路162號	260,000	2,600,000	13.00%	71年1月16日	A121***111	董事長	先生
002	葉O哲	屏東縣民生路777號	290,000	2,900,000	14.50%	69年4月2日	A101***010		先生
003	陳O祐	高雄市育南路2號	250,000	2,500,000	12.50%	68年7月4日	A100***779	監察人	先生
004	張O佑	宜蘭縣翠萍新路78號	250,000	2,500,000	12.50%	75年4月6日	F120***175		先生
005	林O睿	台北市和平路237號14樓	120,000	1,200,000	6.00%	69年9月9日	R100***710		先生
006	潘O宏	台東縣衛山路三段340號	380,000	3,800,000	19.00%	75年3月31日	V120***047	董事	先生
007	李O晨	台東縣衛山路三段340號	130,000	1,300,000	6.50%	71年10月9日	G220***774	董事	小姐
008	蔡O安	基隆市三民路四巷10-1號	320,000	3,200,000	16.00%	72年3月27日	R200***271	董事	小姐
009									
010									
011									
012									
013									
014									
015									
		合計	2,000,000	20,000,000	100.00%				

股東名冊是記錄著公司資金來源的名單，性質就像公司員工的人事薪資資料庫一樣，但會隨著交易買賣而有所變動，屬於重要的公司文件。由於股務處理起來較為繁雜，現在大多數公司都交由專業的股務代理人辦理。

範例步驟

① 首先計算各股東的持股比例。請開啟範例檔「34 股東名冊 (1).xlsx」，先選取 F4 儲存格，輸入「合計股數」公式「=D4+E4」；再選取 G4 儲存格，輸入「股款」公式「=F4*10」(以票面價值 10 元計算)；再選取 H4 儲存格，輸入「持股比」公式「=F4 /$D$19」。

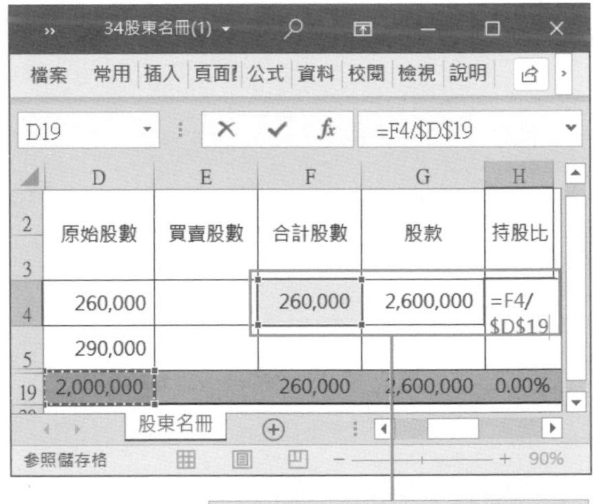

② 選取 F4:H4 儲存格範圍，使用拖曳填滿控點的方式，將公式複製到下方儲存格。

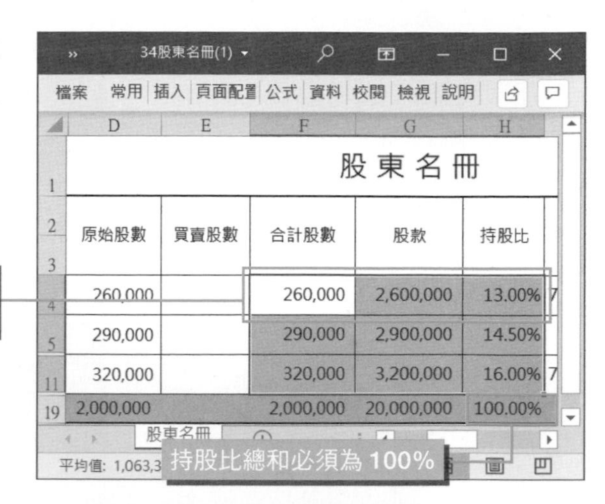

③ 選取整欄 D:E，切換到「常用」功能索引標籤，在「儲存格」功能區中，按下「格式」清單鈕，執行「隱藏及取消隱藏\隱藏欄」指令，完成股東名冊。

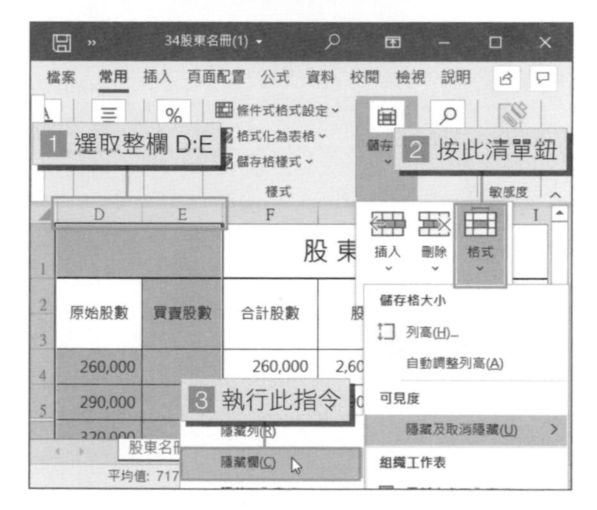

④ 由於股東名冊是公司重要的文件，因此在文件管理上要特別小心，需要保護檔案，讓非相關人員無法開啟。首先按下「檔案」功能標籤。

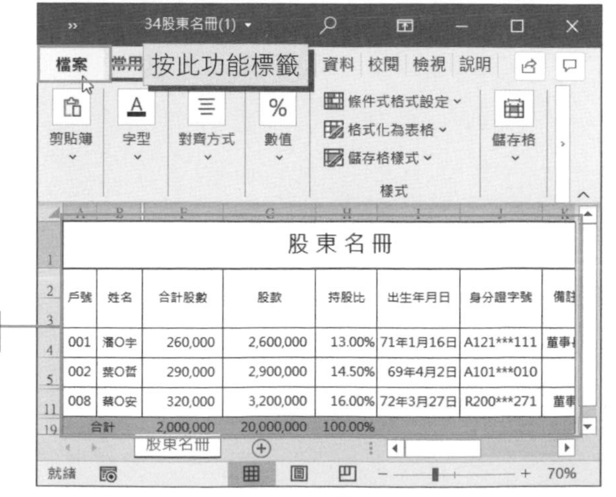

⑤ 切換到「檔案」功能索引標籤，在「資訊」索引標籤中，按下「保護活頁簿」圖示鈕，選擇執行「以密碼加密」指令。

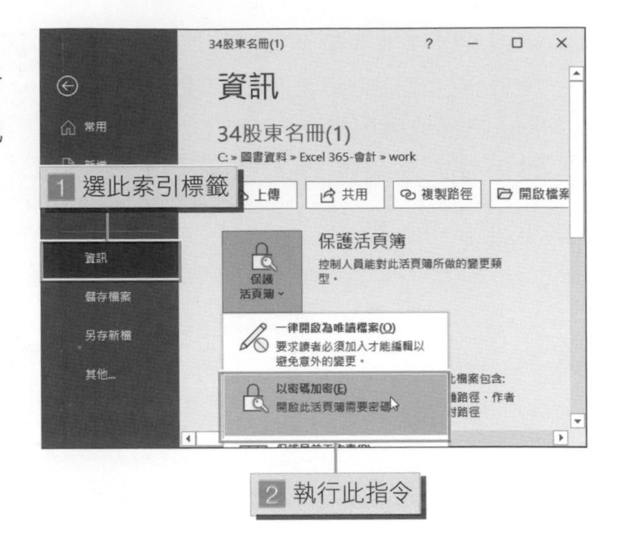

⑥ 開啟「加密文件」對話方塊，輸入自訂密碼（0000），按「確定」鈕。

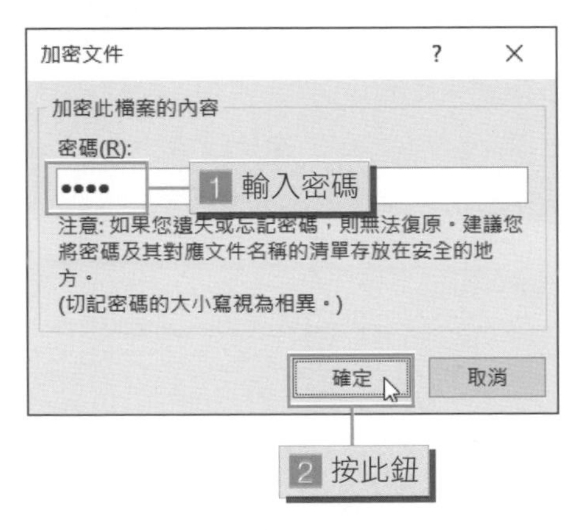

⑦ 開啟「確認密碼」對話方塊，再次輸入確認密碼（0000），按「確定」鈕。

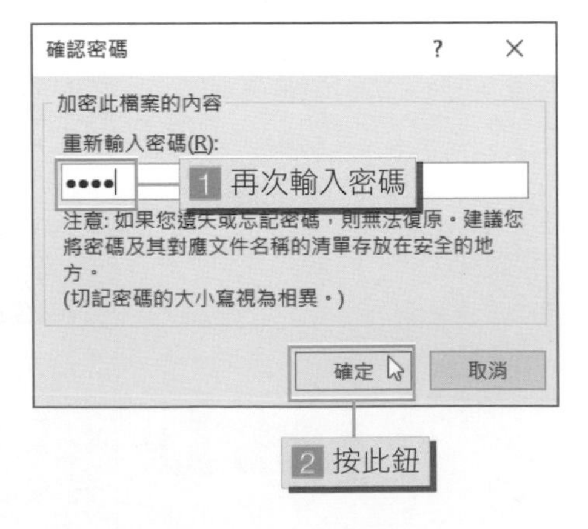

⑧ 此時保護活頁簿圖示鈕旁會顯示「開啟此活頁簿需要密碼」資訊，表示該檔案已經設定密碼，但是還必須執行「儲存檔案」指令才能儲存設定。

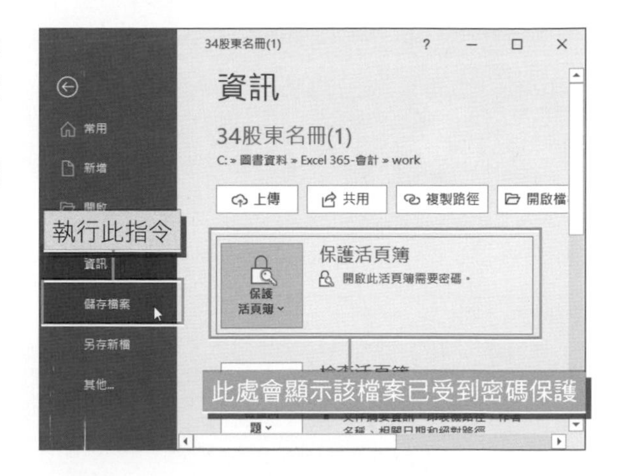

⑨ 當再次開啟檔案時，會出現「密碼」對話方塊，請輸入設定的密碼（0000），按下「確定」鈕即可。

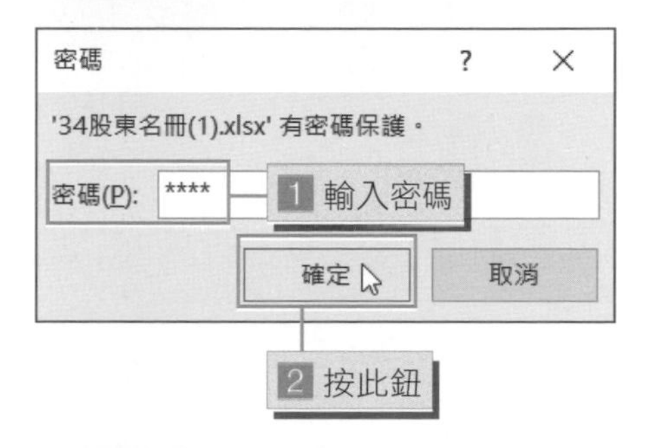

⑩ 若要取消設定密碼，切換到「檔案」功能索引標籤，在「資訊」索引標籤中，按下「保護活頁簿」圖示鈕，再次執行「以密碼加密」指令。在開啟「加密文件」對話方塊，刪除自訂密碼，按「確定」鈕後，最後再執行「儲存檔案」指令即可。

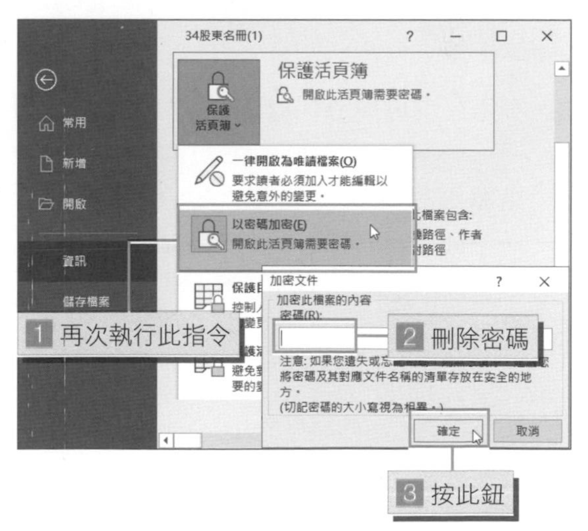

單元 35

範例光碟：CHAPTER 06\35董事會組織圖

董事會組織圖

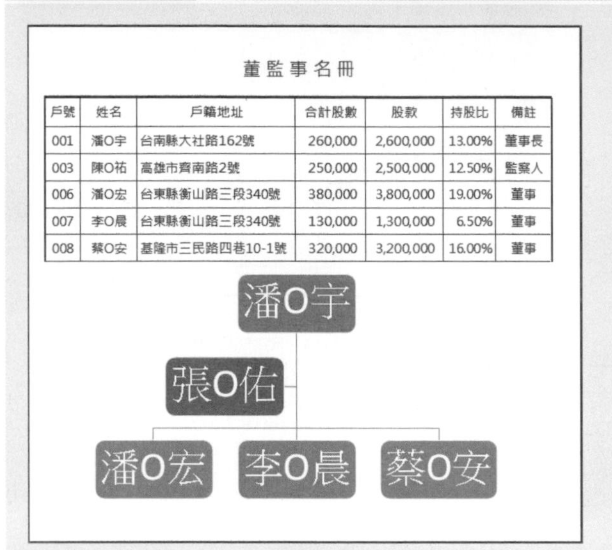

董監事名冊

戶號	姓名	戶籍地址	合計股數	股款	持股比	備註
001	潘O宇	台南縣大社路162號	260,000	2,600,000	13.00%	董事長
003	陳O祐	高雄市齊南路2號	250,000	2,500,000	12.50%	監察人
006	潘O宏	台東縣衡山路三段340號	380,000	3,800,000	19.00%	董事
007	李O晨	台東縣衡山路三段340號	130,000	1,300,000	6.50%	董事
008	蔡O安	基隆市三民路四巷10-1號	320,000	3,200,000	16.00%	董事

股東名冊的人數會隨著參與經營或投資的人數異動而增減，但是股東專屬的戶號一旦編訂，就不會因為撤資而取消。而董監事名單可以利用組織圖來表示，既清楚又便利。

範例步驟

1. 利用股東名冊資料製作董監事名冊，請開啟範例檔「35 董事會組織圖 (1).xlsx」，選取「股東名冊」工作表標籤，按下滑鼠右鍵，開啟快顯功能表，執行「移動或複製」指令。

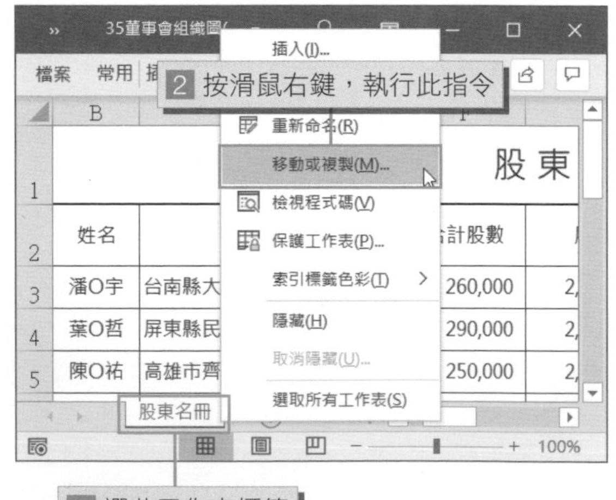

② 開啟「移動或複製」對話方塊，選擇「移動到最後」並勾選「建立複本」，按下「確定」鈕。

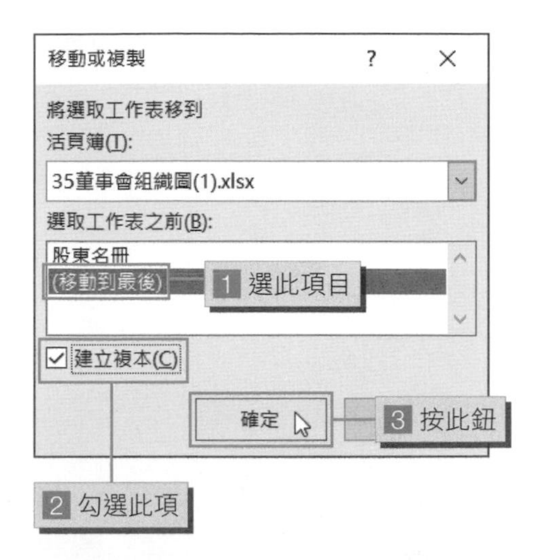

③ 工作表標籤新增「股東名冊 (2)」工作表，選此工作表標籤，按下滑鼠右鍵，開啟快顯功能表，執行「重新命名」指令。

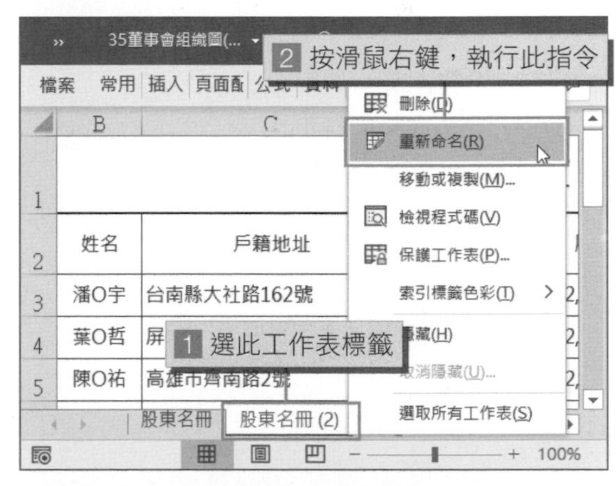

④ 於反白的工作表標籤中，輸入新工作表名稱「董監事名冊」，輸入完後，選取 A1 儲存格，將股東名冊亦改為「董監事名冊」。

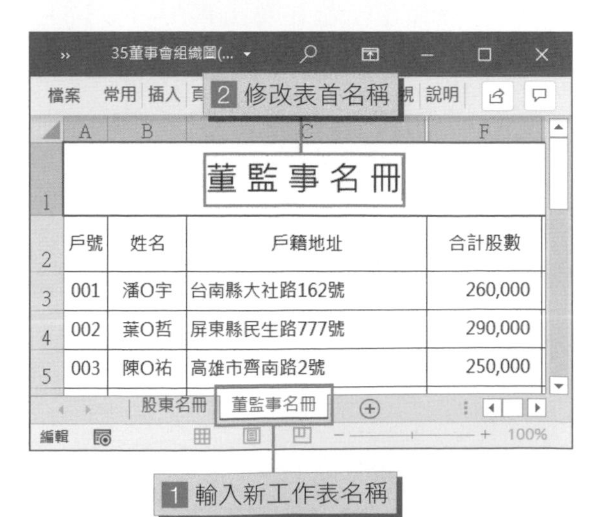

⑤ 在「董監事名冊」工作表中，選取 K2 儲存格，切換到「資料」功能索引標籤，在「排序與篩選」功能區中，執行「篩選」指令。

⑥ 標題列出現篩選鈕，按下「備註」欄的篩選鈕，取消勾選「空格」選項，按下「確定」鈕。

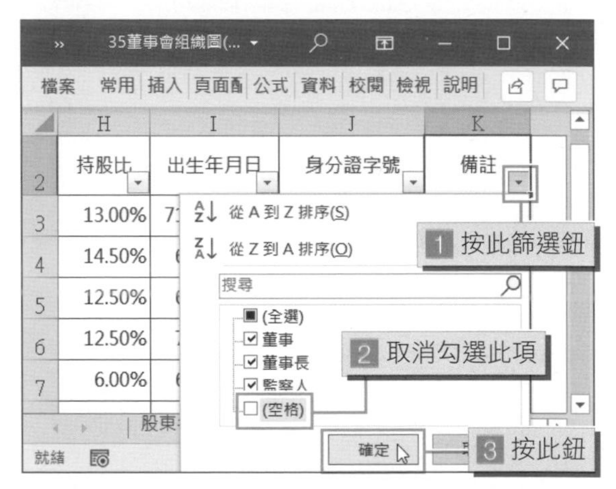

⑦ 工作表僅顯示擔任董監事的名單。切換到「插入」功能索引標籤，在「圖例」功能區中，執行「SmartArt 圖形」指令。

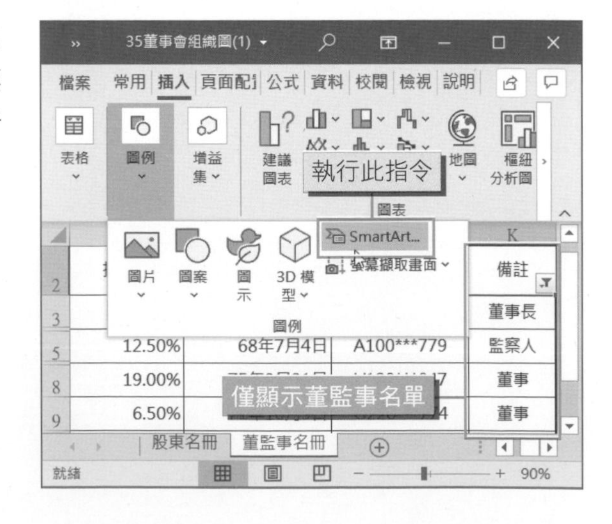

⑧ 開啟「選擇 SmartArt 圖形」對話方塊，選擇「階層圖」類型中的「組織圖」，按「確定」鈕。

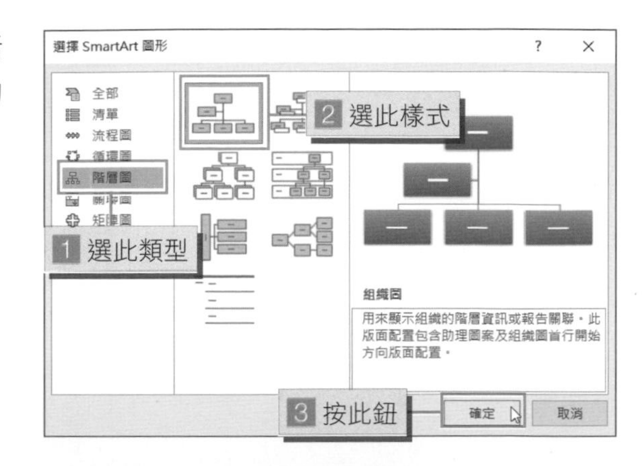

⑨ 出現預設組織圖，選取第一個圖案，直接輸入董事長姓名「潘O宇」。

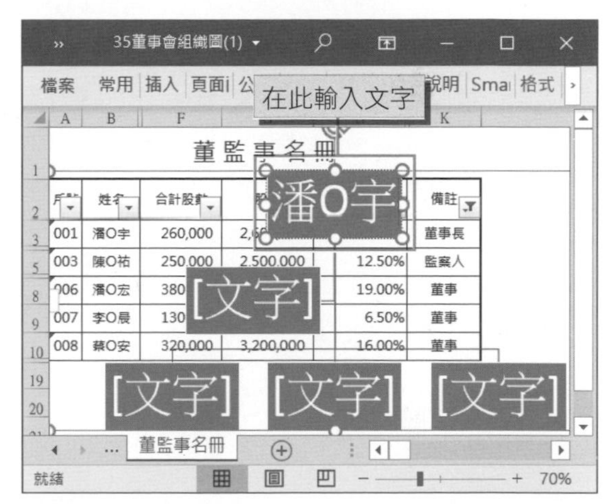

⑩ 依照董監事名冊，陸續將董監事姓名輸入到圖形中，並拖曳圖形到適當位置。

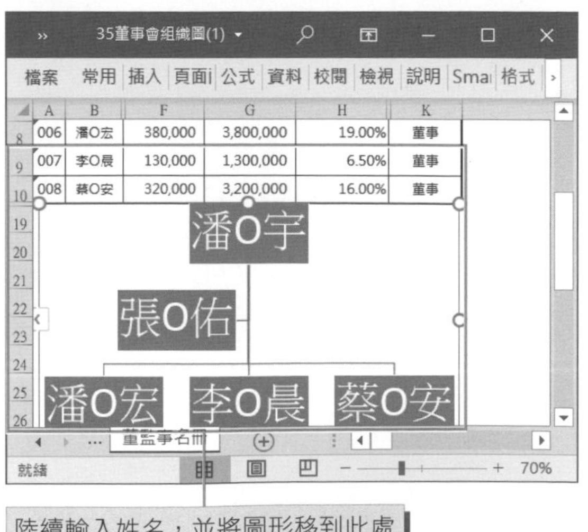

⑪ 選取組織圖圖表，切換到「SmartArt 設計」功能索引標籤，在「SmartArt 樣式」功能區中，按下「變更色彩」清單鈕，選擇「彩色、輔色」樣式。

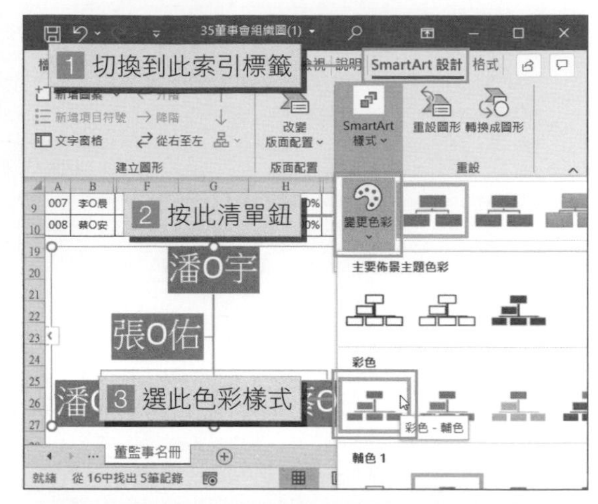

⑫ 選取監事「張 O 佑」圖案，切換到「格式」功能索引標籤，在「圖案樣式」功能區中，按下「圖案填滿」清單鈕，選擇「綠色 輔色 6 較深 25%」色彩，讓不同職務有不同色彩。

⑬ 選取董事長「潘 O 宇」圖案，繼續在「格式」功能索引標籤，在「圖案」功能區中，按下「變更圖案」清單鈕，選擇「圓角矩形」圖案。

⑭ 董事長「潘 O 宇」圖案變更成「圓角矩形」圖案，依相同方法將其他圖案亦變成圓角矩形。

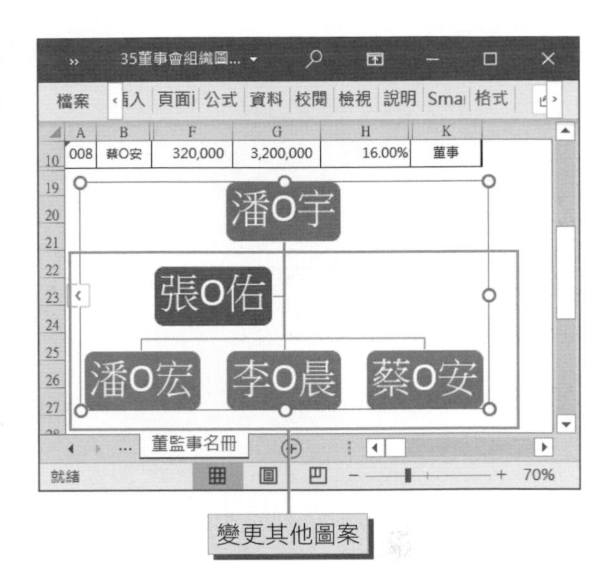

單元 36

範例光碟：CHAPTER 06\36股東會出席調查表

股東會出席調查表

股東會議出席調查單

股東您好：
為方便安排會議當日停車及機場接送等相關事宜，煩請各位股東撥冗填寫出席會議調查單。謝謝您！

姓名	汽車		飛機	
	停車位	數量	接送	航班資訊
潘O宇				
葉O哲				
陳O祐				
張O佑				
林O睿				
潘O宏				
李O晨				
蔡O安				

公司召開股東會議時，有許多小細節必須要注意，會前資料的準備、會場座位的安排、紀念品的發送等，當公司規模不大時，這些股東會議的瑣事，當然全數落在行政人員身上，如果可以有效掌握出席人數，不僅在場地、餐點或交通安排上做最有效的控制，連紀念品的費用都能夠準確的估算。

範例步驟

1. 出席意願調查表並非正式的文件，可以附上公司的位置圖，讓要出席的股東方便找到公司位置，請開啟範例檔「36 股東會出席調查表 (1).xlsx」，使用快取圖形來繪製公司位置圖。切換到「插入」功能索引標籤，在「圖例」功能區中，按下「圖案」清單鈕，選擇插入「線條」圖案。

② 此時游標會變成＋十字符號，按住滑鼠左鍵，游標會變成＋大十字符號，使用拖曳的方式在工作表中繪製一條直線。

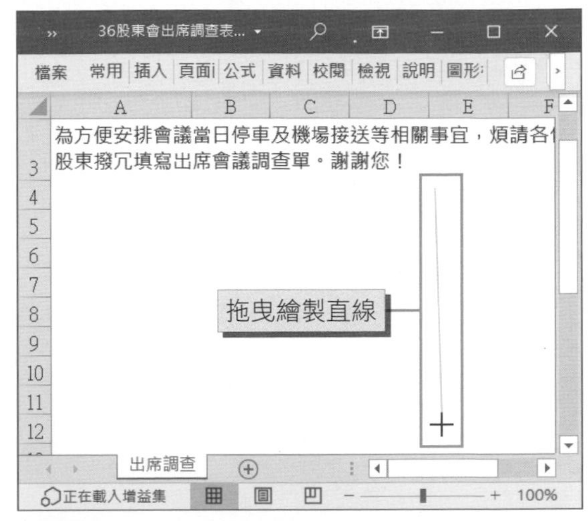

③ 選取剛繪製的直線，按住鍵盤【Ctrl】鍵，此時游標會從 變成 符號，拖曳複製線條，讓兩條直線表示一條道路。

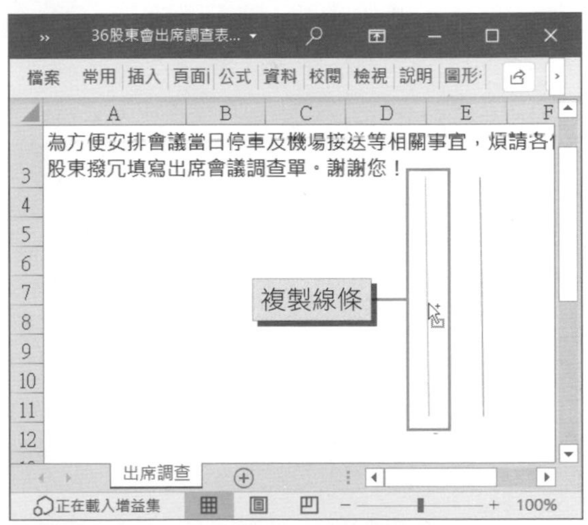

④ 繼續繪製下一個圖案，切換到「圖形格式」功能索引標籤，在「插入圖案」功能區中，選擇「橢圓形」圖案。

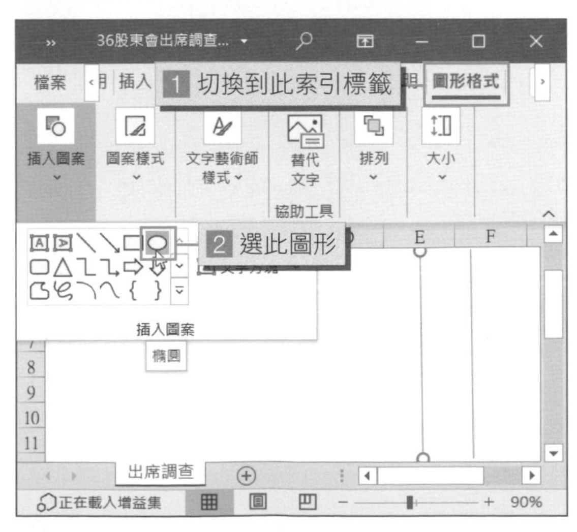

5 在兩條直線中，使用拖曳的方式繪製一個圓形。

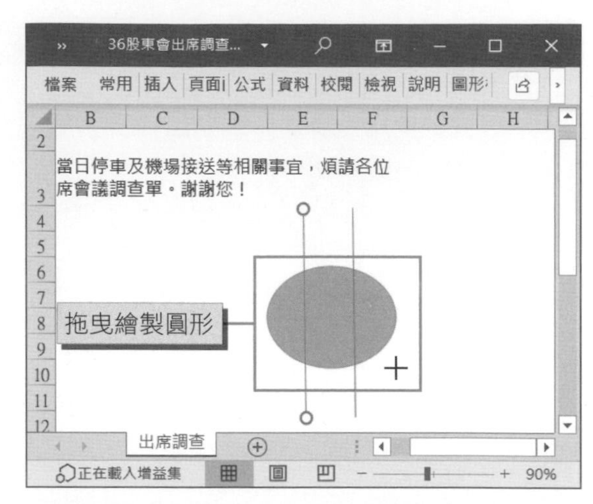

6 選取新繪製的圓形，按下滑鼠右鍵，開啟快顯功能表，執行「編輯文字」指令。

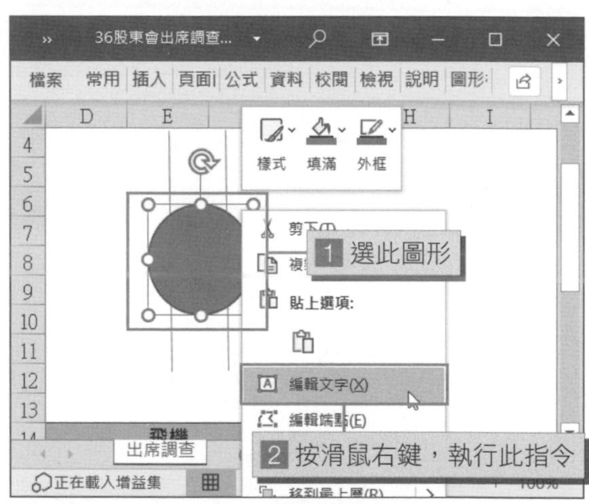

7 在圓形圖案中輸入文字「中正交流道」，切換到「常用」功能索引標籤，在「對齊方式」功能區中，分別執行「垂直置中」及「水平置中」指令，讓文字置中對齊。

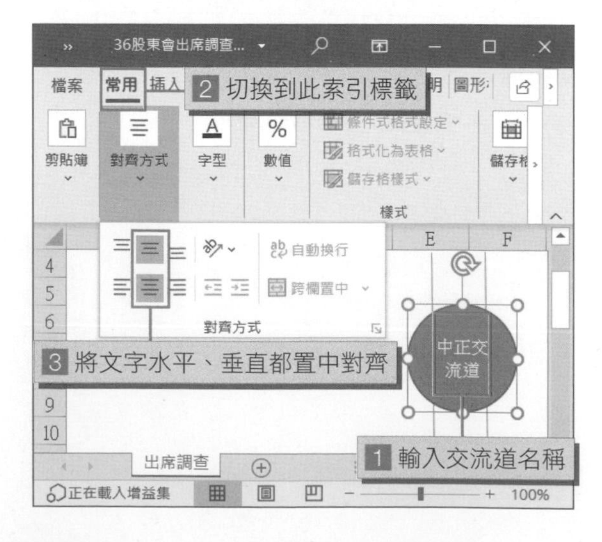

8 接著切換到「圖形格式」功能索引標籤，在「插入圖案」功能區中，按下「文字方塊」清單鈕，選擇插入「垂直文字方塊」。

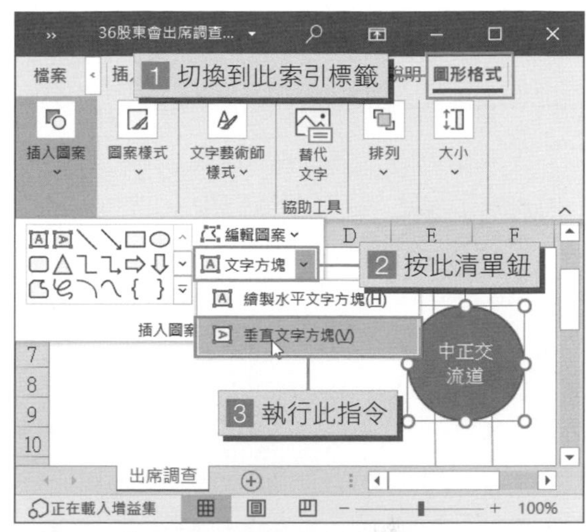

9 拖曳繪製出長條型的垂直文字方塊。

10 直接在文字方塊中輸入文字「國道一號」，在「國道」及「一號」中間插入空格，避免擋住交流道圖形及文字。

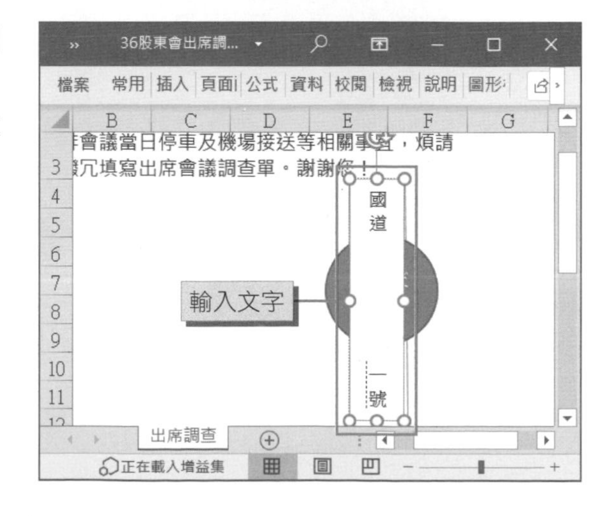

⑪ 選取垂直文字方塊圖案，繼續在「圖形格式」功能索引標籤，在「圖案樣式」功能區中，按下「圖案填滿」清單鈕，選擇「無填滿」樣式。

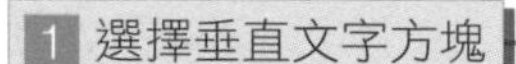

⑫ 繼續選取垂直文字方塊圖案，按下「圖案外框」清單鈕，選擇「無外框」。

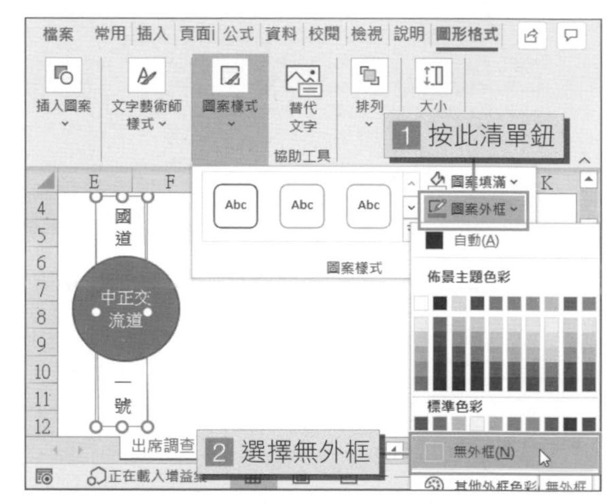

⑬ 交流道示意圖已經繪製完成，利用群組功能將多個繪圖物件合而為一。首先切換到「常用」功能索引標籤，在「編輯」功能區中，按下「尋找與選取」清單鈕，執行「選取物件」指令。

⑭ 此時游標由 ✥ 符號變成 ↖ 符號，無法選取儲存格只能選取繪圖物件。拖曳出一個區域，包含所有繪圖物件。

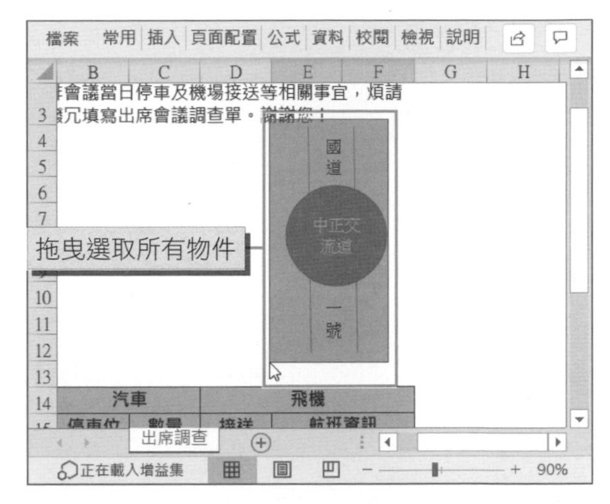

⑮ 放開滑鼠則會選取該區域中所有繪圖物件，然後切換到「圖形格式」功能索引標籤，在「排列」功能區中，按下「組成群組」清單鈕，執行「組成群組」指令。

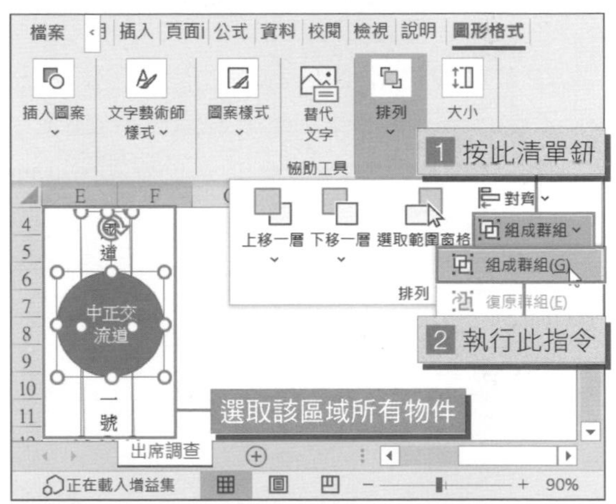

⑯ 依序使用快取圖形繪製完成公司位置圖，最後再將所有物件群組起來即可。若要再回復選取儲存格，只要再執行一次「選取物件」指令即可恢復。

單元 37

範例光碟：CHAPTER 06\37股東會出席統計表

股東會出席統計表

出席會議調查表

姓名	汽車		飛機	
	停車位	數量	接送	航班資訊
潘O宇	是	1	否	
葉O哲	是	2	否	
陳O祐	否		是	
張O佑	否		否	
林O睿	是	1	否	
潘O宏	是	2	否	
李O晨	是	1	否	
蔡O安	否		是	

出席統計表

自行開車	停車位	機場接送
5	7	2

將出席調查單回收之後，可以利用一些函數幫忙統計出席會議的人數、自行開車的人數及停車位數量，以及需要機場接送的人數，以便安排相關事宜。

範例步驟

① 首先使用 COUNTIF 函數統計須要自行開車的人數，請開啟範例檔「37 股東會出席統計表 (1).xlsx」，選取 A15 儲存格，切換到「公式」功能索引標籤，在「函數庫」功能區中，按下「其他函數 \ 統計」清單鈕，執行插入「COUNTIF」函數。

② 開啟 COUNTIF「函數引數」對話方塊，輸入第一個 Range 引數為「B4:B11」儲存格範圍，輸入第二個 Criteria 引數為「"是"」，按下「確定」鈕。完整公式為「=COUNTIF(B4:B11,"是")」。

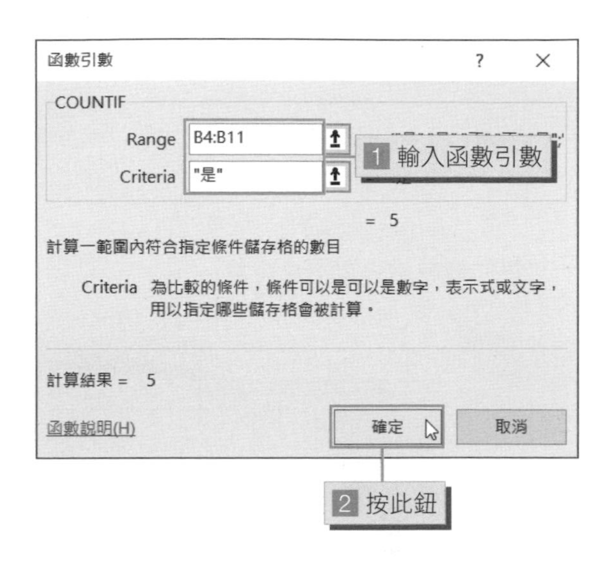

操作 MEMO　COUNTIF 函數

說明： 會計算指定範圍內，符合指定單　條件的儲存格數日。

語法： COUNTIF(range, criteria)

引數： 將資訊提供給動作、事件、方法、屬性、函數或程序的值。

- Range（必要）。要列入計算的一個或多個儲存格。
- Criteria（必要）。指定的單一條件。

③ 接著選取 C15 儲存格，繼續在「函數庫」功能區中，按下「數學與三角函數」清單鈕，執行插入「SUMIF」函數。

④ 開啟 SUMIF「函數引數」對話方塊，輸入第一個 Range 引數為「B4:C11」儲存格範圍，輸入第二個 Criteria 引數為「" 是 "」，輸入第三個 Sum_range 引數為「C4:C11」儲存格範圍，按下「確定」鈕。完整公式為「=SUMIF(B4:C11," 是 ",C4:C11)」。

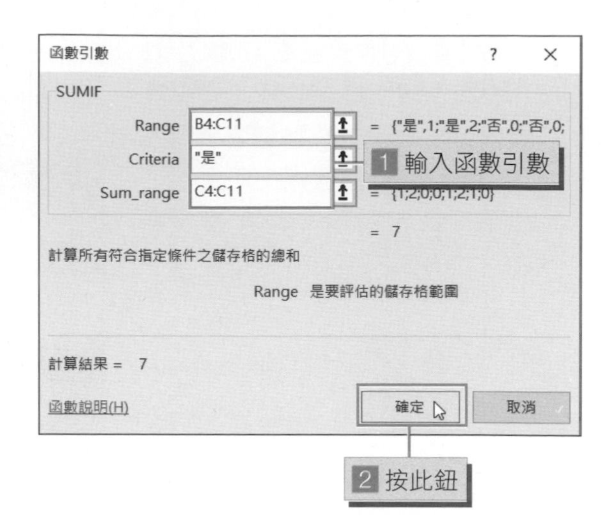

操作 MEMO SUMIF 函數

說明： 計算所有符合條件的儲存格總和。

語法： SUMIF(range, criteria, [sum_range])

引數：
- Range（必要）。就是要進行條件篩選的儲存格範圍。範圍中的儲存格都必須是數字，或包含數字的名稱、陣列或參照位置。
- Criteria（必要）。符合要加總儲存格的條件。可能是數字、運算式或文字的形式。
- Sum_range（可省略）。要加總的儲存格範圍。如果省略此引數，Excel 會加總與套用準則相同的儲存格。

⑤ 接著選取 E15 儲存格，輸入統計公式「=COUNTIF(D4:D11," 是 ")」，完成股東會出席統計表。

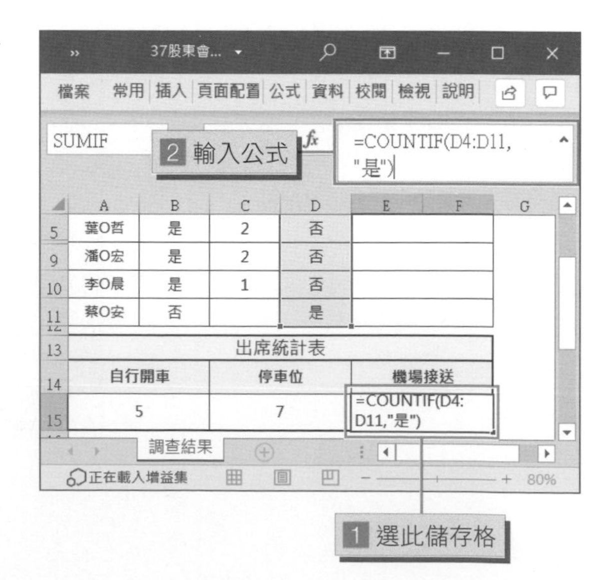

⑥ 有時候表單內容不多，列印起來整個版面空空蕩蕩，除了可以透過調整欄寬和列高增加一些版面外，還可以直接放大列印文件。切換到「檔案」功能索引標籤，在「列印」功能區中，按下「不變更比例」清單鈕，執行「自訂縮放比例選項」指令。

⑦ 開啟「版面設定」對話方塊，自動切換到「頁面」索引標籤，設定縮放比例為「140%」，按「確定」鈕。

⑧ 放大後內容佔了將近一半的頁面。按下「列印」鈕即可進行列印。

單元 38

範例光碟：CHAPTER 06\38股票轉讓通報單

股票轉讓通報單

股票交易不論是不是在公開市場，都要課徵千分之三的證券交易稅，公司股務人員在辦理股票過戶的程序中，證交稅的繳納憑證是辦理過戶的重要單據，而且每年均要彙整股東交易紀錄，編製股東股份轉讓明細表，在營所稅申報時，連同損益表及資產負債表一併送件。

範例步驟

1. 轉讓通報單樣式都是制式的，沒有太多 Excel 技巧，主要是要與股東名冊相互對照勾稽，請同時開啟範例檔「38 股票轉讓通報單(1).xlsx」和「34 股票名冊 .xlsx」（密碼為 0000），任選一個檔案切換到「檢視」功能索引標籤，在「視窗」功能區中，執行「並排顯示」指令。

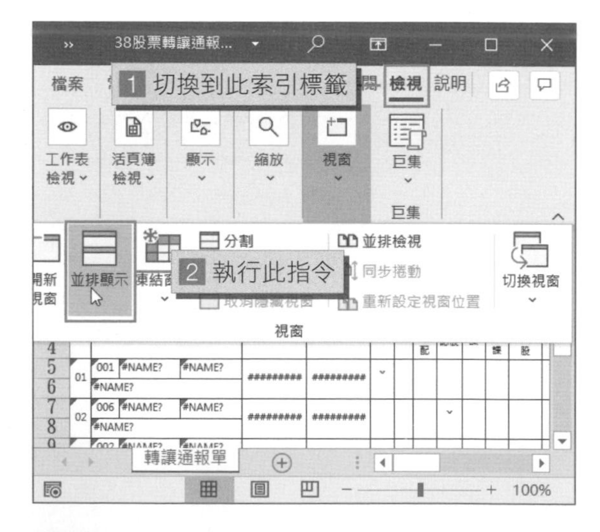

2. 開啟「重排視窗」對話方塊，選擇「磚塊式並排」的排列方式，按「確定」鈕。

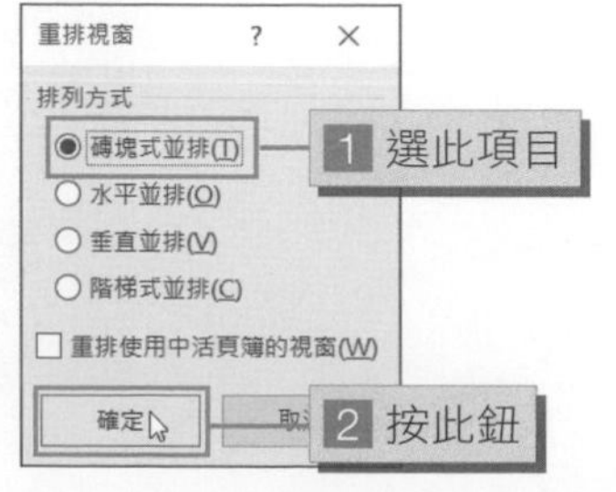

3. 此時兩個活頁簿檔案會並排顯示。

4. 選擇「38 股東轉讓通報表 (1)」活頁簿檔案，切換到「公式」功能索引標籤，在「已定義之名稱」功能區中，執行「定義名稱」指令。(本範例已預先輸入參照公式)

5. 開啟「新名稱」對話方塊，輸入名稱「股東基本資料」，按下「參照到」旁邊的折疊鈕。

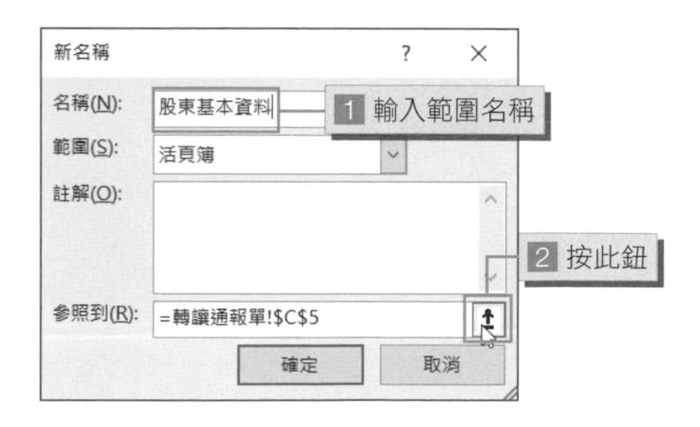

⑥ 切換到「股東名冊」活頁簿工作表，選取 A4:J18 儲存格範圍，按下展開鈕回到上步驟的對話方塊。

⑦ 確認範圍名稱及參照的儲存格範圍後，按「確定」鈕。

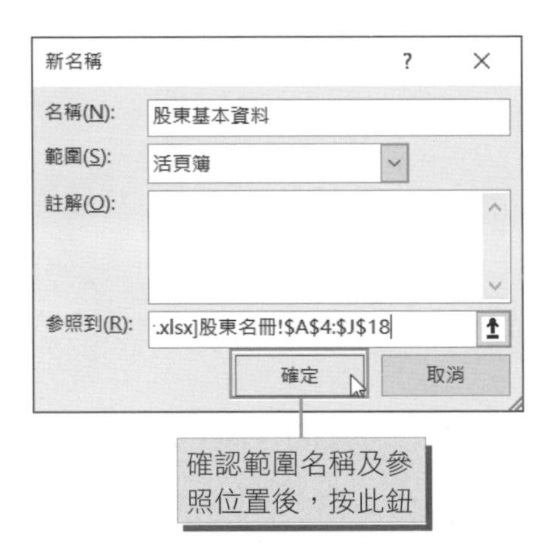

⑧ 回到「轉讓通報單」活頁簿工作表，欄 D 參照公式有誤，所以顯示地址而非身分證號。選取整欄 D，切換到「常用」功能索引標籤，在「編輯」功能區中，按下「尋找與選取」清單鈕，執行「取代」指令。

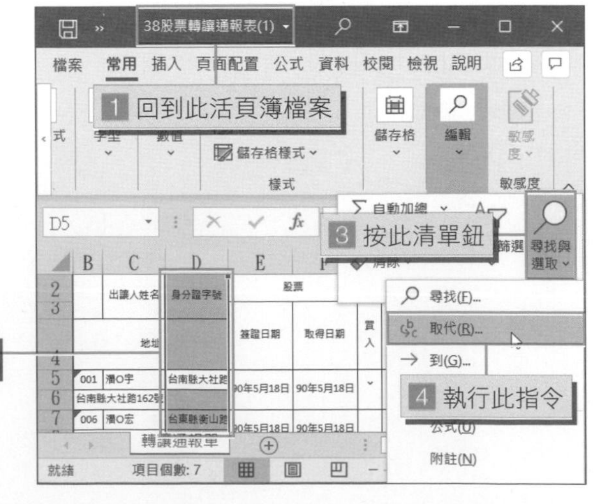

⑨ 開啟「尋找及取代」對話方塊，在尋找目標處輸入「,3,」，在取代處輸入「,10,」，按下「全部尋找」鈕。

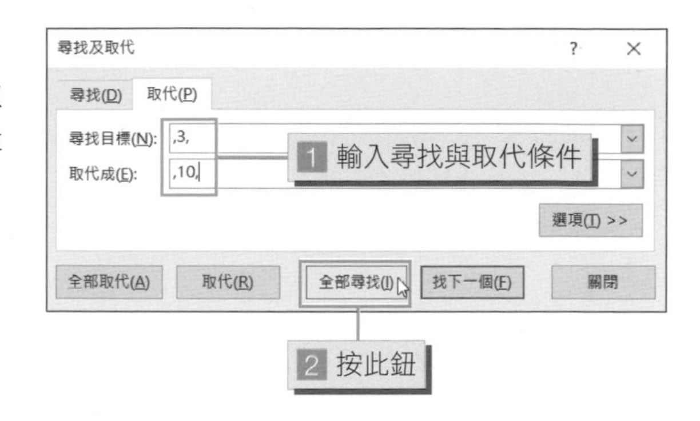

⑩ 對話方塊下方會出現尋找的結果，共有 6 筆資料。選取第一筆資料，按下「取代」鈕。

⑪ 查看內容處會由地址變成身分證字號，證明參照位置無誤。按下「全部取代」鈕，就可以一次處理完成。注意！此時必須仍是選取整欄 D 的狀態下，一共會再取代 5 筆資料。

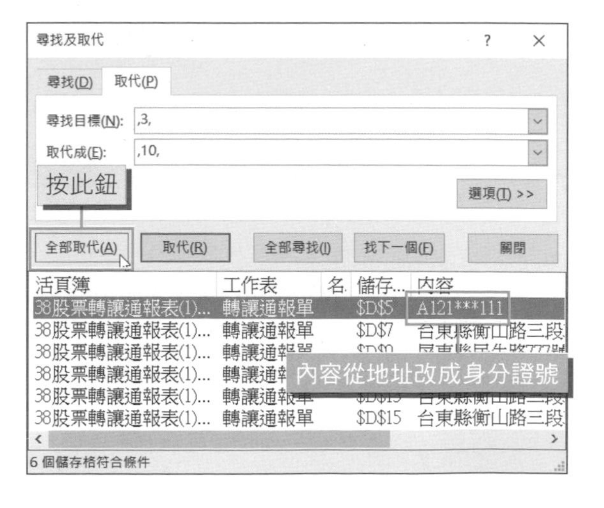

⑫ 所有參照位置取代完成後，按「關閉」鈕。

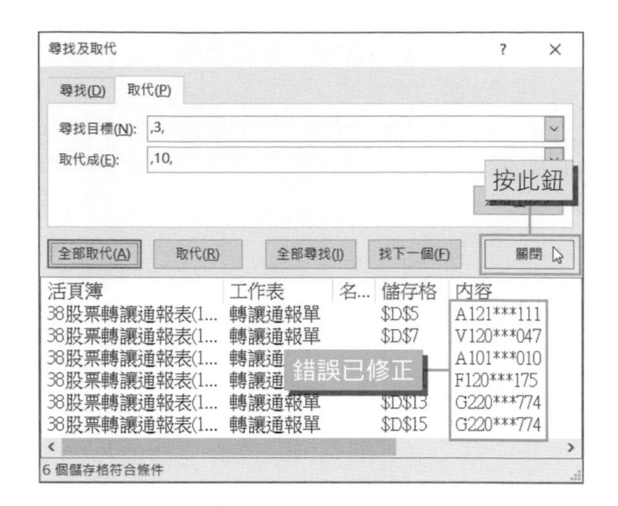

⑬ 欄 D 公式修改完成，儲存格內顯示正確的身分證字號。將欄 T 的參照公式也修改完成，一共會取代 6 筆資料。

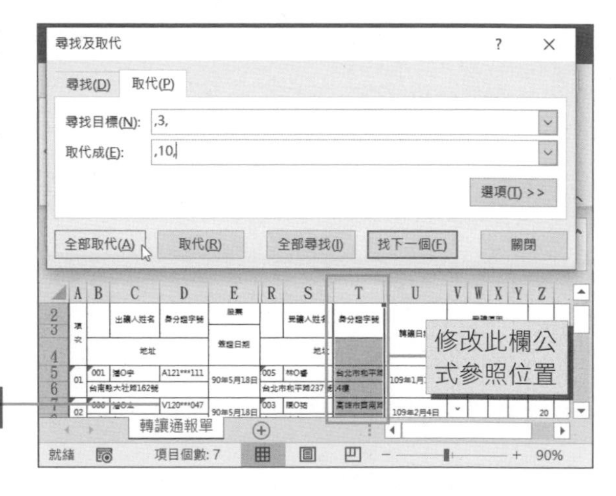

⑭ 最後將證交稅欄位輸入稅率千分之三的公式，不但可以節省登錄的時間，還可以順便核對過戶憑證的證交稅繳款書，沒有短繳或溢繳的情事。選取 AC5 儲存格，輸入證交稅公式「=ROUND(AB5*0.003,0)」，並將公式向下複製即完成。

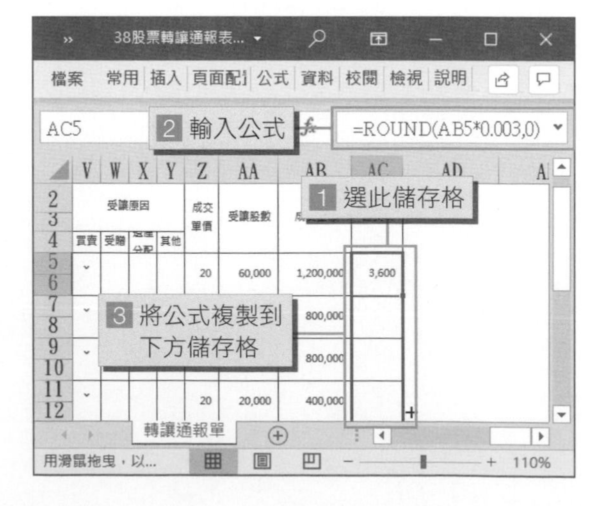

CHAPTER

7 商品行銷分析

Excel

單元 39

範例光碟：CHAPTER 07\39商品組合分析

商品組合分析

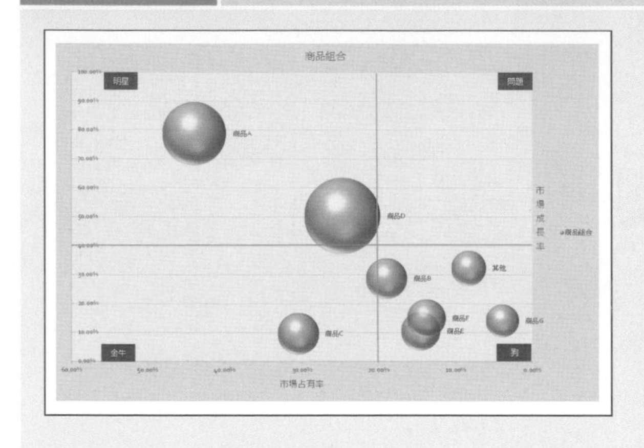

不要把雞蛋放在同一個籃子裡，也就是藉由分散投資來降低風險。公司若只有單一產品，很容易被其他業者取代，大多數的經營者會採取生產多項商品或跨足其他產業的多角化經營模式。為了讓企業在有限的資源中，維持商品的競爭性，分析各種商品對公司的貢獻度，以利作出增減產的決策。

範例步驟

1. 假設某公司有八項主力商品，想要使用 BCG 矩陣來評估這八項商品的相對績效。請開啟範例檔「39 商品組合分析 (1).xlsx」，工作表中已經輸入進行評估時所需要的相關資料，選取 E3 儲存格，輸入市場佔有率公式「=C3/D3」，也就是「本期營業額 / 市場規模」。

② 接著計算市場成長率，也就是「(本期營業額－上期營業額)/上期營業額」。選擇 F3 儲存格，輸入市場成長率公式「=(C3-B3)/B3」。輸入完成後，將 E3:F3 儲存格公式，複製到下方儲存格。

③ 泡泡圖可運用在管理學多角化經營決策中，投資組合管理技術的 BCG 矩陣及 GE 事業輪廓圖都十分適合，接下來就使用工作表資料來製作泡泡圖。切換到「插入」功能索引標籤，在「圖表」功能區中，按下「散佈圖」清單鈕，選擇插入「立體泡泡圖」。

④ 在工作表中出現預設的立體泡泡圖。切換到「圖表設計」功能索引標籤，在「位置」功能區中，執行「移動圖表」指令。

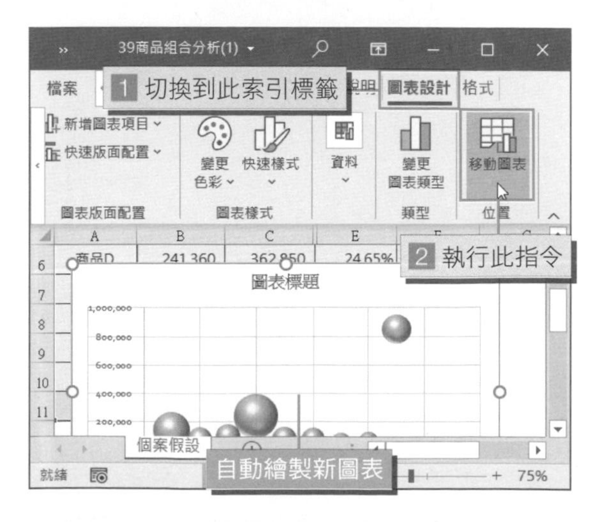

⑤ 選擇「新工作表」並輸入工作表名稱「泡泡圖」，按「確定」鈕。

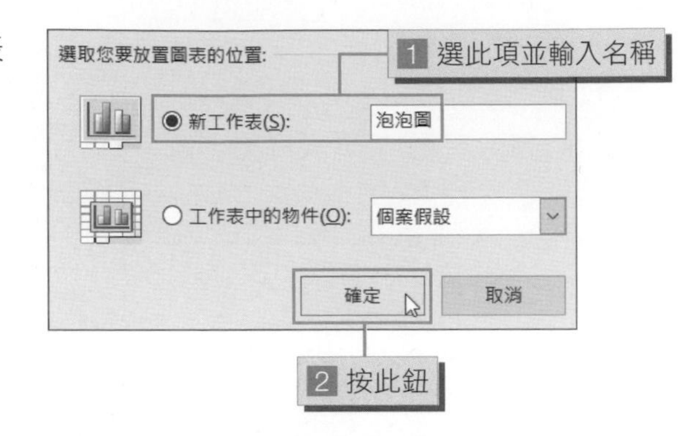

⑥ 泡泡圖移到新的工作表，但是圖表內容不是需要的資料，因此切換到「圖表設計」功能索引標籤，在「資料」功能區中，執行「選取資料」指令。

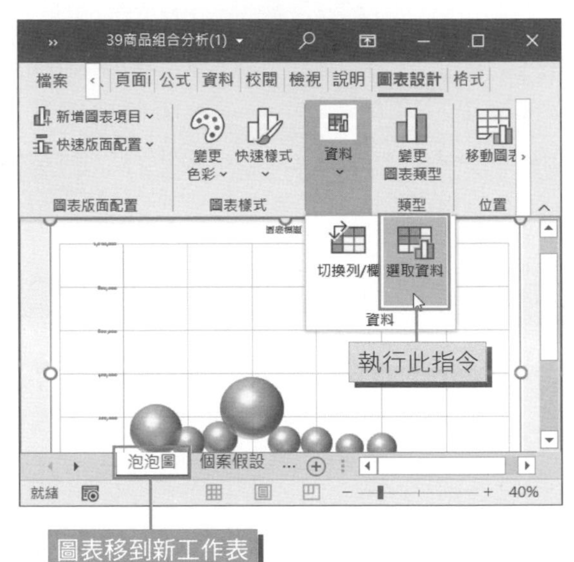

⑦ 開啟「選取資料來源」對話方塊，按下圖例項目（數列）項下的「移除」鈕，刪除所有預設的數列。

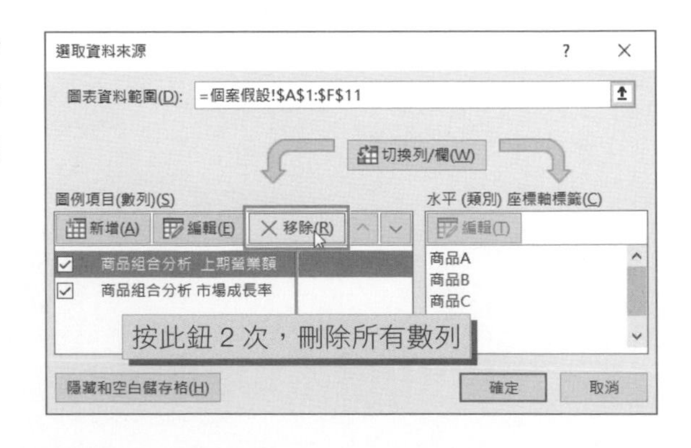

8 接著按下「新增」鈕，新增數列資料。

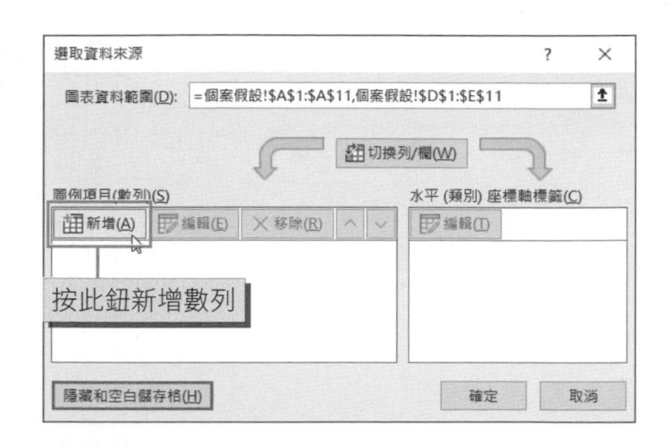

9 出現「編輯數列」對話方塊，根據 BCG 矩陣，泡泡圖的 X 軸應為「市場佔有率」、Y 軸則為「市場成長率」，而「本期營業額」則是第三組資料，用來表現泡泡的規模大小。數列名稱處輸入「商品組合」，數列 X 軸選取「個案假設」工作表中的 E3:E10 儲存格範圍，數列 Y 軸選取「個案假設」工作表中的 F3:F10 儲存格範圍，數列泡泡大小選取「個案假設」工作表中的 C3:C10 儲存格範圍，輸入完畢後，按下「確定」鈕。

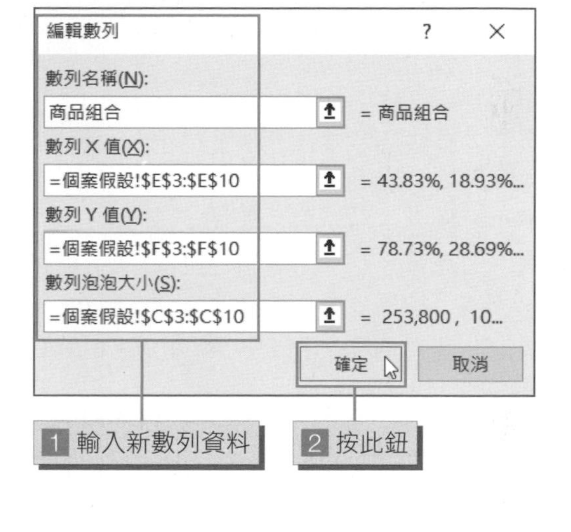

10 回到「選取資料來源」對話方塊，按下「確定」鈕回到圖表工作表。

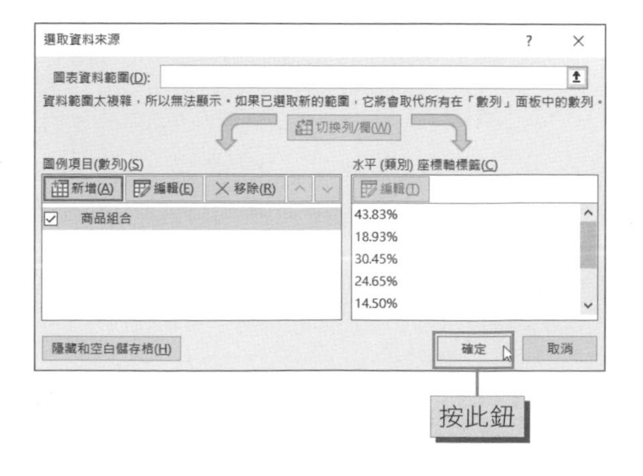

⑪ 切換到「圖表設計」功能索引標籤，在「圖表版面配置」功能區中，按下「快速版面配置」清單鈕，執行「版面配置 5」指令。

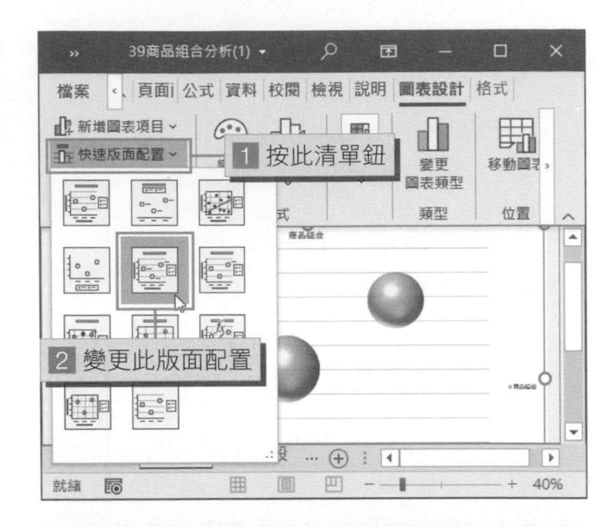

⑫ 選取「垂直（數值）軸標題」，輸入標題文字文字「市場成長率」，輸入文字後，切換到「常用」功能索引標籤，在「對齊方式」功能區中，按下「方向」清單鈕，執行「垂直文字」指令，將座標軸標題文字由橫向變成直向。

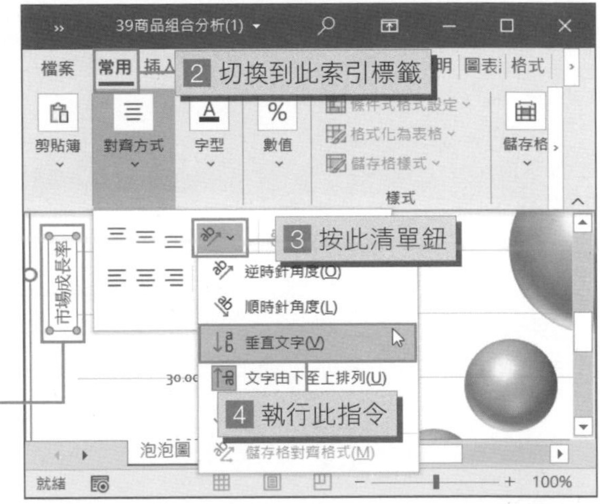

⑬ 選取「水平（數值）軸標題」，輸入標題文字文字「市場占有率」。

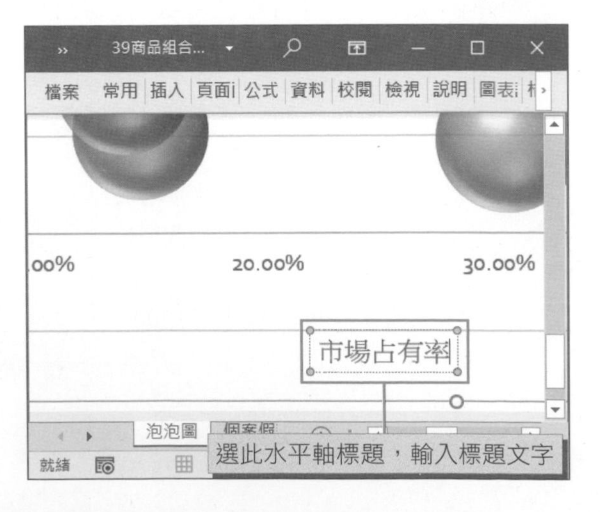

⑭ 選取「數列 " 商品組合 " 資料標籤」，切換到「圖表設計」功能索引標籤，在「圖表版面配置」功能區中，按下「新增圖表項目」清單鈕，執行「資料標籤 \ 其他資料標籤選項」指令。

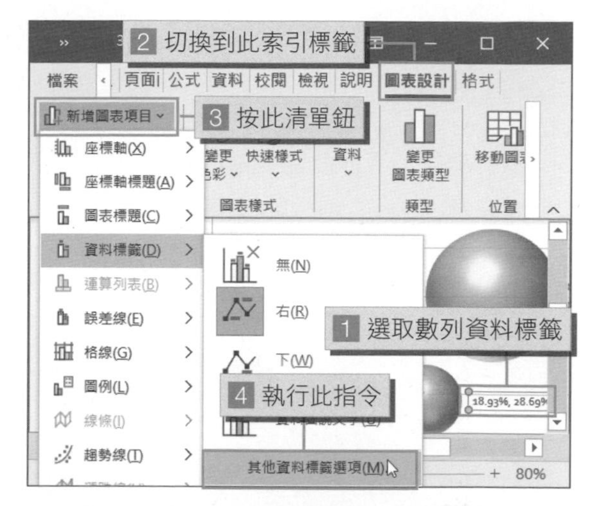

⑮ 開啟「資料標籤格式」工作窗格，在標籤選項中勾選「X 值」和「顯示指引線」，並將選擇標籤位置選為「右」邊。

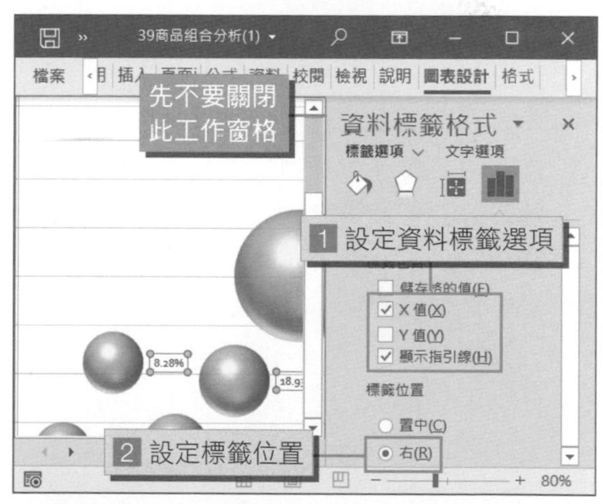

⑯ 一般圖表座標大多是從零值起，由左而右、由下而上越來越大，但是 BCG 矩陣 X 軸的市場佔有率卻是相反，越右邊表示佔有率越低，因此必須修改座標軸數值的顯示方式，才能正確判斷泡泡圖所表示的結果。切換到「格式」功能索引標籤，在「目前的選取範圍」功能區中，按下「數列 " 商品組合 " 資料標籤」旁的清單鈕，改選擇「水平 (值) 軸」圖表範圍。

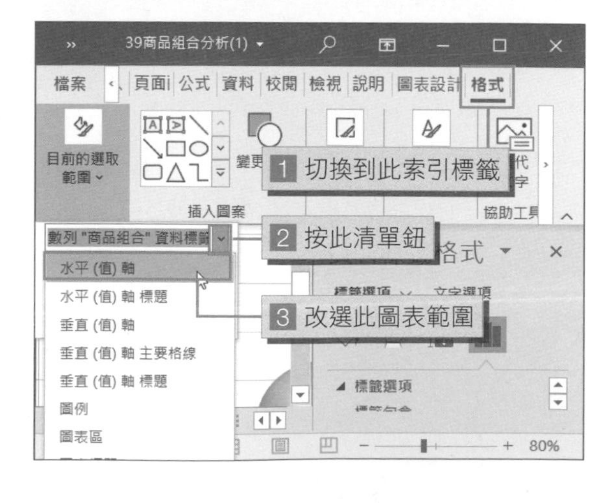

⑰ 此時工作窗格從「資料標籤格式」變成「座標軸格式」，在工作窗格中設定座標軸選項，範圍最小值設定為「0」，垂直軸交叉於「座標軸數值」設定為「0.6」，最後勾選「值次序反轉」。

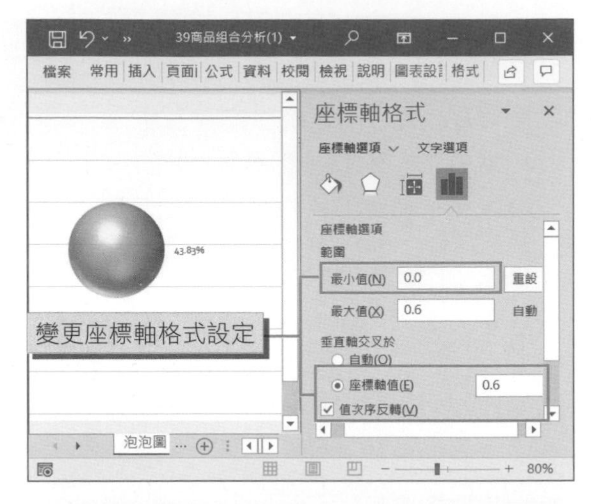

⑱ 繼續在「目前的選取範圍」功能區中，按下「水平（數值）軸」旁的清單鈕，改選擇「垂直（數值）軸」圖表範圍。在「座標軸格式」工作窗格中設定座標軸選項，範圍最小值設定為「0」，水平軸交叉於「座標軸值」設定為「0」。

⑲ 改選擇「繪圖區」圖表範圍，在「繪圖區格式」工作窗格，根據自己的喜好設定繪圖區色彩。亦可選擇圖表區進行美化圖表的設定。

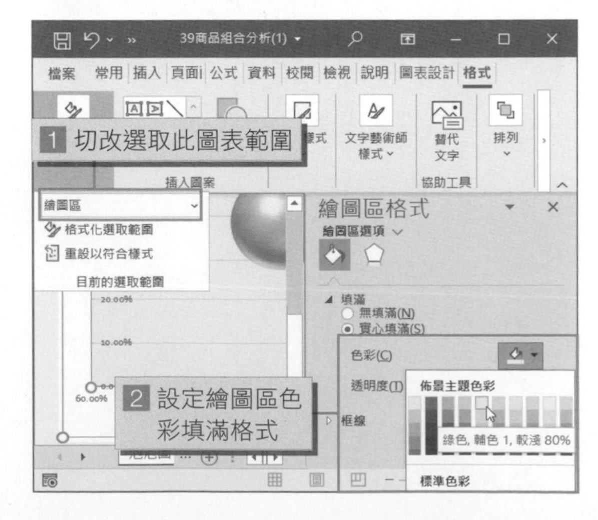

⑳ 為了可以更接近 BCG 矩陣的意義，不妨使用快取圖形的直線工具，假設以市場佔有率 20%和市場成長率 40%為分析界線，將繪圖區分割成「明星」、「金牛」、「狗」及「問題」等四個區域。切換到「插入」功能索引標籤，在「圖例」功能區中，按下「圖案」清單鈕，選擇「線條」圖案。

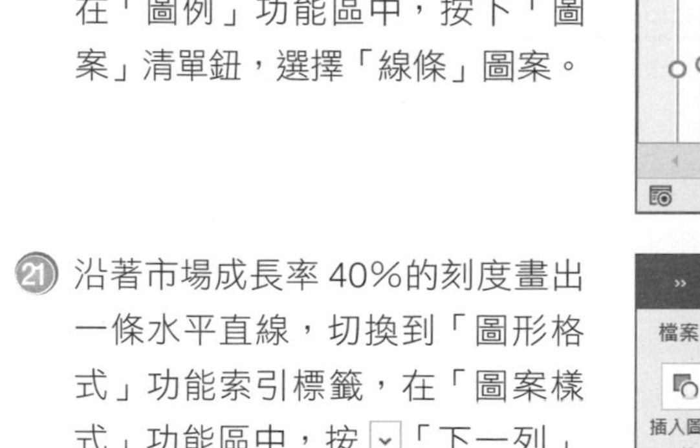

㉑ 沿著市場成長率 40%的刻度畫出一條水平直線，切換到「圖形格式」功能索引標籤，在「圖案樣式」功能區中，按 ⌄「下一列」鈕，選擇「溫和線條 輔色 1」樣式。

㉒ 依相同作法，再沿著市場佔有率 20%垂直刻度，繪製一條垂直的分界線。泡泡圖基本上已經完成，再做一些修改，讓圖表看起來更專業。選取 43.83% 的泡泡資料標籤，在資料編輯列上先輸入「=」號，再切換到「個案假設」工作表選取資料。

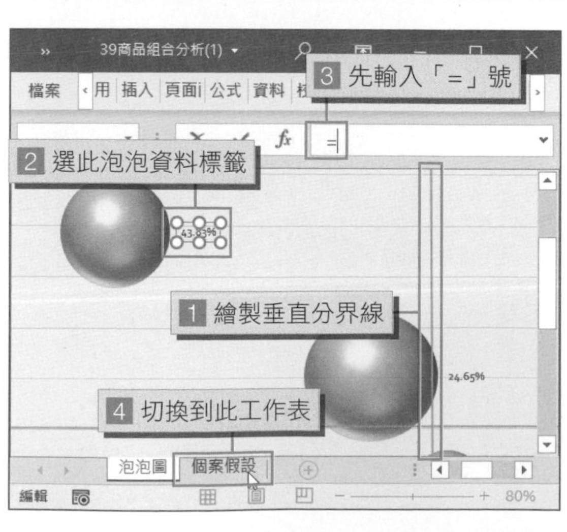

㉓ 在「個案假設」工作表中找到對應的商品名稱，也就是「商品A」。選取 A3 儲存格後，按下鍵盤【Enter】鍵，會到泡泡圖工作表。

㉔ 資料標籤由數值變成商品名稱，更方便圖表使用者閱讀。依相同方法，逐一找到資料標籤數值所對應的商品名稱。

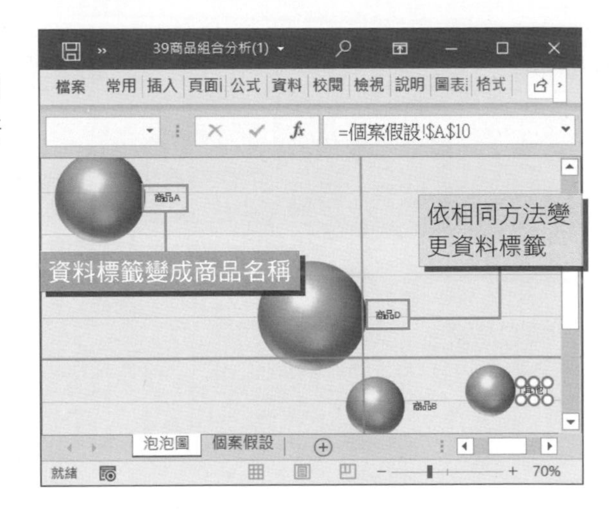

單元 40

範例光碟：CHAPTER 07\40尋找強勢商品

尋找強勢商品

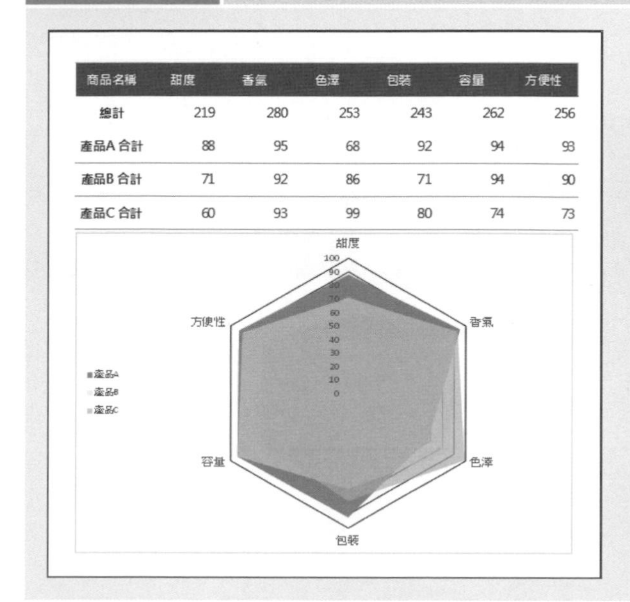

商品名稱	甜度	香氣	色澤	包裝	容量	方便性
總計	219	280	253	243	262	256
產品A 合計	88	95	68	92	94	93
產品B 合計	71	92	86	71	94	90
產品C 合計	60	93	99	80	74	73

公司產品若要在市場上佔有一席之地，對自家產品的優點，必須廣為宣傳增加業績；比其他產品略差的部份，必須加以改進搶得市場。透過市場問卷調查的方式，可以與消費者直接接觸，瞭解消費者對商品的期望，並比較出各家商品的優缺點，擬定相關的行銷策略。

範例步驟

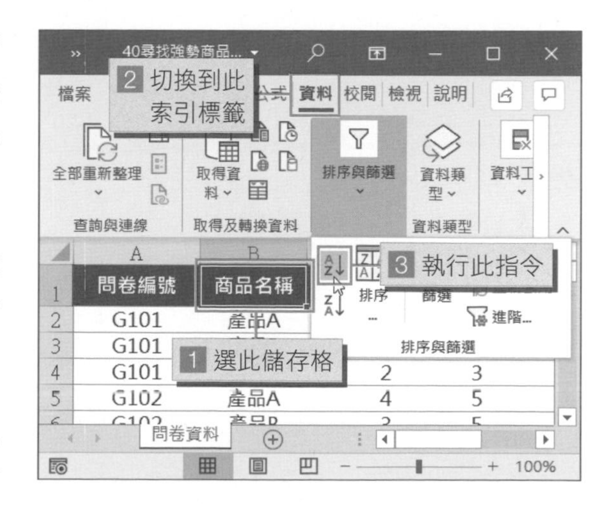

① 假設產品 A 為茶品公司改良後新口味的烏龍茶，產品 B 為其他公司暢銷的烏龍茶商品，產品 C 為茶品公司未改良前烏龍茶商品。市場訪問調查共發出 25 份問卷，依據滿意程度給予 1~5 分，訪查結果請開啟範例檔「40 尋找強勢商品 (1).xlsx」。選取 B1 儲存格，切換到「資料」功能索引標籤，在「排序與篩選」功能區中，執行 A↓Z「從最小到最大排序」指令。

② 工作表依照商品名稱重新排序。接著在「大綱」功能區中，執行「小計」指令。

③ 開啟「小計」對話方塊，選擇「商品名稱」作為「分組小計欄位」，使用「加總」函數，勾選「甜度」、「香氣」、「色澤」、「包裝」、「容量」及「方便性」等六項小計位置，按下「確定」鈕。

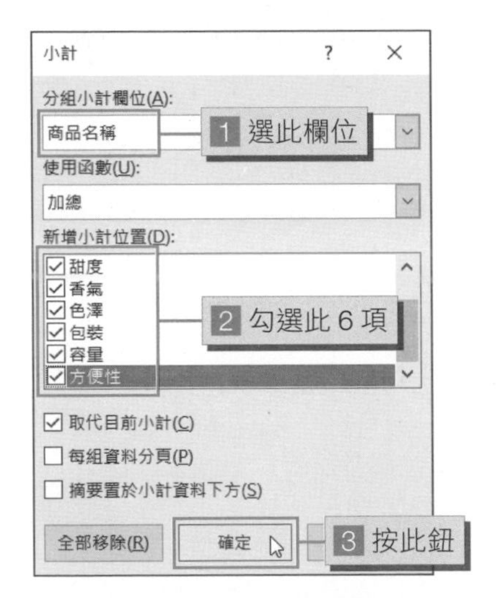

④ 在各產品上方新增小計列。按下大綱階層「2」的摺疊鈕。

⑤ 工作表僅顯示合計列。切換到「插入」功能索引標籤，在「圖表」功能區中，按下 「插入瀑布圖、漏斗圖、股票圖、曲面圖或雷達圖」清單鈕，執行「雷達圖」指令，選擇插入「填滿式雷達圖」。

⑥ 工作表新增雷達圖圖表。切換到「圖表設計」功能索引標籤，在「資料」功能區中，執行「選取資料」指令。

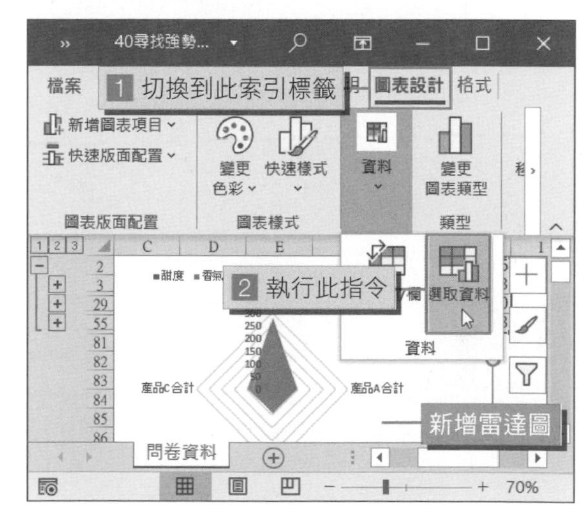

⑦ 開啟「選取資料來源」對話方塊，先按下「切換列 / 欄」鈕，將欄與列的數列資料互換。

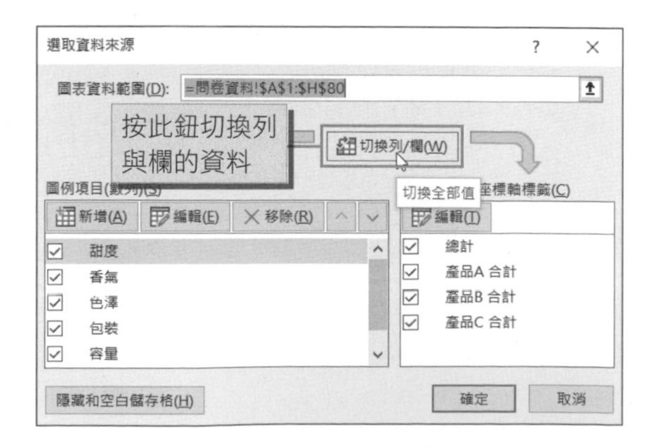

8 選取「問卷編號 總計」數列項目，按下「移除」鈕。

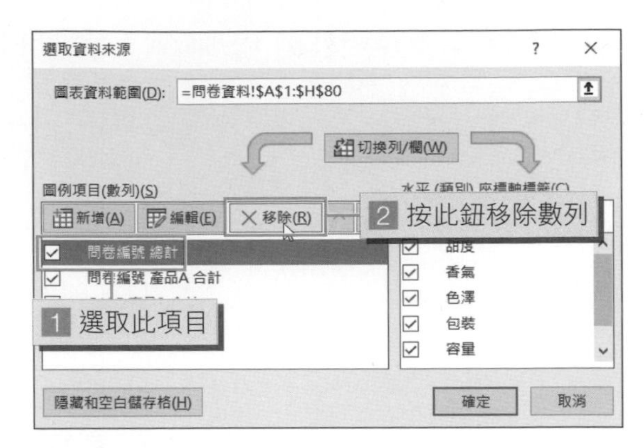

9 接下來選取「問卷編號 產品 A 合計」數列項目，按下「編輯」鈕。

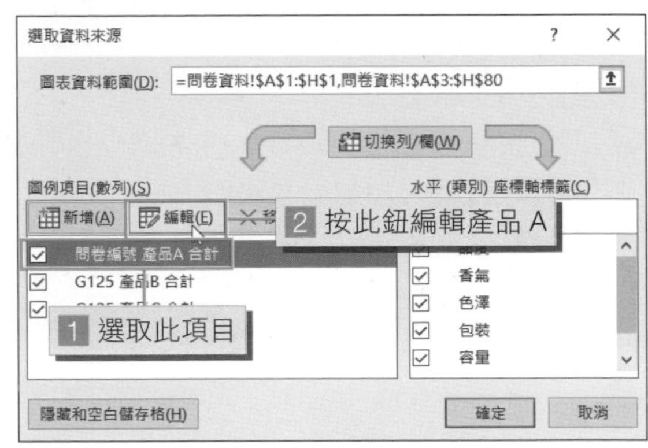

10 另外開啟「編輯數列」對話方塊，輸入數列名稱「產品 A」，數列值維持不變，按「確定」鈕。

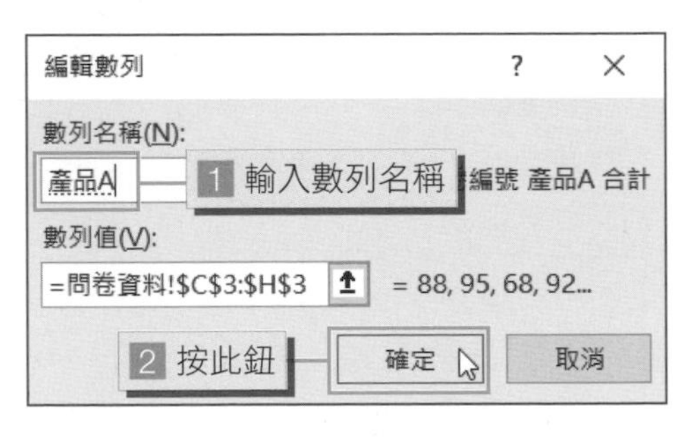

11 回到「選取資料來源」對話方塊，依相同方法編輯產品 B 和產品 C 的數列名稱，編輯完畢按下「確定」鈕。

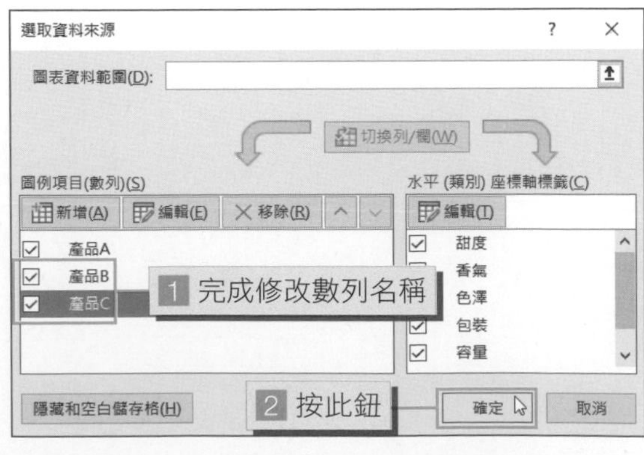

⑫ 拖曳調整雷達圖大小，並調整到適當位置。在「圖表版面配置」功能區中，按下「新增圖表項目\圖例」清單鈕，將圖例位置變更到繪圖區的「左」方。

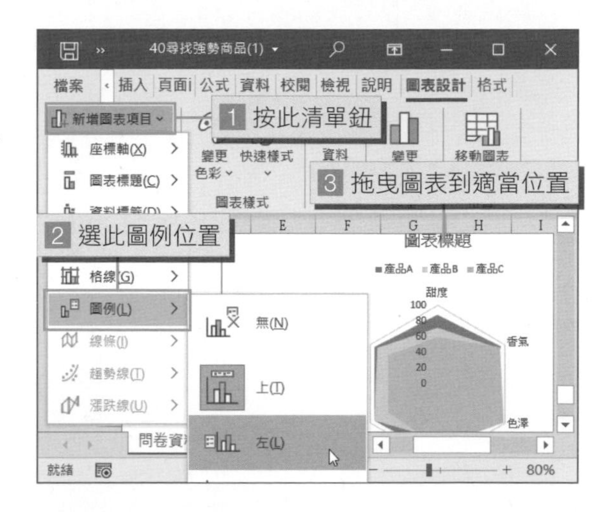

⑬ 選取類別標籤，切換到「常用」功能索引標籤，在「字型」功能區中，按下「字型大小」清單鈕，修改標籤字型大小為「11」。

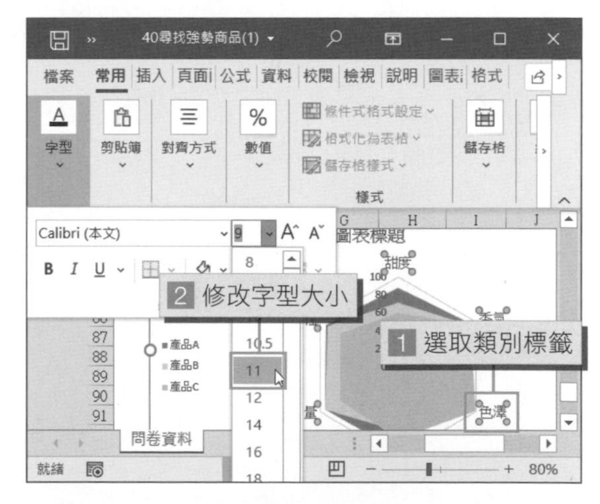

⑭ 選取主要座標軸，切換到「格式」功能索引標籤，在「目前的選取範圍」功能區中，執行「格式化選取範圍」指令，開啟格式化工作窗格。

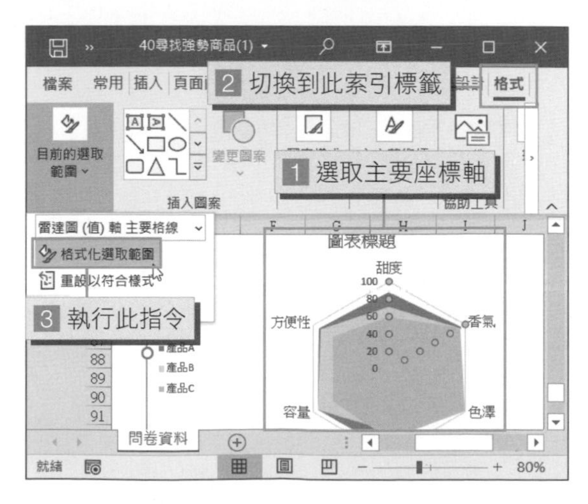

⑮ 在「主要格線格式」工作窗格，選擇格線線條為「實心線條」，並變更線條色彩為「黑」色。

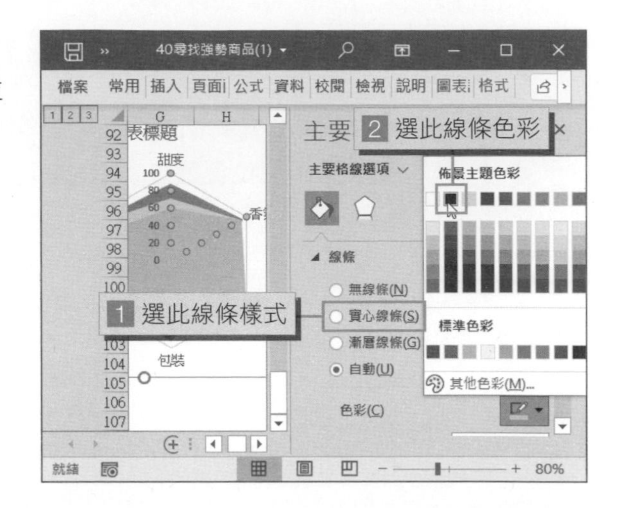

⑯ 按下「主要格線選項」清單鈕，改選「數列 " 產品 C"」項目，用來變更其格式。

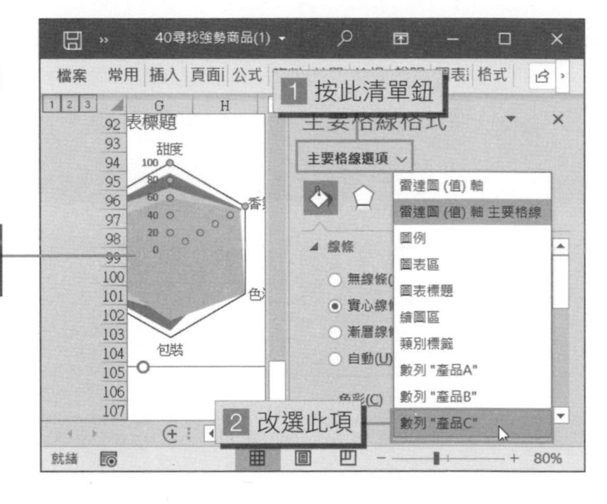

⑰ 工作窗格標題已經變成「資料數列格式」，設定產品 C 資料數列格式，「標記選項」中的填滿方式改選擇「實心填滿」，色彩選擇「綠色 , 輔色 6, 較淺 40%」並增加透明度至「30%」，可以變更資料區塊的填滿色彩，方便看到座標軸格線和其他區塊。依照相同方式自由變更其他產品的資料數列格式。

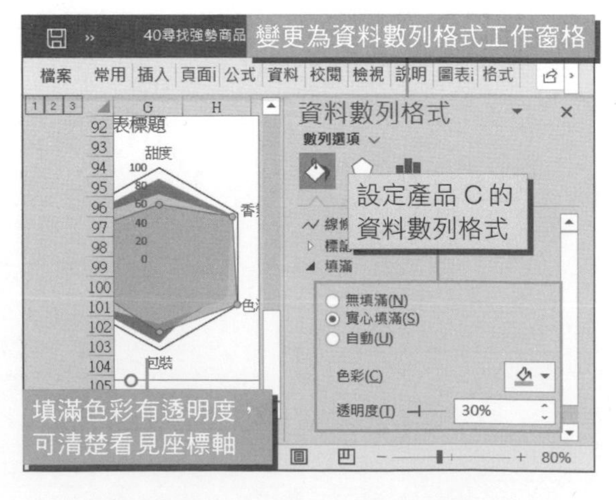

⑱ 最後選取整欄 A，按滑鼠右鍵開啟快顯功能表，執行「隱藏」指令。綜合評估新商品在甜度、香氣、包裝、容量及方便性都領先其他兩項產品，且分佈接近正六角形，唯一的缺點是「色澤」方面，若加以改進，本產品必定成為最頂尖的商品。

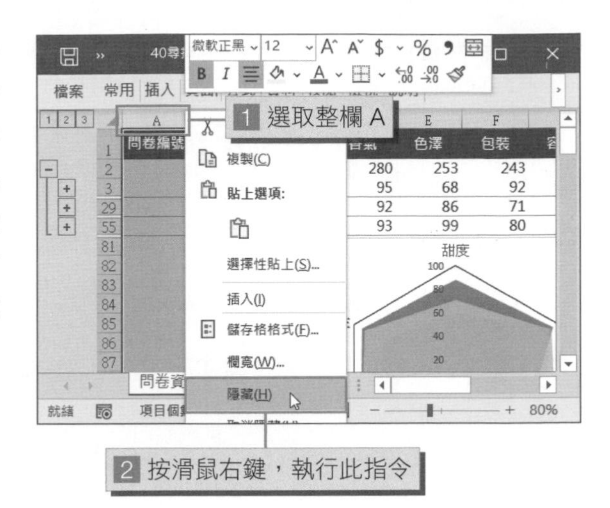

單元 41

範例光碟：CHAPTER 07\41預測暢銷商品

預測暢銷商品

商品D	
月份	數量
1月	192
2月	250
3月	424
4月	717
5月	1,214
6月	2,052

預測銷售數量				
月份	月數	線性預測	多項式預測	指數預測
7月	7	2,057	2,922	3,186
8月	8	2,413	4,020	5,195
9月	9	2,770	5,304	8,470

商品D每月銷售及預估數量

聰明的消費者都會在百貨公司週年慶時，趁著特價的大好機會，多購買一些優惠商品。公司要提供哪些特價商品才能吸引人潮？備貨量要多少才能因應？訂定這些行銷企劃不單只是全憑經驗，還需要更精確的數值資料輔助，才能賺取最多的利潤。

範例步驟

1. 請開啟範例檔「41 預測暢銷商品(1).xlsx」，切換到「個案假設」工作表，運用公式計算出毛利率及存貨週轉率，並使用圖表精靈繪製泡泡圖。根據商品組合分析理論，挑選市場佔有率高且存貨週轉率高的商品作為主力銷售商品，也就是「利潤高、銷路好」區域中的「商品 D」。

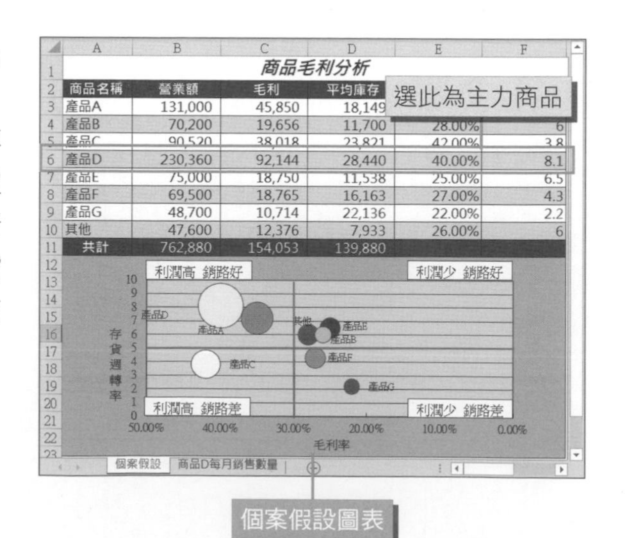

商品毛利分析

商品名稱	營業額	毛利	平均庫存		
產品A	131,000	45,850	18,149		
產品B	70,200	19,656	11,700	28.00%	6
產品C	90,520	38,018	23,821	42.00%	3.8
產品D	230,360	92,144	28,440	40.00%	8.1
產品E	75,000	18,750	11,538	25.00%	6.5
產品F	69,500	18,765	16,163	27.00%	4.3
產品G	48,700	10,714	22,136	22.00%	2.2
其他	47,600	12,376	7,933	26.00%	6
共計	762,880	154,053	139,880		

② 切換到「商品 D 每月銷售數量」工作表，利用歷史銷售數量統計記錄，預測特賣會應備貨之商品數量。選取 A2:B8 儲存格範圍，切換到「插入」功能索引標籤，按下「圖表」功能區右下方的 ↘「查看所有圖表」鈕。

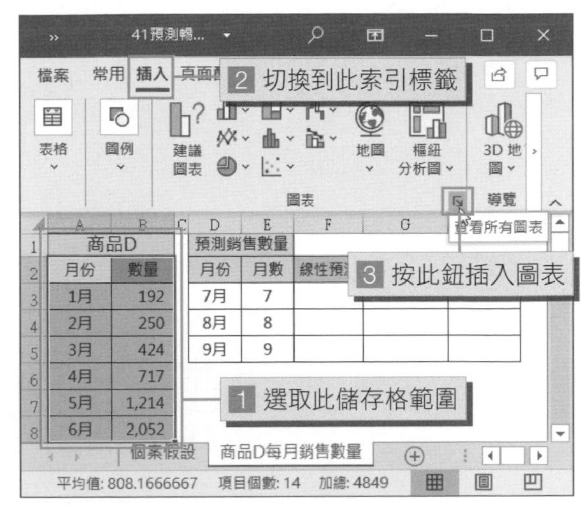

③ 開啟「插入圖表」對話方塊，切換到「所有圖表」索引標籤，選擇「折線圖」項下的「含有資料標記的折線圖」類型，按下「確定」鈕。

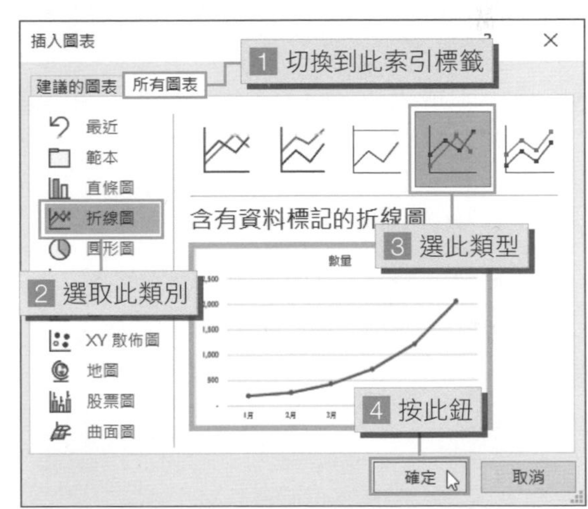

④ 自動在工作表中繪製折線圖，切換到「圖表設計」功能索引標籤，在「位置」功能區中，執行「移動圖表」指令。開啟「移動圖表」對話方塊，選擇移動到「新工作表」並輸入名稱「折線圖」，按「確定」鈕。

⑤ 折線圖移到新工作表。選擇「資料數列」範圍，按滑鼠右鍵開啟快顯功能表，執行「加上趨勢線」指令。

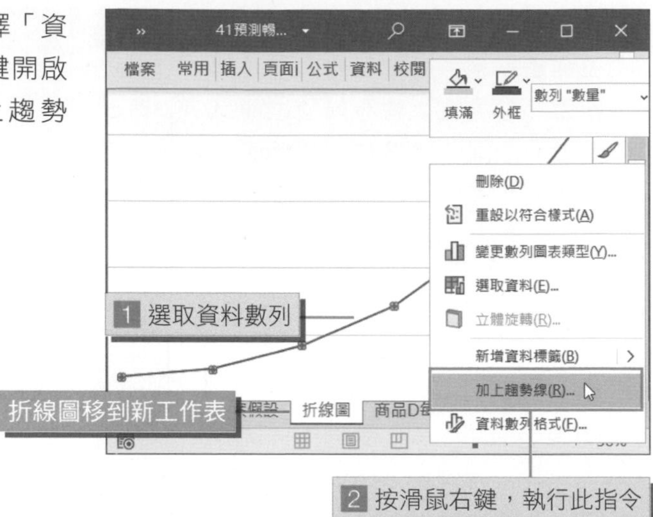

⑥ 開啟「趨勢線格式」工作窗格，在趨勢線選項中選擇「線性」類型，在「趨勢預測」項下選擇「正推」並輸入「3」週期，最後勾選「圖表上顯示方程式」及「圖表上顯示 R 平方值」。

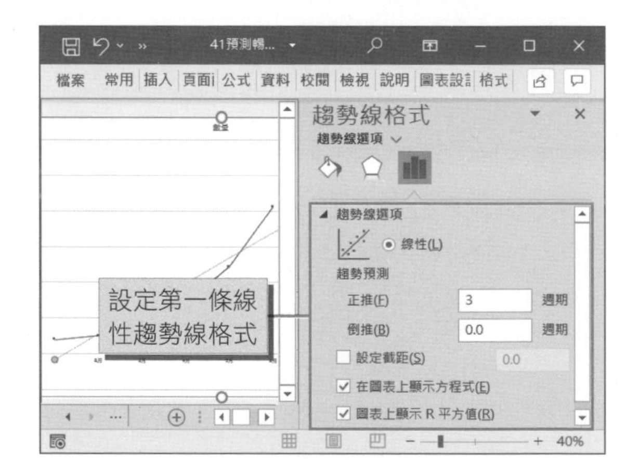

⑦ 再次選擇「資料數列」範圍，按滑鼠右鍵開啟快顯功能表，執行「加上趨勢線」指令，插入第 2 條趨勢線。在「趨勢線格式」工作窗格中，選擇「多項式」類型，冪次中輸入「2」，在「趨勢預測」項下選擇「正推」並輸入「3」週期，然後勾選「圖表上顯示方程式」及「圖表上顯示 R 平方值」。

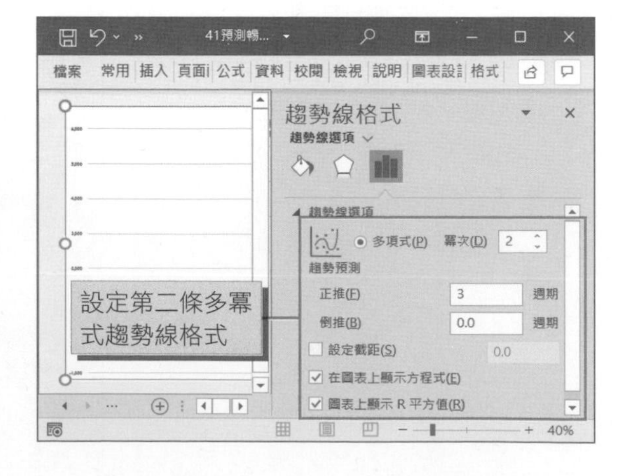

⑧ 依相同方法加上第 3 條趨勢線，在「趨勢線格式」工作窗格中，選擇「指數」類型，同樣在「趨勢預測」項下選擇「正推」並輸入「3」週期，並勾選「圖表上顯示方程式」及「圖表上顯示 R 平方值」。最後按下「關閉」鈕關閉工作窗格。

⑨ 切換到「圖表設計」功能索引標籤，在「圖表版面配置」功能區中，按下「新增圖表項目\圖例」清單鈕，執行「下」指令，在圖表下方加上圖例。

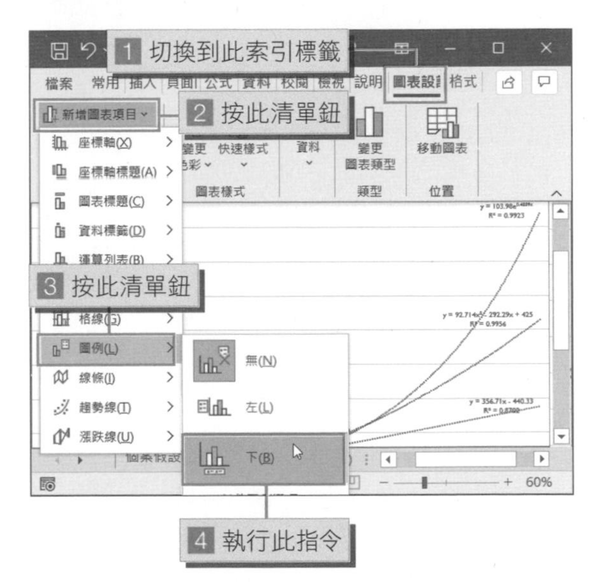

⑩ 根據圖表上各類型趨勢線計算方程式及 R 平方值，列表如下：

趨勢線類型	R 平方值	方程式
線性	0.8702	Y = 356.71X − 440.33
多項式	0.9956	Y = 92.714X2 − 292.29X+425
指數	0.9923	Y = 103.98e0.4889X

公式中的X值表示月數、Y值表示預測銷售數量。利用計算公式，配合各月份銷售數量，推算從實際營運6個月之後，未來3個月的銷售預測值。切換到「商品D每月銷售數量」工作表，選取F3儲存格，輸入公式「=356.71*E3-440.33」。

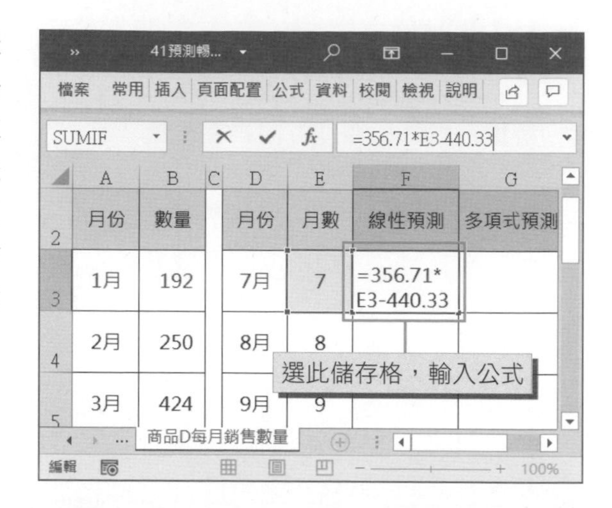

⑪ 計算出7月份線性預測銷售數量，將F3儲存格複製到下方儲存格。選取G3儲存格，先輸入部分公式「=92.714*」，按下資料標籤及列上「插入函數」圖示鈕。

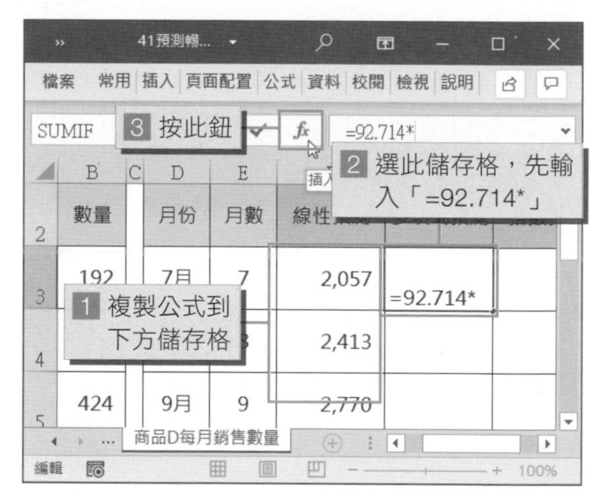

⑫ 開啟「插入函數」對話方塊，選擇「數學與三角函數」函數，選取「POWER」函數，按「確定」鈕。

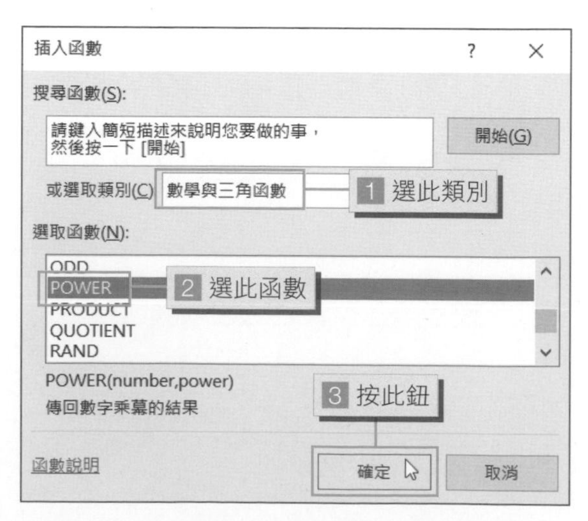

⑬ 開啟 POWER「函數引數」對話方塊，Number 引數輸入「E3」儲存格，Power 引數輸入「2」，按「確定」鈕。

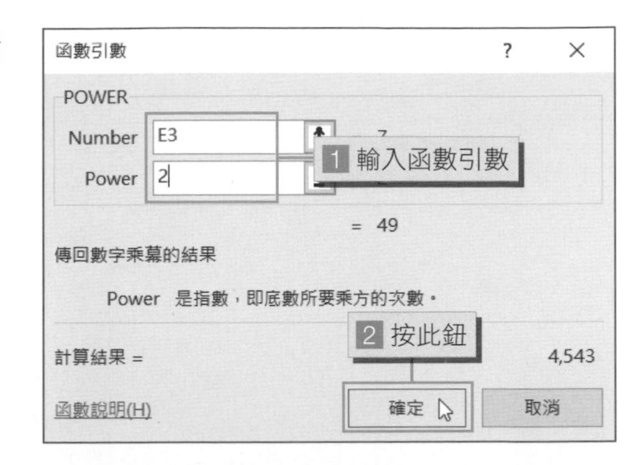

⑭ 在 POWER 函數後方繼續輸入未完的公式「-292.29*E3+425」。完整公式為「=92.714*POWER(F4,2)-292.29*E3+425」。

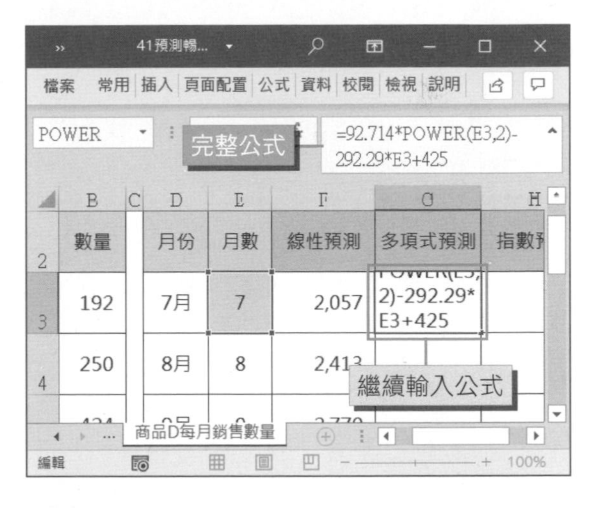

操作 MEMO　POWER 函數

說明： 傳回數字乘冪的結果

語法： POWER(number, power)

引數：
- Number（必要）。底數，可以是任意實數。
- Power（必要）。指數，即底數要乘方的次數。

⑮ 計算出 7 月份多項式預測銷售數量，將 G3 儲存格複製到下方儲存格。選取 H3 儲存格，先輸入部分公式「=103.98*」，切換到「公式」功能索引標籤，在「函數庫」功能區中，按下「插入函數」圖示鈕。

⑯ 開啟「插入函數」對話方塊，在「搜尋函數」空白處，輸入關鍵字「指數」，按下「開始」鈕。

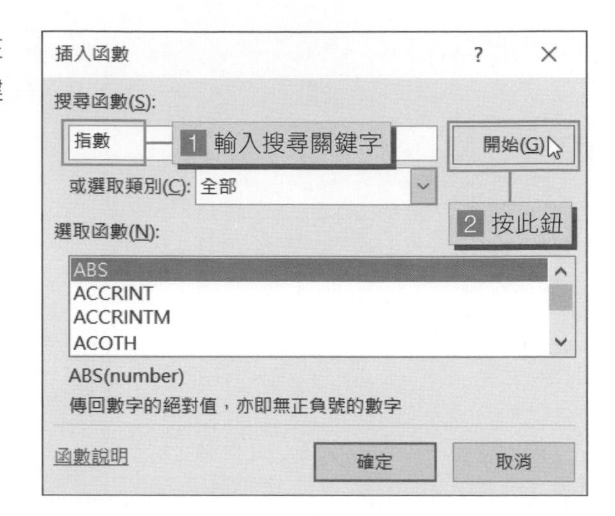

⑰ 選擇插入「EXP」函數，按「確定」鈕。

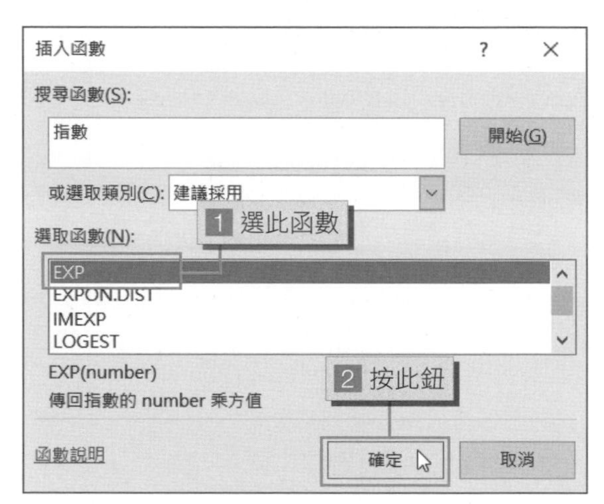

⑱ 開啟 EXP「函數引數」對話方塊，Number 引數輸入「0.4889*E3」，按「確定」鈕。完整公式為「=103.98*EXP(0.4889*E3)」。

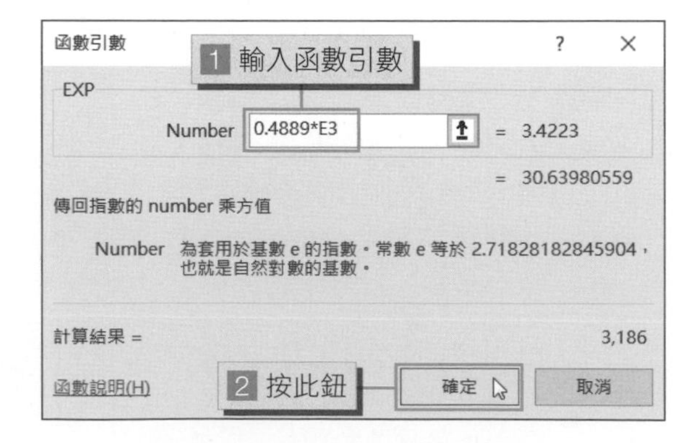

⑲ 計算出 7 月份指數預測銷售數量，將 H3 儲存格複製到下方儲存格，完成預測銷售數量。

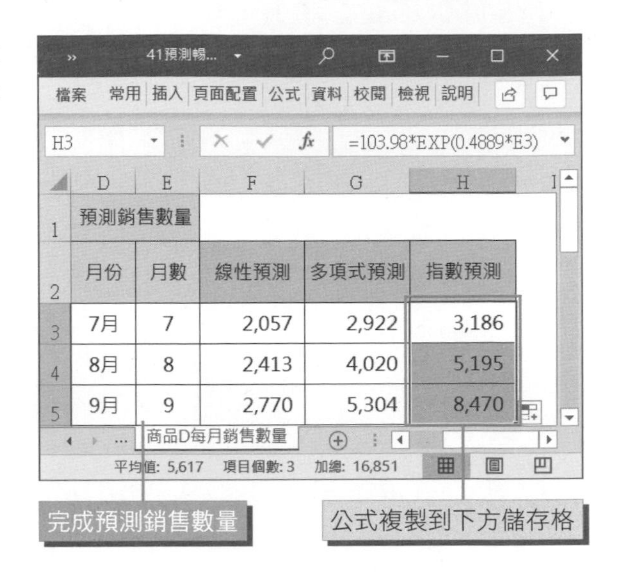

操作 MEMO　EXP 函數

說明： 傳回 e 的數字乘冪。常數 e 等於 2.71828182845904，也就是自然對數的基數。

語法： EXP(number)

引數： ・Number（必要）。這是套用至基數 e 指數。

NOTES

CHAPTER

8 商品行銷分析

Excel

單元 42

範例光碟：CHAPTER 08\42分析損益平衡點

分析損益平衡點

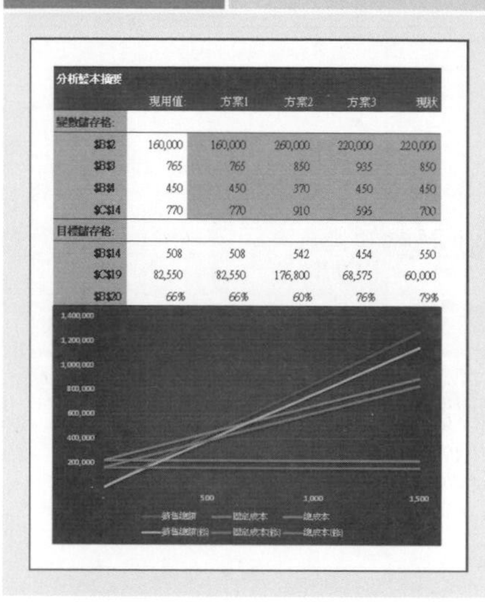

經營公司終極目標就是獲取利潤，每月營業額的多寡是判斷公司能否獲利的重要指標，但是營業額高，並不代表一定獲利，也有可能造成虧損，決勝的關鍵就是成本控管是否配合得宜。公司獲利能力增加，代表可供營運的資金充足，也意味著公司能朝著永續經營的目標前進。

範例步驟

① 首先運用現有資料，繪製目前營運狀態的折線圖，並計算出目前的損益平衡點。請開啟範例檔「42 分析損益平衡點 (1).xlsx」，切換到「基本假設」工作表，選取 B9 儲存格，輸入固定成本公式「=$B$2」，其他儲存格依照下表輸入公式：

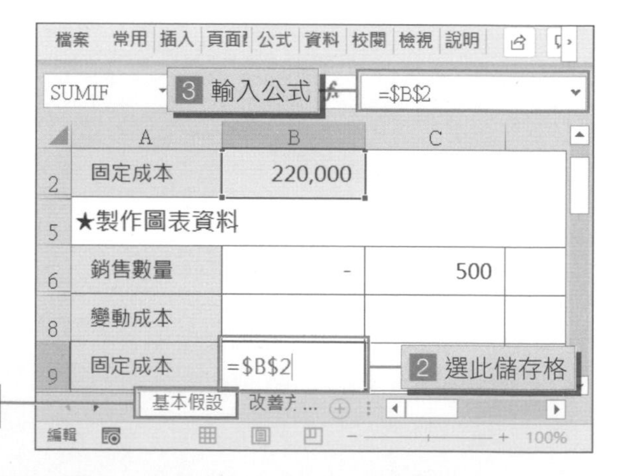

名稱	公式	儲存格	輸入公式
銷售總額	＝銷售數量 × 銷售金額	B7	=B6*$B$3
變動成本	＝單位變動成本 × 銷售數量	B8	=B6*$B$4
總成本	＝固定成本＋變動成本	B10	=B8+B9
利潤	＝銷售總額－總成本	B11	=B7-B10

② 將 B7:B11 儲存格公式複製到 C7:E11 儲存格範圍。

③ 損益平衡銷售數量＝總固定成本/(損益平衡單位價格－單位變動成本)。選取 B14 儲存格輸入損益平衡銷售數量公式「= B2/(B3-B4)」。

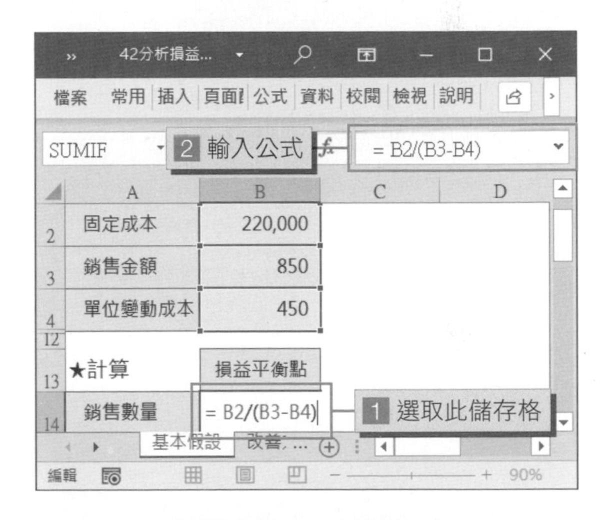

④ 先選取整「列 7」，按住鍵盤【Ctrl】鍵，繼續選取整「列 9:10」，不相連的儲存格範圍，切換到「插入」功能索引標籤，在「圖表」功能區中，按下「插入折線圖」清單鈕，執行插入「折線圖」指令。

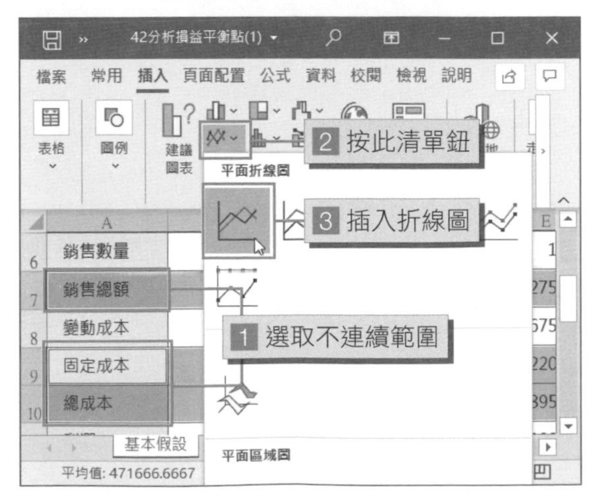

5. 工作表中顯示折線圖。切換到「圖表設計」功能索引標籤，在「資料」功能區中，執行「選取資料」指令。

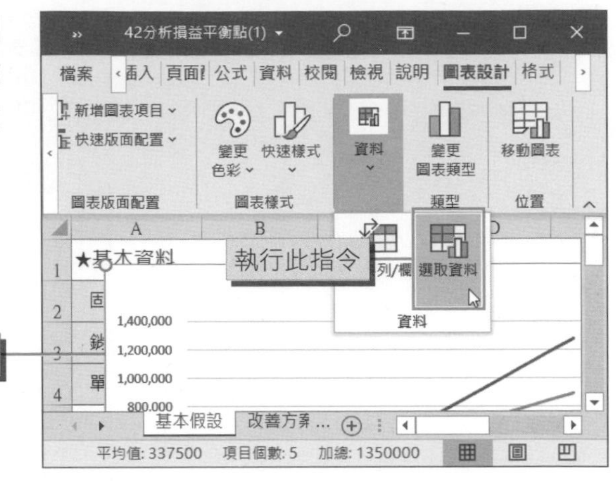

6. 開啟「選取資料來源」對話方塊，按下水平（類別）座標軸標籤項下的「編輯」鈕。

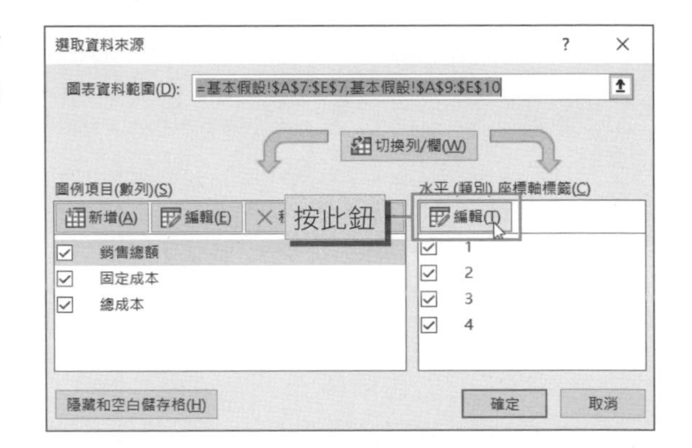

7. 另外開啟「座標軸標籤」對話方塊，選取「基本假設」工作表中的 B6:E6 儲存格，按下「確定」鈕。

⑧ 回到「選取資料來源」對話方塊，水平(類別)座標軸標籤項下的內容變更了，按下「確定」鈕回到工作表。

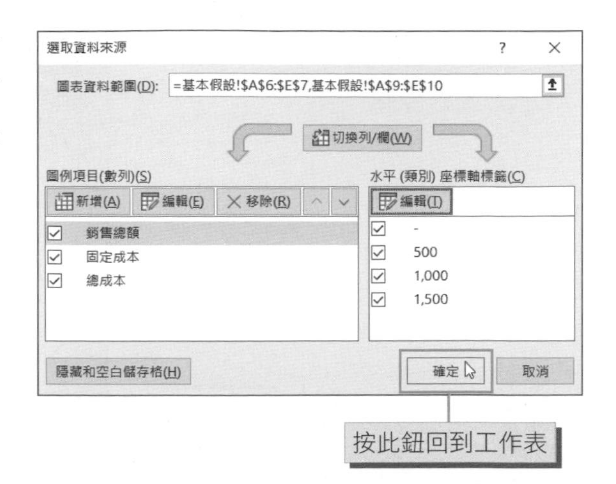

⑨ 選取圖表區範圍，在「圖表版面配置」功能區中，按下「新增圖表項目\圖表標題」清單鈕，執行「無」指令，取消圖表標題。或者直接選取圖標標題文字方塊，按下鍵盤【Del】鍵刪除即可。

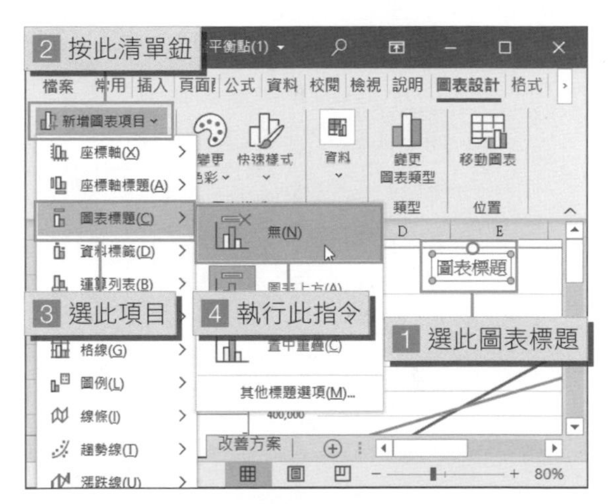

⑩ 改選取水平座標軸，按下滑鼠右鍵開啟快顯功能表，執行「座標軸格式」指令。

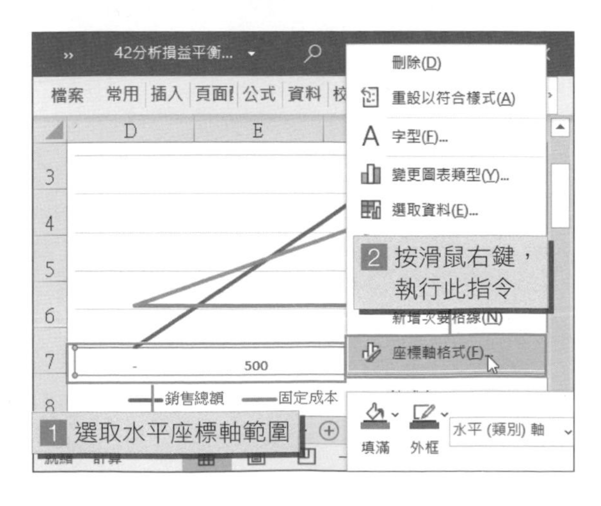

⑪ 開啟「座標軸格式」工作窗格，在座標軸位置中，選擇「刻度上」。

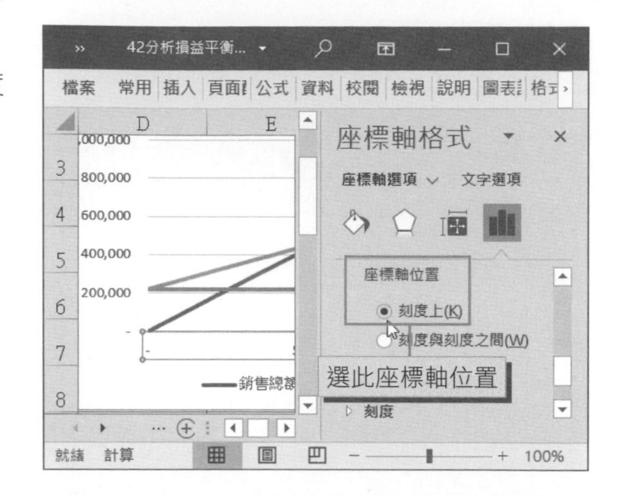

⑫ 最後移動圖表位置到表格下方，完成目前營業狀況折線圖。接著要預先製作改善方案折線圖，利用目前營業狀況的圖表，再加上改善方案產生數據所繪製的折線圖，待執行分析藍本時，就能立即從圖型上比較兩者之間的差異。選取圖表區，切換到「常用」功能索引標籤，在「剪貼簿」功能區中，執行「複製」指令。

⑬ 切換到「改善方案」工作表，選取 A21 儲存格，執行「貼上」指令。

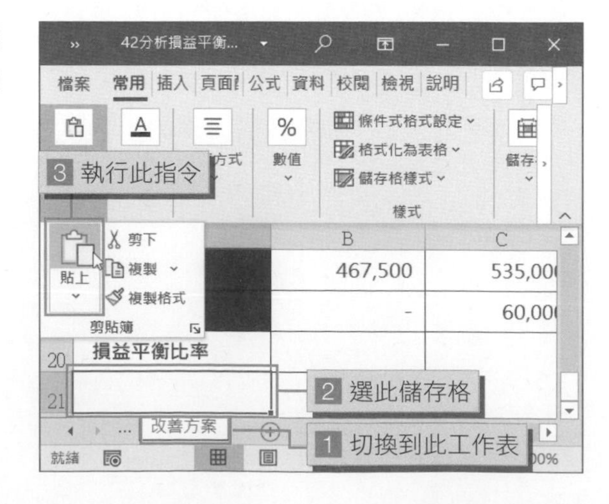

⑭ 為了要與現狀圖表有所區隔，切換到「圖表設計」功能索引標籤，在「圖表樣式」功能區中，選擇「樣式 6」圖表樣式。

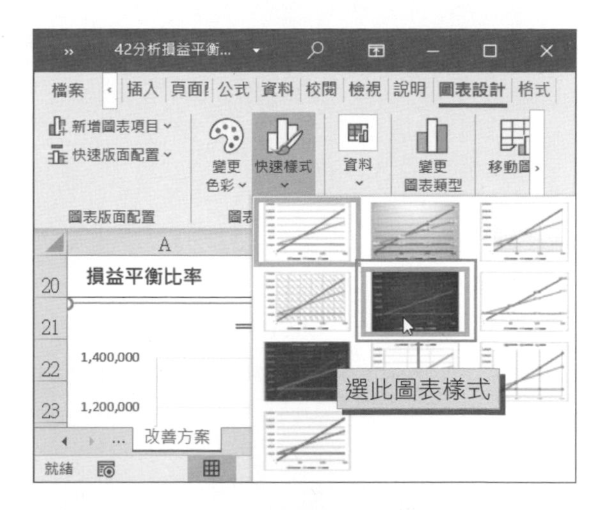

⑮ 繼續選取圖表區，按滑鼠右鍵開啟快顯功能表，執行「選取資料」指令。

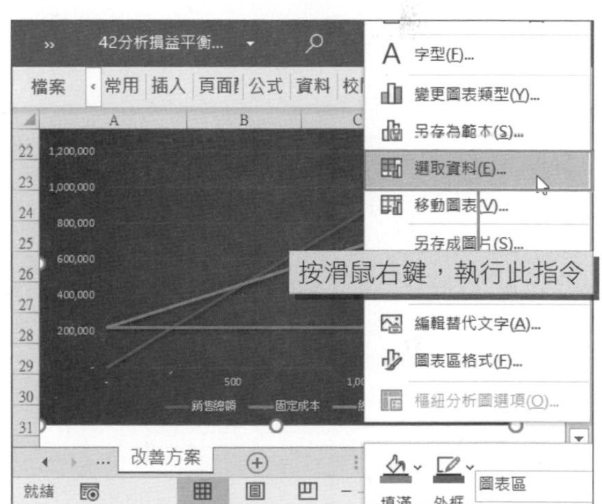

⑯ 開啟「選取資料來源」對話方塊，按下圖例項目（數列）項下的「新增」鈕，新增改善方案的資料數列。

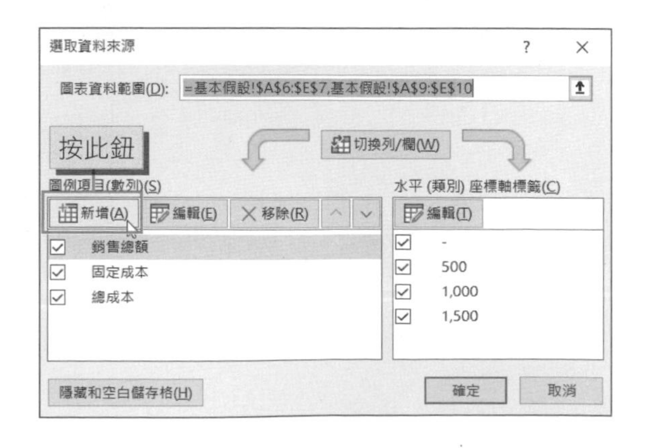

⑰ 另外開啟「編輯數列」對話方塊，數列名稱選擇「A7」儲存格，數列值選取「B7:E7」儲存格範圍，按下「確定」鈕。

⑱ 依相同方法陸續新增「固定成本（修）」和「總成本（修）」資料數列，並參考步驟 6~8，修改水平座標軸標籤參照範圍為「B6:E6」儲存格，完成後按「確定」鈕。

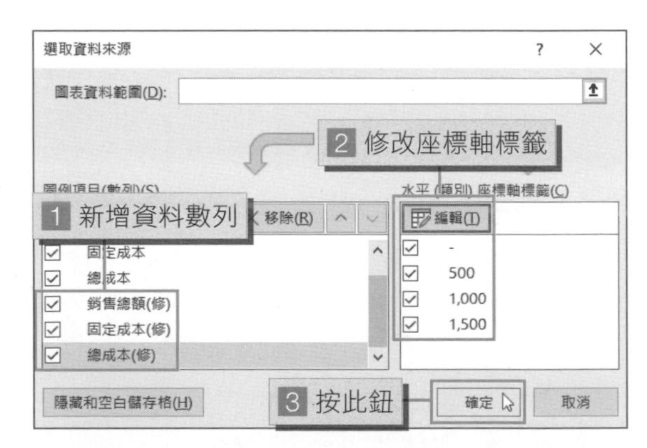

⑲ 因為改善方案的資料尚未改變，因此數列會重複，但從圖例中可以看出共有 6 組資料數列。

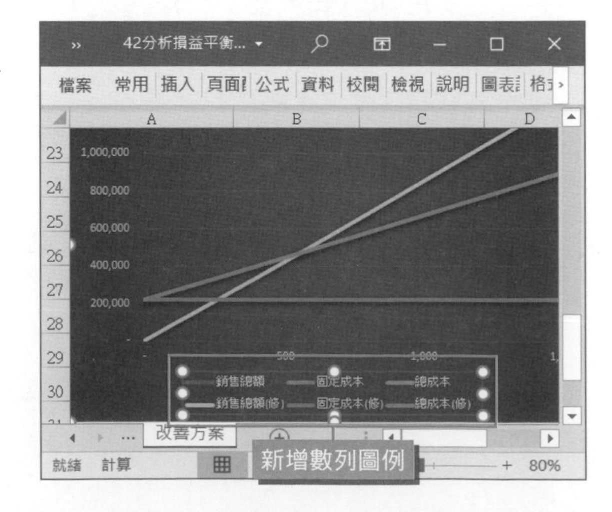

⑳ 完成改善方案的預備折線圖後，再加上可供參考比較方案的公式，以利分析改善方案。選取 B20 儲存格，輸入公式「=B15/C15」，損益平衡比率越低，財務狀況越好；貢獻利潤金額越高，表示改善方案獲利越多。

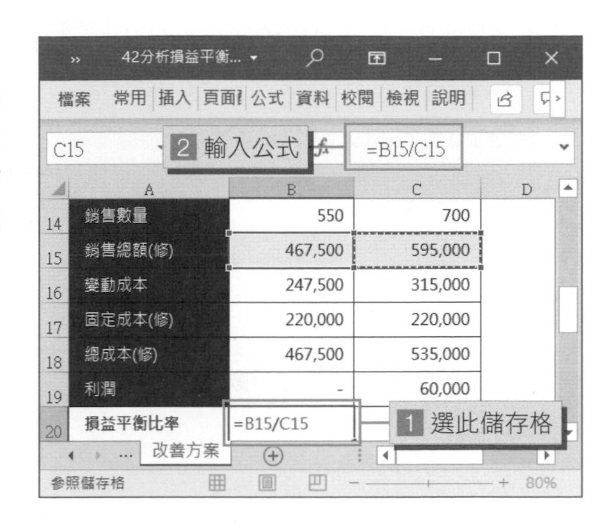

㉑ 根據計畫的改善方案，建立分析藍本：

方案 1：減少租金費用 60,000 元，銷售金額降低 10%，預計提高銷售數量 10%。

方案 2：減少變動成本 80 元，增加人事費用 40,000 元，預計提高銷售數量 30%。

方案 3：銷售產品漲價 10%，預計減少銷售數量 15%。

接下來要依照上表設定分析藍本。先選取 B2 儲存格，按住鍵盤「Ctrl」鍵，分別選取 B3、B4 及 C14 儲存格，切換到「資料」功能索引標籤，在「預測」功能區中，按下「模擬分析」清單鈕，執行「分析藍本管理員」指令。

㉒ 開啟「分析藍本管理員」對話方塊，按下「新增」鈕。依照表格內容新增 3 個改善方案數值。

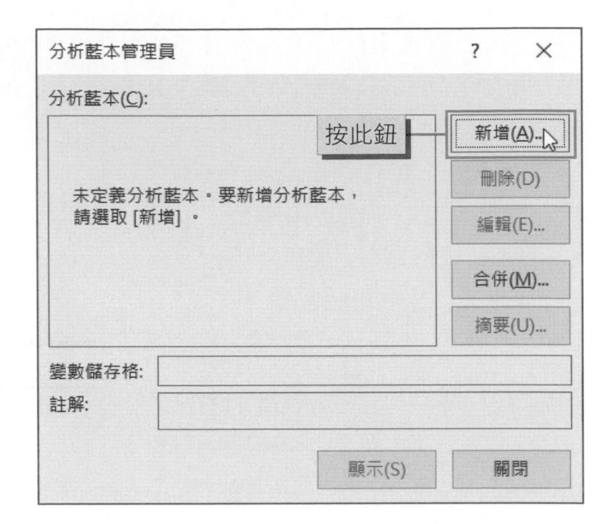

項目	固定成本	銷售金額	單位變動成本	銷售數量 (預估)
現狀	220,000	850	450	700
方案 1	160,000	765	450	770
方案 2	260,000	850	370	910
方案 3	220,000	935	450	595

㉓ 另外開啟「新增分析藍本」對話方塊，輸入分析藍本名稱「方案 1」，按下「確定」鈕。

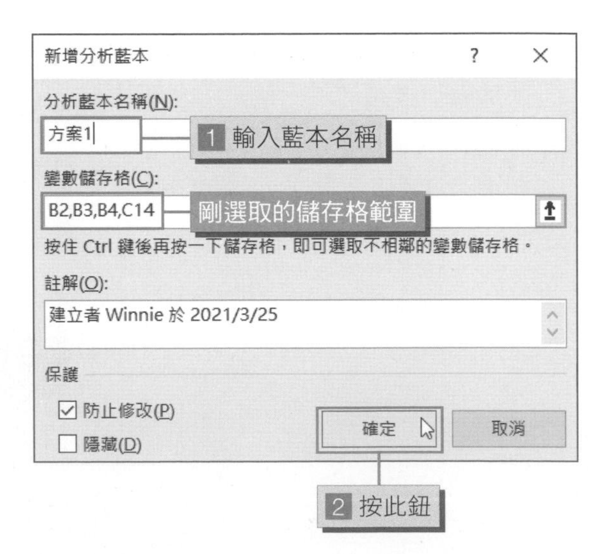

㉔ 又另外開啟「分析藍本變數值」對話方塊，依序輸入方案 1 的變數值「160000」、「765」、「450」和「770」，按「新增」鈕。重複步驟 23~24 新增其他方案，最後一個方案時，按「確定」鈕結束新增分析藍本。

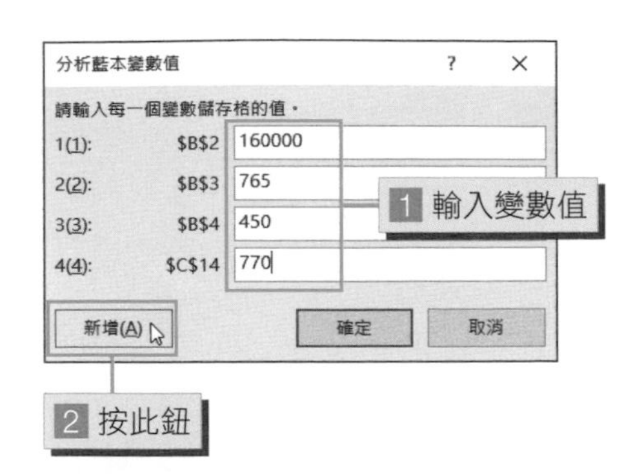

㉕ 回到「分析藍本管理員」對話方塊，選擇「方案 1」，按下「顯示」鈕。

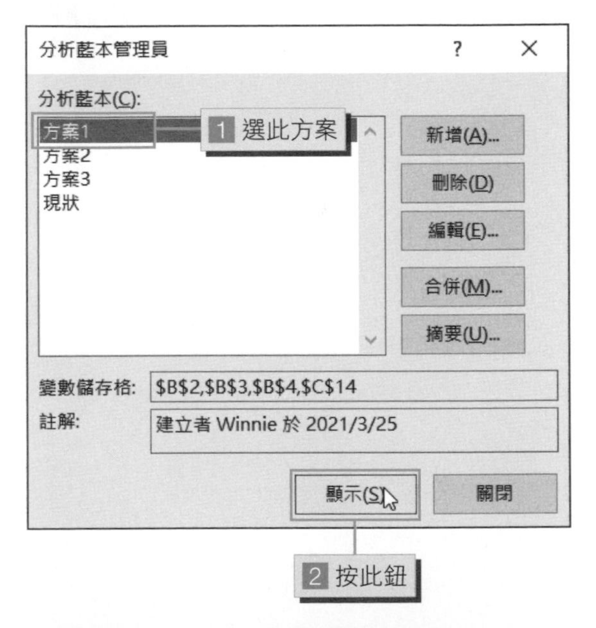

㉖ 回到工作表，表格中的數值都變成方案 1 的數值，連折線圖都自動重新繪製。

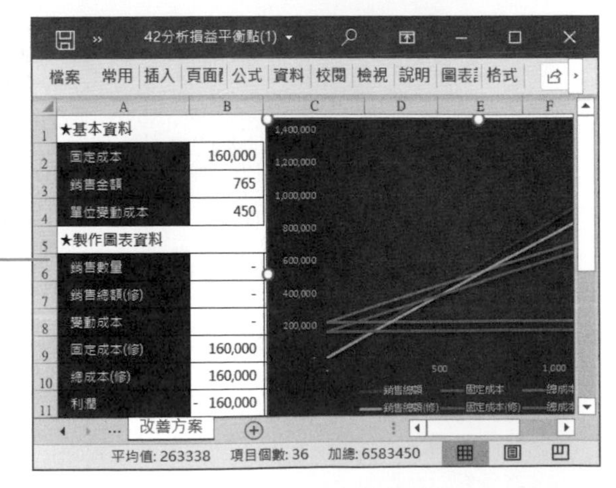

㉗ 使用者可以在「分析藍本管理員」中切換不同的方案做比較。或者按「摘要」鈕製作分析藍本摘要。

㉘ 開啟「分析藍本摘要」對話方塊，將游標插入點移到目標儲存格空白處，先選取 B14 儲存格，按鍵盤【Ctrl】鍵，再選取 C19 及 B20 儲存格，完成後按「確定」鈕。

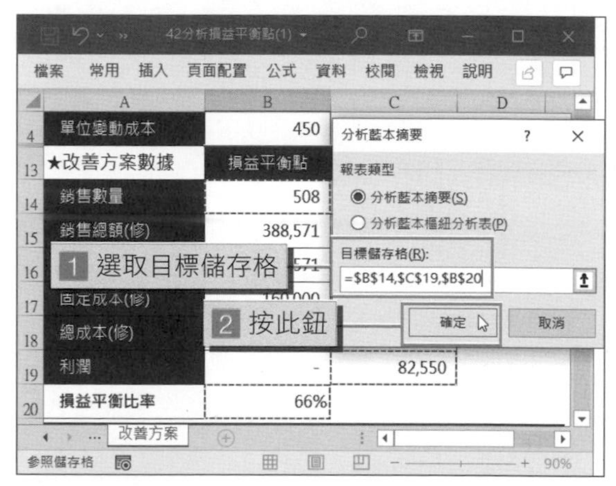

㉙ 自動新增另一工作表，顯示分析藍本摘要。

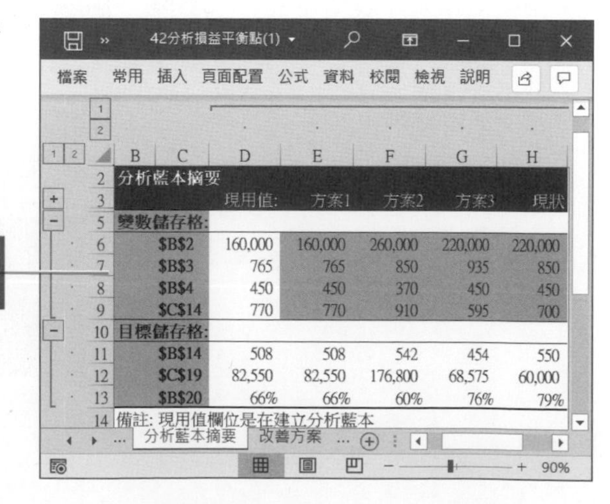

		D	E	F	G	H
分析藍本摘要						
		現用值:	方案1	方案2	方案3	現狀
變數儲存格:						
	$B$2	160,000	160,000	260,000	220,000	220,000
	$B$3	765	765	850	935	850
	$B$4	450	450	370	450	450
	$C$14	770	770	910	595	700
目標儲存格:						
	$B$14	508	508	542	454	550
	$C$19	82,550	82,550	176,800	68,575	60,000
	$B$20	66%	66%	60%	76%	79%
備註: 現用值欄位是在建立分析藍本						

單元 43

範例光碟：CHAPTER 08\43推算最大生產量

推算最大生產量

基本資料

部門	萬用遙控器	電視遙控器	車輛遙控器	捲門遙控器	每日產能 (小時)
	每單位所需的時間				
生產	12	10	15	5	4,000
測試	15	12	18	7	5,200
包裝	10	8	12	4	3,400
利潤	$120	$110	$150	$60	

規劃求解計算

部門	萬用遙控器	電視遙控器	車輛遙控器	捲門遙控器	總計
生產	12	10	0	5	4,000
測試	12	12	0	7	4,441
包裝	10	8	0	4	3,288
利潤		$110	$150	$60	$44,853
數量	221	50	0	171	441

限制條件

生產最大產能	4,000
測試最大產能	5,200
包裝最大產能	3,400
產品最低產量	50
最小總產量	400
萬用遙控器50%	221

目標儲存格 (最大值)

儲存格	名稱	初值	終值	毛利差異
$F$14	利潤 總計	$44,352	$44,853	$501

變數儲存格

儲存格	名稱	初值	終值	數量差異
$B$15	數量 萬用遙控	137	221	83
$C$15	數量 電視遙控	50	50	0
$D$13	數量 車輛遙控	50	0	-50
$E$15	數量 捲門遙控	220	171	-50

限制式

儲存格	名稱	儲存格值	公式	狀態	寬限時間
$B$15	數量 萬用遙控	221	$B$15>=$H$15	緊結	0
$F$11	生產 總計	4,000	$F$11<=$H$10	緊結	0
$F$12	測試 總計	4,441	$F$12<=$H$11	未緊結	758.82353
$F$13	包裝 總計	3,288	$F$13<=$H$12	未緊結	111.76471
$F$15	數量 總計	441	$F$15>=$H$14	未緊結	41
$B$15	數量 萬用遙控	221	$B$15>=$H$13	未緊結	171
$C$15	數量 電視遙控	50	$C$15>=$H$13	緊結	0
$D$15	數量 車輛遙控	0	$D$15=0	緊結	0
$E$15	數量 捲門遙控	171	$E$15>=$H$13	未緊結	121
$B$15:$E$15=整數					

公司有些產品利潤高，但是可能單價偏高，而銷售數量有限；有些產品雖然需要較多的生產成本，利潤較低，卻是長期熱銷商品；盲目的生產高利潤的商品，不見得會替公司帶來最多的利潤，因此在有限的廠房設備、人力資源及物料資源的情況下，哪一項產品應該生產多少數量，以求達到最高的利潤。

範例步驟

1. 本範例的目的是根據個案假設的資料，求出最大利潤的生產組合。基本資料如下圖。

   其他的限制條件有：

   A. 萬用遙控器至少生產總產量 30% 以上

   B. 總產量至少要「400」個

   C. 每項產品至少要生產「50」個

   D. 每部門不能超過每日產能

   E. 產品以 1 個為單位的整數

基本資料

部門	萬用遙控器	電視遙控器	車輛遙控器	捲門遙控器	每日產能 (小時)
	每單位所需的時間				
生產	12	10	15	5	4,000
測試	15	12	18	7	5,200
包裝	10	8	12	4	3,400
利潤	$120	$110	$150	$60	

② 首先將計算式輸入到相關儲存格中，請開啟範例檔「43 推算最大生產量 (1).xlsx」，選取 H15 儲存格，輸入公式「=F15*0.3」，也就是限制條件 A。

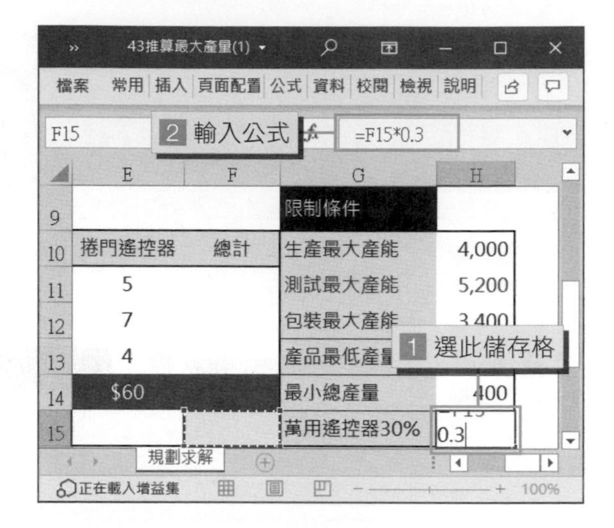

③ 選取 F11 儲存格，切換到「公式」功能索引標籤，在「函數庫」功能區中，按下「數學與三角函數」清單鈕，執行插入「SUMPRODUCT」函數。

④ 開啟 SUMPRODUCT「函數引數」對話方塊，將游標插入點移到第 1 個引數空白處，選取工作表 B11:E11 儲存格範圍；再將游標插入點移到第 2 個引數空白處，選取 B15:E15 儲存格範圍，按下鍵盤【F4】鍵，使儲存格變成絕對儲存格，按「確定」鈕完成輸入引數。完整公式為「=SUMPRODUCT(B11:E11,$B$15:$E$15)」。

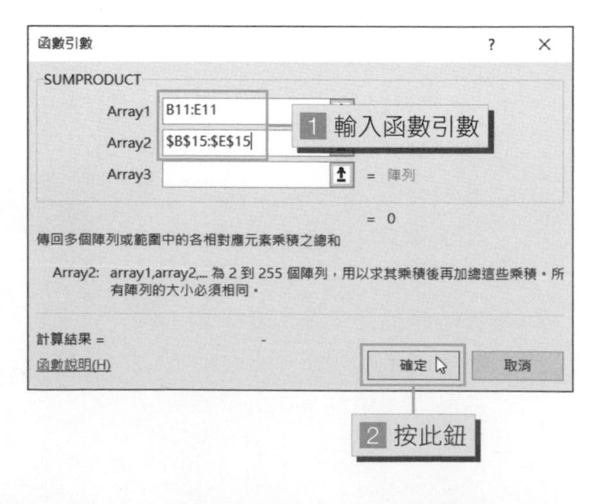

操作 MEMO SUMPRODUCT 函數

說明： 傳回指定陣列中所有對應儲存格乘積的總和。

語法： SUMPRODUCT(array1, [array2], [array3], ...)

引數： 將資訊提供給動作、事件、方法、屬性、函數或程序的值。

- Array1（必要）。指定儲存格乘積和的第一個陣列引數。
- Array2, array3,...（選用）。儲存格乘積和的第 2 個到第 255 個陣列引數。

⑤ 選取 F11 儲存格，拖曳填滿控點，將公式複製到 F12:F14 儲存格，放開滑鼠後，按下智慧標籤鈕，選擇「填滿但不填入格式」。

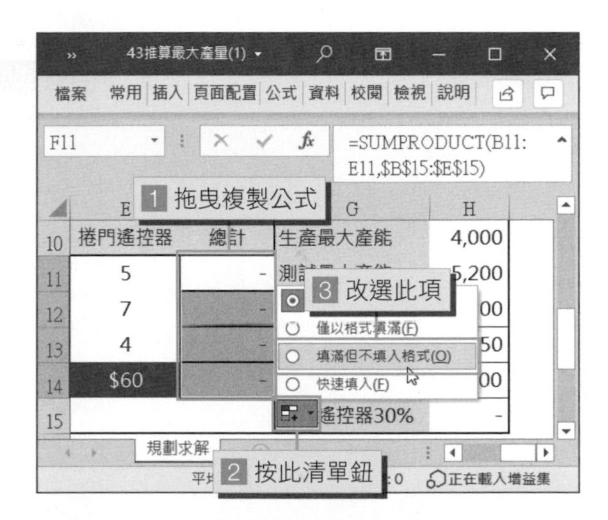

⑥ 選取 F15 儲存格，按下「自動加總」清單鈕，執行插入「加總」指令。並選取加總範圍為 B15:E15 儲存格，按下鍵盤【Enter】鍵完成輸入公式。完整公式為「=SUM(B15:E15)」。

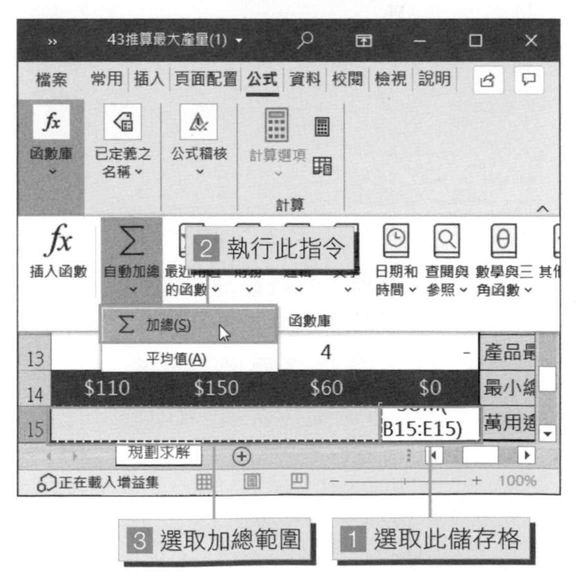

7. Excel 預設安裝的功能沒有包括「規劃求解」，切換到「檔案」功能視窗，按下「選項」文字鈕，請依照以下步驟進行安裝。若已經安裝過，請直接跳到步驟 12。

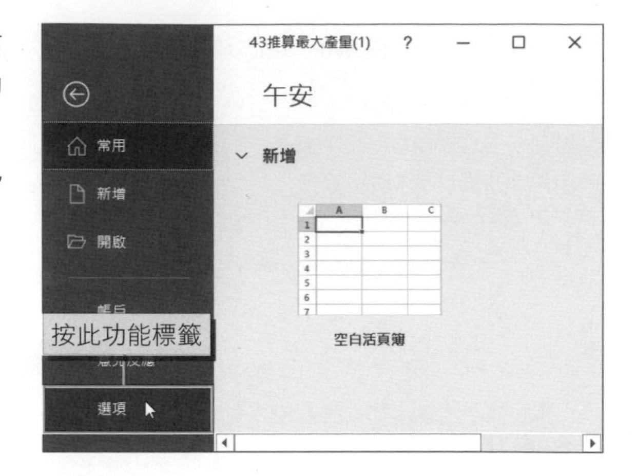

8. 開啟「Excel 選項」對話方塊，切換到「增益集」索引標籤，選擇「規劃求解增益集」選項，按下「執行」鈕。

9. 開啟「增益集」對話方塊，勾選「規劃求解增益集」，按「確定」鈕。

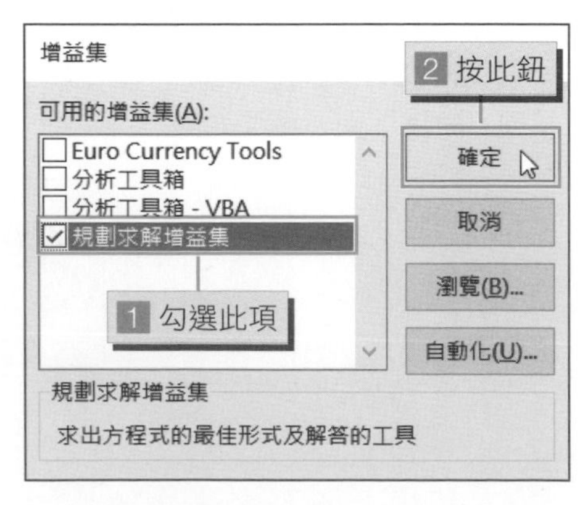

⑩ 資料功能表標籤中出現「分析」功能區塊，其中包含「規劃求解」功能。切換到「資料」功能索引標籤，在「分析」功能區中，執行「規劃求解」指令。

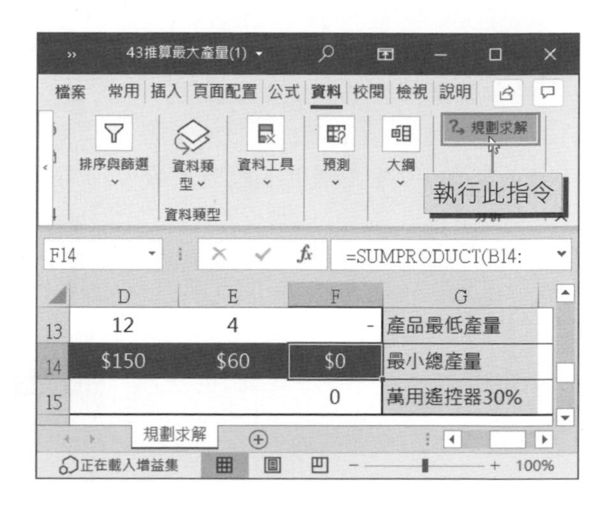

⑪ 開啟「規劃求解參數」對話方塊，設定目標式中選取 F14 儲存格，選擇「最大值」，變數儲存格選取 B15:E15 儲存格範圍，按「新增」鈕增加條件限制式。

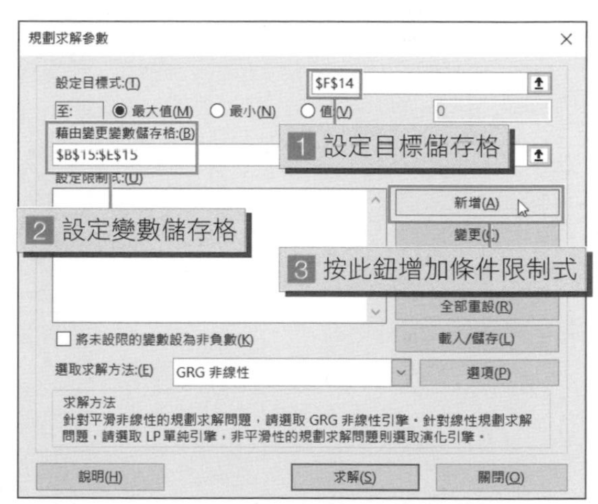

⑫ 另外開啟「新增限制式」對話方塊，新增第 1 個條件「B15>=H15」，按「新增」鈕。依序新增其他限制式「F15>=H14」、「B15:E15>=H13」、「F11<=H10」、「F12<=H11」和「F13<=H12」。

⑬ 最後再輸入一個最重要的限制條件，就是所有的數量都是整數。新增最後一個限制式「B15:E15 int 整數」，按「確定」鈕結束設定條件。

⑭ 回到「規劃求解參數」對話方塊，確認所有條件限制式後，按下「求解」鈕。

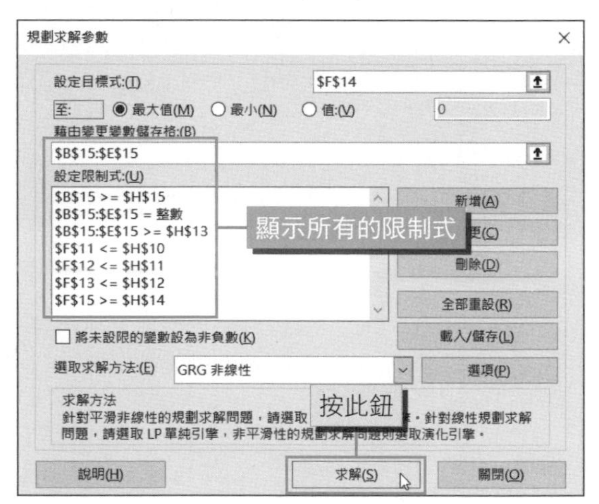

⑮ 開啟「規劃求解結果」對話方塊，選擇「保存運算結果」，按「確定」鈕。

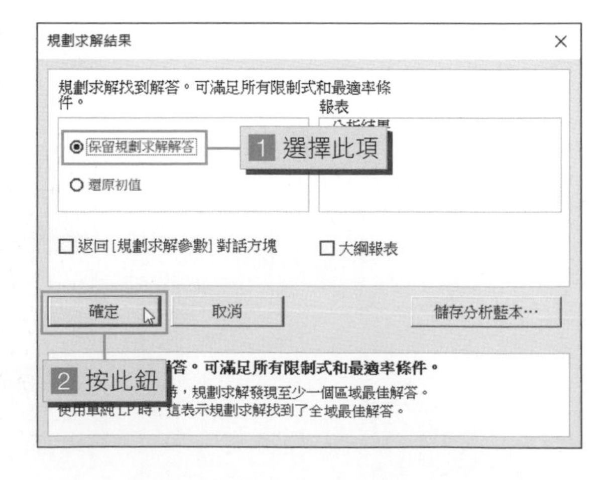

⑯ 回到工作表顯示規劃求解計算出的結果。

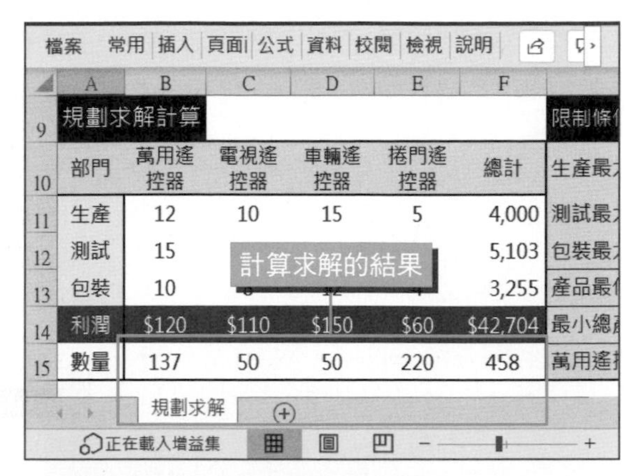

⑰ 假設公司高層想要取消生產車輛遙控器，並增加萬用遙控的產量到 50%，測試製程降低至 12，預估毛利會提升 10%，如此必須變更限制條件。首先修改基本生產條件的表格內容，萬用遙控器的測試製程 B12 儲存格改為「12」，萬用遙控器的利潤 B14 儲存格改為「132」，車輛遙控器製程 D11:D13 儲存格範圍全部改為「0」，最後選取 H15 儲存格修改公式為「=F15*0.5」。或直接開啟範例檔「43 推算最大生產量 (2).xlsx」，切換到「資料」功能索引標籤，執行「規劃求解」指令。

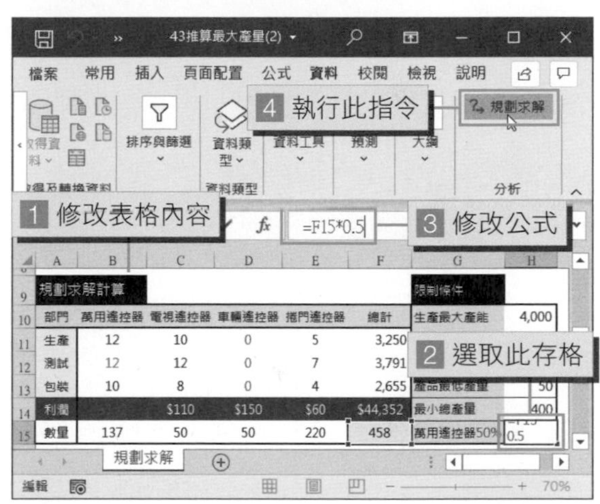

⑱ 開啟「規劃求解參數」對話方塊，選擇「B15:E15>=H13」限制式，按「變更」鈕。

⑲ 修改儲存格參照位置為「B15:C15」，按「新增」鈕。

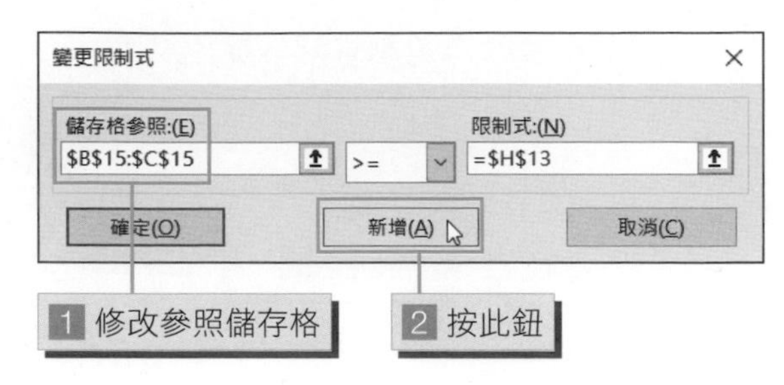

⑳ 新增「E15>=H13」限制式，按「新增」鈕。

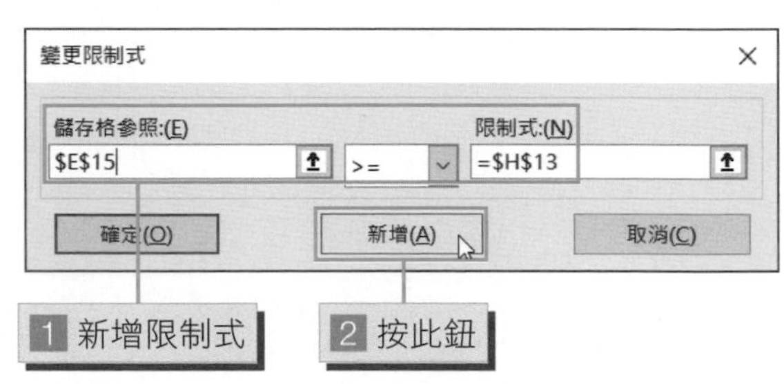

㉑ 新增「D15 = 0」限制式，按「確定」鈕。

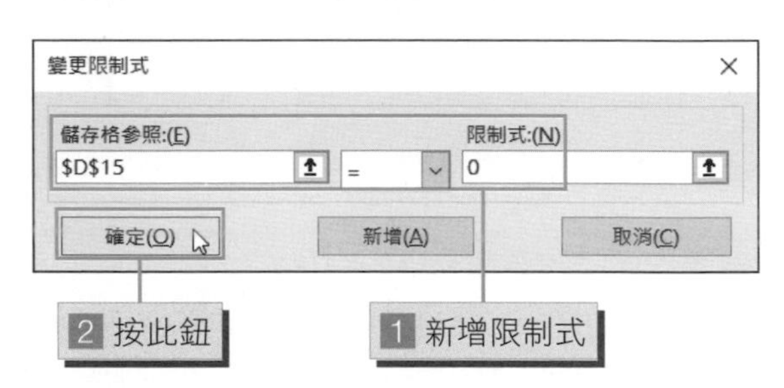

㉒ 確認修改完條件式後，再次按下「求解」鈕。

㉓ 再次開啟「規劃求解結果」對話方塊，一樣選擇「保留規劃求解解答」，只是在報表處選擇「分析結果」，最後按「確定」鈕。

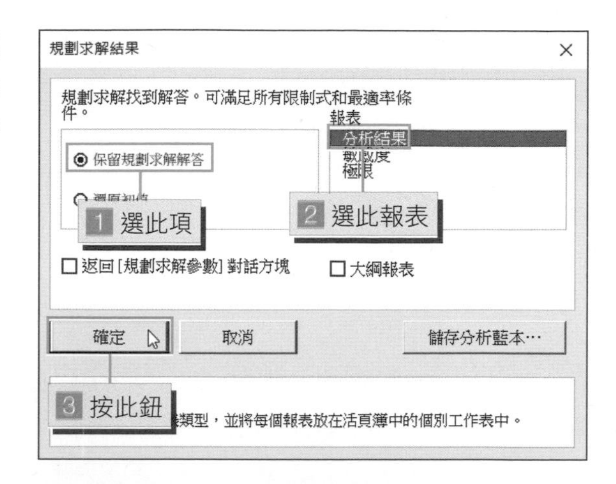

㉔ 重新計算新條件下的求解結果，並新增「運算結果報表 1」工作表。

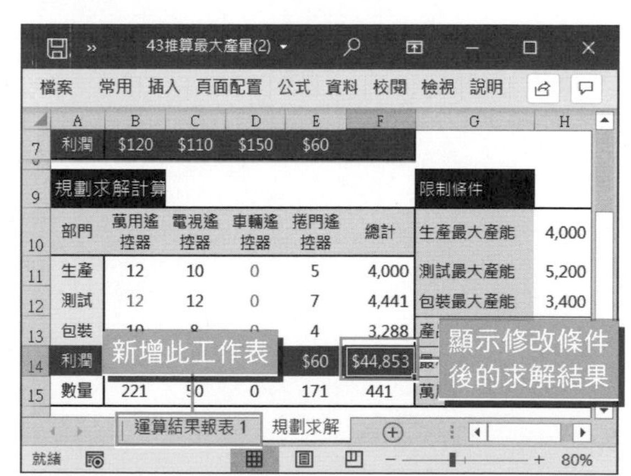

㉕ 由於修改過限制條件式，因此產生報表會有初值和終值的差異，可以作為比較兩種不同方案的結果。切換到「運算結果報表 1」工作表，選取 F15 儲存格輸入文字「毛利差額」，選取 F16 儲存格輸入計算式「=E16-D16」，按鍵盤【Enter】鍵完成輸入。

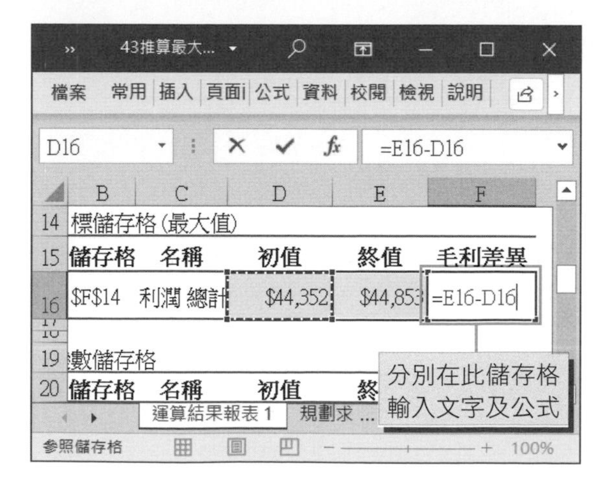

㉖ 接著選取 F20 儲存格，將原有文字刪除，輸入新文字「數量差額」；選取 F21 儲存格輸入計算式「=E21-D21」，按鍵盤【Enter】鍵完成輸入，並複製到下方儲存格，可比較兩個方案生產數量的差異。

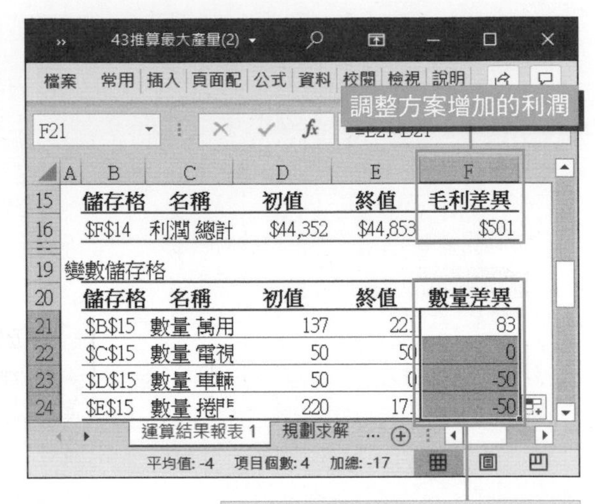

單元 44

範例光碟：CHAPTER 08\44分析安全庫存量

分析安全庫存量

每日安全庫存量變化

產品名稱	進貨數量	銷售數量	存貨數量	建議訂貨量
產品A	11,900	10,787	1,113	886

訂貨所需費用	8,000
庫存管理費	8
訂貨週期天數	4
每日平均銷售數量	348
訂貨週期平均銷售數量	1,392
每日銷售數量標準差	87.9005
安全庫存量	177
訂貨點庫存量	1,569
建議訂貨量	886

做生意最怕就是顧客上門卻剛好缺貨，沒產品可賣不僅會少賺一筆生意，經常如此更可能會流失客戶。但是產品若是存放太多，可能會造成庫存成本過高，庫存管理費用增加，甚至超過保存期限而變成存貨損失，完善的存貨管理是非常重要的課題。

範例步驟

① 假設產品的訂貨週期為「4」天，訂貨所需費用為「8,000」元，每日庫存管理費為「8」元，缺貨機率為「5%」，銷售量請開啟範例檔「44 分析安全庫存量 (1).xlsx」，切換到「產品進銷記錄」工作表，計算出訂貨點數量及建議的訂貨量。

首先將公式所需要參照儲存格的位置，建立範圍名稱備用，選取整列 B:C，切換到「公式」功能索引標籤，在「已定義之名稱」功能區中，執行「從選取範圍建立」指令。

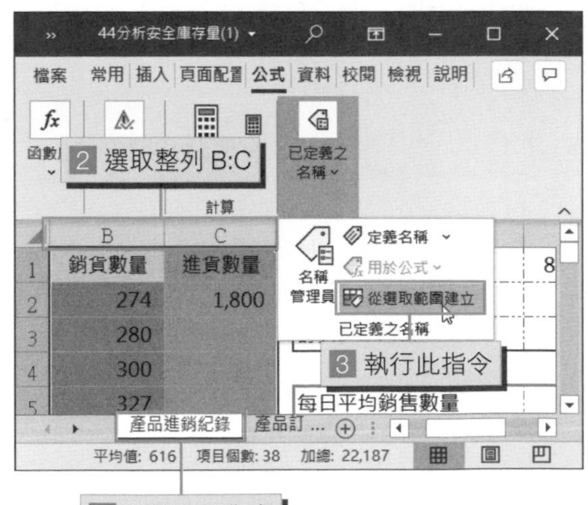

② 開啟「以選取範圍建立名稱」對話方塊，勾選「頂端列」，按下「確定」鈕。

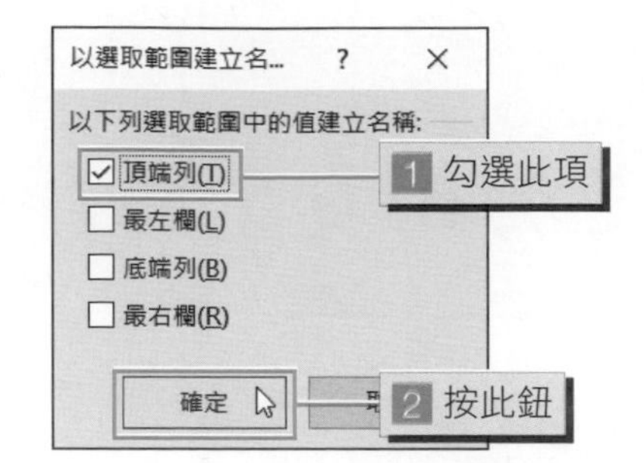

③ 選取 E1:F3 儲存格範圍，按住鍵盤【Ctrl】鍵，再選取 E5:F6、E8:F9、E11:F11 及 E13:F13 儲存格，放開鍵盤【Ctrl】鍵，再次執行「從選取範圍建立」指令。

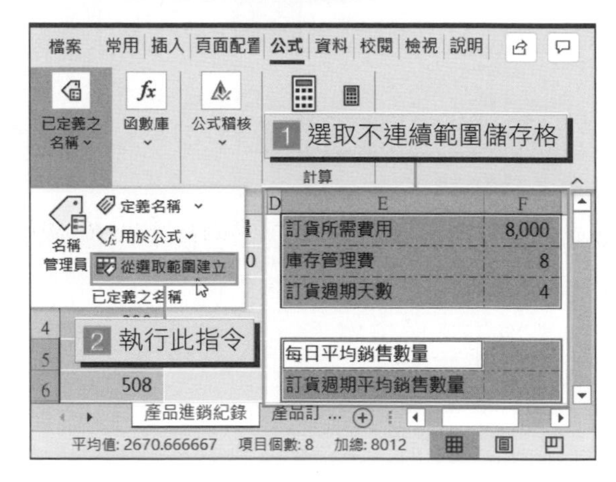

④ 再次開啟「以選取範圍建立名稱」對話方塊，勾選「最左欄」，按下「確定」鈕。

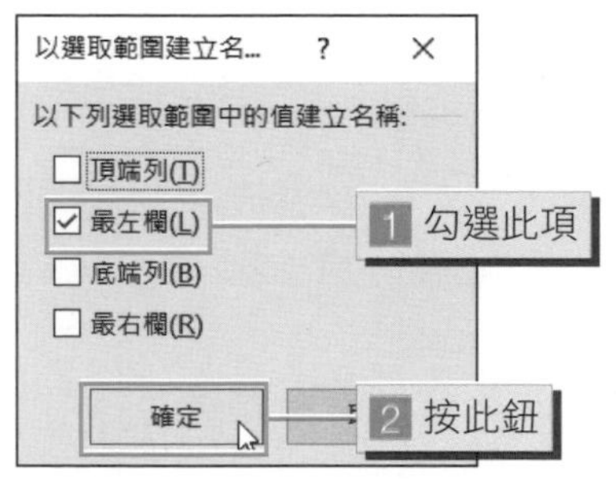

⑤ 平均銷售數量是所有銷售數量的平均值，計算時不需要考慮四捨五入的問題，只需要設定儲存格數值格式到整數位數即可。選取 F5 儲存格，切換到「公式」功能索引標籤，在「函數庫」功能區中，按下「自動加總」清單鈕，執行插入「平均值」函數。

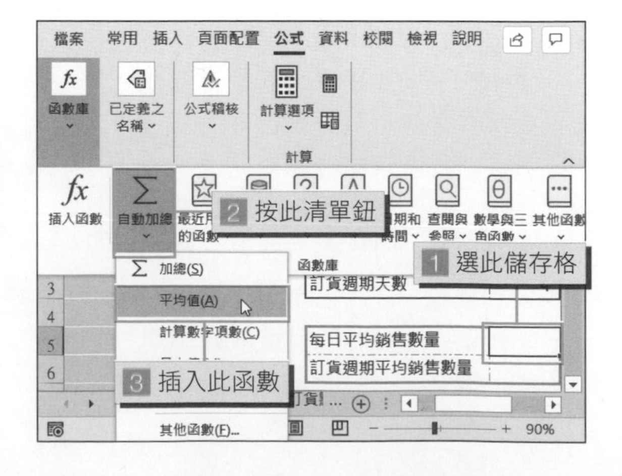

6. 刪除 AVERAGE 引數預設的儲存格範圍，在「已定義之名稱」功能區中，按下「用於公式」清單鈕，選擇插入「銷貨數量」範圍名稱，按下鍵盤【Enter】鍵完成輸入引數。完整公式「=AVERAGE(銷貨數量)」。

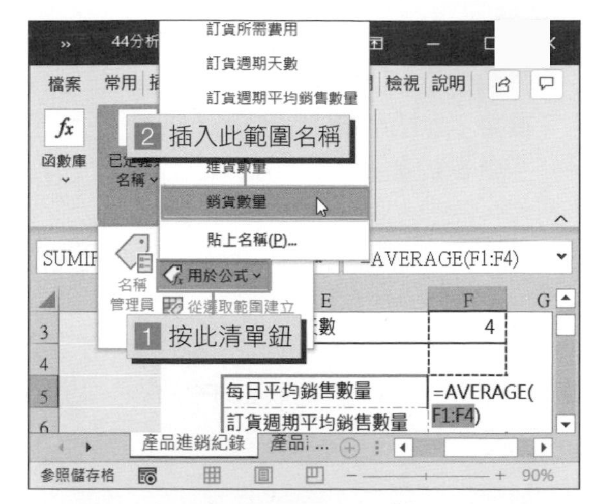

7. 計算「訂貨週期平均銷售數量」。選取 F6 儲存格，輸入公式「=F5*F3」，也就是「= 每日平均銷售數量 * 訂貨週期天數」。

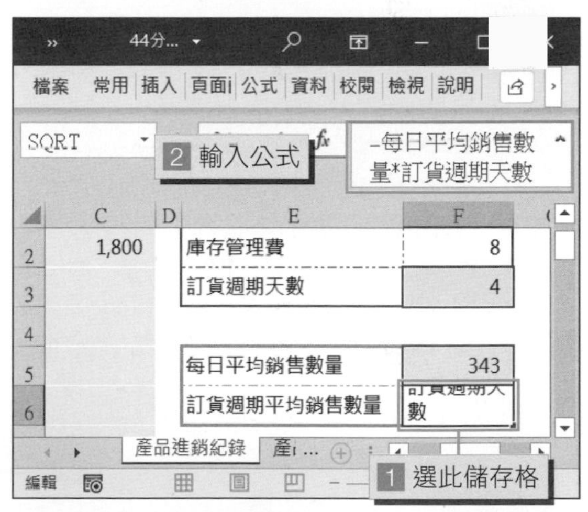

8. 接著計算「每日銷售數量標準差」。選取 F8 儲存格，切換到「公式」功能索引標籤，在「函數庫」功能區中，按下「其他函數 \ 統計」清單鈕，執行插入「STDEVA」函數。

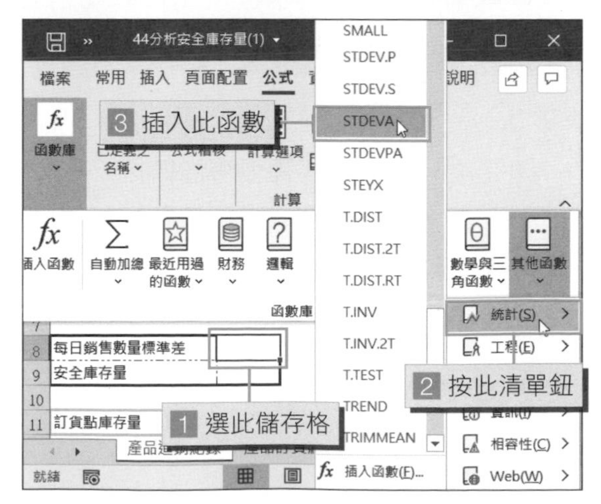

⑨ 開啟 STDEVA「函數引數」對話方塊，在引數 1 中插入「銷貨數量」範圍名稱，或者直接輸入「銷貨數量」文字，按「確定」鈕。完整公式「=STDEVA(銷貨數量)」。

操作 MEMO STDEVA 函數

說明： 根據樣本來估算標準差。標準差是用來衡量值與平均值 (平均數) 之間的離散程度。

語法： STDEVA(value1, [value2], ...)

引數： 將資訊提供給動作、事件、方法、屬性、函數或程序的值。

- Value1（必要）。對應到母體樣本的數值。
- Value2, ...（選用）。可設定第 1 個到第 255 個。

⑩ 計算出每日銷售數量標準差，接著要計算「安全庫存量」。

> 安全庫存量＝安全係數 × 標準差 × 訂貨週期天數

但在這之前，先計算安全係數。選取 F9 儲存格，執行插入「NORM.S.INV」函數。

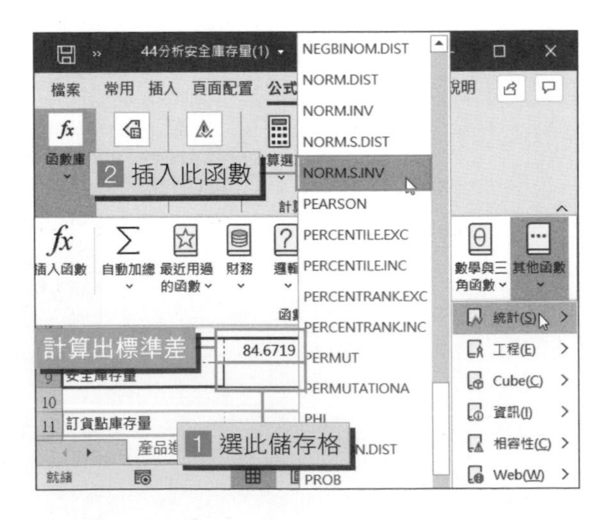

⑪ 開啟 NORM.S.INV「函數引數」對話方塊，在引數輸入公式「=1-0.05」，也就是「=1-缺貨機率(0.05)」，按「確定」鈕。安全係數完整公式為「=NORM.S.INV(1-0.05)」。

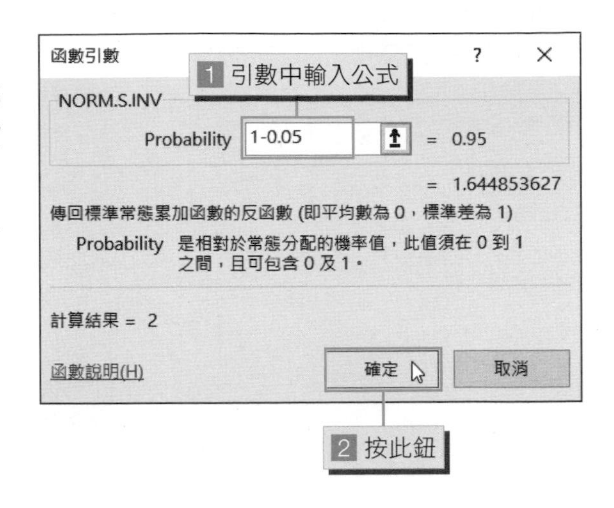

操作 MEMO NORM.S.INV 函數

說明： 傳回標準常態累加分配的反函數值。

語法： NORM.S.INV(probability)

引數： 將資訊提供給動作、事件、方法、屬性、函數或程序的值。

- Probability（必要）。對應到常態分配的機率。

⑫ 繼續在 F9 儲存格輸入未完成的公式。在安全係數公式後方，繼續輸入「+每日銷售數量標準差*」，按下資料編輯列上的「插入函數」鈕。

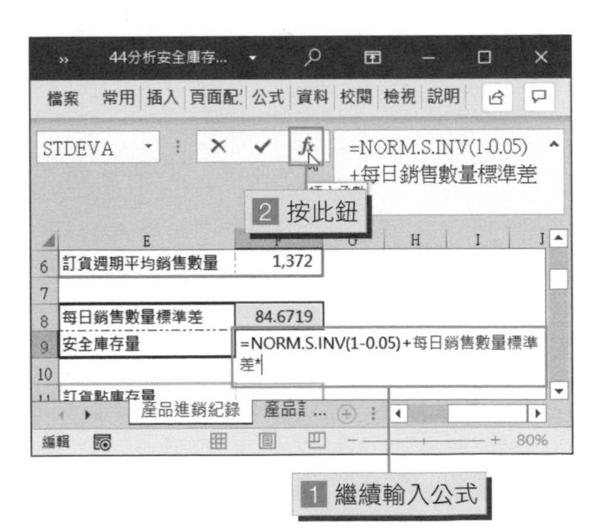

⑬ 開啟「插入函數」對話方塊，在「數學與三角函數」類別中，選擇「SQRT」函數，按「確定」鈕。

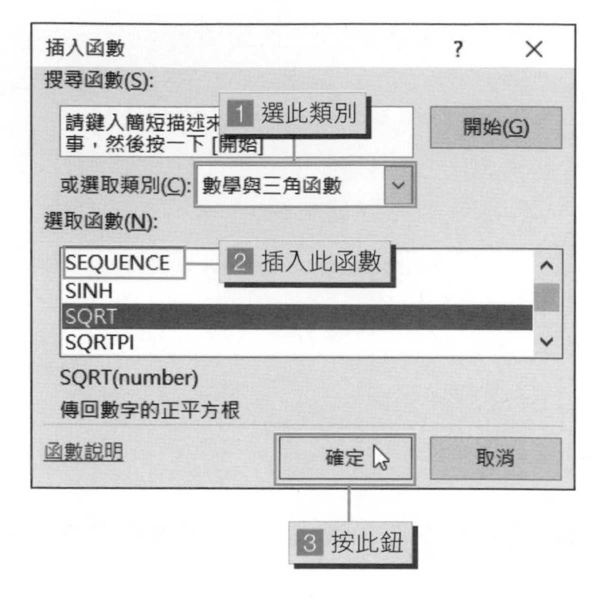

⑭ 開啟 SQRT「函數引數」對話方塊，在引數輸入「訂貨週期天數」，按「確定」鈕。

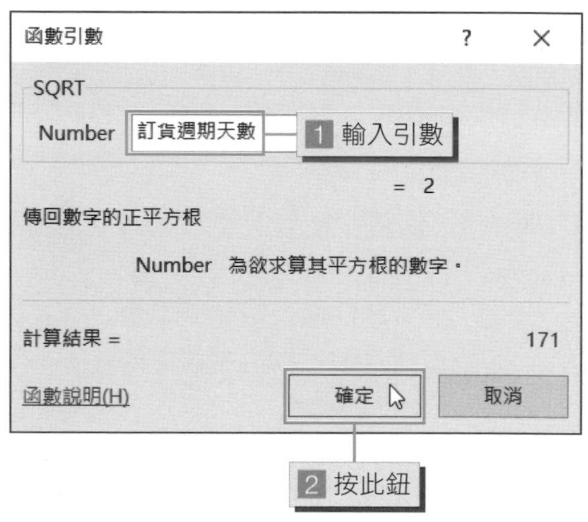

操作 MEMO　SQRT 函數

說明： 傳回正平方根。

語法： SQRT(number)

引數： 將資訊提供給動作、事件、方法、屬性、函數或程序的值。

- Number（必要）。欲求得平方根的數字。

⑮ 安全庫存量完整公式為「=NORM.S.INV(1-0.05)+ 每日銷售數量標準差 *SQRT(訂貨週期天數)」。計算出安全庫存量數值。

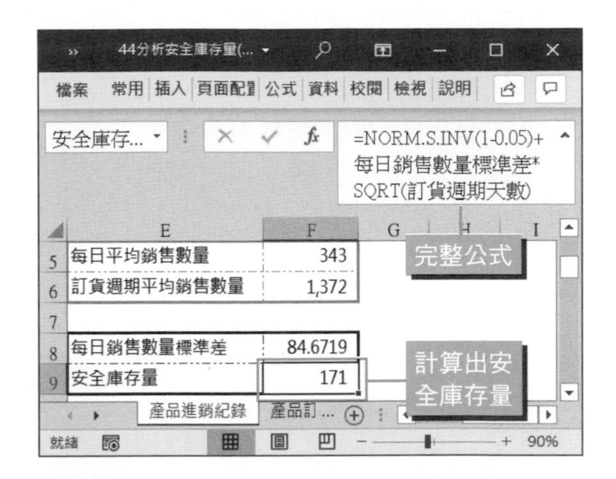

⑯ 接下來要計算「訂貨點的庫存量」，選取 F11 儲存格，輸入公式「=F6+F9」，也就是「= 安全庫存量 + 訂貨週期平均銷售數量」。

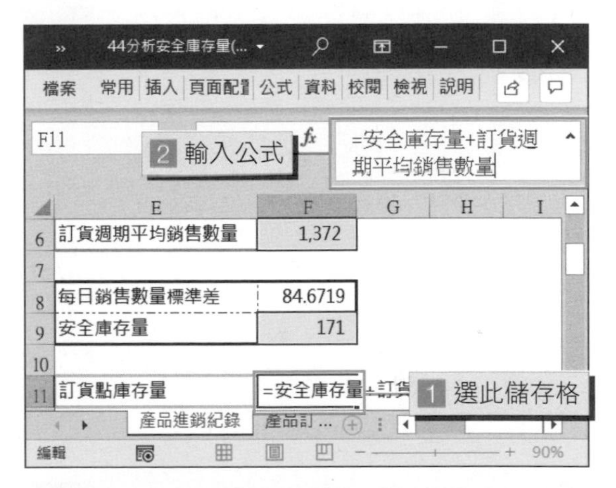

⑰ 最後計算「建議訂貨量」。選取 F13 儲存格，先輸入「=」號，再按資料編輯列上的「最近使用函數」清單鈕，選擇「SQRT」函數。

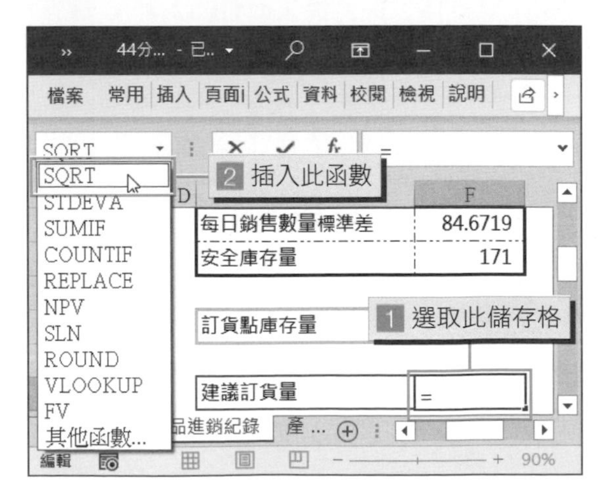

⑱ 開啟 SQRT「函數引數」對話方塊，在引數輸入「2* 訂貨所需費用 *(每日平均銷售數量 +(安全庫存量 / 訂貨週期天數))/ 庫存管理費」，按「確定」鈕。

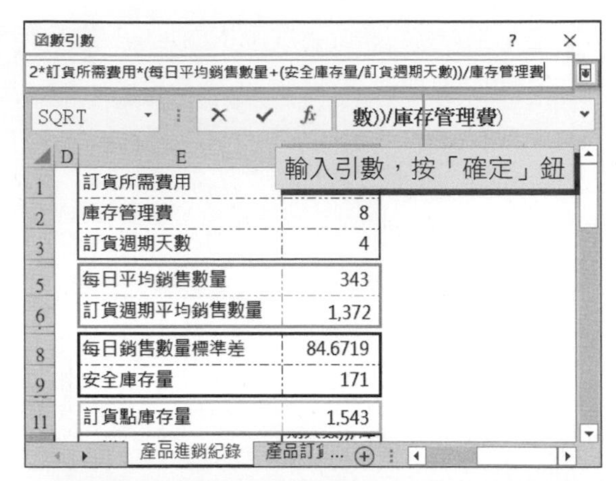

⑲ 計算出現建議訂貨量，完整公式為「=SQRT(2* 訂貨所需費用 *(每日平均銷售數量 +(安全庫存量 / 訂貨週期天數))/ 庫存管理費)」。

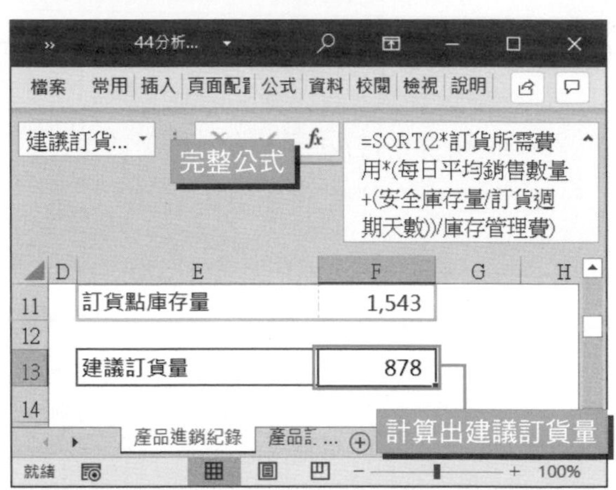

⑳ 如果持續每天將銷售數量輸入到紀錄表中，就會顯示不同的訂貨點庫存量及建議訂貨量。因此可另外設定一個連結到各產品的紀錄表的工作表，每日監控庫存量的變化，並設定低於訂貨點庫存量的警告樣式，提醒管理者該立即處理。請切換到「產品訂貨點」工作表，選取 D3 儲存格，切換到「常用」功能索引標籤，在「樣式」功能區中，按下「設定格式化的條件」清單鈕，執行「新增規則」指令。

㉑ 開啟「新增格式化規則」對話方塊，選擇「只格式化包含下列的儲存格」，規則為「儲存格值」「小於」「=產品進銷紀錄!$F$11」，也就是「存貨數量小於訂貨點庫存量」，按下「格式」鈕設定符合條件時的儲存格格式。

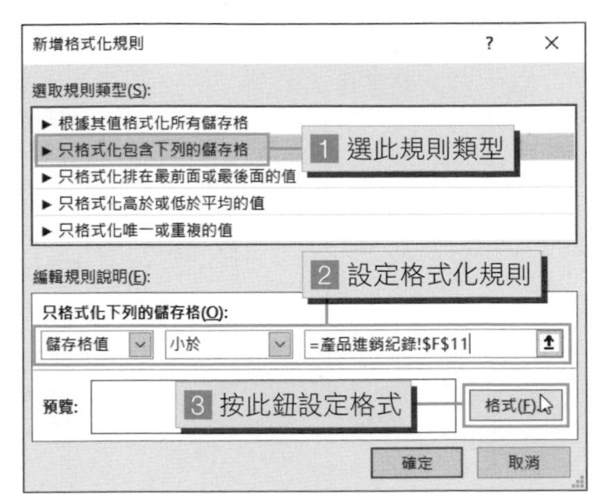

㉒ 開啟「設定儲存格格式」對話方塊，切換到「字型」索引標籤，按下「色彩」清單鈕，選擇字型色彩為「紅色」。

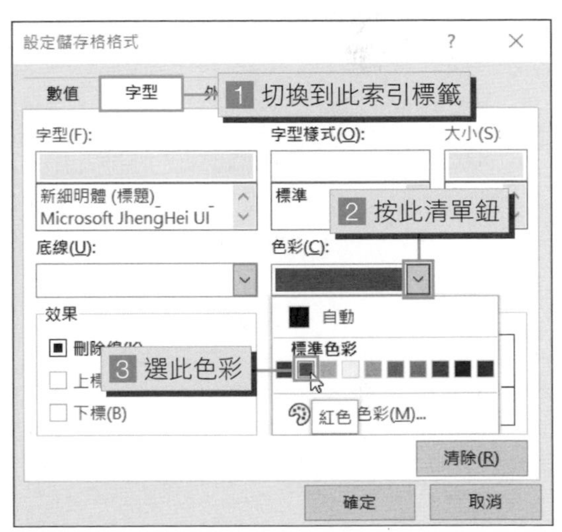

㉓ 切換到「填滿」索引標籤，選擇填滿色彩「淺綠」，按「確定」鈕完成儲存格格式設定。

㉔ 格式化規則設定完畢後，按「確定」鈕回到工作表。

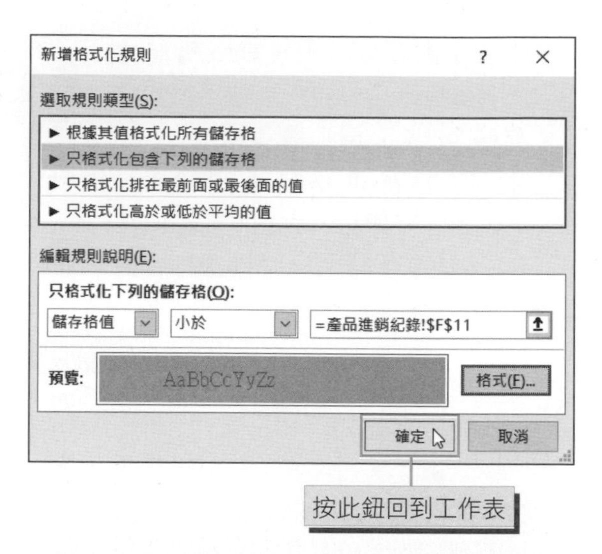

㉕ 假設新增一筆銷貨資料後，當存貨數量小於訂貨點庫存量，「存貨數量」儲存格的格式將會變成指定樣式，提醒管理者該訂貨囉！

CHAPTER

9 投資方案評估

Excel

單元 45

範例光碟：CHAPTER 09\45試算零存整付本利和

試算零存整付本利和

零存整付存款計畫	
每月存入金額	-$10,000
合約年限	5
利率	1.00%
存款本利和	$614,990.49

新鮮人出社會要存第一桶金的方法，除了努力賺錢外，就是要努力存錢，存在銀行活期儲蓄存款中，只要提款卡就很容易把錢領出來花掉，還不如與銀行約定零存整付存款，每月固定從存摺扣款，不到約定期限不能提領，把儲蓄當費用就很容易的存到第一桶金。

範例步驟

1. 計算「零存整付」的本利和必須使用 FV 函數，在固定金額、利率及期數下，計算出合約截止後可領回的本利和。假設每月提撥 1 萬元，年利率 1% 的情況下，5 年後會有多少錢？請開啟範例檔「45 試算零存整付本利和 (1).xlsx」，選取 B7 儲存格，切換到「公式」功能索引標籤，在「函數庫」功能區中，按下「財務」清單鈕，執行插入「FV」函數。

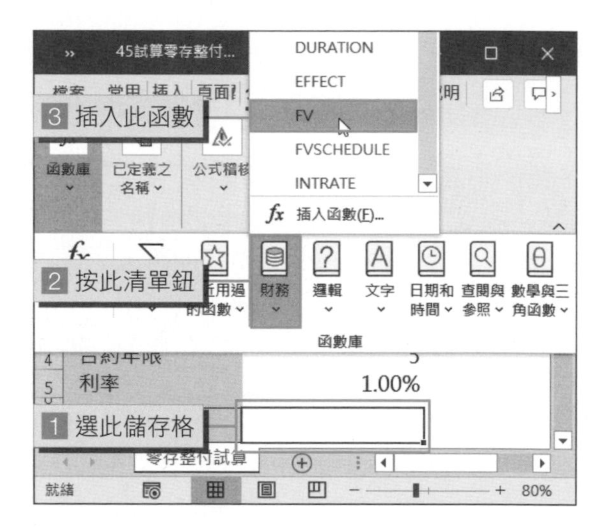

2. 開啟 FV「函數引數」對話方塊，Rate 引數輸入「B5/12」，將年利率改為月利率；Nper 引數輸入總存款月數「B4*12」；Pmt 引數輸入每月扣款金額「B3」，其他引數省略，輸入完成按「確定」鈕。

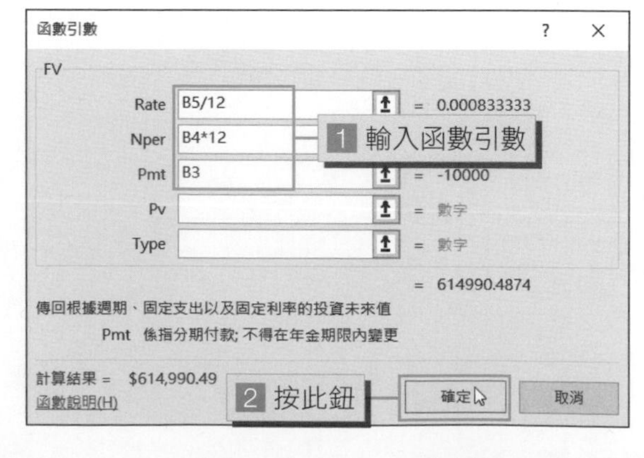

操作 MEMO　FV 函數

說明： 傳回根據週期、固定支出及固定利率的投資未來值。

語法： FV(rate,nper,pmt,[pv],[type])

引數：
- Rate（必要）。各期的利率。
- Nper（必要）。總付款期數。
- Pmt（必要）。各期給付的金額；不得在期限內變更。如果省略 pmt，則必須使用 pv 引數。
- Pv（選用）。未來付款的現值或目前總額。如果省略 pv，則假設其值為 0（零），且必須包含 pmt 引數。
- Type（選用）。數字 0 或 1，指出付款期限。（0 或省略為期末，1 為期初））

③ 計算出 5 年後可領約 61.5 萬元的本利和。如果想要存到 100 萬元，在不影響每個月支出額的狀況下，需要幾年的時間？這時候可以使用「目標搜尋」的功能。切換到「資料」功能索引標籤，在「預測」功能區中，按下「模擬分析」清單鈕，執行「目標搜尋」指令。

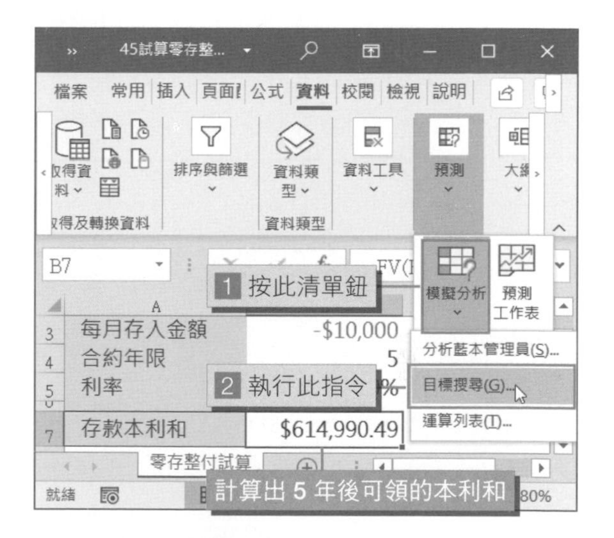

④ 開啟「目標搜尋」對話方塊，目標儲存格選擇「B7」儲存格；目標值輸入「1000000」；變數儲存格選擇「B4」儲存格，輸入完畢按下「確定」鈕。

5 經過一番計算，終於算出目標值為 100 萬需要的年數，直接按「確定」鈕，工作表資料就會被修改。

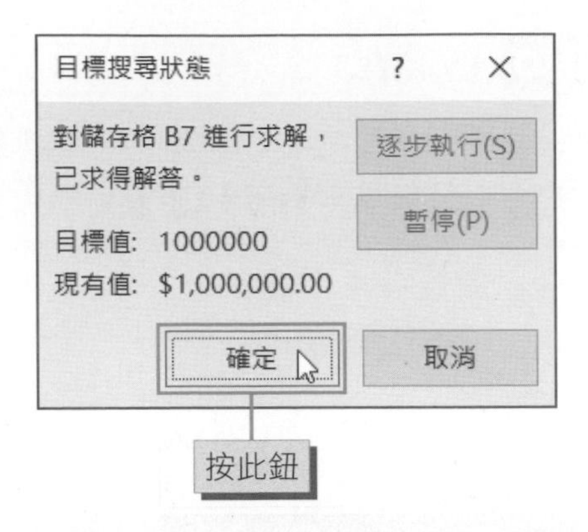

6 在年利率 1%，每個月存 1 萬元的情形下，需要約 8 年的時間，才能存到目標值 100 萬。

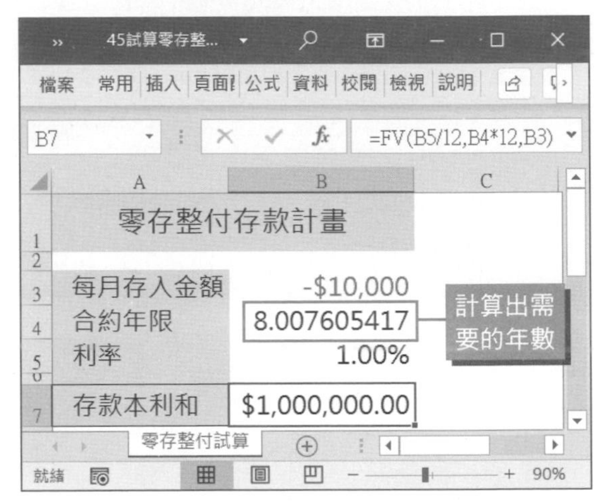

單元 46 試算信用貸款

範例光碟：CHAPTER 09\46試算信用貸款

信用貸款分析藍本

貸款額度	$300,000
年利率	2.99%
清償期限	5
每月付款	-$5,389.27

分析藍本摘要	銀行A	銀行B	銀行C	銀行D
變數儲存格:				
貸款額度	$300,000	$300,000	$200,000	$500,000
年利率	2.99%	3.49%	1.99%	3.99%
清償期限	5	7	3	7
目標儲存格:				
$B$7	-$5,389.27	-$4,030.59	-$5,727.64	-$6,832.10

備註: 現用值欄位是在建立分析藍本
摘要時所使用變數儲存格的值。
每組變數儲存格均以灰網顯示。

各金融行庫推出小額信用貸款，金額從 10 萬元到 50 萬元不等，為「手頭緊」的民眾解燃眉之急，雖然利率較高，但不少消費型的顧客也趨之若鶩。使用「藍本分析」功能，藉由輸入各種數值、資訊，然後加以分析、比較各種不同的小額信用貸款方案，以找出最適合者。

範例步驟

① 假設 A 銀行推出小額信用貸款，貸款利率為 2.99%，最多可貸 30 萬元，最長可分 5 年償還，若以此條件貸款，每個月將償還多少錢？請開啟範例檔「46 試算信用貸款 (1).xlsx」，先選取 A3:B5 儲存格範圍，切換到「公式」功能索引標籤，在「已定義之名稱」功能區中，執行「從選取範圍建立」指令。

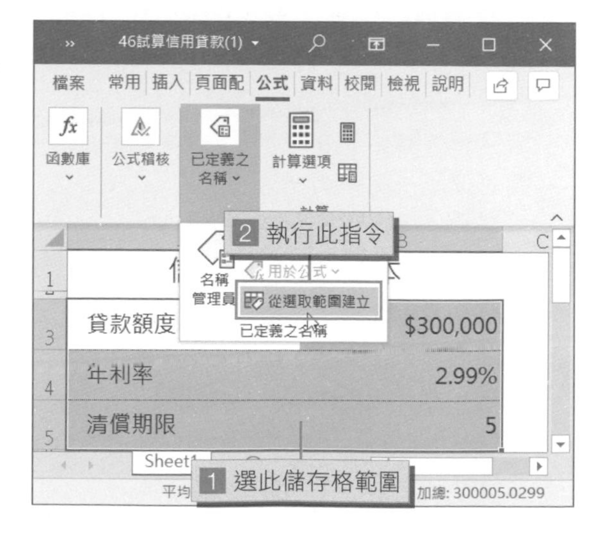

② 開啟「以選取範圍建立名稱」對話方塊，勾選「最左端」，按下「確定」鈕。

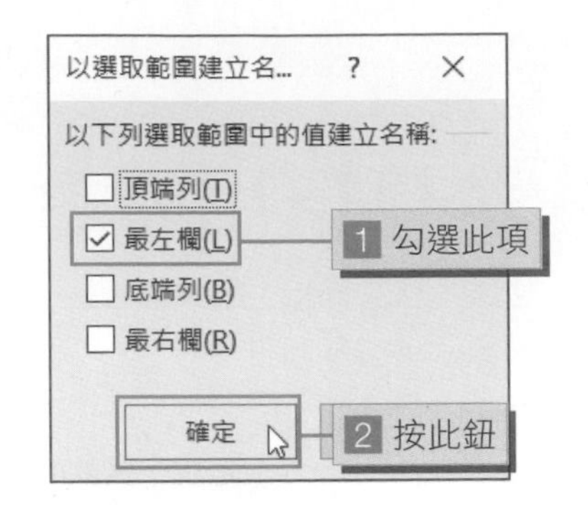

③ 接著選取 B7 儲存格，在「函數庫」功能區中，按下「財務」清單鈕，執行插入「PMT」函數。

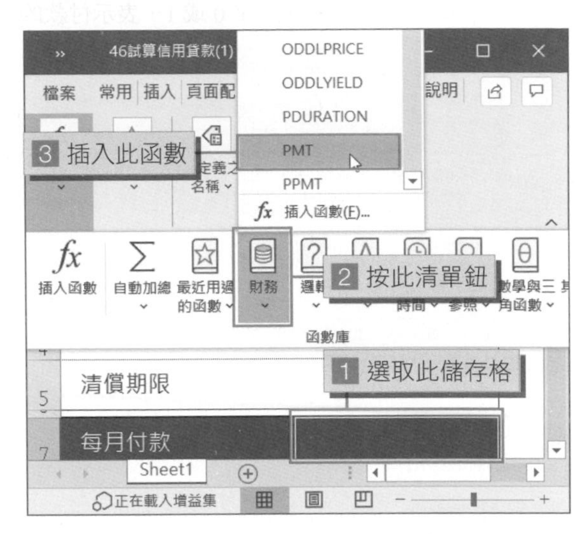

④ 開啟 PMT「函數引數」對話方塊，在 Rate 引數中先選取 B4 儲存格，此時會顯示「年利率」，在文字後方輸入「/12」，使得 Rate 引數為「年利率 /12」；在 Nper 引數中先選取 B5 儲存格，此時會顯示「清償期限」，在文字後方輸入「*12」，使得 Nper 引數為「清償期限 *12」；在 Pv 引數中先選取 B3 儲存格，此時會顯示「貸款額度」，其他引數省略，輸入完畢後，按「確定」鈕。完整公式為「=PMT(年利率 /12, 清償期限 *12, 貸款額度)」。

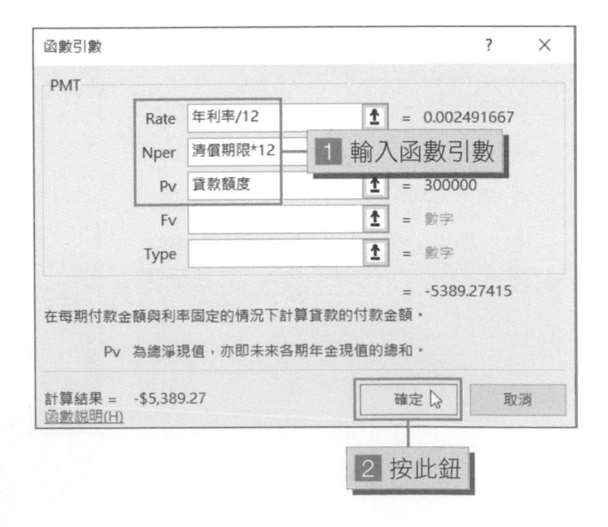

操作 MEMO PMT 函數

說明： 在定額及固定利率情形下，計算貸款付款數額。

語法： PMT(rate, nper, pv, [fv], [type])

引數：
- Rate（必要）。貸款的利率。
- Nper（必要）。貸款的總付款期數。
- Pv（必要）。本金，即未來各期付款現值總額。
- Fv（選用）。指最後一次付款完成後，所能獲得的未來值或現金餘額。如果省略 fv，則假設其值為 0，也就是說，貸款的未來值是 0。
- Type（選用）。數字 0 或 1，表示付款的給付時點。（0 或省略為期末，1 為期初）

5 計算出每月應償還的金額為「5,389」元。假設有其他銀行提供不同的貸款方案如下表，接下來就建立各銀行的分析藍本，以便比較各家銀行貸款方案。切換到「資料」功能索引標籤，在「預測」功能區中，按下「模擬分析」清單鈕，執行「分析藍本管理員」指令。

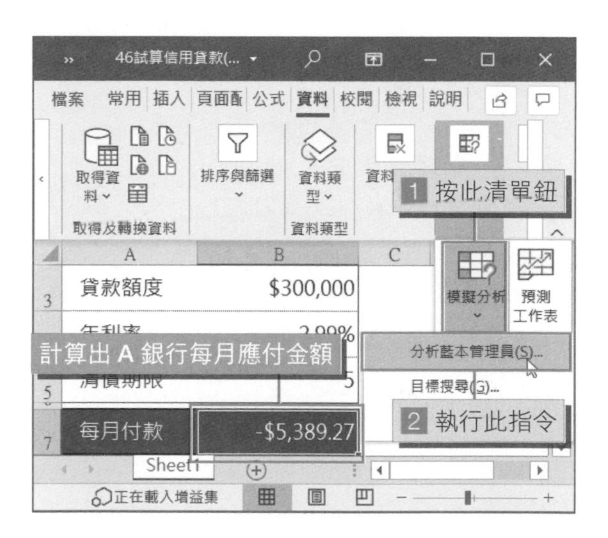

6 開啟「分析藍本管理員」對話方塊，直接按下「新增」鈕，新增銀行 A 貸款方案的分析藍本。

銀行名稱	貸款額度（萬）	年利率（%）	清償期限
A 銀行	30	2.99	5
B 銀行	30	3.49	7
C 銀行	20	1.99	3
D 銀行	50	3.99	7

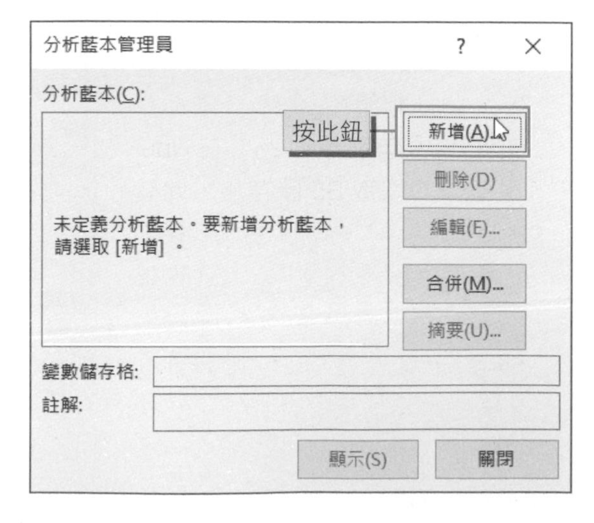

⑦ 開啟「編輯分析藍本」對話方塊，輸入分析藍本名稱為「銀行 A」，選擇變數儲存格為「B3:B5」儲存格範圍，輸入完畢按下「確定」鈕。

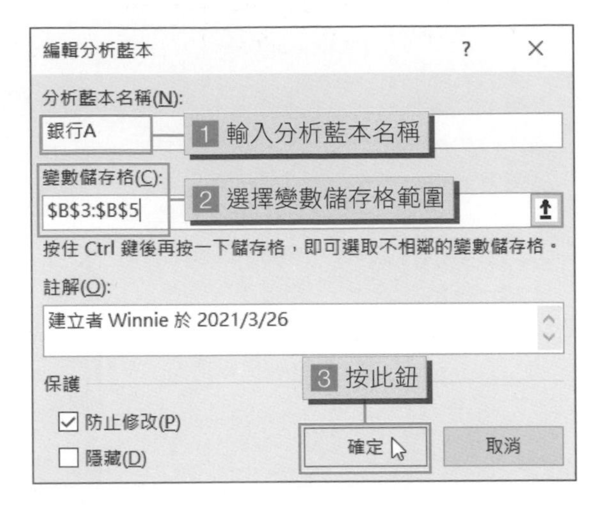

⑧ 接著設定銀行 A 的貸款方案內容，貸款金額為「300000」，年利率「0.0299」，清償期限「5」，設定完成按「確定」鈕。

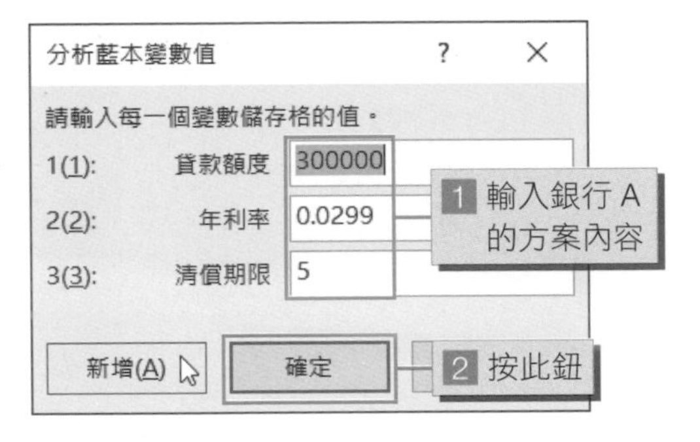

⑨ 重複步驟 7~8，依序將其他三家銀行的貸款方案設定成分析藍本，最後一個則按下「確定」鈕。全部都設定完成後，選取銀行 C 的分析藍本，按下「顯示」鈕。

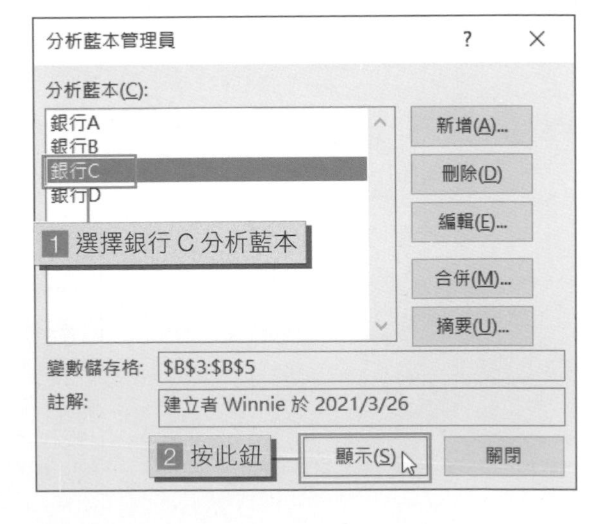

⑩ 工作表內容就會變更成銀行 C 的貸款方案，由此可知，若採用銀行 C 的貸款方案，每月應償還的金額為「5,728」元。此時「分析藍本管理員」對話方塊不會自動關閉，因此可以繼續選取其他銀行的分析藍本作為比較。

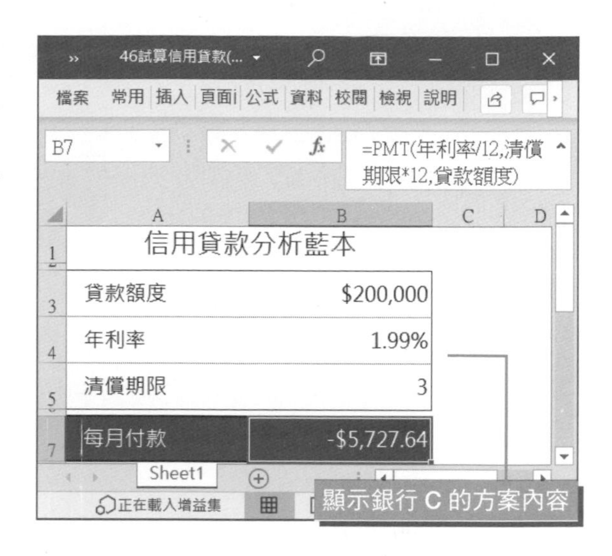

⑪ 雖然使用分析藍本可以逐一檢視各家方案，但是還是略嫌麻煩，「分析藍本摘要建立」功能，可以各分析藍本製作成「摘要」，顯示在工作表上。在「分析藍本管理員」對話方塊中，按下「摘要」鈕。

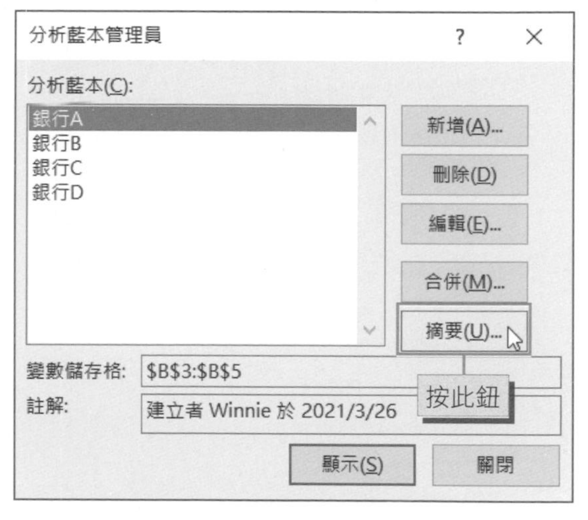

⑫ 在「分析藍本摘要」對話方塊中，選擇「分析藍本摘要」報表類型，選取「B7」儲存格（每月付款）為目標儲存格，按下「確定」鈕。

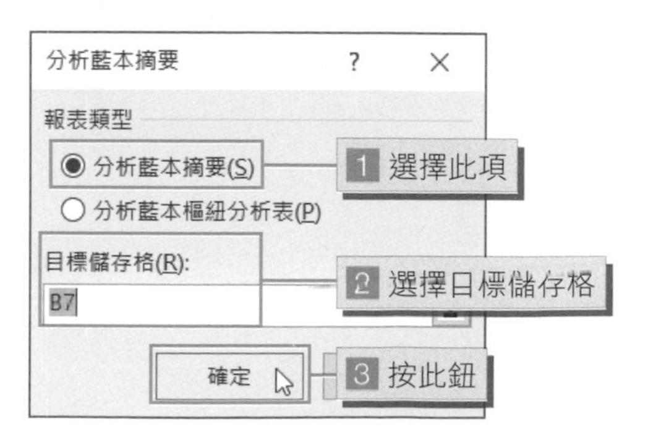

⑬ 立即建立新的工作表並顯示所有的分析藍本資料及運算結果，可根據每月需負擔的清償金額，選擇適合的貸款方案。

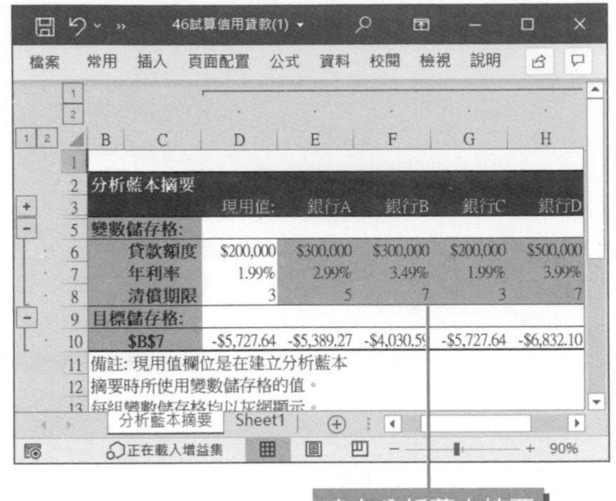

單元 47

範例光碟：CHAPTER 09\47試算房屋貸款

試算房屋貸款

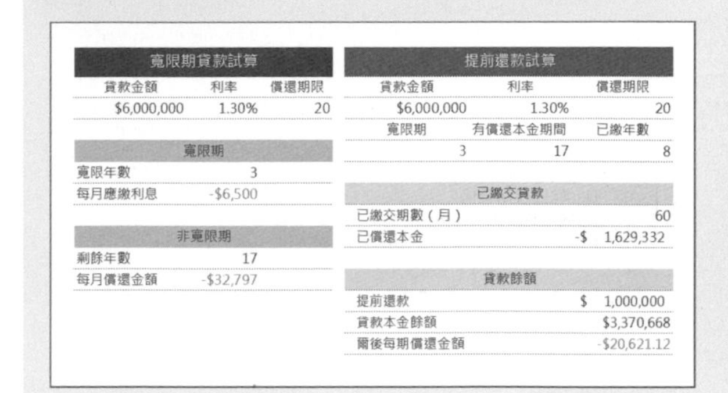

寬限期貸款試算		
貸款金額	利率	償還期限
$6,000,000	1.30%	20

寬限期	
寬限年數	3
每月應繳利息	-$6,500

非寬限期	
剩餘年數	17
每月償還金額	-$32,797

提前還款試算		
貸款金額	利率	償還期限
$6,000,000	1.30%	20
寬限期	有償還本金期間	已繳年數
3	17	8

已繳交貸款	
已繳交期數(月)	60
已償還本金	-$ 1,629,332

貸款餘額	
提前還款	$ 1,000,000
貸款本金餘額	$3,370,668
爾後每期償還金額	-$20,621.12

「購屋」前要準備的工作相當多，從購屋地段、成屋或預售屋、坪數、房屋總價、銀行可貸款額度…等相關資訊的收集，一個也不可少！貸款每月償還金額中，包含了「本金」與「利息」兩部分，在貸款初期，每月償還金額中大部分為「利息繳交」，而「本金償還」僅佔一小部分，但到了貸款末期則情況相反。還有一些房屋貸款方案有所謂「寬限期」，在「寬限期」內只要繳交貸款本金的利息，等到寬限期過後再依一般貸款方案來試算。

範例步驟

① 假設向銀行 A 申請房屋貸款，貸款金額為 600 萬，利率為 1.3%，貸款期限為 20 年，前 3 年為寬限期，計算寬限期與非寬限期每月應償還的金額。請開啟範例檔「47 試算房屋貸款 (1).xlsx」，切換到「寬限期貸款試算」工作表，選取 B7 儲存格，輸入每月應繳利息公式「=IF(B6=0,0,-A3*B3/12)」。

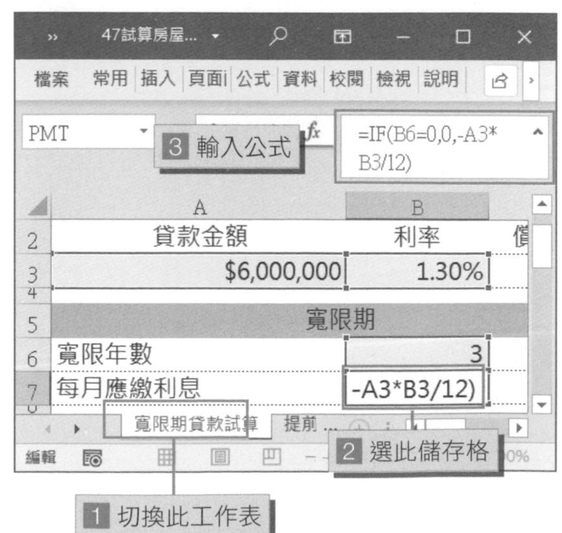

② 計算出寬限期每月應繳的利息金額 6,500 元，接著計算非寬限期每月應償還的金額。先選取 B10 儲存格，輸入剩餘年數公式「=C3-B6」。

③ 選取 B11 儲存格，切換到「公式」功能索引標籤，在「函數庫」功能區中，按下「財務」清單鈕，執行「PMT」函數。

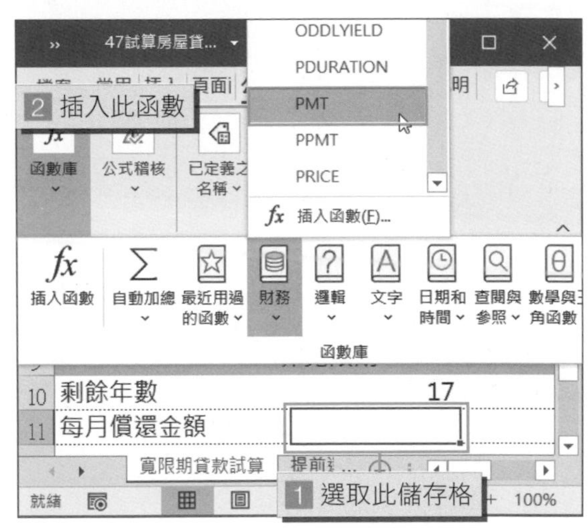

④ 開啟 PMT「函數引數」對話方塊，分別在 Rate 引數輸入「B3/12」，Nper 引數輸入「B10*12」，Pv 引數輸入「A3」，其餘引數省略，完成後按下「確定」鈕。完整公式為「=PMT(B3/12,B10*12,A3)」。

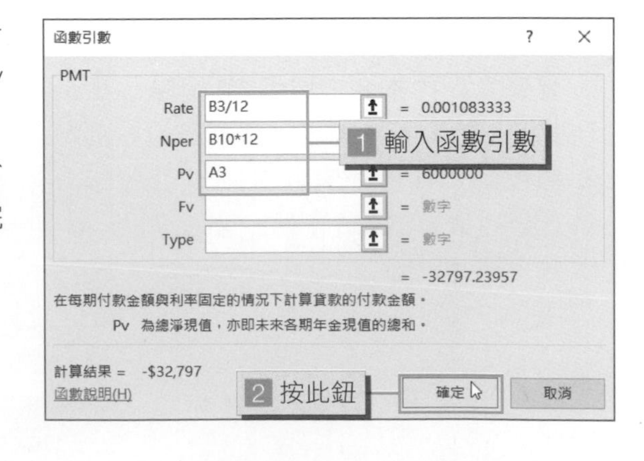

⑤ 寬限期 3 年內，每月只需繳交利息 6,500 元，看似經濟負擔上確實減輕很多（由 28,404 元降至 6,500 元），但後面的 17 年期間，則每月償還金額提高到 32,797 元。

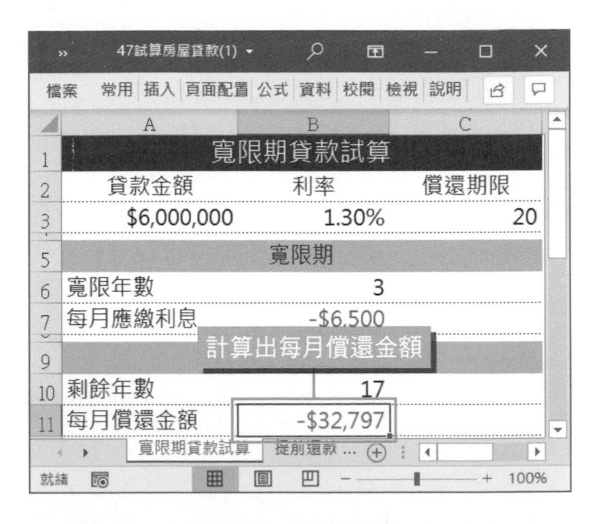

⑥ 假設繳交貸款 8 年後，有一筆閒置資金 100 萬，決定提前償還未還完的貸款，以降低日後每月需要償還的金額。請切換到「提前還款試算」工作表，選取 C8 儲存格，輸入已繳交期數公式「=(C5-A5)*12」。（因為寬限期只繳息，沒有繳到本金，因此要將 3 年扣除）

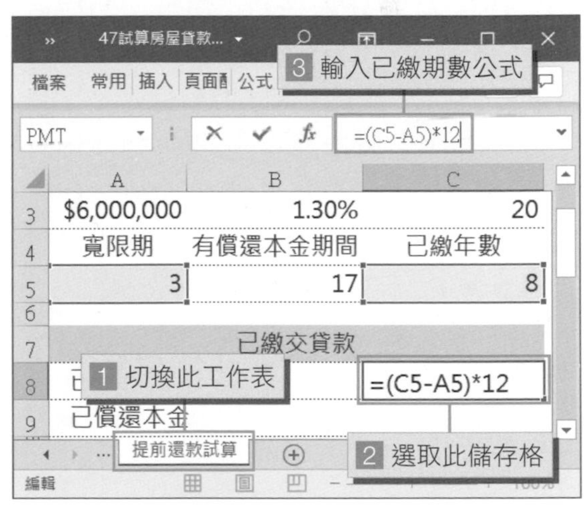

⑦ 計算出已繳本金的期數共有 60 期。接著計算這 60 期中，已經歸還多少的本金？選擇 C9 儲存格，再次按下「財務」清單鈕，執行「CUMPRINC」函數。

⑧ 開啟 CUMPRINC「函數引數」對話方塊，Rate 引數輸入「B3/12」；Nper 引數輸入「B5*12」；Pv 引數輸入「A3」；Start_period 引數輸入「1」；End_period 引數輸入「C8」；拖曳捲軸向下，輸入最後一個「Type」引數。

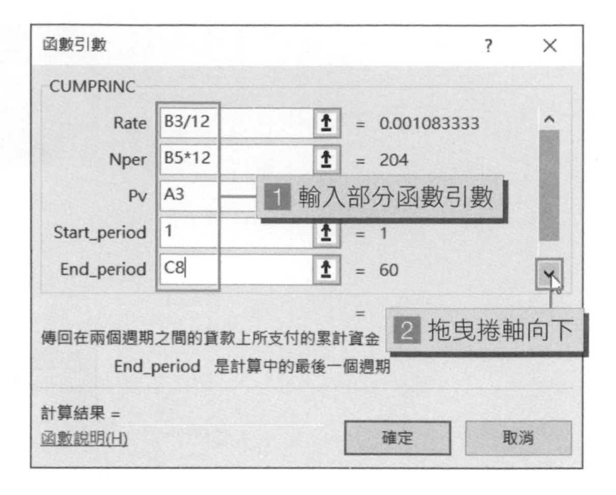

⑨ 拖曳捲軸向下後，輸入「Type」引數「0」，全部引數都輸入完畢，按下「確定」鈕。完整公式「=CUMPRINC(B3/12,B5*12,A3,1,C8,0)」。

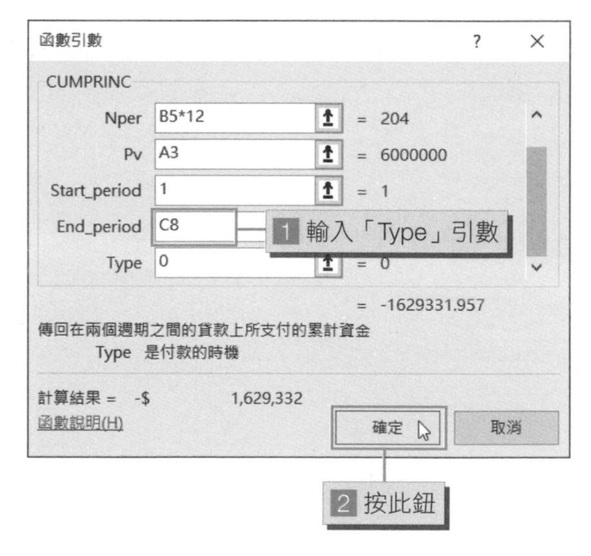

操作 MEMO CUMPRINC 函數

說明： 傳回一筆貸款在開始與結束期間所支付的累計本金。

語法： CUMPRINC(rate, nper, pv, start_period, end_period, type)

引數：
- Rate（必要）。貸款利率。
- Nper（必要）。總付款期數。
- Pv（必要）。本金，即未來各期付款現值總額。
- Start_period（必要）。計算中的第一個週期。
- End_period（必要）。計算中的最後一個週期。
- Type（必要）。這是付款的時點。（0 或省略為期末，1 為期初）

⑩ 雖然貸款繳交了 8 年，前後大概投入了約 220 萬，但前 3 年只有繳利息，實際償還的本金卻只有約 163 萬左右，大部分所繳交的金額都是「利息」。

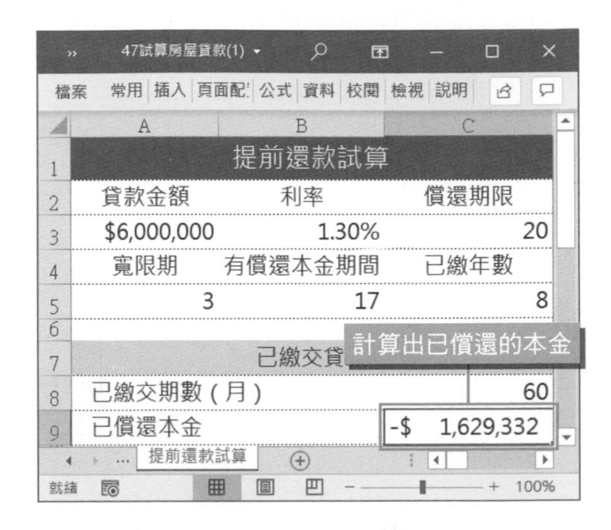

⑪ 接下來計算提前還款後每期應償還金額，首先需將總貸款本金扣除已償還的本金，以及準備提前還款的金額，才能得到目前貸款本金的餘額，再使用 PMT 函數對本金餘額進行貸款試算。選取 C13 儲存格，先輸入貸款本金餘額公式「=A3+C9-C12」。

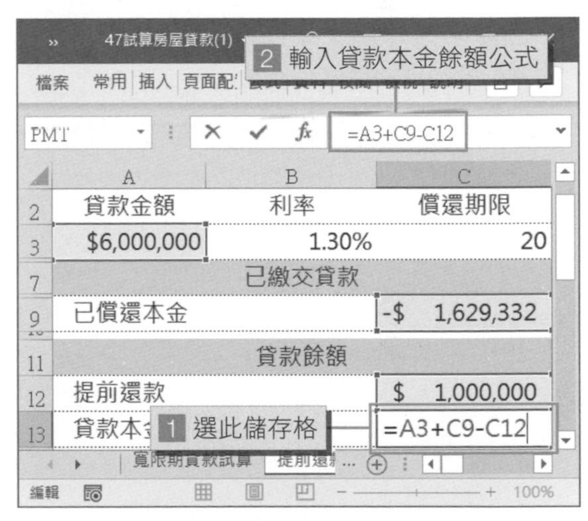

⑫ 計算出貸款本金餘額約剩 337 萬。選取 C14 儲存格，先輸入「=」號，再按下資料編輯列上最近使用過的函數清單鈕，選擇插入「PMT」函數。

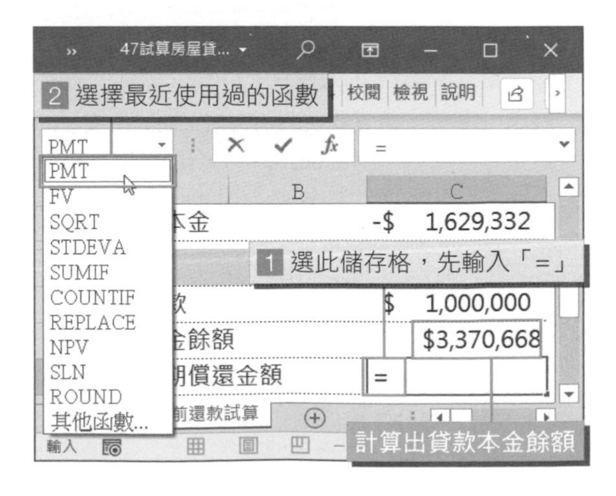

⑬ 開啟 PMT「函數引數」對話方塊，分別在 Rate 引數輸入「B3/12」，Nper 引數輸入「C3*12-C8」，Pv 引數輸入「C13」，其餘引數省略，完成後按下「確定」鈕。完整公式為「=PMT(B3/12,C3*12-C8,C13)」。

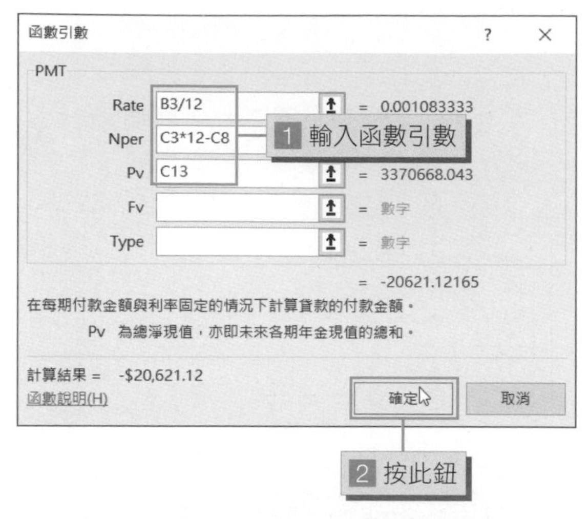

⑭ 計算出提前還款後，每期應償還金額為「20,621」元。

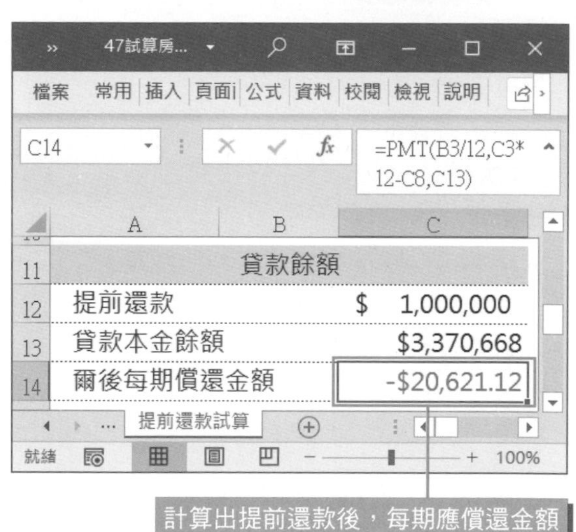

單元 48

範例光碟：CHAPTER 09\48試算定期存款收益

試算定期存款收益

定期存款本利和試算		
存款金額	合約期限（年）	年利率
$ 100,000	2	0.80%
銀行名稱	年利率	本利和
富O銀行	0.78%	$ 101,560
中O銀行	0.85%	$ 101,700
永O銀行	1.00%	$ 102,000
華O銀行	0.95%	$ 101,900
第O銀行	1.10%	$ 102,200

定期存款本利和試算		
存款金額	合約期限（年）	年利率
$ 100,000	2	0.80%

銀行名稱	年利率	存款金額			
	$ 101,600	$ 50,000	$ 100,000	$ 150,000	$ 200,000
富O銀行	0.78%	$ 50,780	$ 101,560	$ 152,340	$ 203,120
中O銀行	0.85%	$ 50,850	$ 101,700	$ 152,550	$ 203,400
永O銀行	1.00%	$ 51,000	$ 102,000	$ 153,000	$ 204,000
華O銀行	0.95%	$ 50,950	$ 101,900	$ 152,850	$ 203,800
第O銀行	1.10%	$ 51,100	$ 102,200	$ 153,300	$ 204,400

金融公司的「定期儲蓄存款」業務（簡稱「定存」）是相當普遍的營業項目。只要事先儲存入一筆固定的金額，並且依照與銀行約定的利率，在合約期滿後即能領回本利和，在利率方面通常也較「活期存款」為高。

範例步驟

1. 假設目前有一筆 10 萬元的現金，規劃 2 年期的定期儲蓄存款，目前市面上主要銀行的兩年期定存利率如範例內容，試算看看這筆錢存入不同利率的銀行，兩年後各可以回收多少錢？請開啟範例檔「48 試算定期存款收益(1).xlsx」，切換到「單變數」工作表，選取 C7 儲存格，輸入定期存款本利和的計算公式「=A4*(1+B4*C4)」（本利和＝本金 ×(1+ 年利率)），按鍵盤【Enter】鍵結束輸入公式。

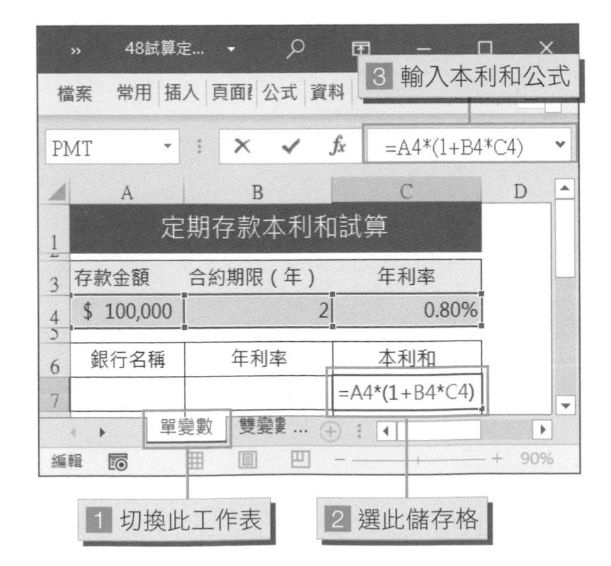

② 「單變數運算列表」乃是指公式內僅有一個變數，只要輸入此變數即能改變公式最後的結果並輸出。選取 B7：C12 儲存格範圍，切換到「資料」功能索引標籤，在「預測」功能區中，按下「模擬分析」清單鈕，執行「運算列表」指令。

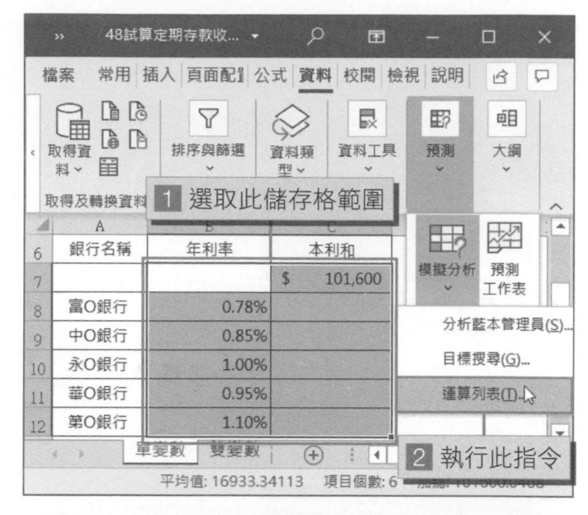

③ 出現「運算列表」對話方塊，將欄變數設定為 C4 儲存格，按下「確定」鈕。

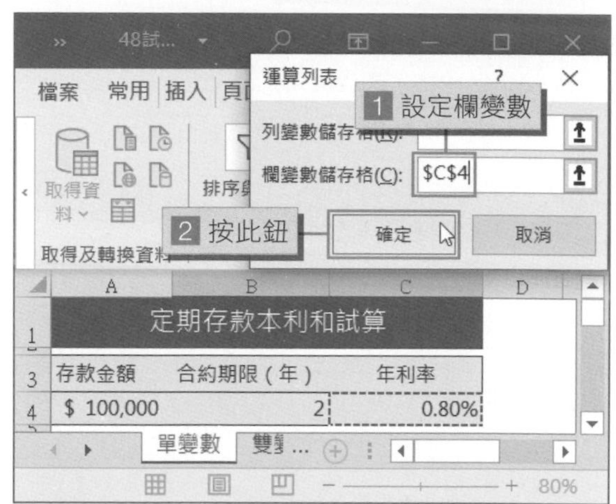

④ 立刻試算出各家銀行不同利率的本利和。

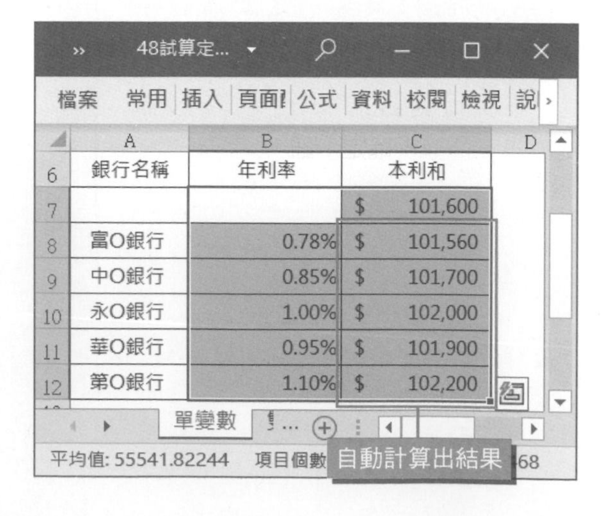

⑤ 實際上也可以同時採用兩個變數來產生運算列表。除了「年利率」變數外，假設「本金」的部分可能是 5 萬、10 萬或 15 萬…等，如此就可以交叉分析出，在不同「本金」及「利率」的兩組變數下，會產生哪些新的資訊提供參考及評估。切換「雙變數」工作表，選取 B7 儲存格並輸入公式「=A4*(1+B4*C4)」。

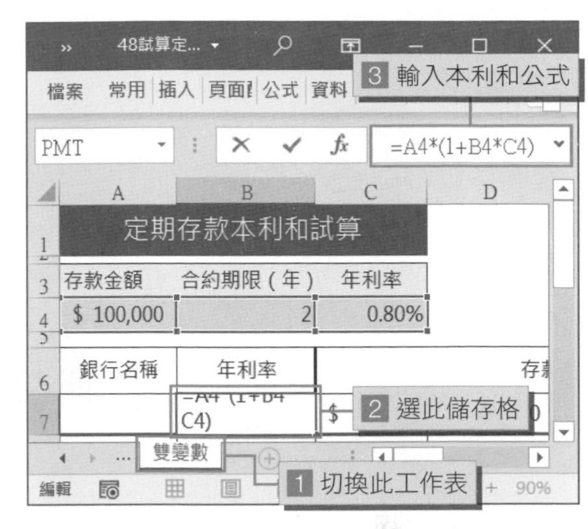

⑥ 選取 B7：F12 儲存格範圍，再次執行「運算列表」指令。

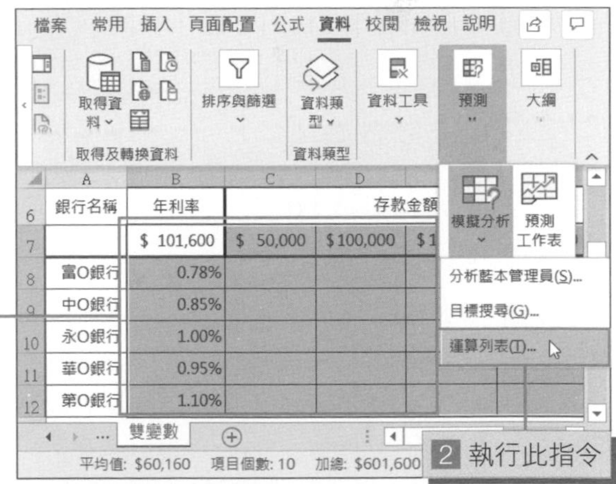

⑦ 再次出現「運算列表」對話方塊，將欄變數設定為 A4 儲存格；列變數則設定為 C4 儲存格，按下「確定」鈕。

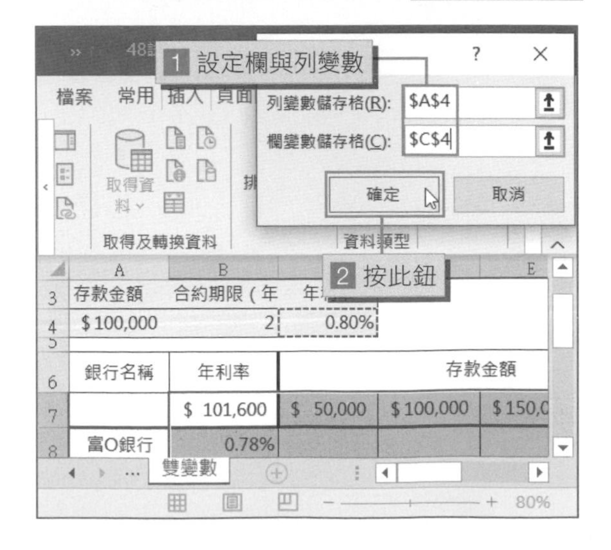

8 自動計算出各種不同利率與本金的組合下的本利和。

定期存款本利和試算		
存款金額	合約期限（年）	年利率
$ 100,000	2	0.80%

銀行名稱	年利率	存款金額			
	$ 101,600	$ 50,000	$ 100,000	$ 150,000	$ 200,000
富O銀行	0.78%	$ 50,780	$ 101,560	$ 152,340	$ 203,120
中O銀行	0.85%	$ 50,850	$ 101,700	$ 152,550	$ 203,400
永O銀行	1.00%	$ 51,000	$ 102,000	$ 153,000	$ 204,000
華O銀行	0.95%	$ 50,950	$ 101,900	$ 152,850	$ 203,800
第O銀行	1.10%	$ 51,100	$ 102,200	$ 153,300	$ 204,400

自動計算出結果

單元 49

範例光碟：CHAPTER 09\49保險淨值試算

保險淨值試算

評估投資保險計畫	
年度折扣率	2.0%
保費年度	保費金額
第1年	-$30,000
第2年	-$30,000
第3年	-$30,000
第4年	-$30,000
第5年	-$30,000
第6年	$15,000
第7年	$15,000
第8年	$15,000
第9年	$15,000
第10年	$15,000
第11年	$20,000
第12年	$20,000
第13年	$20,000
第14年	$20,000
第15年	$20,000
保險淨現值	-$33

躉繳型保險投資計畫	
投資成本	400,000
年利率	4%
期數	4
每期得款	110,000
投資現值	-$399,288.47

「保險」商品通常具有「保障」、「儲蓄」及「投資」等特性，好的保險商品除了可以將投資的金錢在若干年後回收，並且還有一定金額的利息，同時在契約時間內還享有一些醫療等相關保障及給付。

範例步驟

1. 目前有一個兼具投資、保障的保險商品，此計畫為 15 年合約，只要前 5 年每年繳交 3 萬元的保費，從此不需再繳交保費，同時第 5 ～ 10 年每年可領回 1.5 萬元的紅利，第 11 ～ 15 年則每年可領回 2 萬元的紅利。假設「年度折扣率」為 2%。請開啟範例檔「49 保險淨值試算 (1).xlsx」，切換到「保險淨現值」工作表，選取 B21 儲存格，按下「插入函數」圖示鈕。

② 開啟「插入函數」對話方塊，在「財務」類別中選擇「NPV」函數，按下「確定」鈕。

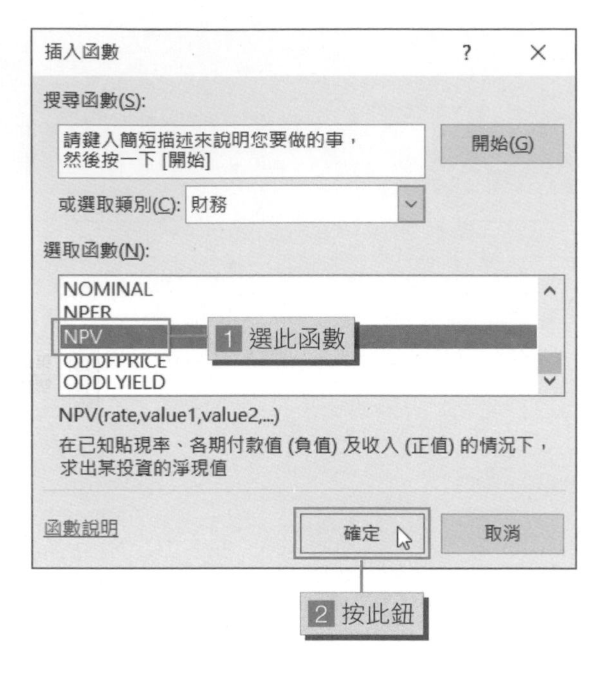

③ 開啟 NPV「函數引數」對話方塊，Rate 引數中選取「B3」儲存格；value1 引數選取「B5:B19」儲存格範圍，按下「確定」鈕。完整公式為「=NPV(B3,B5:B19)」。

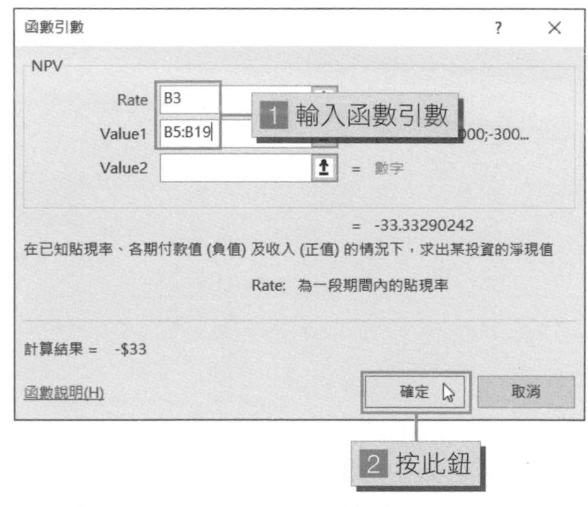

操作 MEMO NPV 函數

說明： 使用貼現率和未來各期支出（負值）和收入（正值）來計算投資的淨現值。

語法： NPV(rate,value1,[value2],...)

引數：
- Rate（必要）。期間內的貼現率。
- Value1（必要）。代表支出和收入的引數
- Value2⋯（選用）。Value1, value2, ... 必須使用相同的時間間距。

④ 經過試算後，投資的現淨值為「-33 元」，若單純以「理財」或「投資」的角度來看，此保險商品並不是利益的投資。但是投資保險商品通常還會附帶有「醫療保障」，當生病或住院時可能還會獲得一些補貼或給付，也是值得列入考慮的選項。

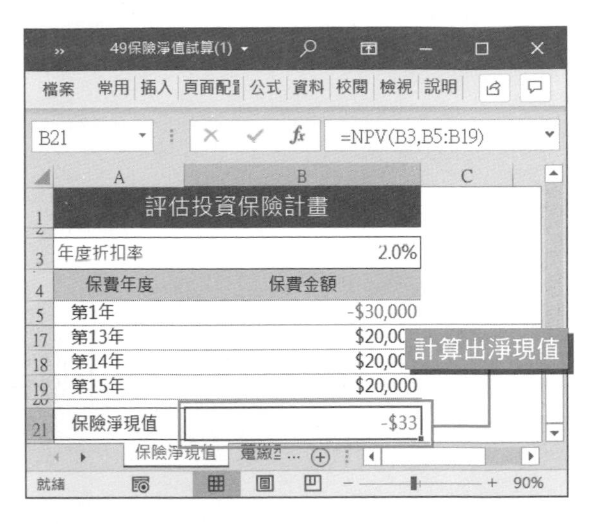

⑤ 另外有一種躉繳型的保險商品，專案計畫需一次繳交 40 萬元，未來的 4 年內每年可領回 11 萬元作為基本的生活費用，預定年利率為 4%，現在來評估這種金融商品是否值得投資。請切換到「躉繳型商品」工作表，選取 B8 儲存格，按下「財務」清單鈕，執行插入「PV」函數。

⑥ 開啟 PV「函數引數」對話方塊，Rate 引數中選取「B4」儲存格；Nper 引數選取「B5」儲存格；pmt 引數選取「B6」儲存格，按下「確定」鈕。完整公式為「=PV(B4,B5,B6)」。

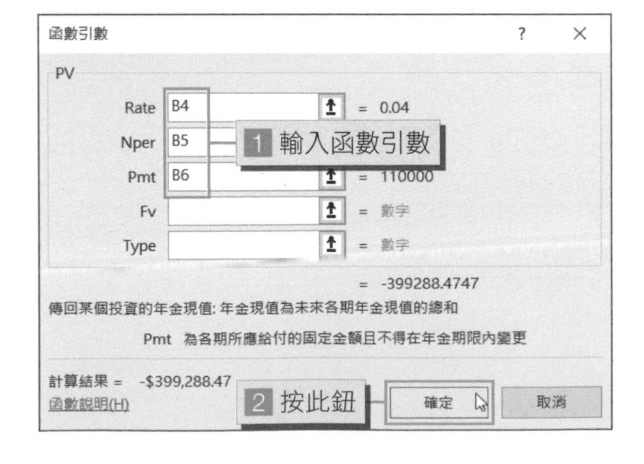

操作MEMO PV 函數

說明： 傳回某項投資的現值。現值為未來各期付款現值的總額。

語法： PV(rate, nper, pmt, [fv], [type])

引數：
- Rate（必要）。這是每期的利率。
- Nper（必要）。總付款期數。
- Pmt（必要）。各期給付的金額，且不得在年金期限內變更。
- Fv（選用）。指最後一次付款完成後，所能獲得的未來值或現金餘額。
- Type（選用）。數字 0 或 1，表示付款的給付時點。（0 或省略為期末，1 為期初）

7 投資計畫的年金現值只有 399,288.47 元，還不及所投資的 40 萬元；也就是說，其實只要投資 399,288.47 元就可享有同樣的投資報酬率，不需花費到 40 萬元，但是 4% 的報酬率也遠比目前定存的利率好太多，可以值得參考。

單元 50

🔘 範例光碟：CHAPTER 09\50共同基金投資試算

共同基金投資試算

定期定額基金投資計畫

日期	投資金額	基金淨值	購買單位	累積單位	累積成本	獲利金額	報酬率
2019/5/10	$5,000	25	200.00	200.00	$5,000		
2019/6/10	$5,000	25.68	194.70	394.70	$10,000	$136.00	1.36%
2019/7/10	$5,000	24.65	202.84	597.54	$15,000	-$270.55	-1.80%
2019/8/10	$5,000	23.01	217.30	814.84	$20,000	-$1,250.52	-6.25%
2019/9/10	$5,000	24.5	204.08	1018.92	$25,000	-$36.40	-0.15%
2019/10/10	$5,000	25.02	199.84	1218.76	$30,000	$493.44	1.64%
2019/11/10	$5,000	25.5	196.08	1414.84	$35,000	$1,078.44	3.08%
2019/12/10	$5,000	25.2	198.41	1613.25	$40,000	$653.99	1.63%
2020/1/10	$5,000	25.3	197.63	1810.88	$45,000	$815.31	1.81%
2020/2/10	$5,000	24.8	201.61	2012.49	$50,000	-$90.13	-0.18%
2020/3/10	$5,000	23.7	210.97	2223.47	$55,000	-$2,303.87	-4.19%
2020/4/10	$5,000	24.5	204.08	2427.55	$60,000	-$525.10	-0.88%
2020/5/10	$5,000	25	200.00	2627.55	$65,000	$688.67	1.06%
2020/6/10	$5,000	25.5	196.08	2823.63	$70,000	$2,002.45	2.86%
2020/7/10	$5,000	26.2	190.84	3014.47	$75,000	$3,978.99	5.31%
2020/8/10	$5,000	26.1	191.57	3206.04	$80,000	$3,677.54	4.60%
2020/9/10	$5,000	26.8	186.57	3392.60	$85,000	$5,921.76	6.97%
2020/10/10	$5,000	27.1	184.50	3577.10	$90,000	$6,939.55	7.71%
2020/11/10	$5,000	26.5	188.68	3765.78	$95,000	$4,793.28	5.05%

共同基金試算表

贖回日淨值	27.3
贖回日基金淨額	$102,805.91
已投資期數	19
基金投資月利率	0.87%
基金投資年利率	10.42%

「共同基金」是由專業的證券投資信託公司合法募集眾人的資金，由基金經理人將資金投資運用在指定的金融工具上，例如股票、債券或是貨幣市場工具等，並且將獲利平均分配給購買基金的投資人。這種投資方式可享全球投資機會，且投資獲利免稅，買賣基金僅會收取一些手續費（各家不一定），就可以達到分散風險、專業管理與節稅等多項好處。理財專家都建議，投資共同基金最好是「定期定額」的方式，就是在每個月固定的時間投入固定的資金來購買基金，就好像是「零存整付存款」一樣。

範例步驟

① 假設每個月固定提撥 5000 元購買定期定額基金。接著將依下表的定義，逐步將「共同基金計畫表」工作表所有應輸入的公式完成。

日期	購買基金的日期。如果是購買「定期定額」類型的基金，即是每月的固定繳款日（本例中以每月 10 日為繳款日）
資金額	購買基金的金額，本例中設定為每月固定 5,000 元
基金淨值	基金購買當日由基金公司公佈的淨值，基金的淨值會隨著時間而有所上下波動並產生獲利或虧損
購買單位	該次購買基金的單位數量，即「投資金額 / 基金淨值」
累積單位	目前累積已購買的基金單位數量
累積成本	目前累積投入購買基金的總金額
獲利金額	基金淨值的變化並扣除成本後所獲得的利潤或虧損
報酬率	投資報酬率，即「獲利金額 / 累積成本」

請開啟範例檔「50 共同基金投資試算 (1).xlsx」，選取 A3:A9 儲存格範圍，切換到「常用」功能索引標籤，在「編輯」功能區中，按下「填滿」清單鈕，執行「數列」指令。

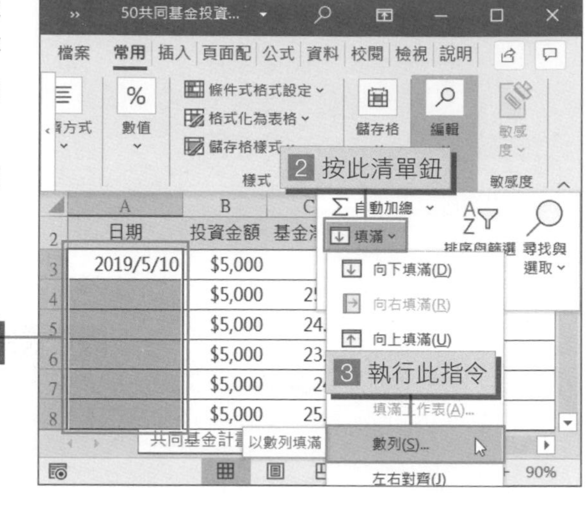

② 開啟「數列」對話方塊，Excel 自動判定為「日期」類型，只要在日期單位處改選「月」之後，按下「確定」鈕，就會以月為單位，自動填滿儲存格。

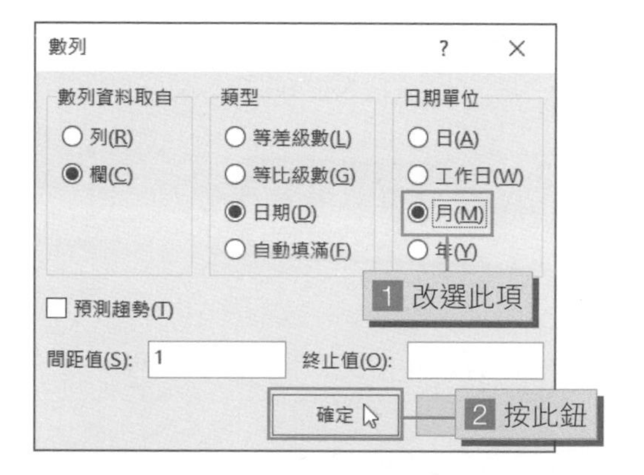

③ 基金淨值資訊可在主要媒體以及基金公司的網站上皆可查詢。選取 D3 儲存格，在此輸入購買單位公式「=B3/C3」。

④ 拖曳 D3 儲存格填滿控點，複製公式到下方儲存格。選取 E3 儲存格，切換到「公式」功能索引標籤，在「函數庫」功能區中，按下「數學與三角函數」清單鈕，執行插入「SUBTOTAL」函數。

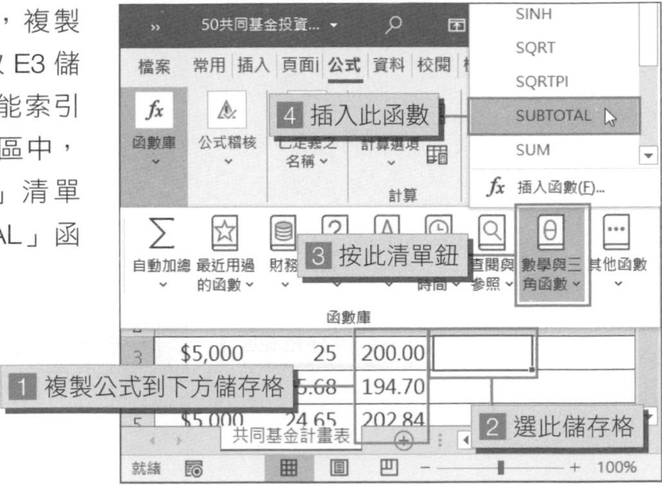

⑤ 開啟 SUBTOTAL「函數引數」對話方塊，在 Function_num 引數中輸入「9」(表示加總，在 Ref1 引數中選取「$D$3:D3」儲存格範圍，按下「確定」鈕。完整公式為「=SUBTOTAL(9,$D$3:D3)」。

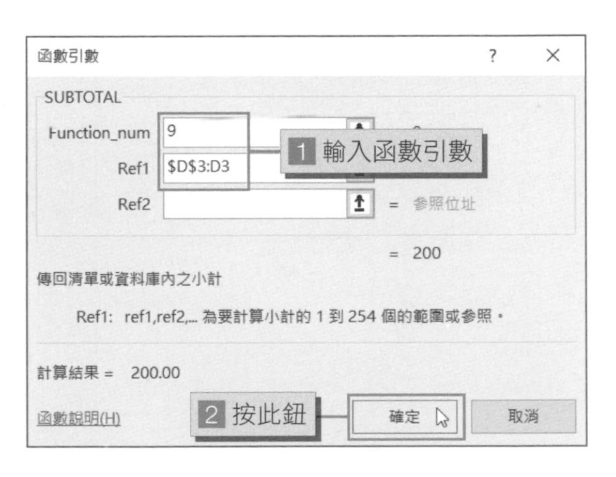

操作 MEMO　SUBTOTAL 函數

說明： 傳回清單或資料庫的小計。

語法： SUBTOTAL(function_num,ref1,[ref2],...)

引數： ‧Function_num 必要。數字 1-11 表示不同的函數。

1	AVERAGE	4	MAX	7	STDEV	10	VAR
2	COUNT	5	MIN	8	STDEVP	11	VARP
3	COUNTA	6	PRODUCT	9	SUM		

‧Ref1 必要。取得小計值的第一個儲存格範圍或參照。

‧Ref2,... 選用。第 2 個到第 254 個要計算小計的具名範圍或參照。

6 計算出累積單位數，並將公式複製到下方儲存格。累計成本的計算公式也可比照累計單位計算，但也可利用 ROW 函數來協助，選取 F3 儲存格，先輸入「=B3*(」，按下資料編輯列上的「插入函數」圖示鈕。

7 開啟「插入函數」對話方塊，選擇「查閱與參照」類別，選取插入「ROW」函數，按「確定」鈕。

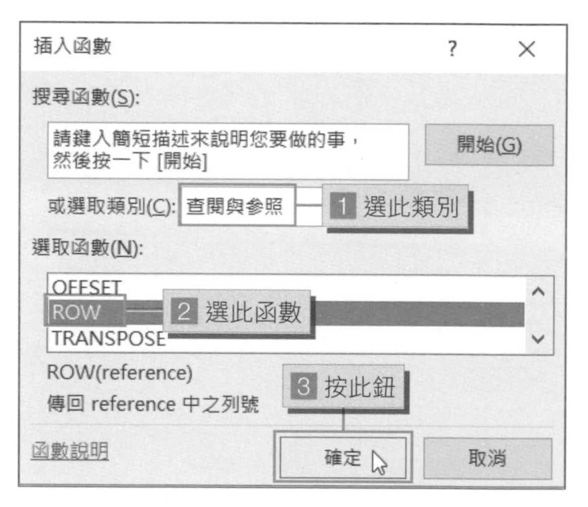

8 出現 ROW 函數引數對話方塊，省略引數直接按「確定」鈕。此時公式為「=B3*ROW()」。

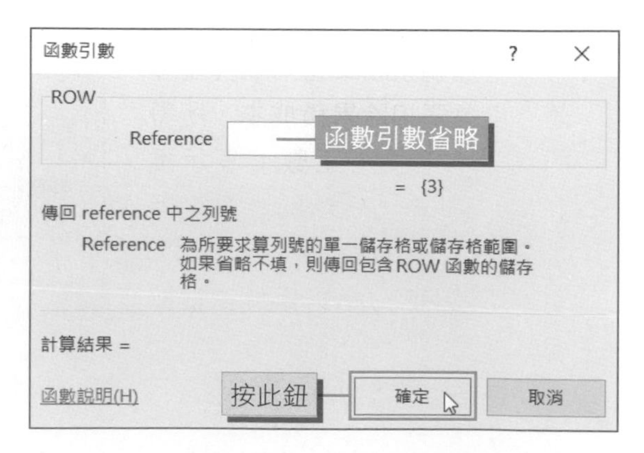

⑨ 出現公式錯誤訊息，接受建議的修正，將公式修正為「=B3*(ROW())」。

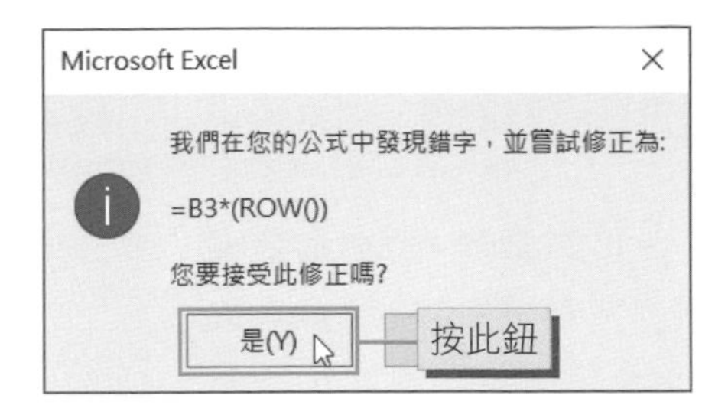

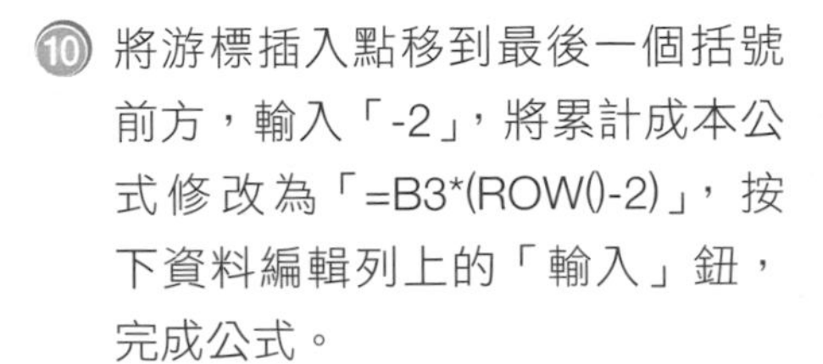

⑩ 將游標插入點移到最後一個括號前方，輸入「-2」，將累計成本公式修改為「=B3*(ROW()-2)」，按下資料編輯列上的「輸入」鈕，完成公式。

操作 MEMO　ROW 函數

說明： 傳回參照的列號。

語法： ROW([reference])

引數： • Reference（選用）。這是要取得列號的儲存格。如果 reference 被省略，則會引用本身的儲存格位址。

⑪ 獲利金額為累積單位乘以基金淨值，但還要扣除累積成本，所得的結果如果是「正數」表示獲利；但如果是「負數」則表示「虧損」。第一次投資尚無獲利可言，所以 G3 儲存格保持空白即可。接著選取 G4 儲存格，輸入獲利金額公式「=E4*C4-F4」。

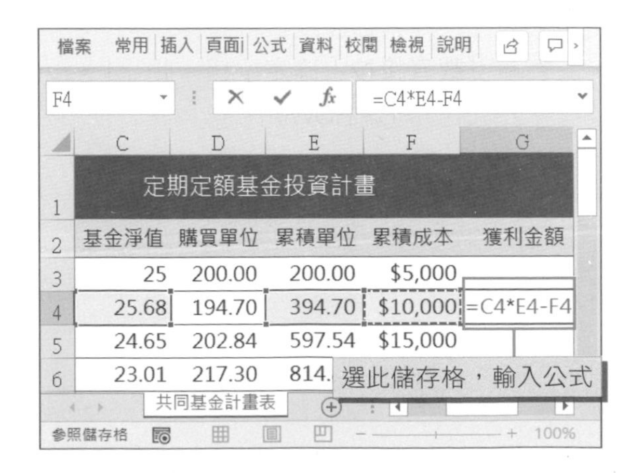

⑫ 報酬率為獲利金額除以累積成本，和獲利金額相同，結果若是「正數」表示獲利；若是「負數」表示「虧損」。H3 儲存格保持空白，接著選取 H4 儲存格輸入「=G4/F4」，並將公式複製到下方儲存格。本範例報酬率資料格式已設定為「百分比」類型，若為一般數值或通用類型，則會產生「0.0136」小數點，使用者比較無法一目了然。

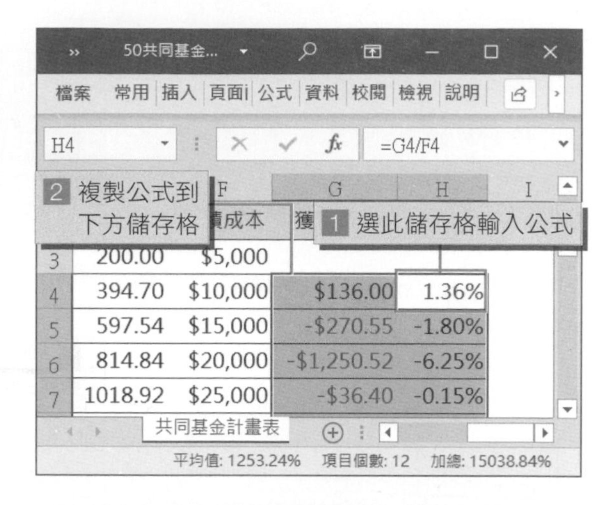

⑬ 公式已經設定完成，之後每個月按時記錄時，只要複製公式即可。經過一段時間如果準備贖回（賣出）前，先試算投資期間的月利率或年利率，可比較同樣的存款金額是放在定期存款較為優惠，還是投資共同基金獲利較大，再行評估是否繼續投資或是獲利了結。請開啟範例檔「50 共同基金投資試算 (2).xlsx」，切換到「試算表」工作表，選取 B3 儲存格，輸入部分公式「=B2*」，並按下「共同基金計畫表」工作表索引標籤。

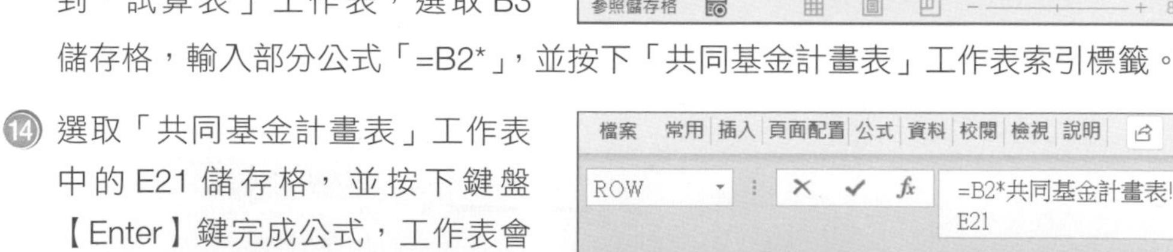

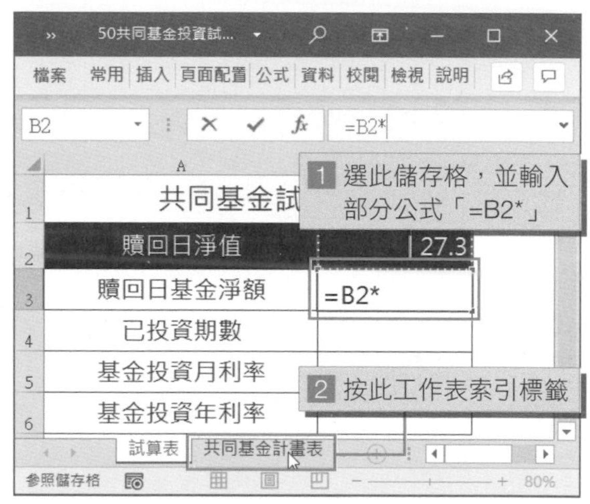

⑭ 選取「共同基金計畫表」工作表中的 E21 儲存格，並按下鍵盤【Enter】鍵完成公式，工作表會自動回到「試算表」工作表。

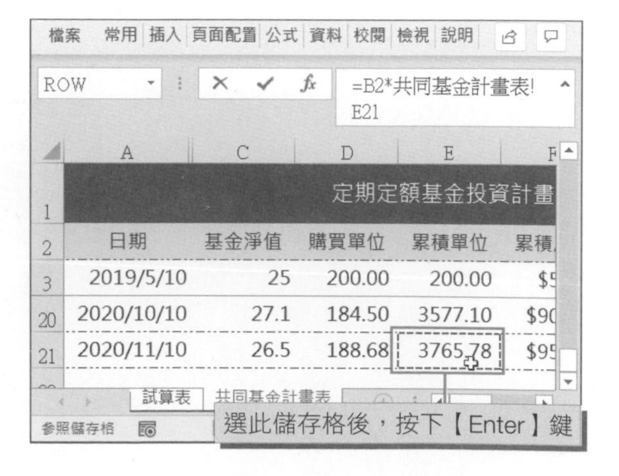

⑮ 選取 B4 儲存格，切換到「公式」功能索引標籤，在「函數庫」功能區中，按下「其他函數\統計」清單鈕，執行插入「COUNT」函數。

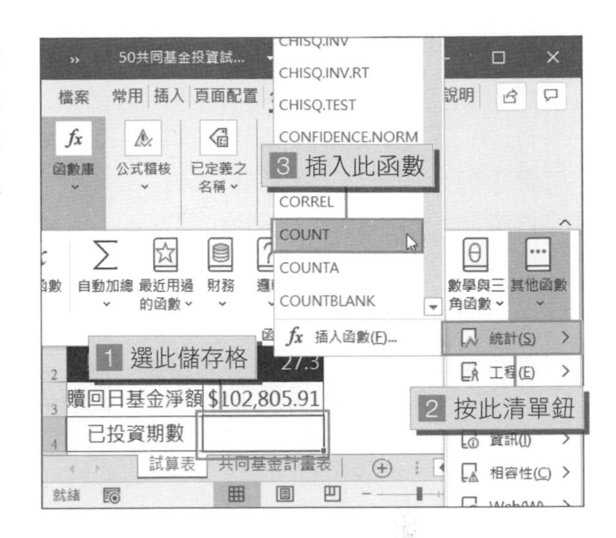

⑯ 開啟 COUNT「函數引數」對話方塊，在引數中選取「共同基金計畫表」工作表中的 A3:A21 儲存格範圍，按下「確定」鈕。完整公式為「=COUNT(共同基金計畫表!A3:A21)」。

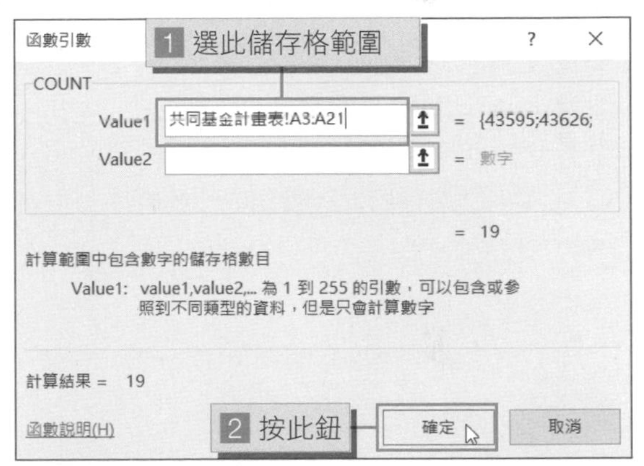

⑰ 選取 B5 儲存格，按下「財務」清單鈕，執行插入「RATE」函數。

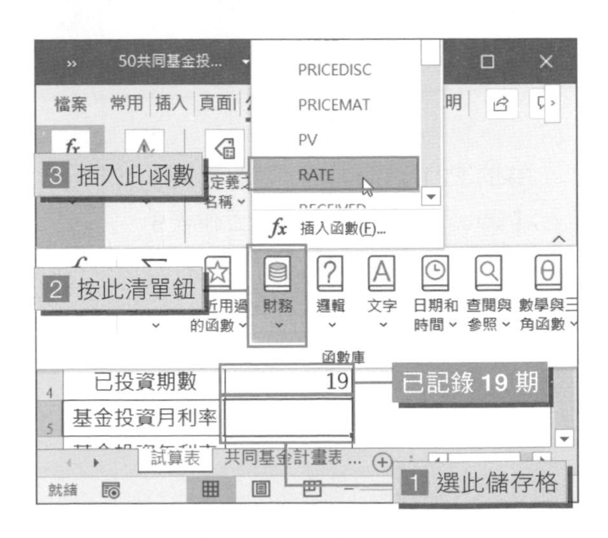

⑱ 開啟 RATE「函數引數」對話方塊，在 Nper 引數中選取「B4」儲存格；在 Pmt 引數中輸入「-5000」儲存格；在 Fv 引數中選取「B3」儲存格，然後按下「確定」鈕。完整公式為「=RATE(B4,-5000,,B3)」。

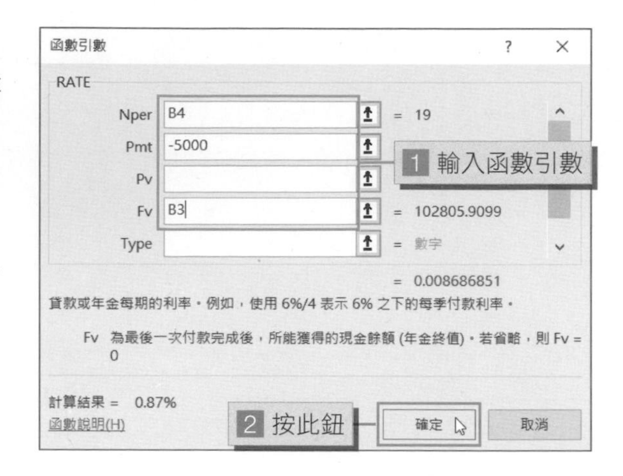

操作 MEMO RATE 函數

說明： 傳回年金每期的利率。

語法： RATE(nper, pmt, pv, [fv], [type], [guess])

引數：
- Nper（必要）。年金的總付款期數。
- Pmt（必要）。各期給付的金額。如果省略 pmt，則必須包含 fv 引數。
- Pv（必要）。就是未來各期付款現值的總額。
- Fv（選用）。最後一次付款完成後，所得到的未來值或現金餘額。如果省略 fv，則假設其值為 0
- Type（選用）。數字 0 或 1，表示付款的給付時點。（0 或省略為期末，1 為期初）

⑲ 最後將月利率轉換成常見的年利率。選取 B6 儲存格，輸入公式「=B5*12」。

投資基金所換算的月利率及年利率，可以與零存整付存款利率作比較，選擇較有利的投資方式，但共同基金的風險比零存整付存款的風險大（淨值起伏較大），投資人還是要審慎評估風險。

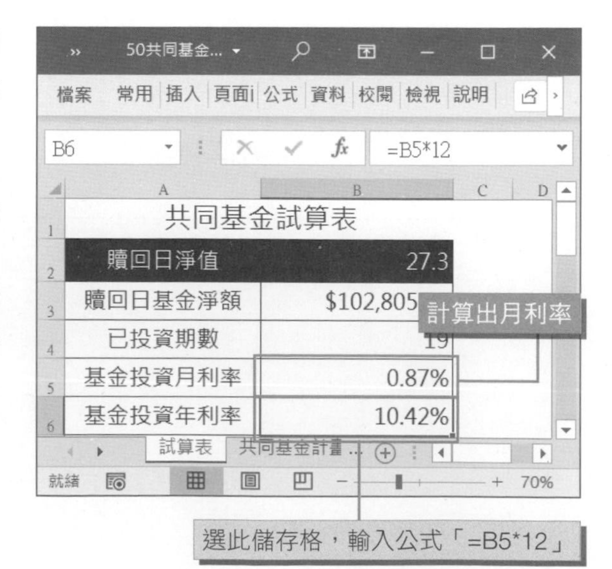

MEMO

>>> MEMO <<<